한국 근대 리얼리즘 시인 연구

한국 근대 리얼리즘 시인 연구

초판인쇄 2021년 09월 13일
초판발행 2021년 09월 21일

저　　자 송 기 한
발 행 인 윤 석 현
발 행 처 도서출판 박문사
책임편집 최 인 노
등록번호 제2009-11호

우편주소 서울시 도봉구 우이천로 353 성주빌딩
대표전화 02) 992 / 3253
전　　송 02) 991 / 1285
전자우편 bakmunsa@hanmail.net

ISBN 979-11-89292-89-8 93810　　정가 46,000원

한국 근대 리얼리즘 시인 연구

송 기 한 저

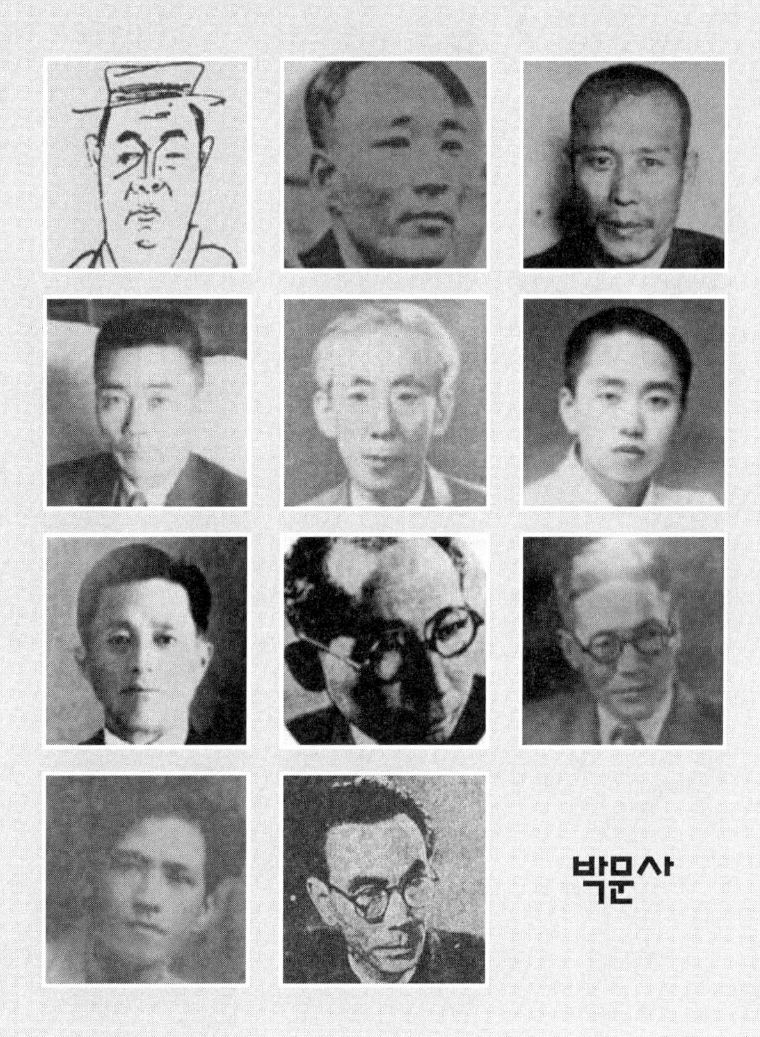

박문사

머리말

진보주의 문학, 혹은 리얼리즘 문학, 그리고 프롤레타리아의 세계관을 담은 문학이라는 기치를 내걸고 결성된 카프가 성립된 지도 어언 100년 가까운 세월이 되었다. 일부 부정적인 시선에도 불구하고 카프가 이뤄낸 성과는 결코 작은 것이 아니었다. 불온한 현실에 대한 반항이나 이를 토대로 미래에 대한 건강한 모형을 끊임없이 제시해 주었기 때문이다. 그럼에도 불구하고 리얼리즘을 보는 시각은 여전히 개선되지 못하고 있는 것도 엄연한 현실이다. 이러한 현실의 기저에 지금 우리 사회가 겪고 있는 양극화의 폐해가 내재해 있음은 말할 것도 없을 것이다. 뿐만 아니라 카프 형성기 전후로 만들어진 지배와 피지배층의 이원적 대립, 그리고 그것이 원인이 되어 갈라진 분단과 전쟁은 리얼리즘에 대한 시선을 더욱 왜곡시켜 왔다. 그 상징적 사건이 이른바 납, 월북 문인에 대한 봉인 조치였다. 분단과 더불어 금지된 이들의 이름과 문학은 이후 남쪽의 문학사에서 사라지는 슬픈 운명을 맞이한 것이다. 적어도 이들에 대한 해금조치가 있었던 1988년까지는 말이다.

하지만 결코 무너질 것 같지 않았던 분단의 벽, 금단의 지대들은 냉전의 기운이 서서히 사라지던 1980년대 후반 이후 사라지게 되었다. 그것이 계기가 되어 문학사의 이방인으로 남아있던 리얼리즘 문인들에 대한 연구들은 서서히 빛을 보게 되었다. 뿐만 아니라 이들에 대한 접근을 가능케 했던 것은 1980년대 성장한 진보 운동이라는 사실도 언급하지 않을 수 없을 것이다. 진보 운동의 관점에서 보면, 1920-30년대나 1980년대가 별반 다를 것이 없는 것처럼 보였다. 기본 모순으로서의 계급 모순이 존재하고 있었고, 또 민족 모순 역시 이 두 시대에 동일하게 상존하고 있었기 때문이다.

어떻든 문학사의 뒤안길로 사라졌던 문인들이 다시 우리 앞에 우뚝 서 있게 되었다. 이제 이들에 대한 감상과 탐색이라는 장이 자유롭게 펼쳐지고 있는 현실을 맞이한 것이다. 그런데 이런 열린 장들이 어느 특정 장르로 편중되리라는 것은 전혀 예상치 못했다. 이 시기 사라진 문인, 리얼리즘 문인들에 대한 연구가 주로 산문 양식에 집중되었기 때문이다. 시인들, 리얼리즘 시에 대한 관심은 상대적으로 뒤떨어져 있었다. 장르에 대한 이런 편집증적인 증세는 두 가지 국면에 그 원인이 있었던 것으로 보인다. 하나는 총체성의 구현 문제이고, 다른 하나는 리얼리즘적 완결성의 문제이다.

자본주의 시대란 총체성의 상실로 특징지어진다. 그것은 형이상학적으로는 영원의 상실이고, 따라서 파편화, 분열화된 인간상으로 구현되는 것이 일반적이다. 이러한 모습들은 주로 모더니즘의 인식론에서 흔히 볼 수 있는 풍경이지만 산문 양식이라고 해서 예외적인 것은 아니었다. 여기서는 주로 유토피아의 붕괴와 그에 따른 불온한 사회에 대한 반영의 문제가 수면 위로 떠오른 것이다. 어떻든 그 잃어버린 고향이 바로 총체성이다. 산문양식이 그 잃어버린 세계를 찾아가는 것, 그것이 리얼리즘이 추구하는 근본 목적 가운데 하나가 된 것은 여기에 그 원인이 있다. 그 도정에 이르는 길이 갈등과 인정투쟁, 변증적 통일의 세계이다. 이 세계에 대한 지향이 바로 산문 양식이 리얼리즘에서 시도해야 할 궁극의 목표라 하겠다.

잃어버린 낙원을 찾아가는 길은 실상, 인물이나 사건, 그리고 그들 사이에 내재된 갈등의 변증적 통일 속에서 이루어지는 까닭에, 리얼리즘 시대에 산문 양식은 많은 주목의 대상이 되어 왔다. 하지만 이와 대조되는 관계에 놓여 있던 서정 양식은 산문 양식에 비해 주목의 정도가 뒤떨어졌다. 특히 서정 양식은 리얼리즘을 구현하는 데 있어서 한계가 있다고 생각되어 온 탓이 크다고 하겠다.

산문 양식이 갖고 있는 여러 의장에 비해 시양식은 현실 반영에 있어서나 총체성을 구현하는 방식에 있어서 미흡하다고 알려져 온 것이 사실이다. 그런 환경 속에서 시의 리얼리즘 가능성은 언제나 의심받아 왔고, 그 문학적 구현에 대해서도 회의적이었던 것이다.

카프가 결성된 이후, 리얼리즘으로서의 서정 양식이 갖는 한계를 극복하기 위해서 다양한 시도들이 있어 왔다. 그 탐색의 일환으로 제시된 것이 소위 단편서사시 양식이다. 물론 이 양식이 우리 고유의 양식적 특색은 아니었고, 어디까지나 일본 쪽의 나프에서 시도되었던 것이 카프에 유입되었을 뿐이다.

잘 알려진 것처럼 단편서사시의 장르적 특색을 가장 먼저 제기한 사람은 팔봉 김기진이었다. 그는 유물변증법적 창작 방법을 충실히 구현한 리얼리즘의 시가 소위 재미없는 양식으로 기울어지고, 그리하여 독자들의 관심으로부터 멀어졌다고 진단했다. 실상 시에 있어서 독자에 대한 관심은 매우 중요한 것이었다. 독자들로부터 외면당하는 리얼리즘 문학이란 공허한 사상누각에 불과한 것이기 때문이다. 그래서 이런 한계를 타개해 나갈 방식으로 단편 서사시 양식을 그 대안으로 제시한 것이다.

초기 카프시들은 개념화되고 선전 선동의 임무만을 충실히 수행했던 까닭에 서정시 고유의 영역이 사라지고 또 시로써 갖고 있었던 여러 장점들이 사라지는 결과를 초래하게 되었다. 시 본연의 역할이 무너지고, 또 개념화됨으로써 카프의 시들은 대중으로부터 유리된 것이다. 이는 카프 문학에 치명적인 것이었다. 아무리 좋은 이념도 대중이 외면하면 아무 쓸모가 없는 것이고 이념의 전파란 불가능한 것이었기 때문이다.

이렇듯 단편서사시는 시와 대중이 유리되는 현실에서 제기된 것이었다. 비록 이념의 칼날이 무뎌진 것이라는 임화 등의 비판이 있긴 하지만, 당시 카프 시가 갖는 한계를 넘고자 하는 의도에서 시도되었다는 점에서 단편서사시는 문학사적 의의가 있는 것이었다. 다시 한 번 말하자면, 대중이 외면하는 문학이란 더 이상 존재할 수 없는 것이고, 그런 외면 속에서 아무리 좋은 이념이 있다고 하더라도 대중을 감염시킬 수는 없는 것이기 때문이다.

시와 리얼리즘의 관계는 간단한 문제는 아니지만, 그렇다고 불가능한 거리를 형성하고 있는 것도 아니다. 만약 이 둘 사이의 관계가 화해할 수 없는 것이라면, 리얼리즘의 창작방법에 기대고 상재되었던 수많은 카프 시들의 존재를 어떻게 설명할 수 있을 것이며, 또 그 문학사적 가치는 어떻게 자리매김되어야 할 것인가. 리얼리즘의 시들은 어떠한 경우라도 우리 시사의 반쪽을 차지하고 있는 현실을 분명 인정할 필요가 있는 것이다. 시라는 양식이 개인의 서정적 황홀을 읊는 양식이라든가 산문에 비해 현실과 어느 정도 유리될 수밖에 없는 것이라는 것은 궤변에 불과할 뿐이다. 시의 과반수를 차지하는 것들을 부정하고, 나머지 한쪽의 것만을 진실인 양 호도하는 것은 그들의 의식이 역사성에서 분리된, 지식인의 관념적 푸념이나 넋두리에 불과할 뿐이다.

단편서사시에서 보듯 시에서의 리얼리즘은 얼마든지 가능하다. 인물이 등장할 수 있고, 사건이 등장할 수 있으며, 경우에 따라서는 인물의 성격이 발전하는 도정 또한 등장할 수가 있는 것이다. 인물이 있고, 사건이 있으며, 일정한 서사구조가 있다고 해서 이를 두고 시의 영역이 아니라고 하는 것은 우문에 불과할 뿐이다. 장르는 고정된 것이 아니고 발전하는 것이다. 장르가 이론적인 것이 아니라 역사적인 것에서 주목받아야 하는 이유도 여기에 있다.

1980년대를 거치면서 지금 현재에 이르기까지 우리 사회를 지배하고 있는 것이 상호텍스트성이다. 장르들은 고유한 것으로 남아있지 않고, 인접한 여러 장르들과 결합하면서 새로운 형식과 의미의 장들을 만들어내고 있었던 것이다. 장르의 순수성을 고집하는 시대가 지나간 것이다. 이런 상호텍스트성에 주목하게 되면, 1920년대 중후반에 등장한 단편서사시도 장르의 혼합이 만들어낸 양식임을 알게 된다. 아니 단편 서사시는 최초의 상호텍스트성의 결과라고 말하는 것도 가능하지 않을까 한다. 비록 이 용어가 포스트 모더니즘을 여는 것임에도 불구하고, 이와 대립관계에 놓여 있는, 리얼리즘의 문학에서 처음 수용되었다는 것은 매우 아이러니컬하다고 하겠다. 어떻든 그것은 이제 당대의 현실이었고, 역사의 한 장을 차지하게 되었다.

리얼리즘의 시는 현실을 충실히 반영한다. 물론 그 반영의 정도가 서사 양식만큼 다면적이지는 않다. 그렇다고 현실을 반영하는 방식을 두고 우열을 말하는 것은 결코 좋은 태도가 아니다. 각각의 장르가 갖고 있는 고유성을 유지하면서, 그에 정확하게 걸맞은 내용이랄까 의장을 발견하면 되는 것이다.

우리 시사에서 리얼리즘의 가능성을 보여준 것은 잘 알려진 대로 신경향파 문학의 주요 특색 가운데 하나였던 '가난'이라는 주제였다. '가난'은 분명 민중의 것이었다. 또한 이 의식은 글쓰기의 주체가 전대와는 전연 다른 층임을 일러주는 것이기도 했다. 예술의 구조상 문학이 위계질서상 상층부에 놓여 있는 것임은 잘 알려진 일이고, 가난은 그들의 의식 밖에 있는 것이었다. 하지만 '가난'이 문학의 중심 주제가 됨으로써 이를 탐색하는 주체 역시 위계질서상 최저층으로 내려오게 되었다. 문학은 이제 주제나 향유층, 그리고 창작의 주체에 이르기까지 민중의 것이 된 것이다. 그 매개 역할을 한 것이 바로 가난이라는 소재 혹은 주제였다.

그러한 민중들에 의해서 구현된 시들은 민중 밖의 세계와는 무관한 것이었고, 이들의 세계와 의식을 담아낸 리얼리즘의 시들은 이제 새롭게 역사의 전면에 등장한 것이다. 특히 봉건적 질서에서 볼 때, 시가 상층부의 전유물이었다는 사실을 감안하면, 이는 파천황에 가까운 변혁이라고 하겠다.

카프 시는 리얼리즘의 단초를 여는 시작이었다. 그리고 이를 창작한 시인들은 시에서 리얼리즘의 가능성을 타진해보고, 이를 공식화된 양식의 하나로 자리매김한 사람들이다. 그런 면에서 이들은 또다른 의미에서의 선구자라고 할 수 있을 것이다. 그들이 포착한 현장에 역사가 있었고, 그들이 이해한 가치에 민중이 나아가야 할 미래가 있었던 것이다. 뿐만 아니라 그들이 내세운 주인공 속에 민중의 아픔이 있었고, 민족의 고뇌가 있었다. 이는 역사의 치열한 현장을 외면하지 않은, 아니 외면할 수 없는 리얼리즘 시인들의 헌신 속에서 이루어진 것이라 하겠다.

그리고 다른 하나는 민족 문학의 복원이다. 남북이 분단된 지 벌써 70여년이 넘는 세월이 지났다. 그 오랜 세월만큼이나 남북은 그에 비례해서 서로간의 이질화를 심화시켜 왔다. 분단 이전 민족 시인들은 일제라는 공동의 적을 두고 싸웠다. 그 표현이 리얼리즘이었다. 하지만 해방이후 그들에 대한 평가는 상이했는데, 이는 순전히 체제가 가져다 준 불합리한 결과에 의한 것이었다. 이제 그러한 이질화는 동질화의 방향으로 나아가야 한다. 서로에게 겹치는 교집합을 발견하고, 이를 통해 하나되는 지점을 계속 발견해나가야 한다. 그것이 다름아닌 민족임은 자명하거니와 우리는 그 하나의 길로 나아가야 한다.

모두에게 공통인 적을 두고 치열한 모색을 했으나 그 최종 선택의 과정은 동일하지 않았다. 그 선택의 결과가 중요한 것이 아니다. 과거는 딛고 일어서야 할 낡은 틀이 되었다. 그리하여 이제는 새로운 단계를 만들어나가야 한다. 그러기 위해서는 공동의 체험 영역을 발견해야 하는 것이다. 우리 시사에서 리얼리즘 시가 갖는 의의는 여기서 찾아야 할 것이다. 민중과 민족, 그리고 역사는 이질적인 것이 아니라 동질적인 것이었다는 사실 말이다. 현 지점에서 중요한 것은 바로 그것이다.

한국 근대 리얼리즘 시인 연구

저항과 자유의 사이

권구현론

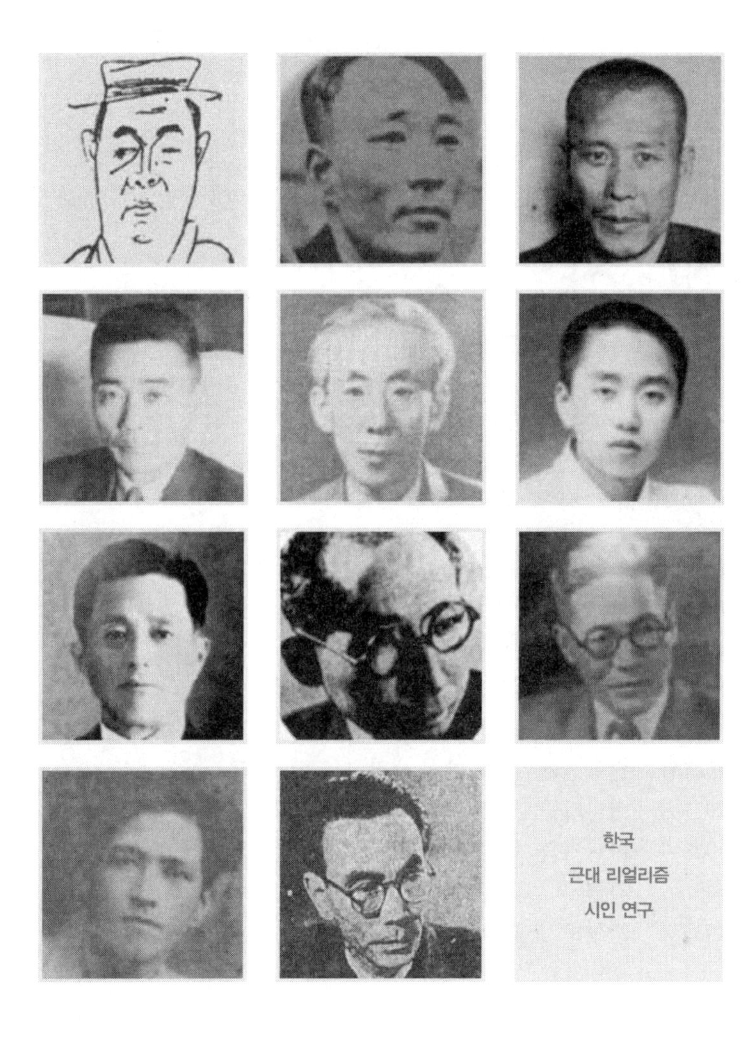

권구현 연보

1898년	충북 영동 출생
1926년	『조선지광』에 「시조육장」을 발표
1926년	카프에 가담
1927년	시집 『흑방의 선물』(영창문화사) 간행 『별건곤』에 소설 「폐물」 발표
1927년	방향전환후 카프에서 제명
1927년	아나키즘 단체인 '흑우회'를 조직
1928년	아나키즘 예술단체인 '자유예술동맹' 조직 및 잡지 『문예광』 간행
1937년	자살로 생을 마감

1. 생애와 문학적 출발

권구현은 충북 영동에서 태어나 카프를 거쳐 아나키스트로 활동하다 1937년 자살로 생을 마감한 비운의 시인이다[1]. 그러나 길지 않은 삶에도 불구하고 그가 문단 혹은 사회에 남긴 족적은 결코 가벼운 것이라고 할 수 없다. 그는 우리 사상사의 큰 줄기라 할 수 있는 볼셰비즘을 수용했을 뿐만 아니라 그 연장선에서 아나키즘 또한 받아들였다. 어쩌면 시인의 그러한 이력들을 더욱 특이하게 만든 것은 우리 시사에서 이방의 지대로 남아있는 아나키스트 시인이었다는 사실에 있는지도 모른다.

한국 근대사에 있어 아나키스트는 어디에서도 환영받기 어려운 이방인들이었다. 그들은 정통 마르크스주자로부터는 이단아의 취급을 받았고, 동시에 민족주의자들에 의해서는 이념은 같되 방법만 다른 사회주의자로 평가되었기 때문이다.[2] 그런데 문제는 이런 판단이 당대의 차원에서 그친 것이 아니라 이후에도 끊임없이 지속되었다는 점이다. 사회 개조를 위한 방법과 내용이 전연 다름에도 이들은 그동안 그릇된 오해로 인해 부당한 평가를 받아온 것이다.

그러나 사상이라는 것이 석화된 것도 아니고 또 시대의 흐름에 따

1 권구현의 출생에 관해서는 1898년(조두섭)과 1900년(박명용), 1902년(권영민) 등 여러 설이 있으나, 조두섭의 최근 연구에 따라 1898년으로 굳어지는 듯하다. 따라서 그의 출생연도를 1898년으로 한다. 조두섭, 「권구현의 아나키즘 문학론연구」(『우리말글』, 1993.6)와 박명용, 「시대의 고뇌를 안고 요절한 구재 아나키스트 권구현」(『시문학』, 1991.9), 그리고 권영민, 『한국근대문인대사전』(아세아문화사, 1990) 참조.

2 조남현, 「한국현대문학의 아나키즘체험」, 『한국현대문학사상연구』, 서울대출판부, 1994, p.77.

라 다양한 무늬를 지니기도 한다. 그러한 사상의 유연성은 1980년대 말 이후 이데올로기의 견고성이 무너지기 시작하면서 아나키즘에 대한 이해는 새로운 국면을 맞게 된다. 월북문인에 대한 해금을 계기로 아나키스트들에 대한 인식도 새롭게 바뀌기 시작한 것이다. 이런 변화에 맞춰 그동안 문단의 이방지대에 남겨져 있던 아나키스트 문인들, 가령, 김화산이나 권구현 등이 이뤄낸 문학적 성과에 대해서 올바른 평가가 내려질 수 있게 되었다[3].

권구현은 이를 계기로 비로소 문학사의 한 자리를 차지하게 되었는 바, 이들의 평가는 주로 그가 아니키스트였다는 것, 그리고 그러한 이념이 작품 속에 어떻게 구현되었는가에 대해 모아지고 있다. 하지만 그들 나름의 의욕적인 평가에도 불구하고, 권구현의 문학들이 문학사에 제대로 자리매김되었다고 보기는 어렵다. 그의 문학론들에 대한 이해도는 어느 정도 이루어졌지만, 권구현 문학의 본령이라 할 수 있는 작품들에 대해서는 여전히 미흡한 상태로 놓여 있기 때문이다. 이를 몇가지 층위에서 그 문제점을 파악할 수 있을 것이다.

우선, 권구현 문학의 특징 가운데 하나는 단형의 서사체라는 데서 찾을 수 있다. 그가 어떤 이유로 이런 형식을 고집했는가에 대해서 뚜렷이 그의 관점을 드러낸 적은 없다. 게다가 그는 분명 한때 카프에 가입한 이 조직의 맹원이기도 했지만 이들 조직이 요구하는 문학

3 그들에 대한 연구는 조남현, 조두섭, 박명용 이외에도 김윤식, 「아나키즘 문학론」(『한국근대문학사상』, 한길사, 1984)과 김용직, 『한국근대시사』(학연사, 2002)와 백윤경, 「아나키즘 문학론」, 송희복, 「한국 시의 아나키즘 영향과 무정부 낙원관」(『비평문학』, 2012.12), 김경복, 「부정과 저항으로서 한국 아나키즘 시」(『시와반시』, 2003 여름), 여지선, 「권구현과 한용운 시조의 문학사적 의의」(『시조학논총』, 2005.7) 등이 있다.

을 수용한 사례는 보이지 않는다. 사상적 편차에 의해 임화를 비롯한 카프 맹원들의 집중적인 공격을 받고 카프를 탈퇴하게 되지만, 어떻든 그는 한때 충실한 리얼리스트였다. 현실이 요구하는 문학적 추동에 의해 그는 이 시기 문단의 주류였던 카프시, 보다 정확하게는 단편 서사시 계열의 작품을 전혀 창작하지 않은 것이다. 물론 아나키스트였다는 사실이 그로 하여금 카프의 주류적 흐름이었던 긴 형식의 작품으로부터 거리를 두었을 개연성은 분명 존재한다. 그럼에도 현실의 억압에 대해 철저히 자기인식하고 그 변혁의 선두에 나서는 자가 방법으로서의 형식을 받아들이지 않은 것은 분명 특이한 국면이라고 할 수 있겠다.

두 번째는 그의 시의 주된 양식 가운데 하나인 전통적 시형식인 시조의 차용이었다. 그가 시조 형식을 쓰게 된 것은 유랑극단의 경험에서 온 것으로 이해되어 왔다. 그는 1920년대 중반 전후 유랑극단 단원으로 전국을 떠돌며 단가를 부르게 되었는데, 이때의 체험이 시조 형식을 자신의 문학으로 굳건히 하는 계기가 되었다는 것이다.[4] 작가가 자신의 사상을 표현하는 데 있어 어떤 형식을 취하는가 하는 문제는 개성이나 취향에 속하는 일일 수도 있다. 그러나 장르선택의 이런 자율적 조건에도 불구하고 시조의 발생동기와 그것에 결부된 이데올로기적 기반을 생각한다면, 시조와 리얼리즘의 결합은 부조화라는 혐의를 벗을 수 없게 된다. 그런 어색함을 일찍이 박영희는 권구현의 작품집을 두고 시조와 프로시와의 부조화로 설명한 바 있다.[5] 성리학적 질서에 기반한 시조 양식의 근간은 양반 문화이다. 그

4 조두섭, 앞의 논문, p.388 참조.

런데 그 반대편에 있는 일반 민중의 문화라는 감수성을 시조가 감당하는 것은 매우 어색한 일이 아닐 수 없다.

세 번째는 권구현의 사상적 근거였던 아나키즘과 그의 창작물과의 관계이다. 여기에는 당대의 아나키즘이 갖고 있는 계보학적 의미도 담겨있는 것인데, 권구현은 분명 아나키즘과 분리할 수 없는 관계에 놓여 있지만, 그런 혐의를 짙게 만든 것은 작품보다는 주로 그의 행위와 관련된 국면이 크다. 익히 알려진 대로 권구현이 아나키즘 사유를 표방한 글로 알려진 것은 『흑방의 선물』[6]이나 「계급문학과 그 비판적 요소」[7], 그리고 「우상문제에 관한 이론과 실제」, 「맑스주의문학론의 의미」[8] 등등이다. 그러나 그의 대표 평론으로 알려진 '장검론'과 '백인'으로 알려진 「계급문학과 그 비판적 요소」는 아나키즘 문학론에 포함시키기가 어렵다는 사실을 상기하게 되면, 아나키스트와 관련된 글들은 많지 않은 편이다. 이는 그가 이론가보다는 창작가였다는 사실을 일러주는 것이고, 또 관념보다는 실천에 보다 가까운 인물이었던 것으로 보인다. 그는 1926년 카프에 가입했지만, 이듬해에 여기서 제명되고, 이후 아나키즘 단체인 '흑우회'를 조직했고, 1928년에는 아나키즘 예술단체인 '자유예술동맹'을 이끌기도 했다. 뿐만 아니라 여기서 아나키스트 잡지 『문예광』을 간행하기도 하는 등 이 단체의 활동에 적극적으로 가담했다. 이런 일련의 행동들을 일별하게 되면, 권구현은 이론보다는 행동이 앞서 있었고, 영성한 비평의

5 박영희, 「한국현대문학사」, 『사상계』 68, p.85.
6 영창서관, 1927.
7 『동광』 10호, 1927.
8 『조선문학』 4, 1933.

숫자에서 보듯 창작에 보다 더 많은 관심을 가졌던 것으로 이해된다.

그리고 여기에 한 가지 중요한 것 가운데 하나는 바로 단재 신채호가 선보였던 아나키즘과의 관련양상이다. 잘 알려져 있는 것처럼, 근대 사상사에서 아나키즘을 처음 도입, 전파시킨 것은 단재 신채호였다. 그의 아나키즘은 크로포트킨의 상호부조론이었고, 단재는 그의 사상을 충실히 받아들이고, 이를 작품화했다. 단재가 상호부조론을 수용한 것은 양육강식이라든가 진화론이 갖는 한계를 극복하기 위해, 보다 더 정확하기는 조선 독립의 정당성을 확보하기 위한 실천적, 민족적 동기에서 비롯된 것이었다[9]. 이 사유에 깔려있는 것은 민족주의적 성향과 분리하기 어려운 것이었고, 따라서 개인적 자유와 낭만적 이상을 모색했던 서구 사회의 아나키즘과는 분명히 구분되는 것이었다.

권구현의 시들은 시조형식이었고, 또 이를 기반으로 한 단형체의 시형식을 즐겨 사용했다. 그러한 시의식은 이후 한 번의 굴곡도 없이 지속적으로 진행되었다. 앞서의 문제 의식에서 지적한 바 있듯이 이런 시형식이 갖고 있는 의미랄까 한계가 무엇인가를 분명 이해해야 한다는 점이다.

그리고 권구현은 시조 형식만을 선호한 것이 아니라 그 형식이 주로 담고 있었던 '님'의 의미에 대해서도 지속적으로 천착했다. 봉건시대의 '님'이 성리학의 정점에 있는 것임을 감안할 때, 권구현도 시조 형식을 통해서 그 '님'이 갖는 함의에 대해서도 지속적으로 탐색해 들어갔다. 물론 그가 추구한 님의 구경적 의미가 봉건적 관계의

9 송기한, 「근대성의 4형식으로서의 무정부주의, 신채호론」, 『한국현대시와 근대성 비판』, 제이앤씨, 2009 참조.

그것이 아님은 분명할진데, 어떻든 그는 형식뿐만 아니라 그것이 담지하고 있는 내용의 틀, 곧 '님'의 구경적 의미에 대해서도 끊임없는 관심을 보여온 것이다. 이런 사실에 주목하게 되면, 권구현이 즐겨 사용한 시조 형식이 유랑극단의 경험에 의한 것만이 아님을 알게 된다.

2. 가난의식의 함축적 구현

권구현의 문학활동은 1926년 시대일보에 시조 4편을 발표함으로써 시작된다.[10] 이후 50수 정도를 묶어서 작품집으로 엮어서 상재하려고 했으나 발표하지 않은 것으로 되어 있다.[11] 그 이후 『흑방의 선물』이 나옴으로써 비로소 시집의 발간을 완성하게 된다.[12] 잘 알려진 것처럼, 이 시조집은 유랑극단을 따라다니면서 부른 시조창을 언어화해서 묶어낸 것이다.

어떻든 그의 첫시집 『흑방의 선물』은 몇 가지 국면에서 그 의미가 있는 경우이다. 하나는 이 시기 유행했던 고전 부흥론과의 관계이고, 다른 하나는 낭송이 갖는 형식의 문제이다. 우선, 이 시기 유행처럼 펼쳐졌던 고전 부흥론에서 가장 주목의 대상이 된 것은 시조 양식이었다. 육당과 노산, 그리고 가람의 복고주의가 전통의 부활을 이끌었던 바, 그 중심에 자리하고 있었던 것이 시조양식이었다. 이 운동의

10 권구현의 작품활동은 『조선지광』 1926년 11월에 시조6장을 발표함으로서 시작된 것으로 본 경우도 있다. 하지만 어느 경우든 그의 작품활동은 1926년에 이루어졌다는 점에서 동일하다. 권영민, 앞의 책, p.35 참조.

11 조두섭, 앞의 논문, p.392 참조.

12 영창서관, 1927.3.

여파로 형성된 것이기에, 이 양식은 그러한 시대의 욕구를 어떻든 잘 반영해야 했다.

이 시기, 전통 부활의 시대에 그 선편을 쥐고 있었던 것은 육당의 노력이었다. 그의 중요 사상사적 관심 가운데 하나가 조선심의 발로였는 바, 그 시정신을 담보한 것이 시조였기 때문이다. 조선심이란 전통에 대한 막연한 향수가 아니었기에 민족 모순을 떠나서는 성립하기 어려운 것이었다. 그러니 과거의 민족의식을 내포한 복고주의가 더 강력해질 수밖에 없었는데, 그것은 율격의 고정화라는 형식적 요소와 조선적인 것에 대한 견고한 틀이라는 내용적 요소로 구현되었다.

권구현이 시도한 시조 양식 역시 이런 문단적 흐름으로부터 자유로운 것이 아니었다. 중심으로 향하는 의식, 견고한 조선주의를 하나로 수렴하기 위해서는 단일한 의식, 단일한 정념이 있어야 했다. 권구현의 시조 양식이 율격의 견고한 질서로부터 자유롭지 않은 것은 이런 이유 때문이다. 여러 분산적인 힘을 하나로 모으는 민족적인 의식이야말로 집단의 기억에 닿아 있는, 전통적인 율격이 적당했을 것이다. 그의 시조 형식들이 장별배행시조가 아니라 구별배행시조를 고집스럽게 강조했던 것도 이와 무관하지 않다. 복잡한 현대성을 반영하되 전통적인 리듬으로부터 파격을 지향하지 않은 것, 그것이 권구현 시조의 특성 가운데 하나이기 때문이다.

이러한 특징적 단면들은 작품의 내용 속으로 들어가면 더욱 분명해진다. 후술할 예정이긴 하지만 권구현의 시조들은 사회성의 맥락을 떠나서는 성립하기 어려운 것들이다. 성리학적 질서에 의해 형성된 것이 시조이기에 이 양식은 가급적이면 정형의 틀을 엄격히 유지해야 했다. 이질적인 문화들을 위계질서적 층위로 집중화하기 위해서는 정형적인 리듬이 가장 유효했던 까닭이다. 그러한 시조의 정격이 조선 후기에 이르러 다양한 형태로 파격으로 나아간 것은 잘 알려진 일인데, 그 기반을 제공한 것이 유교적 질서의 혼란이었다. 유교적 질서를 배경으로 성장한 것이 시조이기에 그 근간이 무너진다는 것은 시조라는 텍스트가 더 이상 과거의 정격을 유지할 수 없음을 일러주는 것이었다. 그 결과가 사설시조 형태로 표출된 것은 잘 알려진 일이다.

두 번째는 낭송의 문제이다. 시대가 전변했다고 하지만 어떻든 시조는 위계질서적 사유, 집단의 기억에 의존하는 정형률이 특징적 단면으로 되어 있는 양식이다. 그런데 권구현의 시조들은 과거 사설시조에서나 볼 수 있는 급진적인 내용들로 가득차 있다. 내용이 그러하다면, 형식 또한 지금 이곳의 현대성을 고스란히 반영할 수밖에 없을 터, 그것은 사설시조와 같은 변격의 형식을 갖춘 시조 양식으로 바뀌었어야 했을 것이다. 그럼에도 불구하고 그의 시조들은 과거의 형태들을 온전히 보존하고 있었다. 이는 그의 시조들이 낭송의 형식으로 만들어졌다는 것과 분리하기 어려운 것인데, 이런 요소들이 가미됨으로써 그의 작품들은 사설시조와 같은 형식의 파격을 보이지 않은 것이다. 일상의 내용을 충실히 담아내되, 전통적인 양식으로부터 한 발자국도 나아가지 않은 것이 권구현 시조의 특색이었던 것이다.

권구현이 카프의 구성원이 된 것은 1926년이다. 하지만 1925년에 카프가 비록 구성되었다고는 하나 아직 20년대 초반의 신경향파 단계를 벗어나고 있었던 것은 아니다. 잘 알려진 바와 같이 신경향파 문학의 주된 특색 가운데 하나는 가난의식이다. 문학이 지배층의 것이었고, 기계론적 반영론을 적극적으로 인정할 경우 여기에 담겨져 있는 내용 또한 그들만의 정서라는 것은 자명한 일이다. 그러니 민중들의 삶이라든가 프롤레타리아들의 정서가 시조라는가 전통 문학 양식에서 배제되는 것은 당연한 일이었다. 하지만 이제 시대는 필연적으로 민중의 정서를 반영할 수밖에 없는 시대가 되었다. 문학은 지배층의 그것이 아니라 민중의 그것으로 바뀌기 시작한 것이다. 그러니 그들의 정서, 이를테면 보편적 정서 가운데 하나인 가난이 본격적으로 문학에 반영된다는 것은 자연스러운 일이 되었다. 이는 물론 이전의 문학에서는 전연 경험할 수 없는 지대의 것이었다. 그래서 가난의 정서가 반영되는 것, 그것을 두고 지금까지 없었던 경향, 곧 신경향이라고 했던 것이다.

권구현 역시 이 시기를 풍미한 가난의 정서에 대해 외면하지 않았다. 『흑방의 선물』 속에 담긴 작품의 전략적 주제들이 모두 이 의식과 분리하기 어렵게 결부되어 있었기 때문이다.

낚시에 채는 고기
어리석다 말을 마오

배고흔 다음이어니
안이 물고 어이하리

아마도 이 목구멍이
웬수인가 하노라

「其三十六」 전문

인용시는 가난의 의미를 물고기의 비유를 통해서 표현한 작품이다. 그러나 가난이라는 신경향파적 특성을 보이고 있음에도 불구하고 이 작품에서 전통적인 정서랄까 과거 시조 문학의 아우라가 짙게 배어있는 것도 부인할 수 없다. 가령, 낚시를 통해 강호가도를 추구했던 선비들의 모습을 어렵지 않게 읽을 수 있거니와 그들의 유유자적하는 정서 또한 읽어낼 수 있기 때문이다.

이런 한계에도 불구하고 이 작품은 생존의 최저 본능을 충족시키기 위해서 자신의 삶을 온전히 던져야 하는 물고기의 슬픈 운명을 통해서 서정적 자아의 삶을 반추한다는 점에서 그 의미를 찾을 수 있다. 물론 그 정서란 가난이라는 새로운 경향, 곧 신경향인 것이다. 서정적 자아는 여기서 현존의 역설이라는 의장을 통해서 스스로에 대해 더욱 비극적인 것으로 재현되고 있다. 이야말로 이전의 시조 형식에서는 볼 수 없는, 권구현 시조의 독특한 시정신이라고 할 수 있다.

이 시기 권구현이 어떤 사유를 포지했는가 하는 것은 중요하지 않다. 특히 그가 아나키스트였다는 선입견은 배제되어야 한다. 그래야만 그의 시에 대한 올바른 접근과 이해가 가능할 것이다. 그는 이 시기 여타의 카프 시인들처럼 가난이라는 주제, 그리고 거기서 솟구쳐 나오는 분노의 정서와 같은 신경향파적인 요소들에 대해 충실히 구현하고 있었을 따름이다. 그것만이 사실이고 또 중요한 것이다. 다음 작품도 그 연장선에 놓여 있는 경우이다.

> 地獄에 그대 가되
> 눈물만은 짓지 마소

내일이 업는 신세
압뒤가 웨 잇스리

검은 밤에 재가 될 몸
이 한아뿐이외다

「其七」 전문

현재를 비극적인 것으로 인식하는 것이 권구현 시의 주된 특징 가운데 하나인데, 인용시 역시 그러한 범주 속에 놓여 있는 작품이다. 서정적 자아는 현재의 상황을 '지옥'으로 표현하고 있고, 그러한 상황 속에 놓인 자아를 "내일이 없는 신세"로 비유하고 있다. 그러면서 그 자신은 결국 "검은 밤에 재가 될 몸"이라고 평가절하하면서 스스로에 대해 비극적 주체로 인식하고 있다.

현재의 불온한 조건을 인식하고 그에 대한 가열찬 저항의 정서를 담아내고 있는 것이 신경향파의 문학적 특성이라고 했다. 하지만 이러한 비극적 정서에도 불구하고 신경향의 단계에서 어떤 탈출구를 제시하거나 또 이를 모색하는 것은 쉬운 일이 아니다. 이는 곧 전망의 부재와 밀접히 연결된 것이기도 하거니와 고립 분산되어 있는 주체들이라는 신경향적 요소와 분리하기 어려운 것이다. 신경향파 문학이 갖는 이러한 한계들은 1927년 목적의식기를 거치면서 극복되는데, 가령 전망의 확보라든가 조합주의적 투쟁이 그 본보기들이다. 이런 맥락에서 이해하게 되면, 『흑방의 선물』에 담겨진 작품들은 모두 신경향파 단계의 작품들이라 할 수 있다. 이는 어쩌면 이념 논쟁을 통해서 카프를 탈퇴하게 된 권구현 문학의 한계, 곧 신경향파 문학의 한계일 것이다. 그의 초기 문학은 여타의 카프 작가들처럼, 목적의식기의 단계로 나아가기 이전의 수준, 곧 신경향파 문학의 단계에서 더 이상 나아가지 못한 것으로 이해된다.

그렇다고 해서 권구현의 문학론이 처음부터 아나키스트의 단계에 머물러 있었다고 하는 것은 논리의 비약이라 할 수 있을 것이다. 그의 대표 문학론 가운데 하나인 「계급문학과 그 비판적 요소」[13]를 보면 금방 이해할 수 있는데, 이 글을 두고 대부분의 연구자들은 아나키즘적인 것으로 판단하는 오류를 범했다. 이 글에 대해 처음 비평적 논평을 가한 박영희는, 김기진과의 '내용, 형식 논쟁' 속에서 자신의 견해를 옹호한 것으로 이해하고 있는데, 이는 전혀 잘못된 것이 아니다.[14] 내용을 강조한 권구현의 담론에 주목하게 되면, 박영희 판단이 전연 근거가 없는 것이 아니기 때문이다. 하지만 이 글의 요체는 이런 동조 여부라든가 아나키즘적 편향을 보였는가의 여부가 아니라 이 시기 카프 문학에 대한 권구현의 사유가 잘 나타난 것에 있다고 하겠다.

권구현은 이 글에서 이념적 표현을 위해 '장검론'과 '백인'을 내세웠다. 제재는 '장검'이고 표현은 '백인'이며, 이들의 목적은 "다같이 적을 물리치는데 있다"고 했다. 이는 이 시기 박영희가 주장했던, 목적을 위해선 문학 나사와 톱니바퀴가 되어야 한다는 '치륜설'보다 한층 앞서 나간 것이라 할 수 있다. 이런 선도성을 두고 그의 문학이 아나키즘에 근거한 것이라고 예단하는 것은 전연 설득력이 없는 것

13 『동광』 10, 1927.2.

14 박영희, 앞의 글 참조.

이라 할 수 있다. 아나키즘의 가장 큰 화두는 '개성'이라든가 '자유' 등 위계질서가 없는 수평적 질서에 그 방점이 놓여 있다. 그 연장선에 놓여 있는 것이 바로 개인 심리에 대한 강조이다. 그런데, 「계급문학과 그 비판적 요소」에서는 '개성'이라든가 '개인심리'를 옹호하는 구절은 무척이나 약화되어 있다. 오히려 그는 그 반대의 경우에서 자신의 문학론을 펼쳐보인다.

> 그러므로 우리는 신시대의 상을 인쇄물이나 기타 언론 같은데서 듣고 구하기 전에 자기 자신의 흉저(胸底)에서 이것을 발견해내야만 할찌니 이것은 저무산 대중의 한 사람도 남기지 않고 다같이 가지고 있는 요구에 공통한 사상일 것이다.[15]

권구현은 장검론과 더불어 이른바 각자의 마음 속에 내재한 '공통한 사상'의 발견이라는 것을 내세웠다. 물론 이 글의 앞부분에서 "시대적 사상을 통찰하기 전에 자기 자신의 내적 의식을 주시하는 것이 무엇보다도 필요하다"고 했지만, 그것은 어디까지나 "보편성을 향한 특수성" 정도로 이해할 수 있는 부분이라 할 수 있다. 이는 1926년에 보여주었던, 아나키즘의 논리를 설파했던, '물'론과 '북'론에서도 한발 후퇴한 것이다[16]. 이는 아마도 조직 속에 놓여 있었던 자신의 입장에 대한 옹호와 그로 인한 자신의 주장을 한발 후퇴한 것이 아닌가 한다. 오히려 이런 논평보다도 작품 속에서 그는 이 사유에 보다 한

15 권구현, 앞의 글.

16 『흑방의 선물』 서문, 앞의 책 참조.

걸음 나아가고 있다. 이는 이론과 작품과의 괴리를 보여주는 것이면서 다른 한편으로는 치밀하지 못했던 아나키즘 이론의 한계를 보여주는 것이기도 하다. 다음의 작품을 보면, 이는 금방 이해가 되는 대목이다.

옷도 업고 밥도 업고
님조차 업사오니

天地야 널으건만
寂寞하기 끗업고야

두어라 自由 二字
이내 벗 되올너라
「其二十」 전문

아나키즘이 추구하는 것은 반억압주의이다. 그러한 억압적 요소가 개인적인 것에서 기인한 것이든 혹은 사회적인 요인에 기인한 것이든 어떻든 아나키즘은 억압에 대해서 절대적으로 반대한다. 그리고 그러한 억압의 반대편에 놓인 것이 이른바 '자유'의 정서이다. 여기에는 인위라든가 위계 혹은 질서와 같은 통제의 정서가 전혀 개입되지 않는 세계이다. 그래서 '자유'는 아나키즘의 목표이자 궁극의 방법이 된다[17].

17 조남현, 앞의 책, p.79.

권구현이 본격적으로 아나키즘에 입각한 문학론을 펼치게 된 것은 시집 『흑방의 선물』을 상재하면서부터이다. 그는 여기서 그 유명한 '북'론과 '물'론을 펼치게 된다. '북'은 '북'의 소리, '물'은 '물'을 짜내어야 하고, 그 밑바탕에 자리한 것은 '속살님의 고백'이라고 한다. '북'이 북의 소리를 내어야 하고 '물' 또한 그래야 한다는 것은 자발성의 시학, 곧 개성의 극단적 강조에 지나지 않는다[18]. 그는 이 글에 이르러 비로소 개인 심리의 중요성을 내세우게 되는데, 이는 아나키즘이 주장하는 절대 사유의 지대와 그 맥을 같이 하는 것이다.

권구현은 이 시기 다른 리얼리스트들과 달리 이론과 창작, 다시 말해 세계관과 창작 방법의 순연한 일치를 드러낸 보기 드문 사례에 해당한다. 비록 어설프기는 하지만 한편으는 개성과 자유를 주장하는 논평을 펼치는가 하면, 작품에서도 이를 곧바로 실천하고 있기 때문이다. 논리의 세계가 너무 앞서 있어 창작이 질식되지도 않았고, 또 창작이 지나치게 선도하는 경향도 보여주지 않은 것이다. 그는 이 시기 세계관과 창작이 적절히 동행함으로서 그 둘 사이에 내재된 거리를 거의 만들어내지 않았던 것이다. 어떻든 「其二十」이 말하고자 하는 것은 '자유'이다. 그런데 이 자유가 자신에게 깃든 배경이 매우 의미심장하다. 현재 시적 자아의 주변에 자기 위안을 줄만한 것은 아무 것도 없다. '옷'도 없거니와 '밥' 또한 없다. 게다가 자신의 심적, 물적 기대를 충족시켜줄 '님'조차 부재한 상황이다. 이런 결핍의 상황 속에서도 시적 자아가 위로받는 것은 '자유'라는 두 글자가 있기 때문이다.

18 권구현, 앞의 책 참조.

그러나 이런 표명에도 불구하고 이 작품이 갖고 있는 한계 또한 분명하다. 자유를 희구하게 된 이유랄까 원인이 제대로 제시되어 있지 않아서 그러한데, 작가는 이를 추동하게 된 계기로 '옷'이나 '밥'과 같은 생존을 위한 최저 조건들에서 찾고 있다. 이런 조건들이 사회적 관계 속에 편입된 것이라면, 시인이 추구하고자 하는 '자유'는 분명 의미가 있을 것인데, 이 작품에서는 그러한 요건들이 철저히 배제되어 있는 것이다. 따라서 어떤 선언을 했다고 해서 그것이 특정 시인이 포지하고 사유나 사상의 근거라고 말하기는 어렵다. 그것은 단지 선입견에 불과하기 때문이다. 뿐만 아니라 이런 결점은 단형의 서정시가 갖는 한계이기도 할 것이다.

3. 결핍에 대한 매개로서의 '님'

권구현은 시조 작가이다. 리얼리스트가 전통적 장르인 시조와 조우하는 것이 그리 자연스러운 일은 아니다. 이런 기형적인 양태를 두고 박영희는 권구현의 시조에 대해 부조화의 극치라고 했다[19]. 양반 중심과 성리학을 근간으로 하는 시조 양식이 민중적 세계관을 담고 있다는 사실이야말로 낯선 풍경이 아닐 수 없다는 것이다.

권구현이 시조 양식을 수용한 것은 유랑극단에서 활동한 경력이 크게 작용한 것이라 했다. 하지만 그가 이 양식을 고집한 데에는 또 다른 이유가 분명 있었을 것이다. 노래체를 요구하는 단형의 형식이

19 박영희, 앞의 글 참조.

라면, 민요도 있었으며, 또 그 시기 유행하고 있던 전통적 서정시, 곧 민요조 서정시도 있었을 것이기 때문이다. 그런데 자신이 사상을 펼쳐보이는데 있어서 왜 시조 양식을 주된 문학관으로 받아들였던 것일까. 이에 대한 답이야말로 권구현의 시조 양식이 갖는 본질과 분리할 수 없는 것인데, 이는 전통적 시조 양식과 그 맥을 같이 한다는 점에서 우리의 주목을 끄는 경우이다. 전통적 시조 양식의 전략적 소재랄까 주제 가운데 하나는 '님'이다. 시조를 쓴 주체들은 그러한 '님'을 형상화함으로써 자신의 정치적 입장과 유교적 이상을 실현하는 것으로 이해했다. 시조 양식은 이를 특징화하기에 좋은 양식이었는데, 권구현의 경우도 '님'을 통해 자신의 이상을 구현하기 위해 이 양식을 차용한 것이 아닐까. 만약 그러하다면 그가 탐색하고자 한 '님'의 실체란 무엇일까.

봉건 시대를 대표하는 장르가 시조와 가사였거니와 그것들의 존재 의의는 성리학적 질서를 충실히 구현하는 것이었다. 그리고 그러한 질서의 중심에 놓여 있는 것이 '님'이었다. 이 시기 '님'이 봉건적 중심체, 곧 군주였음은 자명한 일이다. 왕을 정점으로 한 위계질서를 만든 것이 바로 성리학적 이념이었고, 그 굳건한 실현을 위해서 '님'은 절대적 희구의 대상이 되었다. 그러한 '님'에의 접근과 그에게 육박하기 위해서 시조를 비롯한 서정 양식이 절대적으로 요구되었던 것이다. 권구현이 시조 양식을 자신의 주된 문학 양식으로 수용한 것은 이와 밀접한 관련이 있는데, 『흑방의 선물』에서 가장 전략적으로 등장하는 소재 가운데 하나가 바로 '님'이었다. 따라서 '님'은 시인이 궁극적으로 도달하고 동일화 내지는 일체화해야 대상이었던 것이다. 시조 형식은 님을 소재로 한 사유를 전개시키는데 있어 가장 좋은 양식이었던 것이다.

시조는 시인에게 이런 의미가 있었던 것인데, 그러한 시사적 의의는 또 다른 함의 역시 내포하고 있었다. 그것은 이 시기에 풍미한, '님'이라는 소재의 보편화 양상과 밀접한 관계를 갖고 있다는 사실이다. 익히 알려진 대로 1920년대는 '님'을 상실한 시대이다. 여기서 님이란 여러 다의성을 갖고 있긴 하지만, 그 중심에 놓여 있는 것은 국가라 할 수 있다. 국가를 '님'으로 상징화시키고, 빼앗긴 주권을 '님이 상실된 시대'로 표현했던 것이다. 이런 저간의 사정을 고려하면, 권구현이 희구한 '님'의 존재 또한 이와 분리하기 어려운 것이라 할 수 있다.

山 넘어 또 山 넘어
물 건너 또 물 건너

님 게신 곳이어니
내 차저가올 것을

안저서 기달이다가
이 한밤만 다 새노야

「其五十」 전문

이 작품의 주제는 님에 대한 그리움이다. 시적 자아에게 님은 절대적인 존재이지만, 그 '님'은 현재 부재한다. 그리하여 서정적 자아는 그러한 '님'이 있는 곳을 찾아나선다. 그러나 님에 대한 그리움은 간절하지만 이를 적극적으로 자기화하기에는 열정이 부족하다. 그 님을 향한 동일화가 그저 앉아서 기다리는 소극적인 포오즈에서 그치기 때문이다.

님을 주제로 한 인용시는 1920년대 시인들이 구가했던 '님'과 대동소이하다. 하지만 분명 다른 요소도 존재한다. 그것은 '님'이라는 대상을 특정하고 이를 적극적으로 언표화했다는 사실이다. 이런 면들은 이 시기 '님'의 상실을 노래했던 여타의 시인들에게서는 찾아볼 수 없는 특징들이다. 어떻든 '님'을 구체화하고 이를 담론화했다는 것은 시조의 양식적 특성을 떠나서는 그 설명이 불가능한 경우이다. 이는 권구현의 시조 형식들이 봉건 시대의 그것을 고스란히 받아들였다는 단적인 증거가 아닐 수 없다. 그만큼 시의 갈급한 님의 존재는 시인의 의식 속에 전면적으로 자리한 것이었고, 따라서 그러한 의식의 표명을 위해서 시조 양식이 차용되었다고 하겠다.

> 陷地에 든 몸이니
> 後期가 웨 잇스리
>
> 시들다 떠러즈기야
> 차라리 설으랴만
>
> 님 向한 一片丹心을
> 어이 품고 가단 말가
>
> 「其二十五」 전문

작가를 괄호치게 되면, 이 작품은 권구현의 것이라고 단정하지 않아도 될 만큼 봉건적 틀에서 크게 벗어나 있지 않다. 다시 말하면, 봉건 시대 어느 성리학자가 임금을 그리워한 시 쯤으로 자연스럽게 읽힐 수 있다는 뜻이 된다. 그만큼 시인이 표명한 '님'에 대한 사유랄까 그리움의 정서는 봉건 시대의 그것과 하나도 다를 것이 없는 것이다.

소위 리얼리즘적인 요소를 배제한다면, 『흑방의 선물』은 봉건적 질서로부터 자유롭지 않은 경우이다. 시조라는 형식도 그러하거니와 '님'을 탐색하고 이를 구현하는 방식, 곧 내용 또한 이 질서와 밀접히 관련되어 있기 때문이다. 시조와 리얼리즘, 님과 현실주의자라는 이 기막힌 부조화야말로 권구현 시조의 특색이었던 것이다. 도대체 이런 부조화는 어디서 기인하는 것일까. 실상 이 의문에 답하는 것은 쉽지 않은데, 그것은 다음 몇 가지 맥락을 고려해야 그 이해가 가능할 것으로 보인다.

첫째는 님을 조국으로 보는 경우이다. 일제 강점기에 있어 민족주의자라든가 사회주의자에게 있어 민족 모순과 분리하여 그들의 사유체계를 이해하는 것은 불가능하다. 아니 이들뿐만 아니라 그 어떤 사람들에게도 이 사유는 당위적인 것이었다고 하겠다. 이럴 경우, 권구현의 시조는 그 시대적 낙차와 상관없이 그 존립 근거를 얻을 수 있다.

둘째는 조선주의와의 관련 양상이다. 1920년대부터 강력한 자장을 갖고 펼쳐진 것이 조선주의의 부활이었다. 이것은 3.1운동의 실패에 따른 역사의 단절과 그 격절의 시공성을 메우기 위한 것과 밀접한 관련을 갖고 있었다. 따라서 권구현의 시조 형식은 이런 전통의 부활과 분리하기 어려운 것이라 할 수 있다.

셋째는 시인이 추구하고자 하는 욕망이랄까 희망의 세계와의 관련 양상이다. 권구현은 자타가 공인한 바와 같이 리얼리스트이자 아나키스트이다. 따라서 자신의 신념을 이루어내기 위해 목표를 설정하는 것은 당연한 일인데, 시인은 그것을 '님'이라는 형식으로 외화했다. 『흑방의 선물』의 주된 주제가 '님'을 향한 그리움인데, 이를 통해서 시인은 자신의 사유랄까 목적을 성취하고자 했다.

따 위에 萬物이 생겨날 때에
太陽은 뜻듯한 키쓰를 주엇나니
萬物은 福스럽게도 자라나도다

이 몸이 이 나라에 발을 붓칠 때에
님은 나에게 光明을 주엇나니
나는 새로운 樂園을 建設하도다

「樂園」 전문

시인은 님의 존재를 인식하고, 그에 대한 갈망을 끊임없이 드러냈다. 시인에게 님은 여러 다의성을 갖는 것인데, 인용시는 그러한 함의 가운데 하나를 제시해주고 있다는 점에서 주목을 끄는 경우이다. 여기서 '님'은 작품에 나타나 있는 것과 같이 "나에게 광명을 주는 존재"이다. 그러나 그러한 님의 존재는 나를 규정하는 데서 그치지 않고, 자아에게 새로운 임무를 부여하기도 한다. 서정적 자아는 님으로부터 광명을 받고 "새로운 낙원을 건설"해야 하는 까닭이다.

시의 제목이기도 한 '낙원'은 두말할 것도 없이 유토피아의 세계이다. 이로써 시인이 지금껏 탐색하고자 한 궁극적 의도가 무엇인지 어렴풋하게 알게 된다. 그것은 조화라는 세계, 아나키스트의 이상으로 말하자면 수평의 세계이다. 만물이 생겨나고 태양은 따듯한 키스를 하고 그런다음 만물은 다시 복스럽게 자라나는 세계, 그것이 바로 낙원의 세계, 수평의 세계인 것이다. 님은 그러한 낙원을 시인에게 주는 매개체이다. 낙원이란 곧 광명이다. 반면 그 반대편에 놓인 것은 어둠의 세계일 것이고, 님이 부재한 세계일 것이다. 그 암흑의 세계를 탈출하고자 끊임없이 탐색한 것이 '님'에 대한 가열찬 열정이었던 것이다.

4. 전원적 이상주의

권구현 시의 핵심 주제 가운데 하나는 앞서 언급대로 '님에 대한 그리움'이다. 그가 그리워한 님의 실체는 여러 함의를 갖고 있지만, 그의 사상과 관련하여 주목할 수 있는 것이 '아나키즘적 자유'일 것이다. 따라서 '님'은 그의 사상의 또 다른 표백이라고 해도 과언이 아니다. 이렇게 되면, 그의 시에서 '님'은 다양하게 의미화된다고 할 것이다. 하지만 '님'의 의미가 포괄적이라고 해서 시인이 말하고자 한 의도랄까 주제의식이 희석되는 것은 아니다. 그것은 오히려 시의 내포성을 고양시킨다는 점에서 뚜렷한 문학적 성취라고 이해해도 좋을 것이다. 어떻든 시인은 그러한 '님'을 향해서 계속 전진해왔고, 이제 '님'에 대한 최후의 여정만 남아있게 되었다.

권구현이 어떤 경로로 아나키즘의 사유를 받아들였는가 하는 구체적인 경로가 뚜렷이 밝혀진 게 없다. 이는 단재 신채호의 사상적 경로와 비교될 수 있는 것인데, 그는 단재처럼 사상사적 전변을 가져온 객관적 필연성이 부족하다는 뜻과도 관련될 수 있을 것이다. 익히 알려진대로 단재는 초기에 사회진화론에 바탕을 둔 양육강식론을 절대적으로 신봉했다. 이는 그의 역사관에 잘 드러나 있는 바와 같이 "역사란 힘과 힘의 대결이었고, 오직 강한 자만이 역사에서 최후이 승리자가 된다"고 보았다[20]. 그 연장선에서 그는 조국 독립을 모색했다. 하지만, 사회진화론은 피식민 주체로서는 수용하기 어려운 것이었다. 그것은 식민지배를 정당화하는 것이었고, 이는 곧 그의 투쟁론이 설 자리가 없게 되는 현실과 부딪히게 만들었다. 그리하여 단재가 받아들인 것이 위계질서가 존재하지 않는, 크로포트킨의 상호부조론의 도입이었다. 상호부조론이란 넓은 의미의 원시 공산세계이고, 진화라든가 위계질서가 존재하지 않는 세계를 지향한다. 모든 것이 평등하고 절대 자유가 향유되는 세계이다.

그러나 권구현이 볼셰비즘에서 아나키즘으로 사상사적 전변을 거친 과정은 뚜렷이 드러난 것이 없다. 그는 어느 날 갑자기 리얼리스트에서 아나키스트로 존재의 전이를 이루었을 뿐이다. 물론 그가 크로포트킨의 상호부조론[21]을 받아들인 것은 일정 정도 그 추정이

20 「근대성의 4형식으로서의 무정부주의, 신채호론」 참조.

21 전원에 가는 것을 옛일이라 하지 마소
전원은 천만년에 인생의 보금자리
그대여 먼저 가시오 나도 따라가리다

그대는 크로포트킨을 좋아 하시나있고
나는 톨스토이를 좋아 하옵네
그대나 내나 다 오늘의 사람은 아니로세

가능한 경우이다. 볼셰비즘은 현재를 모순으로 인식하고 그 해결을 위한 투쟁의 단계로 설정한다. 이런 투쟁이 아나키즘의 첫 번째 단계와 동일한 것이거니와 또한 단재의 투쟁론과도 그 맥을 같이 하는 경우이다. 하지만 볼셰비즘과 아나키즘은 모순 이후의 세계에서 뚜렷이 구분된다. 하나는 프롤레타리아 독재라는 또 다른 위계질서의 단계가 남아있고, 아나키즘에서는 그러한 단계가 없는 까닭이다.[22]

두 번째는 진화론의 한계, 특히 식민지 현실에서 갖는 모순점이다. 조직과 투쟁에 의해 쟁취되는 것이 진화론이고, 약육강식의 정당한 논리이다. 그런데 여기에 기대게 되면, 강자에 의한 약자의 지배가 정당화되는 것이고, 그것은 식민지 조선의 현실에서도 그대로 적용된다. 만약 이를 수용하게 되면, 식민지 현실이 정당화는 되는 것이고, 따라서 제국주의를 향한 저항의 몸짓도 그 근거를 상실하게 된다.

애초의 볼셰비즘을 견지한 자라면, 그리하여 그 사상적 한계를 발견하고 아나키즘을 수용한다면, 이런 절차가 있어야 했다. 그런데, 권구현의 경우는 아무런 매개항 없이 볼셰비즘에서 아나키즘으로 나아갔다. 이런 무매개성을 어떻게 설명할 것인가. 그는 산문의 세계에서도 볼셰비즘의 사상적 한계를 지적한 바 없거니와 아나키즘으로 나아가게 된 배경 역시 뚜렷이 제시하지 않고 있다. 그가 산문에

전원에 가시거든 하올 일이야 많을 것이
낙대 드리우면 고기 아니 물리
고기는 아니 물더라도 물빛 보려하노라

이광수, 「전원에 가시는 이」(『동광』 30, 1932)

22 아나키즘과 볼셰비즘은 부르주아 국가를 타도한다는 점에서는 일치하나 혁명 이후 프롤레타리아 독재를 인정하느냐 혹은 아니냐에 따라 구분된다. 아나키즘이 이 독재를 인정하지 않는 것은 볼셰비즘과 가장 크게 차이나는 지점이다. 김윤식, 『한국근대문예비평사연구』, 일지사, 1982, p.69 참조.

서 제시한 것은 앞서 제시한 대로 '물'과 '북'론이었고, 그 근저에 깔려 있는 개성에 대한 옹호였다. 마치 고전론의 한계에 갇힌 낭만주의자들이 감성을 강조한 것처럼, 권구현 역시 아무런 매개항 없이 절대적인 개성에 대한 옹호로 나아간 것이다. 그러나 개성에 대한 옹호가 아나키즘의 한 부분으로 자리하고 있을망정 그것이 아나키즘의 본류라고는 말할 수 없을 것이다.

아나키즘을 표방한 권구현의 한계는 분명한 것이었다. 하지만 작품에서는 산문과 달리 아나키즘의 사유를 펼쳐보이는 데 있어서 좀 더 나아간 측면을 보여준다. 그는 스스로가 아나키스트라고 선언하기 이전부터 개인적 서정에 바탕을 둔 작품들을 주로 생산해 왔기 때문이다. 『흑방의 선물』을 지배하는 주조는 개인의 서정에 바탕을 둔 것이고, 또 '님'에 대한 그리움의 정서라든가 꿈의 세계 혹은 전원에 대한 그리움 등등의 주제들이 모두 리리시즘의 세계와 분리하기 어려운 것들이다. 이런 맥락에서 이해하게 되면, 그는 애초부터 맑스주의에 바탕을 둔 볼셰비즘의 세계와는 거리를 두고 있었던 것이라 생각된다.

구름아 흘으느냐
碧空도 조흘시고

千萬里 떠나간들
뉘라서 머라 하리

自由에서 自由로

이 마음 네로구나
「其十三」 전문

아나키즘이라는 관점에서 볼 때, 이 작품은 두 가지 측면에서 의미가 있다. 하나는 개인적 서정에 관한 것인데, 하기사 서정시 치고 개인의 정서와 무관한 작품은 없을 것이다. 그런데, 이런 개인의 서정이 시인에게 문제되는 것은 그가 현실주의자라는 사실 때문일 것이다. 리얼리즘의 관점을 갖고 있는 시인이라면 개인만의 고유한 정서는 되도록 배제되어야 하는 것이 원칙이다.

어떻든 개인의 서정이 인용시에서는 자유롭게 발산되어 있다. 마치 낭만주의자들이 펼쳐보였던 감정의 자유로운 발산이 이 작품에서도 그대로 재현되고 있는 것처럼 보이고 있는 것이다. 이런 감정의 발산을 목도하게 되면, 이 작품의 작가가 과연 현실 인식에 관심이 있는 것인가 하는 의구심이 들 정도이다.

그리고 두 번째는 마지막 3연인데, 여기서 시인은 "자유에서 자유로/이 마음 네로구나"라고 하며, 자유가 갖는 의미에 대해 깊이 사유하게 된다. 특히 그는 자유의 상징인 구름에 빗대어 그것이 갖고 있는 의미에 주목하고 있는 것이다. 서정적 자아는 어떤 구속에도 얽매이지 않고자 한다. 구속이란 한 지점에 머무는 속성을 갖고 있다. 그 정지는 자의든 타의든 상관없다. 그저 움직일 수 없다는 얽매임이 시적 자아의 신체와 정신을 붙잡아 두게 된다.

가자
가자

田園으로 가자
우리의 먹을 것은
그곳에서 엇나니
푸른 풀 욱어진
田園으로 가자
심으고 매려
그곳으로 가자

毒魔의 巢窟을 떠나
餓鬼의 싸움터를 버리고
都市를 버리고
田園으로 가자
健全한 알몸이 되야
自然의 惠源을 차저
가자
가자

「전원으로」 전문

권구현을 아나키스트라 할 경우, 인용시만큼 그 사상적 특색을 잘 보여주는 작품도 없을 것이다. 이 작품은 크게 2연으로 이루어져 있는데, 전반부는 전원으로 가야 할 당위성을, 2연 우리가 전원으로 가야 할 이유가 제시되어 있다. 서정적 자아가 가야한다고 외친 전원은 생산의 토대이자 삶의 근간이 제시되는 공간이다. 우리가 살아가야 할 생존의 최저 조건이 전원에 있기에 우리는 그리로 돌아가 '심고

매고' 가꾸어야 한다는 것이다. 말하자면 생물학적 삶이 최소한도로 요구되는 곳이 전원이기에 전원으로 가야 한다는 것이다.

두 번째는 전원이 갖는 보편적 의미와 그 상대편에 놓인 것들의 세계이다. 전원은 건전한 알몸만을 요구하는 세계이고, 또 자연의 은혜로운 가치가 펼쳐지는 곳이다. 그런데 여기서 주목해야 할 부분은 전원의 상대적 자리에 놓인 세계이다. 이는 단순히 전원의 반대적인 의미에서가 아니라 아나키즘과 관련된 권구현의 의식 세계를 이해할 수 있다는 점에서 매우 중요한 것이라 할 수 있다. 서정적 자아가 전원으로 돌아가야 할 이유로 제시한 것이 '도시'라는 공간이다. 도시란 무엇인가. 권구현이 인식한 '도시'란 "毒魔의 巢窟"이고 "餓鬼의 싸움터"이다. 도시란 그런 곳이기에 여기서 어떤 최소한의 긍정적인 생존조건을 구한다는 것은 불가능한 일이다.

이 시기 많지 않은 시인의 작품 속에서 제시된 전원의 의미와 그 상대적 자리에 놓인 도시의 의미는 아무리 강조해도 지나치지 않을 만큼 중요한 것이라 할 수 있다. 우선, 도시는 근대 문명이 낳은 산물이다. 그러한 까닭에 그것은 진화론의 아우라로부터 자유로운 것이 아니다. 문명이 발전사관의 연장선에 놓여 있는 것이고, 도시란 그 궁극적 산물이다. 따라서 시인이 도시를 부정적인 것으로 인식하고, 이로부터 탈출하려는 것은 아나키즘의 사유와 밀접한 관련을 갖고 있는 것이라 할 수 있다. 아나키즘이 발전의 논리와 그 형이상학적 사유의 표백인 진화론을 부정하고 있다는 점에서 그러하다. 도시란 그런 인과론, 진화론의 구경적 결과이기 때문이다. 시인 역시 그러한 진화론, 도회적 속성에 대해 뚜렷히 파악하고 있는 듯하다. 도시를 "餓鬼의 싸움터"라고 인식하고 있기 때문이다.

실상 도시를 반아나키즘의 공간으로 인식하게 되면, 아나키즘을 반근대성의 국면으로 이해하는 것도 가능할 것이다. 일찍이 근대를 긍정적 국면에서 이해한 것은 초기 모더니스트들의 일반적 경향이었다. 하지만 점증하는 제국주의와 파편화되기 시작한 사유의 해체성들은 근대와 도시적 삶에 대해서 부정적 시선을 던졌다. 그리하여 건강한 고향을 그리워하거나 자연의 긍정적 가치에 대해서 주목하기 시작했다. 정지용이 그러했고, 오장환 또한 그러했다. 뿐만 아니라 김기림 역시 근대를 긍정의 관점에서만 수용한 것은 아니었다.

이런 맥락에서 보면, 자연과 도시의 함수관계는 아나키스트 권구현에게도 중요한 과제였던 것으로 이해된다. "도시를 버리고/전원으로 돌아가자"라고 하는 것이야말로 근대성과 반근대성, 그리고 진화론과 반진화론의 함수관계를 극명하게 보여주는 것이기 때문이다.

전원은 반도시공간이면서 유토피아의 세계이다. 이를 단적으로 증거하는 것이 바로 '알몸'의 세계이다. 이는 곧 비욕망의 극점이면서 생태주의적 낙원의식의 정점에 해당한다. 이 알몸의 세계에서 어떤 층위라든가 위계질서를 따진다는 것은 의미가 없다[23]. 그것은 어떤 인위도 개입되지 않은 자연 그대로의 세계이다. 그것은 성서적 유토피아의 세계이고, 인디언적 자연의 세계, 수평적 세계일 뿐이다.

아나키즘은 모든 인위를 허용하지 않는다. 인위가 없기에 거기에는 욕망이 존재하지 않는다. 에덴동산의 경우처럼, 모든 것은 수평

23 권구현이 표방한 '알몸'의 세계가 생태주의적 이상을 노래한, 1960년대 신동엽의 「금강」에서 또다시 반복되어 나타난 것은 매우 의미심장한 일이라 할 수 있다. 이런 맥락에서 보면, 권구현은 생태주의자의 선구자라 해도 가능할 것이다.

의 세계로 수렴되는 세계이다. 나와 너 사이의 층위가 없을뿐더러, 진화의 결과에 따른 지배의 논리나 집단 이기주의의 논리도 더 이상 허용되지 않는다. 모든 것이 수평으로 수렴되는 것이 아나키즘의 이상 세계이다. 이런 세계에 대한 집요한 천착이 식민지 상황과 분리할 수 없는 것이며, 어쩌면 강력한 저항의 몸짓을 담아내고 있는 것인지도 모르겠다. 그것이 이 시기 아나키즘이 갖는 궁극적 의의가 아닐까 한다.

할미꽃 꼬부리진 잔디밧 위에
가만이 이 몸을 눕히엿더니
希望에 넘치는 파란 하늘은
새로운 創造에 微笑를 띄우고
보드라운 바람은 이 몸을 녹여 불어
이 몸은 점점 땅속으로 긔여든다

내종에는
뼈가 녹고 살이 흘너
흔적조차 안 뵈인다
누엇든 자리에는 꽃과 풀이
다복다복 욱어저
방긋방긋 웃는다
나를 祝福한다

「봄동산에서」 전문

이 작품은 「전원으로」의 연장선에 놓여 있는 작품이다. 만약 모더니스트가 이 작품을 썼다면, 분열된 인식의 완결을 위한 도정쯤으로 이해되었을 것이다. 자연과 인간의 거리가 만들어낸 것이 근대의 불화이기에 이런 통합의 세계야말로 그러한 불화를 초월할 수 있는 경지이기 때문이다. 하지만 권구현은 자아와 세계 사이의 불화를 사유한 모더니스트가 아니다. 뿐만 아니라 근대성의 제반 양상에 대해 제대로 천착한 경우도 아니다. 그는 익히 알려진 바와 같이 리얼리스트였고, 그 연장선에서 아나키스트로 존재의 변신을 이루어낸 터였다. 그럼에도 이런 동일성의 세계가 의미있는 것은 서정적 자아의 지향점 때문이다.

우선 이 작품의 의의는 변신의 과정이랄까 혹은 자연과의 합일이라는 도정에서 찾을 수 있다. 서정적 자아는 "할미꽃 꼬부라진 잔디밧 위에/가만히 몸을 눕힌다". 인간과 대지가 하나가 되고, 이윽고 거기서 하늘을 응시한다. 자아가 거기서 본 것은 '희망'의 정서였고, '창조의 미소'였다. 게다가 '바람'은 그런 동일화의 상태, 아름다운 조화 관계를 더욱 결속시키주면서, 자아를 점점 땅속 깊숙이 인도한다. 인간과 대지가 완벽한 하나로 거듭 태어나는 것이다.

2연은 그러한 동일화가 더욱 가속되는 경지를 보여준다. 결국에는 뼈가 녹고 살이 흘러 "흔적조차 보이지 않은" 완전한 동일체가 되어버리는 것이다. 그 자리에서 '꽃'과 '풀'이 새롭게 새롭게 태어나우거지고, 궁극에는 '웃으면서' 서정적 자아에게 '축복'의 미소를 보내게 된다.

진화론이 낳은 가장 긍정적인 가치는 발전의 논리이고, 그 논리가 가져온 부정적 폐해는 위계질서였다. 그런데 이 위계질서는 중세의 그것과 하등 다를 것이 없었다. 지배와 피지배 사이에서 형성되는 수직적 관계는 결국 동일한 것이기 때문이다. 다시 말해 신분에 의한 위계질서나 경제에 의한 위계질서는 질의 차이는 있을지언정 궁극에는 동일한 것이라는 사실이다. 물론 이런 위계는 어쩌면 인간 자신의 문제로 귀결되는 것이 아닐 수 없다. 그것은 욕망의 문제와 분리하기 어려운 것인데, 결핍된 욕망을 채우는 과정에서 이런 위계질서가 파생되었기 때문이다.

인간 자신이 문제의 주인공이라면, 그 해법 또한 인간 자신에게서 찾아야 하는 것이 순리일 것이다. 그러기 위해서는 위계질서를 만들기 이전의 세계로 인간 존재를 되돌리면 되는 일이다. 그 도정이 모더니스트라면 인간이라는 고유성이 만들어지기 이전의 상태로 가는 것이고, 아나키스트라면, 진화 이전의 상태, 곧 원시 상태로 되돌아가면 되는 것이다. 이런 맥락에서 「봄동산에서」는 자연과 인간이 하나된 상태, 곧 원시적 지향이라는 국면에서 그 의미가 있는 작품이라고 할 수 있을 것이다. 인간이 자신의 고유성이 아니라 자연이라는 하나의 단위에서 묶이게 될 때, 더 이상 진화의 논리는 성립할 수 없기 때문이다.

地球의 心臟에서 싹이 돗아
쓸쓸한 따 위에 꽃이 피기에
한 송이 꺽거서 입 맛치엇더니

이내 心臟에도 붉은 싹이 돗아
한 송이 꽃봉아리가 피여올으오

이 꽃을 나의 生命花라오

「生命花」 전문

원시적 공동체는 자연과 하나가 될 때 가능한 경지이다. 그러한 동일성을 지향하는 작품들이 모두 모성적 상상력에 기초하는 것은 당연한 이치일 것이다. 「생명화」는 「봄동산에서」에서와 같이 인간이 자연과 하나가 됨으로써 비로소 존재의 긍정에 도달하는 과정을 보여준 작품이라는 점에서 그 의의가 있는 경우이다. 나의 생명은 자연에서 온 것이기에 다시 그 자연으로 되돌아갈 때에만 비로소 '한 송이 꽃봉오리' 곧 자아의 생명으로 태어날 수 있기 때문이다.

자연과 인간 사이에 놓인 격절감을 이런 방식으로 초월할 수 있다는 것을 제시한 것만으로도 권구현의 시는 그 의의가 있을 것이다. 그는 아나키스트이기 이전에 반근대주의자였고, 거기서 사유되는 반근대성의 사유는 이후 모더니스트들의 행보에 깊은 영향을 주었다. 그 하나가 바로 정지용의 경우이다[24]. 익히 알려진 대로 정지용은 근대의 명암을 무엇보다 깊이 인식하고, 그 긍정적 초월에 대해 다른 어떤 시인보다도 뚜렷한 교훈을 제시한 시인이다. 그것이 자연과 인간의 아름다운 조화였는바, 「백록담」의 세계는 그러한 도정을 잘 보여준 바 있다. 하지만 아나키즘에 기반한 권구현의 시들은 정지용의 그러한 도정보다 훨씬 앞서 있는 것이었고, 인간과 자연의 합일이나 그 아름다운 조화가 만들어낸 경지에 대해 올곧게 제시해주었

24 근대에 대한 정지용의 인식은 이 시기 다른 모더니스트들에게 모범적인 것이었다. 가령, 통합적 사고 → 해체적 사고 → 다시 통합적 사고라는, 모더니스트들의 일반적 사유 방식을 가장 먼저 제시했다는 점에서 그 선구성이 있다고 하겠다.

다는 점에서 그 의미가 있는 경우이다. 그것이 아나키즘의 사유에 기반한 권구현 시의 의의일 것이다.

5. 아나키즘 시 비판

권구현의 작품들은 주로 시조에 기반한 것이었다. 뿐만 아니라 시조라는 양식을 포기한 이후에도 그는 비교적 짧은 호흡과 간결한 형식을 주로 창작해내었다. 이는 리얼리스트 시인들이 갖고 있는 일반적 경향과는 전연 다른 경우였다. 1920년대 카프 시인들이 주로 의지했던 시형식은 단편 서사시였다. 이 양식은 시라는 형식에 이야기 성을 도입한 것인데, 그러다보니 대부분의 시들이 긴 호흡의 형태를 유지하고 있었다. 게다가 시속에 담겨진 내용 또한 사건적, 소설적인 특성을 갖고 있었다. 서사성과 밀접하게 연결되어 있다보니 형식이 길어지게 되고, 내용 또한 복합성을 갖게 된 것이다. 그런데 권구현은 이런 형식의 작품이 거의 없거니와 아예 시도조차 하지 않았다. 그가 시조 형식의 작품에 얽매인 것은 유랑극단의 경험에 기인한 바 크다고 하겠으나 어떻든 리얼리즘이 요구하는 수준에 응하기 위해서는 이 짧은 형식으로는 불가능한 경우였다. 따라서 권구현은 작품상으로는 적어도 카프가 요구하는 것, 그리고 볼셰비즘의 세계관과는 거리를 두었다고 판단된다. 그렇다고 해서 이런 형식의 아나키즘이 요구하는 내용과 부합한 것이라고 할 수도 없다. 아나키즘을 표방한 그의 대부분의 시들이 주로 이 사유가 지향하는 것들에 대해 선언의 차원에서 그치고 있기 때문이다.

이런 한계는 시조 형식이 갖는 한계에서도 찾을 수 있을 것이다. 권구현이 시조 창작에 매진한 것은 그의 일상적 경험 때문이긴 한데, 그렇다고 하더라도 이런 경험적 사실이 모든 한계라든가 약점을 벌충해주는 것은 아니라고 할 수 있다. 아나키즘의 주요 사상적 근거 가운데 하나가 개인의 서정이다. 이는 위계질서를 초월하는 가장 대표적인 것 가운데 하나가 자발성에 토대를 둔 개성이기 때문이다. 그런데 시조라는 형식은 그 내용은 예외로 두더라도 형식 그 자체는 집단적 성격이 매우 강한 양식이다. 정형률이라는 것 자체가 집단적인 것이고 집단의 이상을 잘 구현해주는 의장이기 때문이다. 그런데 이런 집단적 음성과 개인적 음성은 양극단에 서 있는 것이기에 시조라는 양식은 아나키즘의 이상을 실현하는 개성의 발산과는 전연 어울리지 않는 것이라 할 수 있다. 그런 부조화가 시조의 리얼리즘이라는 기형적 형태로 구현된 것이 아닌가 한다.

하지만 권구현이 차용한 시조 형식이 마냥 부정적인 것이라고 치부할 수는 없을 것이다. 그것은 시인이 이 형식을 통해서 추구하고자 한 목적이 분명 내재해 있었기 때문이다. 그것이 '님'에 대한 가열찬 탐구였다. 시조란 성리학적 질서에 바탕을 둔, 충신연군지사의 정을 읊은 양식이다. 다시 말해 이 작품의 전략적 소재랄까 주제는 '님'을 떠나서는 존립하기 어려운 것이었다. 실상 권구현이 주목한 것이 바로 이 '님'이었다. 지금까지 권구현의 시에서 가장 많이 등장하는 소재가 '님'임에도 불구하고 기왕의 연구자들로부터 주목을 받지 못한 것이 사실이다. 그러나 권구현 시의 핵심 요소 가운데 하나가 바로 '님'인데, 그 기원을 탐색하게 되면, 그것은 전통적인 시조 형식과 분리하기 어렵게 얽혀 있는 것임을 알게 된다. '님'이란 곧 권구현 시의 중요한 소재이자 주제였기 때문이다. 그에게 있어 '님'은 1920년대 시인들의 모색했던 것처럼, 조국일 수 있고, 연인일 수도 있으며, 또 어떤 절대자일 수도 있을 것이다. 하지만 권구현에게는 이런 음역 말고 그 자신이 추구하고자 했던 이상이랄까 이념과 밀접하게 연결되어 있는데, 그것은 곧 아나키즘의 이상이었다. 그 이상으로 나아가기 위해 이 시기 여타의 시인못지 않게 '님'에 대한 그리움과 회고의 정서를 드러내었다.

'님'을 통한 이상 지대로 나아가는 것, 그것이 권구현 시의 요체일 것이다. 그리고 그 이상이 아나키즘적 유토피아가 실현되는 장일 것인데, 시인은 이를 자연과 인간이 하나되는 원시 공동 사회에서 탐색했다. 그것은 발전이 정지된 사회이고, 뿐만 아니라 진화가 멈춘 수평의 세계였다. 그러한 사회란 인간이라는 존재가 그 스스로의 고유성을 잃어버리고 자연이라는 거대한 범주 속에서 편입할 때, 비로소 실현되는 세계이다. 이런 맥락에서 권구현의 아나키즘적 이상세계는 이 시기 모더니스트들이 추구했던 모성적 상상력과 분리하기 어려운 것이라고 하겠다. 자연과 인간이 하나되는 이상 세계는 정지용의 작품세계, 특히 「백록담」에서 찾아볼 수 있는 것인데, 실상 이런 세계는 이미 권구현의 작품에서 구현되고 있었다. 따라서 권구현은 아나키스트이기 이전에 모더니스트였다고 해도 전혀 잘못된 말이 아니다. 그것은 자아와 세계 사이에 놓인 불화가 어떤 경로로 이루어졌으며, 그리고 어떻게 동일화되어야 하는 것을 보여준 데서 찾을 수 있을 것이다. 그것이 곧 아나키스트 권구현의 시가 갖는 궁극적 의의일 것이다.

근대 혹은 신경향파 전사(前史)

김형원론

김형원 연보

1900년 충남 강경 출생. 호 석송(石松)
1919년 보성고보 중퇴
시 「곰보의 노래」(『삼광』)를 발표하면서 작품활동을 시작
1922년 대표 민중시인 「햇빛 못보는 사람들」(『개벽』) 발표
1924년 파스큘라 가입
1925년 잡지 『생장』 주재
이 잡지에 대표시론인 「민주문예소론」 발표
1938년 대표시인 「그리운 강남」(『조광』) 발표
1945년 미군정청 공보과장
1946년 제헌국회 논산 갑구 출마
1950년 납북
1953년 평양 대동군 수용소 수용
1956년 함경북도 방면으로 이주하여 정착
1979년 『김형원시집』(삼희사) 간행

1. 20년대와 경향파

잘 알려진 바와 같이 1920년대는 격동의 시절이었다. 일제 강점 이후 그 억압에 응전코자 전 조선인이 결집하여 3.1운동을 일으켰는가 하면, 그 여파로 다양한 외래 문화가 유입됨으로써 문예의 홍수 시대를 열었기 때문이다. 그 가운데 우리의 주목을 끄는 것은 무엇보다 카프로 표명되는 현실주의 문학의 등장이었다. 카프가 공식 결성된 것은 1925년이었지만 그 전부터 이에 대한 발아 현상이 문예 전반, 아니 사회 전반에서 성숙되고 있었다. 이런 사상들은 일찍이 일본에 유학했던 계층들에 의해 소개된 바 있거니와 3.1운동과 그 실패에 따른 결과로 그 영향은 더욱 커지고 있었다. 이 시기 그러한 경향을 대표하는 것이 신경향파 운동이었다. 이 운동의 특색은 어떤 조직에 의한 지령이나 교시에 의해서 이루어진 것이 아니라 자연발생적인 것이었다는 데 그 특징이 있었다. 그리고 이를 대표하는 주제의식 가운데 대표적인 것이 바로 '가난 의식'이었다.

실상 우리 문학에서 '가난'이라는 소재가 등장한 것은 매우 획기적인 것이었다. 문학이 일부 특권층의 소유물로 한정되어 있던 시기에 이 의식이 문학에 반영되는 것은 어려웠기 때문이다. '존재가 의식을 규정한다'는 마르크스의 고전적 정의에 의하면, 지배층이라든가 특권층에 의해서 가난과 같은 주제의식이 문학에 반영되는 것은 불가능한 일이 아닐 수 없다. 따라서 이전의 지배층에 의해서 표명될 수 없었던 의식이 새롭게 문학 속에 구현되었다는 것은 곧 새로운 패러다임의 시작을 알리는 것이었다. 그러한 인식성에 대한 표현이 바로 신경향파 운동가들에 의한 가난의식이었던 것이다. 따라서 이 사조는 이전의 경향과는 전혀 다른, 단어 그대로 '신경향', 곧 '새로운 경향'이라는 레테를 붙이는 것이 가능했던 것이다.

이 시기 이러한 경향을 가장 잘 대변했던 것은 산문 양식이었다. 최서해라든가 주요한 등이 그 선편을 쥔 바 있었고, 이후 대부분의 카프 작가들이 이런 경향을 보여주고 있었다. 그런데 율문 양식으로 한정할 경우, 이 주제 의식은 산문 양식에 비해 뒤처져 있었다. 이는 장르상의 차이가 갖는 한계였거니와 또 이에 대한 인식의 깊이를 제대로 가져올 수 없었던 작가층의 부재와도 밀접한 연관을 갖는 것이었다.

이런 열악한 환경에도 불구하고 소위 근대적인 것에 대한 관심이 율문 양식이라고 예외일 수는 없었다. 그에 대한 욕구 역시 시에서도 필연적으로 제기될 수밖에 없었는데, 바로 석송 김형원의 경우가 그러하다. 김형원은 1901년 충남 강경에서 태어나 이곳에서 성장기를 보낸 다음 서울로 유학하여 보성고보를 졸업했다. 이후 근대 문학에 관심을 갖게 되고, 그 여파로 경향문학에 경도되기 시작했다. 1924년 진보적 문학단체인 파스큘라에 가입하면서 이 사조에대한 관심을 본격적으로 표명하기 시작했던 것이다. 그는 1925년에는 잡지 『생장』지를 주관했고, 또 언론활동에도 관심을 가지면서 중외일보 기자와 조선일보 편집국장까지 역임하게 된다. 해방 직후에는 미 군정청 공보국장을 맡기도 했지만, 한국 전쟁 중에 납북되어 실종 문인이 되었다. 1979년 그의 유족들에 의해 『김형원 시집』(삼희사)이 간행된 바 있다.

이상의 간단한 약력에서 알 수 있는 것처럼, 석송은 문인으로서 많은 작품을 남기지는 못했다. 뿐만 아니라 그에 대한 연구 역시 지극히 소략한 편이다. 오세영에 의해 그의 시론과 시에 대한 전반적인 검토가 처음 이루어졌고[1], 그에게 상당한 영향을 미친 것으로 알려진 W. 휘트먼과의 비교문학적 연구가 있었으며[2], 시론과 작품과의 상관성 정도에 대한 검토가 있기도 했다[3]. 그리고 최근에는 주근옥에 의해 그의 시 전반에 대한 구조미학적 검토가 있었고, 이와 더불어 새로운 자료의 발굴이라는 성과가 제시되기도 했다[4].

그러나 이런 검토에도 불구하고 1920년대 초기 그의 시에 나타난 경향시적 특성에 대한 연구는 여전히 미흡한 채로 남아있다. 게다가 그의 시론과 시에서 보이는 전통에 대한 인식과 근대성에 대해서는 전연 검토가 되지 못하고 있는 것이다. 그 연장선에서 그의 시들에 대한 변화과정이랄까 시의식의 전개 양상 역시 거의 다루어지지 못했다.

2. 전통부정과 현대에 대한 인식

석송은 1919년 작품 「곰보의 노래」를 『삼광』(三光)에 발표하면서 문인의 길로 들어섰다. 이후 그는 1920년대 초중반까지 작품을 집중적으로 발표하거니와 그의 시론 또한 이 시기에 집중된다. 하지만 어찌 된 일인지 그의 문학 활동은 이 시기를 지나면 거의 이루어지지 않게 된다. 대부분의 작가들이 등단 이후 예외 없이 꾸준히 작품 활

1 오세영, 「민중시와 파토스의 논리」, 『관악어문연구』, 1978.12.

2 김용직, 『한국 현대시 연구』, 일지사, 1978.
고용석, 「석송시 연구」, 『어문논집』, 중앙대 국문과, 1978.

3 송기한, 「민중시의 뿌리」, 『한국 현대시의 서정적 기반』, 새미, 2002.

4 주근옥, 『석송 김형원 연구』, 월인, 2001.

동을 이어가는 현실에 비추어보면 이는 매우 특이한 일이 아닐 수 없다. 이는 그가 지향했던 세계관과 개인의 기질이 개입된 결과일 가능성이 매우 큰 경우라 할 수 있는데, 후술할 예정이긴 하지만 그는 생리적으로 자유주의자였던 까닭에 언어의 유폐 속에 갇히게 되는 작품 활동에 크게 매력을 느끼지 못한 것처럼 보인다. 이런 결과는 짧은 작품 활동에도 불구하고 그의 작품이 포지한 세계의 다양성과도 불가피하게 연결되어 있기에 가능했을 것이다.

석송의 사유를 이해할 수 있는 직접적인 자료들은 주로 산문을 통해서이다. 이는 산문이 율문 양식에 비해 보다 명시적인 것이기에 가능했던 것인데, 이 시기 그의 사유를 보여주는 대표 시론 가운데 하나가 바로 「민주문예소론」[5]이다. 흔히 '민중시론', '역의 시론'(力의 詩論)으로 일컬어지는 이 시론은 이 시기 석송의 사유를 알게 해주는 주요 근거 가운데 하나이다.

> 민주주의의 특색은, '자유'에 잇다. 이 자유라 함은 모든 형식과 속박을 떠나서, 사람의 천품을 제벌로 발휘식히는 것을 의미함이다. 문예상으로 욺겨말하면, 형식과 제재를 구속없이 선택하고, 개성의 솔직한 표현을 위주하며, 따라서 각 개인의 생활을 그대로 승인하야, 시인의 입을 빌어 만인으로 하야금 발언할 자유를 허여하는 점에 민주적 문예의 참된 사명을 발견할 수 잇는 것이다. 이와가티 분방한 내용을 가진 민주적 문예는, 고정된 형식을 탈출하야, 극히 단순하고, 또 복

5 김석송, 「민주문예소론」, 『생장』, 1925.5.

잡하고 유동적 형식을 취하게 되는 것을 피치 못할 일이다.

이 시론에서 주장하는 가장 큰 전제는 '자유'이다. 그는 이를 "모든 형식과 속박을 떠나서, 사람의 천품을 제벌로 발휘시키는 것을 의미한다"고 했다. 그런 다음 이를 문예상으로 말하면, "형식과 제재를 구속없이 선택하고, 개성의 솔직한 표현"에 그 특징이 있다고 했다. 여기서 알 수 있는 것처럼, 석송이 강조하고자 했던 것은 개성에 기반을 둔 정서의 강조였다. 석송이 자신의 시론에서 '자유'를 표나게 내세웠는데, 이 말의 표면적인 의미에 주목하게 되면, 그는 영락없는 정치적인 인간이 된다.

하지만, 그가 이해한 자유는 정치적인 것이 아니라 과거의 속박을 벗어나기 위한 기제였다. 그의 '자유'는 정치 사회적인 맥락보다는 과거의 관습이나 인습과 관련되는 것이라 할 수 있는데, 이는 근대예술의 특징을 어떤 규율에도 묶이지 않는, 무목적이 합목적이라는 칸트적 명제와 매우 가까운 것이라 할 수 있다. 하지만 일부에서 지적하고 있는 것처럼, 이를 두고 낭만주의적 명제로 이해하는 것은 적절하지 않다고 하겠다[6]. 그가 주목했던 과거의 전통 예술, 가령, 개성을 억압하는 전통적 율격이나 중심지향적인 세계와는 엄격한 거리를 두고 있었기 때문이다.

그는 이 시기 다른 어느 누구보다도 근대 예술의 특성에 대해 주목한 시인이다. 그것이 그가 표방한 예술의 시초이자 근거이기도 했다. 전통에 대한 이러한 생각은 그의 창작 생활에 서도 그대로 재현된다.

6 오세영, 앞의 논문 참조.

이미 낡아 빠진 「禮儀」의 옷을
새로운 感情의 主人公인 나에게
아무리 입히랴고 애를 쓴들
너라 하면 이(齒)를 가는 나야말로
盛히 타는 咀呪의 불속에 더지고야 - - -

人情을 무시하는 「禮儀」!
깨어진 솟 때이듯하는 「論理」!
神聖한 人間性을 破壞하는
滅亡의 씨를 뿌리는 「舊道德」
(- - -)
人生은 創造的 動物이다
個性의 完全한 表現
感情의 充分한 發達
여긔에 創造가 잇슬지오
비롯오 新世界는 展開된다

무엇보다도 더 큰 「사랑」조차
우리의 마음대로 못하는
잠과 밥도 어더 볼 수 업는
性格 破産의 宣告를 바든 人生은
일어날 것이다 革命의 홰불을 들고

「離鄕」 4연, 8연

이 작품에서 석송은 전통적인 것들에 대해 "이미 낡아빠진 「禮儀」의 옷을/새로운 感情의 主人公인 나에게/아모리 입히랴고 애를 쓴들/너라 하면 이(齒)를 가는 나야말로/盛히 타는 咀呪의 불속에 더지고야"라고 하고 있다. 그리고 이 전통적인 것들이야말로 멸망의 씨를 뿌리는 '舊道德'이기에 "나는 진정 저주한다"고 하고 있다. 석송이 이 작품에서 말하는 전통이란 「민주문예소론」에서 이야기한 자유의 대항담론, 곧 형식과 속박일 것이다. 그런데 이 형식과 속박이라는 것에 대해서 그것이 구체적으로 무엇을 지칭하는지에 대해서 그가 뚜렷이 밝혀 놓은 것은 없다. 그가 문예적인 측면에서 개성이라고 한 것에서 유추해본다면, 비개성이라 할 수도 있고, 이를 전통적인 문예에서 이해하게 되면, 시조나 가사와 같은 정형 양식일 수도 있을 것이다. 정형률이 개인의 고유한 정서와 무관하고, 집단의 규격화된 정서와 불가분의 관계에 놓인 것이라 한다면, 그리고 석송이 말한 자유라든가 개성을 양식적인 측면에 한정한다면, 그가 염두에 두었던 것은 자유시 정도일 것이다. 자유시가 개인의 생리적인 리듬에 의해 기반을 두고 있는 양식을 감안하면, 석송은 이 시기 주요한 등과 더불어 자유시형에 대해 최초로 자각한 시인으로 규정할 수 있을 것이다.

한편, 형식과 속박에 대한 안티 담론은 이 작품의 8연에서 확인할 수 있는데, 그는 '개성의 완전한 표현'과 '감정의 충분한 전달'을 창조의 근간으로 이해하고 있거니와 이를 바탕으로 해야만 비로소 '신세계가 전개'된다고 했다. 개인의 고유한 정서와 생리적인 리듬에 바탕을 둔 시들이 근대시의 주요한 특성임을 감안하면, 석송은 자유시와 자유시론에 대해 실천적으로, 그리고 이론적으로 제시한 최초의 시인이라고 할 수 있을 것이다. 근대시에 대한 이러한 이해는 근대에 대한 자각 없이는 불가능한 일이거니와 실제로 이 시기에 석송의 주된 탐색의 대상이 되었던 것도 근대에 대한 제반 편린들이었다.

석송은 길지 않은 문인 생활이긴 하지만 이 시기에 집중적으로 많은 작품을 발표한다. 그가 문학에 관심을 갖고 창작 생활을 한 것은 약 5년 전후 동안의 기간이다. 이 시기에 그가 발표한 대부분의 작품들은 대부분 자유시형들이었다. 다른 말로 하면, 그는 1920년대 전후 다른 어떤 시인보다 자유시형에 바탕을 둔 작품을 많이 생산한 시인이라 할 수 있다. 그러나 그렇다고해서 그가 이 시기 다른 장르와 거리를 두고 있었던 것은 아니다. 많지 않은 작품이긴 하지만, 그는 시조에도 관심을 기울였고, 또 동시대에 활동했던 김억의 작품활동으로부터 어느 정도 영향을 받은 것으로 보인다[7]. 김억이 시도했던 격조시들이 석송의 시에서도 발견되고 있기 때문이다[8].

전통에 대한 부정과 그 대항담론에 대한 사유만으로도 석송은 근대에 대해 어느 정도 인식론적인 기반을 갖고 있었던 것으로 이해된다. 근대에 대한 사유가 물리적인 외피나 현상적인 대상들을 통해서만 길러지는 것은 아니기 때문이다. 특히 그것을 문예학적 국면으로 한정하게 되면, 장르의 파괴 현상과 거기에 깃든 정서만으로도 충분히 이 세계에 편입되어 있다고 보는 것이 타당할 것이다. 그런 면에서 석송은 이 시기 근대에 대한 감각을 매우 예민하게 펼쳐보였던 문인 가운데 하나가 될 것이다.

7 이 시기 김억은 자유시에 관심을 가지면서도 다른 한편으로는 글자 수에 지나치게 집착하는 격조시형, 곧 정형율에 가까운 시들을 많이 발표하게 된다. 이런 면에서 그는 전통으로 회귀한 경우라고 할 수 있을 것이다.

8 가령, 7.7조 쓰여진, 「벌이 일흔 몸」이나 「품터」 등의 작품이 그러하다. 이런 시 형식들은 김억의 영향을 떠나서는 설명하기 어려운 작품들이다.

3. 반근대성과 무산자 의식

근대를 감각하는 방식은 하나의 지점에서만 이루어지는 것은 아니다. 그러니 어느 하나의 국면을 부각시켜 이를 근대의 한 양상이라 설명할 수도 있고, 다양한 국면에서 다가오는 복합적인 양상에서도 이해할 수 있을 것이다. 그러니 어느 특정 작가에게서 근대의 제반 현상에 대해 모두 읽어낼 수 있다거나 어느 한 면을 특정해서 표면적으로 이해했다거나 하는 지적들이 모두 합당한 것은 아니다. 근대의 특징적인 단면 가운데 어느 한 부분만이라도 드러낼 수 있다면, 이를 제대로 이해한 경우라고 간주할 수도 있을 것이다.

근대에 대해서 주목할 때, 가장 큰 패러다임의 변화 가운데 하나는 소위 인간에 관한 것이다. 중세와 근대를 구분짓는 중요 잣대 가운데 하나가 영원성의 유무이니 이를 응시하는 자아의 정신적 변화라든가 그 밀도 혹은 진폭이야말로 매우 중요한 근거가 될 것이다. 영원이 사라진 시대에 인간은 스스로 그 영원을 찾아 나서야 했거니와, 그러한 도정 앞에 놓인 것이 소위 욕망에 관한 것이다. 실상 인간의 욕망은 에덴동산의 신화 이후 인간을 규정해온 가장 큰 특징인데, 근대적 세계로의 편입은 그러한 인간의 욕망을 더욱 극대화시켜 발산하기에 이르렀다. 이는 근대 심리학의 중요한 발견가운데 하나였던 무의식과도 연결되는 것이며, 푸코가 말한 근대적 제도와 불가분하게 얽혀있는 문제이기도 했다. 욕망이란 곧 근대의 제반 현상으로부터 분리하기 어려운 것인데, 석송의 작품에서도 그러한 근대적 인간의 욕망 문제가 중요한 테제 가운데 하나로 다루어지고 있다.

썩어가는 얼굴에
분을 케케이 바르고
動物園 살창 속같은
娼樓에 나안즌
웃음 파는 계집아이
너는 失望치 마라
世上 사람은 모다
너를 誹謗하나
그들은 은근히
너를 부러워 한다
너는 다만 돈을 願하나
그들은 너보다도 더
複雜한 所望을 가진
形形色色의 娼婦이다

「웃음파는 계집」 전문

이 작품은 두 가지 측면에서 근대의 병리적인 현상을 다루고 있다. 하나가 웃음 파는 계집인데, 이는 성을 상품화하는 자본주의의 불온한 현실과 관계되어 있다. 자본주의가 상품의 논리, 곧 자본의 논리에 기대고 있음은 당연한 일인데, 성의 상품화도 이런 테두리에서 설명할 수 있다. 그리고 다른 하나는 근대적 인간형의 기본 토대라 할 수 있는 욕망의 문제이다. 시인은 이를 소망이라고 했거니와 이는 곧 욕망의 또 다른 이름일 뿐이다. 영원에 편입된 인간의 정서가 욕망과는 어느 정도 거리를 두고 있다고 한다면, 이 작품에서는 그러한 거리와는 전연 관계가 없다. 오히려 근대의 불편한 진실 가운데 하나인 욕망이 이 작품에서는 집요하게 다루어지고 있기 때문이다.

이처럼 석송이 지적하고 있는 것은 인간의 본질이나 실존과 같은 형이상학적인 것과는 거리가 있다. 그가 묘파하고 있는 것은 근대에 편입된, 보다 정확하게는 자본주의 질서 내에 편입된 인간들이 어떤 포오즈를 취하고 있는가에 놓여 있다. 그것은 곧 근대적 인간이라면 숙명처럼 짊어질 수밖에 없는 욕망의 본질이랄까 그 속성에 집요하게 접근하는 것이 보다 올바른 탐색 방향일 것이다.

여보게 친구!
지금이 몇 시인가
거진 거진 닭 울 때가
갓가워 오지 안는가
여호의 눈동자 같은
별빛이
저 무서운 어둠 속에서
사라질 때가 --
수상한 자취에 놀라
자지러지게 짓는
악착스런 개소리가
들리지 아니 할 때가 --
아! 몃 시나 남엇나
여보게 친구!

竊盜, 强盜, 詐欺, 賭博 - - -
모든 在來의 犯罪와
奸淫, 畜妾, 離婚
艱難, 富裕, 浪費 - - - -
모든 在來의 罪惡이
뻔뻔하게 춤을 추는
이 무서운 밤의 幕이
아! 얼마나 기냐는가

酒酊軍, 僞善者, 狂人, 天才 - - -
그들의 呻吟하는 소리가
이 무서운 交響樂이
얼마나 繼續하랴는지!
지금이 몃 시인가
거진 거진 닭울 때가
갓가워 오지 안는가

「무서운 밤」 전문

근대성의 제반 양상에 천착해 들어간 석송이 응시한 것은 이렇듯 도시의 병리적인 모습이다. 도시 역시 근대의 풍경들을 이해할 수 있는 단면 가운데 하나라는 점에서 그 의의가 있는 경우이다. 보들레르가 근대화된 도시에서 소외된 자아를 발견했다면, 석송이 발견한 것은 그 외면에서 드러나는 병리적인 단면들이다. 따라서 소외는 근대성에 편입된 자아가 가질 수 있는 필연적인 것이라 한다면, 이에 대한 응시는 분명 절대 비판의 세계일 것이다. 말하자면, 전자는 내면에 충실한 경우이고, 후자는 외면에 치중한 경우이다. 물론 이런 응시에 어떤 선후관계나 내밀한 밀도의 차이는 없을 것이다. 그것은 단지 작가의 생리적 반응의 결과일 뿐이다.

어떻든 석송은 근대화된 도시에서 자아의 소외와 같은 내면적인 것에는 거리를 두었다. 그는 오히려 이러한 내면보다는 바깥 세계에 응시의 초점을 둠으로써 근대에 응전하는 자신의 시적 자리를 마련해나갔다. 어쩌면 이런 외향적인 사유가 이후 그의 시세계를 이끌어 나가는 동인으로 작용했던 것으로 보이는데, 곧 신경향파적인 단계로 나아가는 것이 바로 그러하다. 석송이 이 시기 가장 진보적인 단체였던 파스큘라에 가입한 것은 잘 알려진 일이거니와 이 단체의 가입이 단지 호기심의 차원에서 이루어진 것이 아님은 이로써 증명되는 것이라 할 수 있다. 그것은 자신의 내밀한 욕구가 현실의 불합리한 국면과 만나서 얻어진 것이며, 이 적절한 조합이 그에게 좀 더 적극적인 변혁의 세계로 나아가게끔 한 계기가 되었다.

해빗은 누리의 구석구석에
빈 틈 업시 비추는 해빗이다
오! 그러나 그러나
햇빗 못 보는 사람들!
그대들은 얼마나 不幸일가.

春夏秋冬의 分別조차 업시
어름 위 바람이 살을 찌르는

힌 곰만 사는 北極에도
아! 자비한 햇빗은
구석구석에 비추인다.

새벽별을 머리 우에 이고
저녁달 그림자를 밟으며,
저마다 바쁜 듯이 돌아다니는
새하얀 친구들의 얼구리어
오! 햇빗 못 보는 얼굴이어

나는 疑心이 벌컥 난다
그대들이 囚人이 아닌가
저 鐵窓속에서 손발까지 묵긴
法의 叛逆者나 아닌가
아! 나의 疑心은 더욱 깁허간다

그대들의 次序대로 記錄하면
官吏, 富者, 有識階級,
商人, 小作人, 勞動者 -
나의 마음대로 記錄하면
깨인 놈, 자는 놈, 일하는 놈, 노는 놈 -

모든 階級의 친구들이어
그대들은 어찌하야

絕對로 許諾하는 햇빗 -
숨김 업는 男性的 사랑을 -
그러케 모지게 실혀하는가

그대들 中에 누구는
이러케 말하는 나를
살 깁히 미워할 것이다
「世上 철 모르는 所謂 詩人아
좀더 世上을 알으라」고

「살기 위하야는 먹어야 하고
먹기 위하야는 일하여야 하고
일하랴면 밧부어야 하고
바뿌면 自然히 너의 가티
吟風詠月할 겨를은 업다」

「그러나 親舊 -여보게.
자네가 工場에서 돌아갈 때에
(한울이 부우연한 것 갓고
머리가 어찔어찔 하다)고
엇제인가 나다려 말하얏지」.

「(그리고 職業에 실증이 나며
일이 손에 잡히지 안코

때때로 世上이 귀찬하서
그만 말아 버릴가 하는
생각도 난다)고 하얏지」‘

「그러고 나의 記憶은
또 자네의 말을 말하네 --
(우리에게는 主日도 업네!
예수도 돈 잇는 놈만 밋나?
다 가튼 한우님 子孫인데 ---」

「우리는 아츰 해가 고흐나
저녁에 달이 밝으나
도모지 상관이란 업네.
차라리 해와 달을 따다가
太平洋에 영장이나 할가!」

나는 언제든지 듯는다
이와 가튼 沈痛한 絕叫를
온 人類의 입으로부터
더욱이 甚한 것은
朝鮮人 -나의 입으로부터

오! 친구여! 햇빗 못 보는 친구들이어!
우리는 장차 어찌 할거나!

해와 달을 깨치어 버릴가!

「햇빛 못 보는 사람들」 전문

제목에 드러나 있는 바와 같이 이 작품은 노동자들의 일상을 담아낸 시이다. 그리고 그의 또 다른 대표시론인 「문학과 실생활의 관계를 논하야 신문학 건설의 급무를 제창함」[9]에서 제기했던 평등주의 사상이 잘 드러난 시이기도 하다. 이에 따르면, 햇빛은 일종의 평등의 전파자일 뿐만 아니라 그 절대적 실존이기도 하다. 따라서 그것은 어떤 층위나 편차없이 모두에게 향유될 수 있다. 그것은 절대 선이면서 형이상학적 평등의 구경적 존재인 것이다. 하지만 이런 절대 선조차도 마음대로 향유할 수 없는 계층이 있다. 바로 어두운 공장에서 일하는 노동자들이다. 그들은 동일한 질로 다가오는 햇빛조차 공유할 수 없을 정도로 열악한 상황에 놓여 있다. 따라서 이런 빛을 못 본다는 진술만으로도 그들의 현존을 말해주는 강력한 상징이 될 수 있는 것이다.

그리고 그러한 평등성이 노동자들을 응시하는 시인의 의식을 더욱 고양시키는 매개가 되기도 한다. 가령, "나는 의심이 벌컥 난다/그대들이 囚人이 아닌가"하고 말이다. 심지어는 "鐵窓 속에서 손발까지 묶인 法의 叛逆者"로까지 그 의심의 진폭은 더욱 커지기까지 한다. 석송은 햇빛을 향유할 수 있는 계층과 그렇지 못한 계층을 나누고 있는데, 물론 이를 구분하는 근대 잣대는 당연히 자본주의 현실이다.

9 동아일보, 1920.4.20.-4.24.

석송이 '가난'을 소재로 한 신경향파 시를 많이 창작한 것은 아니다. 실제로 이 시기 그가 창작한 작품들이 매우 많음에도 불구하고, 이러한 경향의 작품은 손에 꼽을 정도로 적다. 하지만 작품의 양이 질을 보증하는 것도 아니고, 편중되는 경향이 있다고 해서 어떤 시인을 그러한 성향으로 분류하는 것도 결코 올바른 것은 아니다. 중요한 것은 그가 포지하고 있는 세계관의 일관성이랄까 인과관계일 것이다.

앞서 언급한 대로 석송은 근대의 제반 모습을 긍정적으로 응시한 것은 아니다. 가령, 이후에 등장한 김기림이나 정지용의 경우처럼, 근대를 계몽과 같은 장밋빛으로 이해한 경우는 없었던 것이다. 현실에 대한 반응으로 쓰여진 석송의 작품들에서 이 시기 유행했던 엑조티시즘이나 과학문명의 신기성과 같은 담론의 층들은 거의 나타나지 않고 있기 때문이다. 하기사 어떤 경향작가라 하더라도 근대를 이렇게 긍정적, 낙관적으로 응시한 경우는 없었다. 이는 석송의 경우도 마찬가지인데, 그는 일단 근대를 부정적 국면에서 이해했다. 그 편린이 욕망의 발산과 같은 것이었고, 또 근대화된 도시의 병리적인 현상들에 대한 응시였다. 이런 부정적 시선들이 그의 시정신에 있었기에 「햇빛 못보는 사람들」이라는 경향시가 탄생한 것이 아니겠는가. 이런 관점에서 그의 시들은 근대에 대한 비관적 인식에서 출발하여 자본주의 사회가 가질 수 있는 병리적인 현상에 주목했다. 그가 20년대 초반에 보여주었던 신경향파 시는 이런 도정을 거쳐서 탄생한 것이다.

4. 경향시에서 아나키즘의 세계로

근대에 대한 부정적인 인식은 석송으로 하여금 이에 대응하는 선택을 요구하기에 이르렀다. 그 부정적 단면들에 대해 계속 천착해들어갈 것인가 아니면 이와 다른 길을 선택할 것인가의 문제가 놓여 있었던 것이다. 그가 전자의 길로 나아가는 것은 카프에 곧바로 가입하는 일이었는데, 카프가 파스큘라와 염군사의 발전적 해체와 결합에 의해서 탄생한 조직이라면, 파스큘라의 구성원이었던 석송이 카프의 성원이 되는 것은 자연스러운 일이었다. 하지만 그는 어떤 이유에서인지는 몰라도 카프에 가입하지 않았다. 계급 성향을 드러낸 작품들을 볼 수 없거니와 카프 결성 이후 그의 작품 활동은 현저하게 줄어들기도 했다.

그리고 다른 하나는 카프 이외의 길을 걷는 방법이다. 물론 그가 카프에 가입하지 않음으로써 그 앞에 놓인 선택은 어쩌면 정해져 있는 것이었는지도 모르겠다. 어떻든 그는 카프와 거리를 둠으로써, 카프가 지향하는 이념으로부터 멀어지게 된다. 카프와의 거리두기는 이 시기 또 다른 유행처럼 퍼지기 시작한 동반자 그룹에 대한 무관심으로도 이어진다. 조직에 맞지 않으면, 그의 세계관에 따라 적어도 이 그룹에 관심을 갖는 것이 가능한 경우였다. 하지만 석송은 동반자적 성향을 보이지도 않은 것이다.

그가 카프와 거리를 두게 된 배경에는 우선 그의 대표시론이었던 「민주문예소론」에서 그 일단을 확인할 수 있다. 그가 이 시기에 내세운 것은 정치적으로는 '민주'였고, 그에 바탕을 둔 문예학이 '민주 문예'였다. 그리고 여기서 그가 표나게 강조한 것이 '자유'였고, 이어서 그가 적극적으로 표명한 것이 '평등' 사상이었다.

> 또 민주주의 특색 중의 하나로 가장 중요한 것은 '평등'이다. 평등은 자의(字意)와 가티 고하귀천이 업다. 민주적 철학은, 가장 평범한 사물, 가장 비근한 사건일지라도, 그 본질을 나타내어서 그 진체(眞體)를 설명하는 것이다. 태양이 삼라만상을 고루 고루 비최이드시, 박대한 심경과 동찰력을 가진 시인일진대, 사람이던지, 자연이던지, 무엇이던지, 시 아닐 것이 어데잇슬리오, 그리하야 그들(민주적 예술가)은 사물의 정수를 투시하기에 노력할 것이다[10].

석송이 말한 평등이란 위계질서의 거부였고, 경제적 차별이 없는 것이었다. 전자가 전통적인 봉건 질서에 대한 반항이었다면, 후자의 경우는 「햇빛 못 보는 사람」에서 살펴본 것처럼, 계급 질서에 대한 거부감이었다. 여기에 사회적 함의가 담겨져 있음은 물론인데, 일제 강점기라는 현실, 곧 '민족 모순'에 대한 정서가 깊게 스며들어가 있었음도 당연했을 것이다. 이런 차별적 인식이 있었기에 석송은 이에 대한 대타의식으로 '평등'이라는 사유를 표방한 것처럼 보인다. 하지만 중요한 것은 실천의 문제였다. '평등'이라는 정신이 아무리 긍정적인 것이라 해도 이를 실천의 장으로 이끌어낼 수 없다면, 그것은 공허한 메아리에 그칠 뿐이다. 석송은 앞서 언급한 대로 파스큘라라는 진보 단체에 가입했음에도 불구하고 그 발전적 승화 단계인 카프

10 김석송, 「민주문예소론」, 『생장』, 1925.5.

와 거리를 두었다. 이는 그에게 실천을 추동할 만한 어떤 내적 계기가 없었음을 증거하는 것이 아닐 수 없는데, 이럴 때 자아에게 다가오는 정서란 어떤 것일까.

오! 나는 본다!
숨쉬이는 木乃伊를

「現代」라는 옷을 입히고
「제도」라는 약을 발라
「生活」이라는 棺에 너흔
木乃伊를 나는 본다

그리고 나는
나 자신이 이미
숨쉬이는 木乃伊임을
아! 나는 弔喪한다!

「숨쉬이는 木乃伊」 전문

木乃伊는 미이라이다. 영혼은 죽어있되 육체는 마치 살아있는 듯한 상태로 보존하는 것이 미이라의 본모습이다. 말하자면 삶과 죽음이 교차하는 지대이고, 생명과 무생명이 뒤섞인 어정쩡한 상태 속에 놓인 것이 미이라의 존재이다. 시적 자아는 자신을 '목내이'로 비유하고 있는데, 그것은 의식의 마비 혹은 무딘 감각을 말하는 것이 아닐 수 없다. 그렇다고 의식이나 이성의 감각이 사라졌다고 해서 그

저편에 놓인 무의식이 부각되는 것도 아니다. 만약 그러하다면, 그것은 근대성에 대한 가장 강력한 안티 담론이 될 수도 있을 것이다. 그럼에도 이 작품에서 근대에 대한 긍정적 요소가 내재되어 있는 것은 아니다. 자아는 근대에 대한 저항의 불길을 강력히 쏟아붓고 있는데, 가령, '현대'를, '제도'를, '생활'을 관속에 집어넣고 이를 미이라처럼 만들고 있기 때문이다.

하지만 근대 속에 놓인 자아 역시 미이라와 동일한 존재이다. 작품 속의 서정적 자아는 살아있지 않을 뿐만 아니라 그렇다고 완전히 죽어있는 것도 아니다. 숨만 겨우 쉴 수 있는 상태, 곧 미이라와 같은 존재일 뿐이다. 따라서 이런 상태에서는 삶을 영위하거나 인간으로서의 구실, 이성적 판단을 할 수 없다. 이런 자아의 모습은 이상의 「날개」 속의 '주인공'과도 유사하다. 시인이 자아를 이렇게 비유하고 있다는 것은 근대에 대한 저항의식은 있되, 이를 뚫고 나아갈 힘은 더 이상 없음을 의미한다. 이런 무기력한 모습들이 그로하여금 강력한 자아를 바탕으로 불합리한 현실을 개혁하고자 했던 카프의 세계와는 거리를 두게 했을 것이다. 인간이되 인간이지 않은 상태로는 어떤 힘도 추동할 수 없기 때문이다.

현실의 어두운 단면을 이해하고 있되, 이를 초월할 의지가 없을 때, 자아가 할 수 있는 일이란 무엇일까. 석송은 비록 짧은 글에서나 이 시기 가장 주도적 담론 가운데 하나였던 '민주'에 대한 이해를 체득한 경우였다. 그는 3.1운동 실패 후 문화 정책의 시행에 따른 외래 문화의 홍수를 그 나름대로 경험했다. 그것이 휘트먼의 사상이었는데, 그가 표명한 대표적인 사유가 바로 '민주'였던 것이다. 석송은 휘트먼의 사유 가운데, '자유'와 '평등'이라는 관념을 매우 의미있게 수용했다.

그것의 핵심 요체는 형식과 속박으로부터의 벗어남이고, 위계질서의 거부였다. 이는 전통적 가치의 부정일 뿐만 아니라 지배와 피지배에 대한 거부였다. 게다가 이 시기 유행처럼 번진 사조 가운데 하나가 바로 아나키즘이었다. 그것은 신채호에 의해 수용되면서 1920년대 전후 권구현[11]을 비롯한 일련의 카프 시인들에게 널려 퍼져있었다.

석송이 아나키즘과 어떤 관련이 있었는지는 불분명하다. 그가 이 사조로부터 영향을 받았다거나 이와 관련된 글을 발표한 것은 없기 때문이다. 그럼에도 불구하고 그가 이 사상으로부터 자유롭지 않음을 알 수 있는데, 그의 대표시 가운데 하나인 「무산자의 절규」가 그러하다.

> 나는 無産者이다!
> 아모것도 갓지 못한
>
> 그러나 나는
> 黃金도, 土地도, 住宅도,
> 地位도, 名譽도, 安逸도,
> 共産主義도,
> 社會主義도,
> 民主主義도,
> 아! 나는 願치 않는다!

11 이 시기 아나키즘에 대해 이론적으로 가장 활발하게 활동한 시인이 권구현이다. 「계급문학과 그 비판적 요소」(『동광』 10호, 1927) 등을 비롯해서 아나키즘에 관한 글들을 이 시기에 활발하게 발표하고 있는 것이다.

사랑도, 家族도,
社會도, 國家도,
現在의 아모것도,
아! 나는 咀呪한다!

그리고 오즉
未來의 合理한 生活을
아! 나는 要求한다

그리하야 나는
온 世界의 女子를
내 한 몸에 맛긴대도,
온 누리의 財産을
내 손에 준다 해도 ---
아! 나는 抛棄할 것이다!

나는 無産者이다!
아모것도 갓지 못한

그러나 나는 다만
「人間」이란 財産만을
진실한 의미의 「人間」을 ---
要求한다 絕叫한다!

그리고 다음에
「人間」 權利를
나의 손에 잇게 하라고
나 스스로 나(人間)를
認識하고 處分할 만한 ---

「無産者의 絕叫」 전문

인용시는 무산자, 곧 프롤레타리아를 소재로 하고 있어서 경향시의 한 갈래로 인정받고 있었다. 하지만 제목이 '무산자의 절규'라고 되어 있는 까닭에 이 작품을 프롤레타리의 의식을 전면적으로 수용하고 있다고 하는 것은 일면적인 해석일 뿐이다. 2연에 나타나 있는 것처럼, 모든 소유욕 뿐만 아니라 당대를 풍미하고 있던 사조들, 가령 공산주의라든가, 사회주의, 그리고 민주주의도 원치 않는다고 하고 있기 때문이다. 여기서 알 수 있는 것처럼, 그가 원했던 것은 어떤 공식적인 주의, 곧 거대 서사 같은 것들이 아니었다. 뿐만 아니라 사랑이나 가족, 사회와 국가와 같은 것들도 저주한다고 했다. 그 앞에 놓인 어떤 실체도 자아를 억압하는 것이기 때문에 그는 이를 인정할 수 없다고 하는 것이다.

이런 막무가내식의 청산주의가 말하는 것은 무정부주의가 아니면 그 설명이 불가능하다. 익히 알려진 대로, 무정부주의, 곧 아나키즘은 진화론이라든가 양육강식의 논리에 의해서 지배된다. 단재 신채호가 처음 강조한 것도 양육강식의 논리였다. 부강한 국가만이 온전한 독립을 실현할 수 있다는 것이고, 이를 위해서는 독립을 이룰 수 있는 힘을 길러야 한다는 것이었다. 하지만 이는 곧 자기 당착에 빠지는 결과를 가져오게 된다. 양육강식의 논리에 의해서 식민지 지배가 정당화되는 모순을 보여주기 때문이다. 그래서 신채호가 수용한 것이 크로포트킨의 상호부조론[12]이었다. 이는 억압을 뚫는 힘은 필요하되 또다른 지배를 향한 권력은 필요없다는 것인데, 오직 공생과 평화만이 인간의 아름다운 유토피아를 실현할 수 있다는 것이다.

1

正二月 다가고 三月이라네

江南갔든 제비가 도라오면은

이땅에도 또다시 봄이 온다네

　아리랑 아리랑 아라리오

　아리랑 강남을 어서가세(후렴)

2

三月도 초하로 당해오며는

닷득이나 들석한 이내가슴에

제비때 날러와 지저귄다네

3

江南이 어덴지 누가 알리오

맘홀로 그려진 열도두해에

가본적 없으니 제비만 안다네

4

집집에 옹달샘 저절로 솟고

12 김형배, 「신채호의 무정부주의에 관한 일고찰」, 『신채호의 사상과 민족독립운동』, 형설출판사, 1987.

가시보시 맛잡아 즐겨살으니

천년이하로라 평화하다네

5

저마다 일하여 제살이하고

이웃과 이웃이 서로 믿으니

빼앗고 다톰이 애적에 없다네

6

하늘이 풀으면 나가 일하고

별아래 모이면 노래부르니

이나라 일홈이 강남이라네

7

그리운 저강남 두고 못감은

삼천리 물길이 어려움인가

이발목상한지 오램이라네

8

구리운 저 江南 언제나 잘가

구월도 구일은 해마다 와도

제비때 갈제는 혼자만 간다네

9

그리운 저강남 건너가려면

제비때 뭉치듯 서로 뭉치세

상해도 발이면 가면간다네

「그리운 강남」 전문

인용시는 유토피아 의식에 바탕을 둔 석송의 대표시 가운데 하나이다. 이 작품을 두고 낭만주의적 경향으로 설명하고 있으나. 실상 중요한 것은 낭만적 이상이 아니라 아나키즘의 사유에 의해서 생산된 작품이라는 사실이다. '강남'은 유토피아이면서 아나키즘의 이상이 실현되는 상징적 공간이 된다. 석송은 이 이상적 공간을 이렇게 묘사한다. "저마다 일하여 제살이하고/이웃과 이웃이 서로 믿으니/빼앗고 다톰이 애적에 없다네"라고 말이다. 이런 실상이야 말로 크로포트킨이 말한 상호부조의 이상사회, 바로 그것이라 할 수 있다.

「민주문예소론」에서 이해한 대로 석송이 주목한 것은 '자유'와 '평등'의 사상이었다. 이는 형식과 속박, 위계질서의 부재와 밀접한 관련이 있는 것이었다. 이런 수평적 사상은 이 시기 유행했던 아나키즘의 사상과 어느 정도 겹쳐지는 부분이었다. 석송은 그러한 사유의 단면들을 「무산자의 절규」나 「그리운 강남」을 통해 표명함으로써 이것이 갖는 사상의 유효성을 당시의 사회 속에서 대입, 실천하려 했다.

석송은 자신이 묘파했던 자유와 평등 사상이 카프의 논리와 배치되는 것으로 이해했던 것으로 보인다. 현재의 질곡을 뚫고 나아가기에는 카프의 실천적인 행위가 유효했을 것으로 생각되었을 것이다. 하지만 카프가 달성하고자 했던 사회는 또다른 위계질서를 전제하는 것이었다. 그러한 층위화가 자신이 이해했던 자유와 평등 사상과 배치되는 것으로 이해했을 것이다. 그러한 인식적 단면이 있었기에 그는 아나키즘을 적극적으로 수용한 것은 아닐까. 어떻든 석송은 이에 대한 자신의 견해를 분명하게 밝혀놓은 것이 없다. 하지만 앞서 살펴본 대로 「무산자의 절규」나 「그리운 강남」을 통해서 그가 꿈꾸었던 이상 사회가 어떤 것인지를 이해할 수 있었다. 그것은 층위와 위계질서가 없는 이상사회, 곧 아나키즘의 사회였던 것이다.

5. 아나키즘과 자연의 접점

석송은 길지 않은 시기임에도 다양한 형태의 시형식을 생산해내기도 했고, 또 여러 방향에서 자신의 시정신을 표명했다. 작가의식이나 시의식이 여러 계기에 의해 끊임없이 변형되고 발전하는 도정임을 감안하면, 그의 시에서 드러나는 이런 일관된 면들은 매우 예외적인 것이라 할 수 있을 것이다. 하지만 이런 다양성에도 불구하고 그가 추구했던 시정신이 각각의 계기마다 구별되거나 어떤 연관성 없이 진행된 것은 아니었다. 그의 작품들은 하나의 계기에 의해서 또 다른 단계로 나아가는 연쇄구조, 인과성이 비교적 뚜렷이 드러나고 있는 까닭이다. 그동안 석송 시를 연구했던 연구자들은 이런 면들은 외면한 채, 단편적이고 분산적인 그의 시의식에 대해서만 주목해왔다. 그러다보니 그의 시들은 어떤 계기성 없이 유행이나 감각적인 측면에 크게 기댄 것으로 이해한 것이다.

석송의 시들은 고립 분산된 것처럼 보이는 것이 사실이지만, 그 내면을 꼼꼼히 들여다보게 되면, 조밀한 연계고리로 시의식이 짜여져 있음을 알 수 있다. 그 한 단면을 보여주는 것이 그의 자연시들이다. 그는 이 시기 다른 낭만주의자들이 그러했던 것처럼, 자연을 소재로 한 시들을 많이 발표했다. 「그리운 강남」도 응시의 방향에 따라 낭만주의적 이상에 충실한 것처럼 보이긴 하지만 이 의식과 밀접한 관련이 있으며, 이외의 시들에서도 이런 면들은 얼마든지 간취할 수가 있다.

하지만 석송의 자연시는 낭만적 이상을 노래한 경우도 있지만, 근대성의 편입된 자아만이 포지할 수 있는 면 역시 내포하고 있었다. 이를 대표하는 작품 가운데 하나가 「自然, 나, 詩」이다.

> 莊嚴한 自然의 품에 안길 때,
> 나는 문득 놀내인다.
> 그러나 自然의 本體는
> 그보다 더 놀나운 것이다.
>
> 나의 感覺은 至極히 무디다.
> 나의 詩는 感覺만도 못 하다.
>
> 이줄은 깨다른 나는,
> 絕望의 悲哀에 울기도 하나,
> 希望의 歡喜에 뛰기도 한다,
> 心臟의 靜岭 動聆과 함께
>
> 自然은 나의 永遠한 길동무
> 나는 自然의 一分子임으로
>
> 「自然, 나, 詩」 전문

근대적 의미에서 자연은 욕망의 대상이었다. 인간과 자연은 아름다운 공존이 아니라 인간을 위한 도구에 불과했다. 자연이 도구화된 것은 근대의 욕망이 낳은 불행한 단면이며, 영원의 분리와 밀접한 관계를 갖는 것이었다. 그러나 자연의 기술적 지배는 문명이 배태한 한계로 말미암아 곧바로 위기를 맞게 된다. 그리하여 자연으로부터의 분리가 아니라 그곳으로의 회귀만이 현재의 위기를 초월할 수 있다고 본 것이다.

이 작품에서 자아를 자연의 일부로 사유한 것은 매우 의미심장한 것이다. 비록 자연과 하나되는 과정이랄까 그 철학적 사유를 펼쳐나가는 방식이 선언적이라는 한계가 있긴 하지만, 어떻든 이런 정도의 사유를 표명한 것만으로도 자연이 주는 근대적 의미는 그의 작품 세계에서 충분히 달성된 것이라 할 수 있다[13].

그런데 석송의 이러한 자연회귀가 이 시기 그의 사유를 대변하고 있었던 아나키즘의 영역과 일정 부분 겹쳐진다는 점에서 주목을 요한다. 아나키즘이 갈등이나 싸움과 같은 위계질서의 사회와 거리를 두고 있는 이상, 자연적인 삶이야말로 아나키즘의 목적과 밀접하게 연결되어 있는 까닭이다. 이러한 면들은 자연 예찬을 노래한 「오월의 아침」에서도 확인할 수가 있다.

> 海棠花 붉은 五月 아츰에
> 꽃입에 반작이는 이슬방울이

13 이러한 면들은 잘 알려진 대로 정지용에게서 처음 시도되었던 바, 그의 대표작 가운데 하나인 「백록담」이 그러하다. 여기서 정지용은 모든 개체들이 하나의 계통으로 거듭 태어나는 과정을, 융화와 결합, 그리고 조화의 결에서 찾아내었다.

가만한 목소리로 속살거리되
詩人아! 읇어라 五月 아츰을!
이 자리 이 瞬間에 너의 본대로

젊은이의 얼굴가튼 太陽이
사름의 潮水가 흐르는
大地의 우에 빗추일 때
풀과 나무의 어린 엄들이
벗석벗석 자라나는 五月 아츰!

뒤ㅅ모에 뻑국이 노래하고
압들에 장기대장 이라쯔쯔
누두렁에 부룩지는 움메
아! 이 모든 交響樂이
靑春을 노래하는 五月 아츰!

宇宙는 이미 새 옷을 입고
大靈은 새 광이를 손에 들고
處女地가티 새로운 大地 우에
新生의 씨를 뿌린다
아! 限 업시 거룩한 五月 아츰!

「오월의 아침」 전문

이 작품에서 자연과 자아는 거리화되어 있다. 이 작품에서 정지용의 「백록담」과 같은 동일성의 세계는 찾아보기 어려운 까닭이다. 자연과 자아, 혹은 대상과 대상이 서로 혼융, 일체화되어 하나의 완전한 전일체로서의 자연 세계는 구현되고 있지 않는 것이다. 그럼에도 이 시기에 이 작품이 갖고 있는 의의는 매우 다대한 것이라 할 수 있다. 자연이 도구화되지 않고, 인간 너머의 세계에서 아름다운 빛으로 존재하고 있다는 인식만으로도 새로운 표현이 되기 때문이다. 이제 자연은 지배의 대상이나 인간에 귀속된 것이 아니라 자연 그 자체의 선험적인 세계로 그 고유성을 인정받고 있는 것이다.

석송이 자연을 이렇게 경외의 대상으로 인식한 것은 패러다임의 새로운 전환이라 할 수 있다. 그런 예찬의 세계에서 봉건 시대의 강호가도의 세계가 어느 정도 표명되고 있기는 하나 이제 시대의 음역은 전연 다른 인식성으로 전환되어 있다. 자연을 완상의 지대로 남겨두는 시대가 아니라 지배하는 시대가 되었기 때문이다. 이때 자연을 경외의 대상으로 응시할 수 있다는 것은 이제 그것이 새로운 형이상학적 의미의 영역으로 편입되었다는 것을 의미한다. 그리고 석송의 시세계에서 그것은 그가 지금껏 탐색해왔던 새로운 사회에 대한 이상형과 불가분하게 결합되어 있다는 사실이다. 자연은 단지 물리적 차원의 자연이 아니라 상호부조하는, 다시 말해 갈등과 위계질서가 없는 자연으로 거듭 태어나고 있는 것이다.

6. 석송 시의 의의

석송의 시들은 지금껏 많은 주목의 대상이 되지 못했다. 그의 작품이나 시론에서 드러나는 파격적인 담론에 주목하여, 그것이 함의하고 있는 의미들에 대해 단편적으로만 연구되어 온 것이다. 어쩌면 이런 면들이 그를 1920년대의 감수성을 어느 정도 담아낸 시인으로 알려지게 한 것인지도 모른다. 이는 분명 그의 문학 세계의 특징적 단면이 아닐 수 없을 것이다.

석송 시의 의의는 여러 부면에서 제시할 수 있는데, 무엇보다 그의 시가 갖는 문학사적 의의는 신경향파적인 측면에서 찾아야 할 것으로 보인다. 카프 문학의 전사로서 신경향파는 많은 주목의 대상이 되어 왔지만 그것은 주로 산문의 영역에서였다. 가난이라는 소재, 그리고 이를 둘러싼 지주와 소작인의 갈등만큼 산문 양식에서 주목할 만한 소재도 없었을 것이다. 논리나 인과론적인 국면에서 볼 때, 이런 소재들은 서사 양식이 담아내기에 좋은 소재가 될 수 있었기 때문이다. 물론 시대의 흐름이 이런 주제들을 필연적으로 반영하게끔 만들었을 것이다.

그러나 율문 양식에서는 신경향파적인 속성이 산문 양식에 비해 미약했다. 특히 카프가 결성되기 직전에, 그 전사적 역할을 담당할 작품들이 시의 영역에서는 큰 공백으로 남아 있었던 것이다. 이런 현실에 비추어 볼 때, 석송이 담아낸 신경향파적인 시들은 그 시사적 의의가 매우 큰 것이라 할 수 있다. 뿐만 아니라 그는 전통적 문학양식을 자유시의 관점에서 부정함으로써 이 시기 자유시라든가 신문학의 새로운 형성에도 많은 영향을 주었기 때문이다.

석송이 신경향파적인 성향의 시를 쓴 것은 진보적 문학단체인 파스큘라에서 받은 영향이 매우 크다고 하겠다. 그것이 카프를 구성하는데 결정적인 역할을 한 것인데, 그럼에도 불구하고 석송은 더 이상 이런 문학 이념을 자신의 작품에 담아내지 않았다. 그는 카프에도 가담하지 않았을 뿐만 아니라 또 그 세계에 동조하는 동반자적 성향을 보여주지도 않았기 때문이다. 그는 이 시기 어느 누구보다도 근대에 대한 인식을 분명히 하고 있었다. 근대에 대한 병리적인 현상들에 주목했으며, 근대의 한 축으로 형성된 도회의 어두운 면들을 문학에 충실히 담아내기도 했다. 그의 자아는 이런 근대의 아우라 속에서 자유롭지 않았거니와 그 상징적 표현이 바로 '木乃伊'였다.

석송이 앞선 시대의 선구자였지만, 그의 행보는 자신이 가졌던 사유를 끝까지 계속 밀고 나아가지 않았다. 파스큘라에서 시작된, 시대를 앞서나간 그의 인식적 도정은 카프의 결성과 함께 그 막을 내리게 된다. 그런데 그는 여기서 새로운 길을 모색하게 되는데, 그것은 아나키즘 세계에 대한 발견이었다. 그가 이 사조를 수용하게 된 것은 유행에 예민한 기질 탓이 아니라 처음부터 이를 향한 씨앗이랄까 근거가 있었기에 가능한 경우였다. 「민주문예소론」에서 피력했던 자유와 평등에 대한 사유가 바로 그것인데, 여기서 자유란 형식과 속박이 없는 세계이고, 평등은 위계질서가 거부된 사회이다. 이에 대한 열망과 그 유토피아에 대한 그리움이 있었기에, 갈등과 싸움이 없는, 상호부조의 세계, 곧 아나키즘의 세계가 자리할 수 있었던 것이다.

그리고 그가 이 사유를 내재화할 수 있었던 또 다른 근거는 양육강식에 바탕을 둔 진화론이 갖는 한계에서 찾아진다. 이른바 힘에 의한 양육강식의 논리가 역설적으로 조선에 대한 일제의 지배를 정당화하는 것이기 때문이다. 이런 논리적 모순은 이미 단재 신채호도 인식하고 있었거니와 그는 이런 한계를 자각한 다음 곧바로 아나키즘을 수용하게 된다. 석송이 신채호의 경우처럼, 아나키즘의 세계에 대해 구체적으로 표명한 글은 없었지만 그가 내세운 자유나 평등 사상, 그리고 일부 시에서는 이미 이에 바탕을 둔 사유들을 드러내고 있었다.

석송은 이 사유를 바탕으로 이 시기 가장 먼저 자연을 서정화하기에 이른다. 그의 자연은 대상과 완전히 합일되는, 그리하여 거대한 자연으로 포회되는 것은 아니지만, 자연을 지배의 대상이 아니라 예찬의 대상으로 승화시킬 수 있었다. 이런 면들은 분명 근대적 의미를 갖는 것이라는 점에서 그 의의가 있는 것이었다. 자연은 이미 그 자체로 석송이 탐색했던 아나키즘의 영역과 일정 부분 겹쳐진다는 점에서도 중요한 것이었는데, 자연의 전일적 삶이야말로 갈등과 싸움이 없는 공간, 곧 아나키즘에 대한 이상과 동일한 것이었기 때문이다. 석송은 시대를 선도했던 사조들에 가장 민감했고, 또 그것을 우리 시사에 적절히 접목시켰다는 점에서 그 선구성이 있었다. 그는 근대를 예민하게 감각하고 있었고, 또 진보적이라든가 아나키즘, 그리고 자연과 같은 반근대적 담론에도 적극적으로 반응, 대응했다. 그 반응과 일관적인 흐름의 면들이야말로 시대를 앞서간 석송의 문학적 특징이며, 이는 곧 그의 문학을 한 단계 올려 놓은 근거가 되었다고 할 수 있을 것이다.

계급문학의 선구자 혹은 이상주의자

조명희론

조명희 연보

1894년	충북 진천 출생
1919년	3.1운동에 참가하였다가 체포, 투옥 일본 동양대학 동양철학과 입학
1921년	희곡「김영일 사」를 발표하면서 문단활동을 함
1923년	창작 희곡집『김영일 사』(동양서원) 간행
1924년	창작 시집『봄 잔디밧 위에』(춘추각) 간행
1925년	카프 가입
1927년	대표작「낙동강」(『조선지광』) 발표
1928년	소련으로 망명
1934년	소련작가동맹가입(파제예프추천)
1937년	간첩 혐의로 체포
1938년	사형당함
1956년	복권
1994년	『포석 조명희 전집』(동양일보) 간행

1. 서정 양식의 발견

조명희는 1894년 충북 진천군에서 태어나 중앙고보를 거쳐 일본 동양대학 동양철학과를 나온 철학도였다. 1921년 일본에서 희곡 「김영일 사」를 발표함으로써 문인의 길을 걸었고, 귀국후에는 카프에 가입하여 이들과 이념적 행보를 같이 했다. 그는 일찍이 1924년 시집 『봄 잔디밧 위에』라는 시집을 상재했는데, 이는 한국 근대 시사에서 김억의 『해파리의 노래』, 이학인의 『무궁화』에 이어 세 번째 개인 창작 시집에 해당된다. 그만큼 그는 시인으로서 근대 시사에서 선구적 위치에 있는 작가라 할 수 있다.

조명희에 대한 관심은 1988년 해금 이후 시작되었지만, 다른 카프 작가들에 비해 주목의 대상이 되지는 못했다. 이는 몇 가지 측면에서 그 원인을 찾아 볼 수 있을 것인데, 하나는 그가 망명작가라는 사실과 무관하지 않다. 조명희는 카프에서 활동하다가 1928년 8월쯤 소련으로 망명한 것으로 되어있다. 블라디보스토크로 건너가 신한촌이라는 조선인 거주지로 간 것인데, 이런 특이한 경험과 그로 인한 자료의 부재가 그에게로의 시선을 외면하는 결과로 작용했다. 두 번째는 장르상의 문제점인데, 이는 주로 시 양식과의 관련에서 오는 문제점이다. 익히 알려진 대로 조명희의 문학활동은 어느 특정 장르에 국한되지 않고 다양한 영역에 걸쳐져 있었다. 장르의 집중이 아니라 그 확장에서 오는 세계관의 분산이 그의 작품 세계, 특히 시 양식에서 드러나는 세계관의 혼선으로 이어진 것으로 보인다. 조명희가 주목을 끈 분야는 그의 데뷔 양식이었던 희곡도 아니었고, 개인 창작 서정시집을 선구적으로 상재했던 시 분야도 아니었다. 조명희를 문학사적 위치로 제대로 자리매김하게 한 분야는 소설 양식이었고, 그 가운데 그의 대표작이었던 「낙동강」이었다. 그는 「낙동강」의 작가였지 결코 『봄 잔디밭 위에』를 상재한 서정 시인으로 기억되지 않았던 것이다.

1927년 『조선지광』에 발표된 「낙동강」은 방향전환을 시도한 카프의 의도를 최초로, 그리고 가장 정교하게 담아낸 작품으로 평가받았다. 주인공 박성운의 파란만장한 일대기를 통해서 그가 거쳐온 농촌의 열악한 현장과 거기서 형성된 계급의식, 그리고 이를 바탕으로 미래로 향하는 전망의 세계를 예리하게 보여주었기 때문이다. 이 작품은 신경향파를 뛰어넘는, 새로운 단계로 나아가는 카프 문학의 단초로서 그 문학사적 의의를 인정받았다[1]. 조명희의 소설 양식이 이렇듯 높게 평가된 반면, 시 양식은 이 수준에 미치지 못하는 것으로 이해되어 왔다. 개인의 감상성과 우울, 혹은 신비주의적 초월로 막연한 지향을 드러낸 이상주의자 정도로 평가되어 온 것이다.[2]

조명희 시에서 나타나는 이런 장르상의 차이와 문학적 성취도가 존재하는 것은 부인하기 어려울 것이다. 뿐만 아니라 그는 소설을 비롯한 산문양식에서는 비교적 높은 문학적 성취도를 보여준 반면, 시 양식의 경우에는 그에 미달하는 것이라는 평가도 전연 틀린 말은 아닐 것이다. 하지만 한 작가의 문학적 성과를 평가하는데 있어 어느 특정 장르에만 한정시켜 평가의 잣대를 들이대는 것으로는 그 작가의 문학적 본질에 올바로 다가갈 수 없거니와 여러 갈래로 분산되어

1 김윤식·정호웅, 『한국소설사』, 예하, 1995, pp.146-147.

2 김재홍, 「조명희, 프로문학의 선구」, 『한국현대시인연구(2)』 일지사, 2007.

있는 작가의 세계관이랄까 내면 등에 제대로 접근하기는 어려울 것이다. 다시 말해 여러 양식을 문학적으로 표출하는 경우 그에 걸맞은 사상적 줄기들은 양식의 특성에 따라 다르게 표출될 수 있다는 뜻이다.

조명희는 여러 갈래의 양식을 즐겨 사용한 아주 특이한 경우였다. 따라서 그는 자신의 사상의 표백을 위해 다양한 장르를 사용했기에 어느 특정 장르에만 한정시켜 그 문학적 성과 여부를 논의하는 것은 피상적인 접근이라 할 수 있다. 따라서 망명 이전 그의 시들이 개인적 정서에 갇혀 헤어나지 못한 것은 장르의 분산에 따른 세계관의 혼돈이나 세계관의 표현방식과 분명 연관이 있을 것이다.

두 번째는 선구자로서 갖는 조명희의 문학사적 위치이다. 그는 육당이나 춘원, 혹은 김억 등과 더불어 근대 초기에 활동한 문인이다. 선구성이란 열정이나 낭만적 이상과 결코 분리될 수 없는 것인데, 육당이나 춘원이 그러했던 것처럼, 조명희도 예외는 아니라는 사실이다. 그의 시의 약점 가운데 하나로 지적되는 과도한 이상주의가 육당 등의 엘리트의식[3]과 결코 분리될 수 없는 것이기 때문이다.

세 번째는 이 시기 풍미했던 사상들과의 관련양상이다. 먼저 그의 시에서 많이 발견되는 아나키즘 사상들과의 연계성 여부인데, 조명희의 작품에서는 개성이라든가 자유, 혹은 공동체에 대한 이상들이 많이 발견되는바, 이는 이 시기 풍미했던 아나키즘 사상으로부터 자유롭지 않았다는 증거 가운데 하나가 될 것이다. 뿐만 아니라 그의 시들은 소월을 비롯한 이 시기 낭만주의의 사유와도 밀접한 관련이

3 이에 대해서는 송기한, 『육당 최남선 문학연구』, 박문사, 2016 참조.

있는 것처럼 보인다. 특히 사회적 혼란기에 유행하는 이상향에 대한 추구가 그의 시에서 많이 산견되고 있다는 점을 주목해야 할 것이다.

조명희의 시들은 고독이나 우울과 같은 개인의 서정들이 주를 이루고 있지만, 이런 정서들은 이 시기 시인 혼자만의 것에서 한정되지 않는다. 개인적 서정이 아니라 사회적인 맥락과 분리하기 어렵게 얽혀 있는 것이 이 시기 시인들이 갖고 있는 작품들의 서정적 특색이기 때문이다. 따라서 조명희의 시는 시인 자신만의 한정된 영역에서 탐색할 경우 작품의 본질에 접근하기 어려운 것이 현실이다.

요컨대, 조명희의 시들은 장르들 간의 교호관계를 비롯해서 그것이 차지하는 시사적 위치, 그리고 이 시기 유행했던 제반 사조와의 비교 속에서 비로소 그 이해의 정도가 드러날 수 있을 것으로 보인다. 단선적인 접근만으로 그의 시의 본질에 다가가는 것은 쉽지 않다는 뜻이다.

2. 피투자의 분열의식과 모순의 세계

『봄 잔디밧 위에』를 관류하는 정서는 주로 개인적인 것들이다. 특히 조명희를 리얼리스트로 규정할 경우, 이 시집이 표방하는 정서들은 시인의 정신사에서 매우 예외적인 것으로 비춰질 수 있다. 그만큼 여기에 담겨 있는 시들의 면모는 조명희라는 아우라가 주는 것과는 상당히 멀리 있는 것이다. 뿐만 아니라 이 시집이 1924년에 간행되었으니 이후 결성된 카프로부터 자유로운 것이 아닌가 하는 의문도 있을 것이다. 카프 이전에 신경향파로 특징지어지는, 소위 가난과 같은 현실인식을 바탕으로 생산된 작품들이 많았다는 사실을 전제하면, 『봄 잔디밧 위에』가 주는 개인적 정서들은 분명 예외적이라 할 수 있을 것이다. 그가 적어도 리얼리스트였다고 한다면, 카프 이전의 신경향파가 보여주었던 주류적 정신 세계, 가령, 가난이라든가 방황하는 지식인의 모랄 정도는 보여주었어야 했을 것이다. 물론 선입견이 갖는 오류가 분명 존재할 수도 있을 것이다. 선판단이 너무 지나치면 올바른 이해나 이성적 접근이 방해받을 수도 있기 때문이다.

어떻든 『봄 잔디밧 위에』는 이후 전개된 조명희의 작품 세계에서 매우 이질적이고, 동떨어진 것이 사실이다. 그리고 조명희의 작품들, 특히 시들의 경우 그가 지금까지 생산해내었던 작품 세계와 분리되어 전개되는 것이 아닐 경우 이런 이해는 또 다른 오독을 낳을 수도 있을 것이다.

조명희의 문학들은 그가 생산해낸 여러 장르들이 고유한 개성을 갖고 존재하는 것이 아니라 날줄과 씨줄로 얽혀있다. 그럴 경우 시집 『봄 잔디밧 위에』는 개인의 서정 속에 갇힌 작품이라는 혐의로부터 비로소 벗어날 수도 있을 것이다. 『봄 잔디밧 위에』가 구성하는 작품의 구성이랄까 주제의식은 조화와 반조화, 영원과 비영원, 인간적인 것과 반인간적인 것의 대립 등과 같은 이분법적 구성이라든가 상호 교응의 형식으로 되어 있다. 그리하여 그의 시들은 후자에 대한 모멸감과 더불어 전자의 세계에 대한 끝없는 그리움, 그 초월의 세계를 지향하는 영원에 대한 가열찬 탐색으로 특징지어진다. 근대인의 시련이나 혹은 악과 같은 일상성에서 고뇌하는 자아의 관점에서 보게 되면, 그는 영락없는 근대주의자라 할 수 있다. 근대인이란 영원으로부터 떨어져 나와 스스로 조율해나가는 인간, 그리하여 끝없는 불안과 모순을 간직한 인간이기에 조명희가 사유하는 인간상이나 자아는 이로부터 결코 자유로운 것이 아니기 때문이다.

사람에게 만일 선악의 눈이 없었던들
서로서로 절하고 축하하올 것을…….

보라 저 땅 위에 우뚝히 선 인간상을.

보라! 저의 눈빛을
그 눈을 만들기 위하여
몇 만의 별이 빛을 빌리어 주었나.
또 보라! 저의 눈에는
몇 억만리의 나라에서 보내는지 모를 기별의 빛이 잠겨 있음을.
또 보라! 저의 눈은 영겁을 응시하는 수위성이니라.
이것은 다만 한쪽의 말
아아 나는 무엇으로 그를 다 말하랴?

그리고 사람들아, 들으라.
저 검은 바위가 입 벌림을, 대지가 입 벌림을
알 수 없는 나라의 굽이치는 물결의
아름다운 소리를 전하는 그의 노래를 들으라.
아아, 그는 님에게 바칠 송배를 가슴에 안고
영원의 거문고 줄을 밟아갈 제
허리에 찬 순례의 방울이

걸음걸음이 거문고 소리에 아울러 요란하도다
아아, 사람들아! 엎드릴지어다. 이 영원상 앞에…….

이 신의 모델이 땅 위에 나타남에
우주는 자기의 걸작품을 축하할 양으로
태양은 곳곳에 미소를 뿌리고
바람과 물결도 가사의 춤을 추거든…….
사람에게 만일 선악의 눈이 없었던들
서로서로 절하고 기도하올 것을…….

「인간초상찬」 전문

이 작품에서 읽어낼 수 있는 철학적 기반은 중층적이다. 우선 기독교의 영향을 읽는 것은 그리 어려운 일이 아닐 뿐더러 프로이트의 정신분석학의 흔적 또한 담겨져 있다. 이 시의 구성은 조명희 시의 일반적인 특성에서 볼 수 있는 것과 같이 이분법적인 구도로 짜여져 있다. 그것은 에덴동산의 유토피아와 그 반대의 세계, 프로이트의 아버지상, 혹은 라깡의 거울상을 매개로 형성되는 인간의 의식구조와 밀접한 관련을 맺고 있기 때문이다. 뿐만 아니라 이 시는 실존주의자들의 인간상들도 스며들어가 있는데, 세상 속에 내던져진 존재, 그리하여 삶의 과정 속에 놓인 존재의 고통들이 여과없이 노출되어 있는 것이다.

게다가 이 시는 근대에 편입된 인간상을 엿볼 수 있다는 점에서도 주목을 요하는 작품이다. 이를 함축적으로 담아내고 있는 담론이 '영원상(永遠相)' 이다. 근대인에게 영원이란 무엇인가. 그것은 그들에게 선험적 고향이자 잃어버린 세계이다. 그 영원의 세계로부터 분리되어 있기에 현존재는 스스로 조율해나가는 일시적, 자율적 주체가 되었다. 그런데 근대인들에게 주어진 무한한 자율성은 근대인의 축복이 아니라 고통스러운 단면이 되었다. 따라서 시의 화자가 영원의 세계에 대한 가열찬 의지를 갖는 것은 잃어버린 고향에 되돌아가고자 하는 의지 때문이다.

시인은 영원의 세계와 그 반대 편에 놓인 세계를 상정해두고, 이를 모순으로 인식했다. 가령, 하나의 존재 속에 두 개의 세계관이 존재하는 것처럼, 동일한 현실 속에서 두 개의 대립적인 세계를 설정해두고 있었던 것이다. 이런 대항적인 구조가 그의 시의 본령이거니와 그는 이 모순에 대한 초월을 자신이 추구해야 할 구경적 이상이나 목적으로 사유했다.

> 나의 고향이 저기 저 흰 구름 너머이면
> 새의 나래 빌려 가련마는
> 누른 땅 위에 무거운 다리 움직이며
> 창공을 바라보아 휘파람 불다.
>
> 나의 고향이 저기 저 높은 산 너머이면
> 길고 긴 꿈길을 좇아가련마는
> 생의 엉킨 줄 얽매여
> 발 구르며 부르짖다.
>
> 고적한 사람아, 시인아.

불투명한 생의 욕의 화염에
들레는 저자거리 등지고 돌아서
고목의 옛 덩굴 디디고 서서
지는 해 바라보고
옛 이야기 새 생각에 울다.

「나의 고향이」 전문

이 작품의 구성 역시 이분법적이다. 현재의 이곳과, 이곳 너머의 저곳, 곧 고향으로 대립되는 설정이 그러한데, 서정적 자아는 지금 여기에서 자신의 실존적 고통에 몸부림친다. 반면 "저기 저 흰 구름 너머"의 세계, 고향에는 그 반대의 세계가 펼쳐진다.

「나의 고향이」는 「인간초상찬」과 마찬가지로 이분법적 대립의 세계로 구성되고 있다는 점에서는 동일하지만, 지금 이곳의 현실이 보다 구체적이라는 점에서는 다른 경우이다. 「인간초상찬」이 말하고자 한 것은 피투된 존재의 불확실성과 파편성이 추상이나 관념의 세계에서 형성되고 있다면, 이 작품에서는 그러한 한계가 보다 구체화되어 있는 것이다. 시인은 그런 현장을 "생의 엉킨 줄 얽매인" 곳으로 인식하고, 그곳에서 벗어나지 못하는 자아를 "발 구르며 부르짖"는 모습으로 파악한다.

그런데 존재를 이렇게 파편화 내지는 일탈된 존재로 만든 것은 물론 영원의 상실과 불가분의 관계가 있다. 에덴동산의 유토피아를 잃어버린 존재, 그리하여 영원을 상실한 존재가 된 근본 요인은 인간의 욕망 때문이다. 「인간초상찬」에서 묘파된 것처럼, 인간이 '선악의 눈'을 갖게 됨으로써 불행한 존재가 되었는바. 이를 매개한 것이 바로 인간의 욕망이기 때문이다. 조명희는 그러한 인간의 불완전성과 그리고 그것이 가져온 불온한 모습을 '욕(慾)의 화염(火焰)'으로 이해한다. 욕망이 있기에 에덴의 신화는 붕괴되었다고 보는 것이고, 그 결과 지금 이곳은 욕망의 화염이 불길처럼 타오르는 치열한 현장으로 인식하는 것이다.

존재가 불안하면, 그 회복을 위한 자기몸부림이 일어나는 것은 자연스러운 일이다. 「인간초상찬」에서와 마찬가지로 「나의 고향이」에서도 그러한 의지는 당연히 솟아오르게 된다. 그러한 도정이 '아픈 걸음'이고, 그 걸음이 향하는 곳은 '푸른 꿈길'이다. 그리고 그 너머에 자아의 궁극적 목적인 '영원의 빛'이 놓여 있다. 그곳을 향해 시인의 행보는 가열차게 움직이고 있다.

실상 『봄 잔디밧 위에』를 지배하는 이런 서정적 구도는 리얼리스트인 조명희의 문학 세계와는 멀리 떨어진, 매우 이질적인 영역인 것으로 이해된다. 그의 시들이 사회적 맥락으로부터 분리되어 관념화되어 있다는 진단은 이런 특징적 단면들 때문일 것이다[4]. 물론 그의 시들이 사회적 고리와 연결되지 못하고 개인적 실존의 고통이나 이분법적 관념의 세계에 머물고 있다는 점을 상기하면 이런 평가가 전연 잘못된 것은 아니라고 할 수 있다. 그러나 영원이라는 이상향을 굳이 초월적 세계에 대한 막연한 그리움이라고 진단하고, 이를 현실의 영역으로부터 곧바로 분리되었다는 것이 그의 작품의 본질은 아닐 것이다. 특히 당시 풍미했던 낭만적 사조와 그의 시를 편입시키게 되면, 이는 어느 정도 타당한 이해라고 할 수 있을 것이다.

4 이강옥, 「조명희의 작품 세계와 그 변모 과정」, 『한국근대 리얼리즘 작가 연구』(김윤식외 편), 문학과 지성사, 1988, pp.192-193.

익히 알려진 대로 1920년대는 낭만주의가 풍미한 시대이다. 그런데 이 사조를 시대적 맥락과 분리시켜 이해하게 되면, 그것은 한갓 존재론적 영역에서 한 발작국도 벗어나지 못하게 된다. 물론 이 시기 시인들에게서 그러한 요소들이 전혀 없는 것은 아니지만, 그 외연의 영역에서 이 사조가 지향하는 의의는 얼마든지 자리매김할 수 있을 것이다. 낭만주의가 생겨난 동기 중에 하나가 사회적 혼란기임을 전제한다면, 이는 보다 분명해질 것이다[5].

조명희가 의도한 '영원의 빛'이란 어느 면에서 보면, 낭만적 이상향과 분리하기 어려운 것이다. 가령, 소월이 읊었던, '강변'이나 '꿈'의 세계, 혹은 파인의 '남촌' 등과 그것은 등가관계에 놓여 있는 것이기 때문이다. 물론 시인이 탐색했던 '영원의 빛'은 현실의 맥락이 사상된 관념적, 초월적 세계일 수도 있을 것이다. 하지만 문학이 시대와 엄격하게 조응하는 양식을 부인하기 어렵다면, 이 '빛'의 세계가 지금 이곳의 파편화된 현실에 대한 대항담론으로써 우뚝 설 수 있을 것이다. 이런 자리매김은 이후 그가 펼쳐보인 시사적 흐름, 곧 사회적 맥락과 분리하기 어렵게 얽혀 있다는 점을 상기하면, 설득력이 있는 경우이다.

조일의 황금등이
동천에 하례하고
뭇새들의 개가
둘린 숲에 시끄러이 아뢰며

5 이에 대해서는 오세영, 『한국낭만주의 시연구』, 일지사, 1983 참조.

'때'와 '빛'은 거기에 무도하는
젊은이의 왕국 그 나라에
환락의 술잔 들며
산 꿈의 방향에 어리어
도취 난무하는 세계
아아 거기는 나의 주가 아니었었다.

나의 주가 -고독의 세계
그곳은
'황량과 묘막 여기가
너의 방황 임종의 세계다'하는 사막
그러나 거기에
알 수 없는 신비의 금자탑이
흰 구름 위에 높이 솟아
가없는 회색 안개 속에 감추어 있어
그 꼭대기 위에 요염의 애인이
초록색 고운 면사를 가리고
나의 어린 영혼을 돌아보아 손짓하다
그때부터 내 영은 치는 종소리 요란하며
가슴에는 열탕의 혈조가 치밀다
그 희미한 꿈에 뵈임 같은 그것을 찾으러
거기에 애인을 만나러
까닭도 모르고 황홀히 취하여
온 다리에 피가 마르도록 헤매이기만 하였지

다만 지금 남은 기억은

그때가 석양이더라

피곤한 낙타의 울음과 방울소리

멀리 저문 해에 사라지고

황혼의 자금색이

지평선 위에 고별의 정화를 사를 제

그때 나는 황금주를

눈물 섞어 마시며 쓰러졌다

거기가 내 영의 한 역로이다.

아아 지금 이곳은

쇠하여 가는 가을이

회색 안개의 옷을 입고

박모의 빛을 받아

가만히 슬피 노래하는

강물이 흐르며

싸르르한 바람이

거치른 기슭을 스쳐 지날 제

한적에 마른 누런 노엽이

서로 껴안고 부벼대며

애수에 못 이겨 잔 사설하다

아아 여기가 지금

나의 주가 - 광야의 일우이다.

오오 여기에 어찌하여 또
눈물의 석양이 왔노
나는 어찌하여 또
쓰린 거문고 줄을 만지게 되노
고독은 영원의 주가
나는 그 속에
영원의 고독자
오오 그 고독자야
푸른 옷을 입고 푸른 꿈 속에 헤매이다가
푸른 안개 속으로 사라지리라
그때 나의 무덤은
「이 지상에 두지 말아라
그 욕되고 쓰린 나머지 자취를」.

비야 오너라
바람아 불어라
나의 그 성근 광야의 집에
오오 거기에 또한 밤이 오다
벌판이냐 구렁이냐 홀홀히 방황하며
잎 날리는 서릿바람에 몸부림하는 혼은
요련 소녀의 원혼 같은 나의 혼은
애정의 공락인 낙엽의 사해를 밟아가며
사박사박 소리에 그 가슴은 칼질하다.
그믐 새벽달이 박운의 수건을 가리고

눈물 고인 눈으로 나를 맞을 제
오오 우는 자 그 누구뇨?
쓰러지는 자 그 누구뇨?

비애야 오너라
고통아 오너라
내 가슴에 불지르다
피가 끓다 몸이 타다
그러고
남의 혼이여! 멀리 가거라
끝없는 세계로 멀리 날아 가거라
지새는 별이 내게 말하기를
「너는 현실의 패잔자
영원의 영승자」라고
그러나 나는 슬퍼하노라.

오오 사라져 가거라 아로새긴 환영아
사막에 곤두박질하던 꿈아
대밭에 피투성이 하던 기억아
사라져 가거라 제발 사라져
다만 나는 노래하리라
또 노래하리라.

「고독의 가을」 전문

영원을 상실한 자가 선택할 수 있는 길은 무엇일까. 하나는 근대주의자들이 이해한 것처럼, 스스로를 조율해 나가는 자율적 주체가 되는 길이고, 또 하나는 주변의 모든 끈들이 사상된 고독자의 상태로 남는 길이 될 것이다. 주체를 인도해줄 수 있는 절대자를 잃었다는 점에서 이 두 주체들은 공통관계에 놓여 있지만, 그러나 미래라는 시간성 앞에서는 전연 다른 모습을 띠게 된다. 전자에게는 능동적 힘이 있는 반면, 후자에게는 그러한 적극성이 존재하지 않는 까닭이다. 여기에는 오직 안으로만 갇히게 되는 자기 고립만이 존재할 뿐이다.

시인이 스스로가 처한 고립된 공간을 '나의 주가'라고 인식하는 것은 이 때문인데, 이런 자의식은 「나의 고향이」에서의 자아의 모습과 일견 겹쳐지는 것이라 할 수 있다. 하지만 중복되기는 하되, 그것을 똑같은 동일자라고 생각하는 것은 옳지 않다. 「나의 고향이」에서의 자아는 '영원'을 향해 나아가는 능동적 주체의 면모를 볼 수 있지만, 「고독의 가을」에서의 자아는 그러한 역동적 면모가 드러나 있지 않기 때문이다.

시인의 시에서 자아는 고립되어 있다. 욕망이 넘실되는 현실 속의 자아도 아니고, 미래의 유토피아를 적극적으로 탐색하는 능동적 자아도 아니다. 시인의 표현대로 "나의 주가(住家)는 -고독의 세계"에 놓여 있을 뿐이다. 그렇기에 자아에게는 외부로 향하는 모든 길이 차단되어 있다. 그 자아는 마치 세계 속에 내던져진 것처럼, 고립 분산되어 있다. 인식의 통일이나 어떤 조화의 세계로 나아가기 위해서는 자아의 정체성이 확립되어야 함에도 불구하고, 이런 상태에 놓인 서정적 자아는 무력하기 그지없다. 그 자아가 할 수 있는 일이란 모든 것이 차단된 공간에서 얼핏 떠오르는 '희미한 꿈'뿐이고, 또 석양 속에 들려오는 '피곤한 낙타의 울음 소리와 방울 소리' 뿐이다. 하지만 이 '꿈'과 '소리'는 들려오는 것일 뿐 자아의 능동성에 의해 자기화되는 주체적인 것들이 아니다.

이런 일련의 과정을 거치고 난 다음 자아가 차지할 공간들은 분명 정해지게 된다. 희미한 공간이거나 넓은 광야이다. 여기서 자아는 아무런 연결고리 없이 홀로 존재하게 된다. 이제 나의 주가는 '광야(廣野)의 일우(一隅)'로 바뀌게 되는 것이다. 그 펼쳐진 광장에서 시적 자아는 다음과 같이 호소하게 된다. "비애야 오너라", 혹은 "고통아 오너라"며 가슴을 더욱 닫고자 하는 것이다. 이런 자기모멸 혹은 자포자기의 담론이야말로 나아갈 길을 상실한 현존일 것인데, 어떻든 밖으로 향하는 길이 차단된 자아가 할 수 있는 선택지는 한정되어 있다. 그런 절망감이 자아로 하여금 "다만 나는 노래하리라/또 노래하리라" 하는 탄식만 반복하게 만들어버린다. 이런 반복적 외침이야말로 탈출 통로를 상실한 자아의 절망적 몸부림일 것이다.

3. 통합에의 그리움

조화와 반조화, 혹은 일탈과 통합이라는 이분법적 세계 위에 구축되어 있는 조명희의 시들은 기독교적이고 프로이트적인 특색을 갖고 있다. 그의 시들은 이처럼 당시로서는 매우 앞서 나갔다고 할 수 있는 철학적 사유들로 침전되어 있었는데, 이는 그의 유학체험과 분리하기 어려운 것으로 보인다. 조명희는 3.1운동이 일어나던 해인 1919년에 일본 동양대학(東洋大學) 동양철학과에 입학했다. 비록 길지 않은 유학 기간이었지만, 그는 여기서 당대에 유행하던 제반 철학 사조들을 이해하고 이를 자신의 사상적 근거로 받아들였을 개연성이 크다. 그의 시에서 그의 전공이었던 동양철학 뿐만 아니라 성경이나 정신분석학 등 서양철학적인 요소들도 많이 발견되는 것은 이 때문일 것이다.

물론 이 두 가지 철학적 경향을 따로 분리하여 설명하는 것은 무척 어려운 일인데, 그 가운데서도 이들 철학이 가지고 있었던 공통의 분모, 가령, 인간학에 대해서는 공유지대를 갖고 있다는 점에서 주목을 요한다. 시집 『봄 잔디밧 위에』가 간행된 시기가 1924년임을 전제한다면, 이런 사상들이 시 속에 반영되어 있다는 것은 참신하면서도 매우 앞서 나간 일이 아닐 수 없다. 그 가운데 하나가 인간을 응시하는 두 가지 관점이다.

인간적인 것, 혹은 욕망에 둘러싸인 인간은 동서양의 철학을 막론하고 모두 부정적인 것으로 비춰진다. 에덴동산 이후의 인간이나 거울상 이후의 파편화된 인간의 모습들은 무위자연을 부정한, 동양철학에서의 인위적 인간상과도 등가관계에 놓여 있기 때문이다. 조명희가 시집 『봄 잔디밧 위에』에서 그리고 있는 인간의 부정적 모습은 모두 이와 밀접한 관련을 맺고 있다.

> 나는 인간을
> 사랑하여 왔다 또한 미워하여 왔다
> 도야지가 도야지 노릇 하고 여우가 여우 짓 함이
> 무엇이 죄악이리오 무엇이 그리 미우리오
> 오예수에 꼬리치는 장갑이도 검은 야음에 쭈크린 부엉이도

무엇도 모두 다
숙명의 흉한 탈을 쓰고 제 세계에서 논다
그것이 무엇이 제 잘못이리오 무엇이 그리 미우리오
아아 그들은 다 불쌍하다
그렇다
이것은 한때 나의 영혼의 궁전에
성신이 희미한 성단에 나타날 제
얇은 개념의 창문이 가리어질 제 그때 뿐이다
그는 때로 사라지다 무너지다
〈이하의 句節은 삭제〉

「생의 광무」 전문

시인이 응시하는 인간에 대한 판단은 이중적이다. 그러나 그러한 이중성이 시인의 의식에서 항상적으로 작용하는 것은 아니다. 서로를 구분짓는 경계를 뛰어넘을 때에만 인간은 혐오의 대상이 되기 때문이다. 하지만 그 경계 안에서 자율적 주체로 남겨져 있을 때에는 그러한 부정적 정서는 일어나지 않는다.

그리하여 서정적 자아가 주목하는 것은 인간의 삶이 아니라 동물의 삶, 그 외연을 넓히게 되면, 자연의 질서와 같은 것이다. 가령, "도야지가 도야지 노릇하고 여우가 여우 짓"하는 것이 자연의 질서이고 그 일부인바, 이런 순리에 따르게 되면 인위적 인간에게 펼쳐보였던 부정의 정서는 발생하지 않는다는 것이다. 그런데 그러한 질서 체계를 와해시키는 것은 앞서 언급대로 인간, 특히 인위성이다. 작품의 끝부분이 삭제되어 문면에는 구체적으로 표현되어 있지 않지만, 그의 의도는 자연의 세계와 반대되는 자리에 놓여 있는 것이 인간상들이었을 것이다. 보다 정확하게는 인간이라는 경계를 뛰어넘어서 자기 영역을 확대하려는 인간의 욕망에 관한 문제를 피력했을 것이다. 인간에 대한 그러한 관점은 다음의 시에서도 확인할 수 있다.

원숭이가 새끼를 낳았습니다
동물원의 원숭이가 새끼를 낳았습니다
그 새끼를 안고 빨고 귀여워합니다
어미 원숭이는 그 얼굴에 모성애가 넘칠 듯하고
새끼 원숭이는 자성의 미가 방글방글 웃는 듯하더이다

원숭이가 새끼를 낳았습니다
원숭이가 새끼를 귀여워합니다
그러나 나는
슬퍼합니다
"너는 왜, 그런 모욕의 탈을 쓰고 또 났어……"하고.

원숭이가 새끼를 낳았습니다
원숭이가 새끼를 귀여워합니다
그러나 나는
슬퍼합니다.

「원숭이가 새끼를 낳았습니다」 전문

인용시는 동화적 상상력을 기반으로 쓰여진 작품이긴 하지만 내포된 사유 체계는 그 이상의 함의를 담고 있다. 원숭이가 새끼를 낳은 것은 일상적이고 평범한 사실이다. 하지만 이 원숭이에 대해 마주하는 생각이랄까 입장은 그 판단하는 주체에 따라 전혀 다른 결과를 낳게 된다. 원숭이의 입장에서는 모성의 관점에서 그 존재가 받아들여지지만, 이를 바라보는 또 다른 시선, 곧 인간의 입장에서는 전연 다르게 나타난다. 새끼가 원숭이에게는 기쁨이지만 서정적 자아에게는 슬픔이라는 전혀 다른 인식으로 나타나는 것이다. 하나의 동일한 대상을 두고 어떻게 이런 편차가 드러나게 된 것일까.

그 차이는 「생의 광무」의 연장선에서 이해한다면, 이른바 경계의 초월에서 찾을 수가 있을 것이다. 시인은 이 작품에서 "도야지가 도야지 노릇하고 여우가 여우 짓"하는 것이 당연하고 또 긍정적인 가치를 지니는 것이라 했다. 그런데 이런 가치가 인위적인 질서나 사고에 편입되게 되면, 그 긍정성은 대번에 사라지게 된다. 그러한 논리는 「원숭이가 새끼를 낳았습니다」에서도 그대로 적용되는데, 여기서도 인간의 의도, 다시 말해 인위적 힘이나 사유가 개입됨으로써 자연의 아름다운 질서라든가 그 본래적인 기능이 파탄을 맞이하게 된다.

자연적인 것과 인위적인 것 사이에 형성되는 이분법적인 사고 혹은 가치는 동양철학, 특히 노장 사상의 핵심 기제 가운데 하나가 된다[6]. 그리고 자연의 가치가 긍정적인 것으로 수용되기 위해서는 그 대항담론의 불온성이 전제되어야 한다. 그것이 있어야만 자연은 근대적 의미를 가질 수가 있는 것이다. 인위적인 것이 전제되지 않는다

6 박이문, 『노장사상』, 문학과지성사, 1992, pp.33-34.

면, 그것은 봉건 시대의 자연, 강호가도로서의 자연의 의미를 한 발자국도 벗어나지 못할 것이다. 이런 맥락에서 조명희의 자연관은 근대적 맥락에서만 그 이해가 가능한 것이라 할 수 있다. 이야말로 그의 시가 갖는 시사적 의의, 혹은 선구성이라 할 수 있는데, 이런 면들은 실상 지금껏 주목의 대상이 되지 못했다. 기껏해야 1930년대 후반의 정지용이나 〈문장〉파 시인들에 의해서 그 시사적 의의를 인정받았기 때문이다.

그는 질투심도 많이 가졌다
그는 허영심도 많이 가졌다
그는 이 시대에 상당한 교육도 받을 만치 받았다
경우는 그를 행운일 만치 하여 주었다
그러나
지금 그는 괴로워한다 자기의 과오를 생각하고 참으로 괴로워한다
말소리까지 슬픈 가락을 띠어 울려 나온다
그는 한숨 쉬며 혼자 말한다
"아이고! 저 생겨 나온 대로 하여라"
가엾으고 가엾으나마
그는 땅 위에 떨어지면서 그런 탈을 쓰고 났다
그 외에 더 어찌할 수 없다
이것이 만일
색상계에 미의 대비율이 되기 위하여 났다 하면
이 저주된 생아! 현실아!
이것이 만일

전생의 과업이 아니고
다만 신의 장난으로 났다 하면
오오 때려 죽일 놈의 신이여!

「어떤 동무」 전문

이 작품의 소재는 '그'인데, 좀 더 구체적으로는 인간이다. 그런데 작품의 소재인 인간은 복합적인 존재이다. 그러나 이런 복합성이 인간의 긍정적 요소는 아니다. 오히려 부정적 요소로 기능한다. 그 요체는 '질투심'과 '허영심'이다. 실상 이런 요소들이 유토피아로부터 인간을 추방시킨 것이기에, 그것이 '교육'에 의해서 교정될 수 있는 것은 아니다.

여기서 교육이란 근대적 의미의 이성과 분리하기 어려운 것인데, 이성이 강조된다고 해서 본능의 영역이 완벽히 제어되는 것은 아니다. 이 둘 사이의 관계는 경쟁관계이고, 서로에 대해 수용되거나 포함되는 관계는 아니다. 이런 맥락에서 이 작품은 기독교적이면서 프로이트적이며, 경우에 따라서는 근대성의 제반 양상과도 밀접한 관련을 맺고 있다. 뿐만 아니라 세계속에 내던져진 존재로 인간을 규정하고 있는 실존 철학의 영향으로부터 자유로운 것이 아니다.

조명희의 시들은 이분법적이다. 한쪽에 긍정적 가치가 놓여 있다면, 다른 쪽은 그 반대의 것이 자리하고 있다. 그는 존재의 현존 혹은 일상들을 이 두 가치가 길항하는 관계로 설정하고, 항상 긍정적 가치에 그 방점을 두었다. 그런 다음 그 잃어버린 긍정적 가치의 회복을 꿈꾸어 왔다. 인간은 유토피아에서 출발했지만 그는 거기에 안주하지 못하고 추방되었다고 보는 것이다. 그리하여 다시 원상의 세계,

곧 잃어버린 유토피아로 되돌아가고자 하는 것이 그의 시의 전략적 주제이다. 따라서 그의 시들은 기독교적이고 프로이트적이라 할 수 있다. 낙원→추방과 타락→회복운동이라는 서구 사상에 있어서의 3대 서사구조가 조명희 시세계의 핵심 기제이기 때문이다. 이런 자장 속에 놓여 있기에 『봄 잔디밧 위에』에서 또 하나 주목해야 할 이미지가 '아기'의 이미지들이다.

> 오오 어린 아기여! 인간 이상의 아들이여!
> 너는 인간이 아니다
> 누가 너에게 인간이란 이름을 붙였느뇨
> 그런 모욕의 말을…….
> 너는 선악을 초월한 우주 생명의 현상이다
> 너는 모든 아름다운 것보다 아름다운 이다.
> 네가 이런 말을 하더라
> "할머니 바보! 어머니 바보!"
> 이 얼마나 귀여운 욕설이며 즐거운 음악이뇨?
>
> 너는 또한 발가숭이 몸으로
> 망아지같이 날뛸 때에
> 그 보드라운 옥으로 만들어낸 듯한 굵고 고운 곡선의 흐름
> 바람에 안긴 어린 남기
> 자연의 리듬에 춤추는 것 같아라
> 엔젤의 무도 같아라
> 그러면

어린 풀싹아! 신의 자야!

「어린 아기」 전문

1920년대에 '아기'가 시의 소재로 등장한 것은 매우 예외적인 것이 아닐 수 없다. 봉건 사회에 있어서나 적어도 1920년대 이전까지만 해도 '아기'는 하나의 고유한 인격체로 정립되지 않았다. 익히 알려진 대로 '아기', 곧 '어린이'가 자율적 인격체가 된 것은 1922년 천도교 소년회를 중심으로 반포된 '어린이 날' 이후였다. 이어서 이듬해에는 방정환이 중심이 되어서 순수 아동잡지 『어린이』가 창간된 바 있다. 이런 일련의 과정에서 알 수 있는 것처럼, '아기' 이미지의 발견은 근대 사회의 있어서의 새로운 풍경이었다. 어린이에 대한 발견이 근대의 한 단면임은 이미 한 연구자에 의해 표명된 바 있다[7]. 서정적 자아나 서정시에서 '아기'가 시의 소재로 등장하는 것은 이전의 문학사에서 볼 수 없었던 새로운 풍경이다. 그런데 그러한 '아기'의 이미지는 조명희에 의해 처음 작품화되었다는 점에서 그 시사적 의의가 있는 경우이다.

이 작품에서 아기는 인격체이긴 하되 성인의 그것과는 전연 다른 형상을 갖고 있다. 시인이 이 작품의 둘째 연에서 "너는 인간이 아니다"라고 한 것도 이런 이유 때문이다. 하지만 여기서 '아기'가 부정된다고 해서 그 인격이 삭제되는 것은 아니니다. '아기'는 순수한 그 무엇일 뿐이다. 시인은 그러한 아기를 "선악을 초월한 우주의 생명의 현상"으로 구상화시켰다. 그런 다음 그는 "너는 모든 아름다운 것보

7 가라타니 고진, 『일본 근대문학의 기원』(박유하역), 도서출판b, 2020, pp.159-188.

다 아름다운 이다"라고 하면서 초월적 숭배의 대상으로까지 승화시킨다.

'아기'는 인격체이기는 하되 세속적 의미의 인격체는 아니다. 라깡 식으로 말하자면 '거울상이전'의 아기, 곧 상상계에 놓여 있는 존재이다. 그것은 언어 이전의 세계이고, 의식과 무의식이 분화되기 이전의 모습을 표명한다. 기독교적 혹은 심리적 관점에서 '아기'는 절대선의 세계이다. 따라서 '아기'를 찬양하는 것을 두고 "어린 아기를 둘러싸고 있는 일체의 현실적 상황들에 대해 그가 눈돌렸다"[8]고 부정적으로 보거나 그의 소설에서 "어린 아기가 현실적 정황을 문제삼게 되자 혐오와 연민의 대상으로 바뀌어버린다"[9]고 비판하는 것은 적절한 평가가 아니다. 그것은 산문의 세계이기에 그러한데, 논리가 지배하는 영역에서 중요한 것은 의식의 발전 단계와 같은 서사성이다. 그렇기에 어린 아기가 성격의 발전을 이룬다거나 선진적 자아가 되는 것은 불가능하다. 이는 감성의 세계를 주로 하는 서정양식과 논리의 세계를 다루는 서사양식의 차이에서 오는 불가피한 경우일 뿐이다.

상징계로 편입되기 이전의 인간이 유아적 단계라면, 이는 곧 순수한 모습, 모든 것이 전일한 상태로 놓인 것과 동일한 경우이다. 아기는 파편적이고 분열된 자아상을 갖고 있지 않다. 그렇기에 모든 것이 조화롭게 전일한 상태에 놓여 있다. 실상 이런 경지는 자연 그 자체이고, 인위가 개입되기 이전의 상태이다. 조명희가 시집 『봄 잔디밧

8 이강옥, 앞의 논문, pp.193-195.

9 박혜경, 「조명희론」, 『조명희』(정덕준 편), 새미, 2015, p.110.

위에』에서 탐색한 우주의 이법이나 조화는 '아기'의 이미지와 밀접한 관련을 맺고 있는 것이라 하겠다.

> 내가 이 잔디밭 위에 뛰노닐 적에
> 우리 어머니가 이 모양을 보아주실 수 없을까
>
> 어린 아기가 어머니 젖가슴에 안겨 어리광함같이
> 내가 이 잔디밭 위에 짓둥글 적에
> 우리 어머니가 이 모양을 참으로 보아주실 수 없을까.
>
> 미칠 듯한 마음을 견디지 못하여
> "엄마! 엄마!" 소리를 내었더니
> 땅이 "우애!"하고 하늘이 "우애!"하옴에
> 어느 것이 나의 어머니인지 알 수 없어라.
>
> 「봄 잔디밧 위에」 전문

인용시는 시집의 제목이기도 작품인데, 그만큼 조명희 대표시 가운데 하나라고 해도 무방하다. 이 시의 지배적인 소재도 아기인데, 그 음역은 「어린 아기」의 연장선에 놓여 있다. 우선, 어린 아이가 뛰노는 '잔디밭'은 유토피아의 공간이다. 그것은 아이의 전일성을 온전히 받아줄 수 있는 절대 공간이면서 모든 인간이 추구해야 할 영원의 공간이다. 다시 말하면, 우주의 이법과 조화의 세계가 아무런 장애없이 펼쳐지는 유토피아인 것이다.

작품에 제시되어 있는 바와 같이 지상의 순진한 존재인 아기의 음성은 어머니로 향해져 있다. 그런데 아기에게 기대되었던 어머니의 음성은 들리지 않고, 대신 '땅'과 '하늘'의 응답만이 들려온다. 가령, "땅이 우애!하고 하늘이 우애!"하고 반향하고 있는 것이다. 아이의 어머니는 생물학적인 어머니로 한정되지도 않고, 또 땅이나 하늘같은 형이상학적 어머니로도 한정되지 않는다. 아이에게는 자신의 주변을 둘러싼 모든 것이 어머니로 현상되고 있는 것이다. 즉 아이에게는 자신을 둘러싼 모든 것이 어머니이다. 이야말로 우주적 동일체에 대한 획기적인 인식이 아닐까 한다.

어머니 좀 들어주서요
저 황혼의 이야기를
숲 사이에 어둠이 엿보아 들고
개천 물소리는 더 한층 가늘어졌나이다
나무 나무들도 다 기도를 드릴 때입니다

어머니 좀 들어주서요
손잡고 귀 기울여 주서요
저 담 아래 밤나무에
아람 떨어지는 소리가 들립니다
'뚝'하고 땅으로 떨어집니다
우주가 새 아들 낳았다고 기별합니다
등불을 켜 가지고 오서요
새 손님 맞으러 공손히 걸어가십시다

「경이」 전문

인간의 행위나 자연의 법칙은 그 하나만의 개별성으로 고립되지 않는다. 그것은 인과론적인 연쇄 반응을 갖고 있는 것이고, 그런 반응이야말로 우주의 이법이나 섭리를 구현하는 진정한 실체들이다. 「경이」가 말하고자 하는 것이 바로 그러한 섭리의 신비함일 것이다.

과일이 익는 가을도 계절의 순환이라는 섭리이고, 그것이 중력의 법칙에 의해 지상으로 떨어지는 것도 섭리이다. 서정적 자아에게 그러한 이법은 경이의 대상이고 신비스러운 경배의 대상이다. 따라서 낙과는 개별적인 자연물의 사건에서 그치는 것이 아니라 우주론적 질서 내지 섭리 속에서 이루어지는 법칙이 된다.

우주론적 질서가 갖고 있는 신비한 역능에 대해 시인이 이렇게 명료하게 이해했다는 것은 주목의 대상이 아닐 수 없다. 절대 진리에 도달하기 위해서는 가열찬 시인의 고뇌와 방황하는시정신이 있어야 가능한 일이기 때문이다. 그런데 시인의 경우는 이러한 치열한 시정신이나 고뇌없이 아주 빠른 속도로 그 절대 진리를 점령해버렸다. 적어도 이후 근대 시인들이 밟아왔던 경로를 생략한 채, 그는 그 구경적 정점에 쉽게 도달해버린 것이다.

이러한 그의 시를 두고 관념이 지나치게 앞서 나간 것이라고 예단할 수도 있을 것이다. 그리고 다른 시인보다 비교적 일찍 수용했던 제반 철학적 경험들이 일정 정도 영향을 끼쳤을 것이라고 판단할 수도 있다. 남들보다 이른 선진 문물에 대한 경험과 학문적 체험들이 누구보다 먼저 이런 문학적 성과에 도달하게끔 만들었을 수도 있다는 것이다.

그러나 이보다 중요한 것은 조명희가 처한 계층적 위치와 거기서 나온 의식의 편린이 보다 중요한 역할을 했을 것이라는 사실이다. 조명희는 대부분의 평자들이 동의하는 것처럼, 프로문학의 선구자[10]이다. 그 의식의 정합성 여부를 떠나서 그는 가난의식을 드러낸 시를 선구적인 개인 서정 시집인 『봄 잔디밧 위에』에서 표명했을 뿐만 아니라 그 보다 앞서 사회의식을 드러낸 희곡 「김영일 사」를 이른 시기에 발표한 바 있다. 그리고 조명희를 프로문학의 선구로 올려 놓은 작품이 바로 「낙동강」이다. 이 작품은 이렇게 구성되는데, 우선 작품의 주인공이자 농부의 아들인 박성운은 3.1운동이 일어나자 다니던 직장을 버리고 이 운동에 가담한다. 그러나 이내 잡혀서 감옥에 들어가게 되고, 이후 서북간도로 가 독립운동을 하다가 사상의 전환을 한 이후 귀국한다. 귀국 후 운동 세력간의 파벌을 없애고자 노력하기도 하고, 귀농 후에는 동양척식회사에 빼앗긴 토지를 찾으려 노력하기도 한다. 하지만 곧 투옥되고, 다시 얼마 후 출옥하지만 오래지 않아 그는 죽게 된다. 성운에게 감화된 애인 로사는 그가 죽은 후 그의 뒤를 잇기 위해 북으로 올라가게 된다[11]. 성운과 로사로 이어지는 이런 연속적 혁명 과정은 이 시기 목적의식기의 중요한 기제 가운데 하나인 전망의 세계와 밀접한 관련이 있다. 「낙동강」이 목적의식기, 아니 이후 전개된 사회주의 리얼리즘의 단계에서 그 단초로 주목받는 것은 미래에 대한 전망 때문이다. 그것이 리얼리즘 문학에서 갖는 조명희 문학의 선구성이다.

그런데 이러한 선구성은 「낙동강」에서만 한정되지 않는다는 사실이다. 그는 근대 풍경의 참신한 이미지 가운데 하나인 '아기'를 발견

10 김재홍, 앞의 논문 참조.

11 『조선지광』, 1927.7.

했을 뿐만 아니라 반근대적 사유 가운데 하나인 우주론적 이법이나 조화의 세계 또한 발견해내었다. 이런 그의 행보를 두고 그의 의식의 비현실성, 일종의 허황스런 영웅주의에서 그 원인을 찾기도 한다. 중학교 때 한창 영웅숭배 사상에 물들어 다니던 학교를 포기하고 북경사관학교에 들어가려고 무작정 북쪽으로 올라가다가 평양에서 붙들려 온 전기적 사실[12]을 예로 들면서 그의 사상적 허구성을 지적하고 있는 것이다.[13] 그러나 이는 한편으로는 옳은 것이지만, 다른 한편으로는 그렇지 못하다고 할 수 있다. 그가 이런 의식의 단면을 갖게 된 것은 그의 계층적 위치와 그 의식의 지배에 따른 것이기 때문이다.

조명희는 비교적 이른 시기에 유학을 떠났다. 1919년이었으니, 시기적으로 보면, 육당 최남선이나 이광수의 뒤를 잇는, 유학 2세대쯤에 속한다고 할 수 있을 것이다. 이 시기 유학을 할 수 있다는 것은 상승기의 부르주아가 아니고서는 불가능한 경우였다. 그것은 탄탄한 경제적 기반이 있어야 가능한 것이었고, 이를 토대로 형성된 선각자 의식이다. 이는 곧 새로운 사회 체험이라 할 수 있는 문물 혹은 문화에 대한 경험들과 무관한 것이 아니었다. 초창기 부르주아들에게 그것은 어쩌면 당연한 절차였고, 또 그러한 과정에서 그들이 획득한 사유란 엘리트의식 바로 그것이었다. 그 의식이 소위 선구자 내지는 선각자로 현현한 것은 자연스러운 일인데, 이를 대표하는 경우가 바로 육당 최남선이었다. 육당이 엘리트의식을 바탕으로 조선의 근대

12 「생활기록의 단편」, 『조선지광』, 1927.3.

13 박혜경, 앞의 논문, p.112.

를 이끈 것은 잘 알려진 일인데, 조명희에게서 그러한 육당의 흔적을 찾아보는 것이 그리 어려운 일이 아니다. 그것이 바로 다름 아닌 '영웅주의'였던 것인데, 이 의식의 발로가 만들어낸 것이 문화적 계몽, 곧 문화적 근대 의식이었다. 이는 영웅주의를 떠나서는 성립하기 어려운 것이고, 그의 시에서 드러나는 관념적 초월의식은 이와 불가분의 관계를 맺고 있는 것이라 할 수 있을 것이다. 따라서 그가 『봄 잔디밧 위에』에서 펼쳐보였던 사상적 진보성은 이 영웅주의가 만들어낸 불가피한 산물이라 하겠다.

4. 동일성의 추구에서 계급 모순으로

시집 『봄 잔디밧 위에』의 정서들은 주로 개인의 서정에 바탕을 두고 있다. 이 시집이 간행된 것이 1924년인데, 이 시기는 가난을 특징적 단면으로 하던 신경향파의 작품들이 많이 생산되고 있던 때이다. 이런 주류적 현상에 비춰보면, 훗날 카프 구성원이 된 조명희가 개인의 서정에 바탕을 둔 시들을 주로 창작했다는 것은 일견 낯설어보이는 것도 사실이다. 소설 뿐만 아니라 시의 경우에 있어서도 신경향파적인 특색은 문단의 주류적 현상이었기 때문이다.

하지만 이 시집에 가난과 같은 신경향파적인 요소가 전연 배제되어 있는 것이 아니다. 시집 후반부에 실려있는 「세식구」라든가 「농촌의 시」, 그리고 「무제」를 통해서 이런 자장들은 분명히 표현되어 있기 때문이다. 문제는 사회 경향적인 이런 시들, 다시 말해 사회 심리에 바탕을 둔 이런 시들이 개인의 정서를 담고 있는 시들과 어떤 연계성을 갖고 있었는가 하는 점에 있을 것이고, 그 정신사적 연결고리는 무엇인가 하는 점에 있을 것이다. 그럴 경우에만 한 시인의 정신사적 궤적의 통일성과 시정신의 일관성, 그리고 개인 심리가 사회심리와 겹쳐지는 공통의 지대를 발견할 수 있을 것이다.

『봄 잔디밧 위에』의 주류적 흐름이 개인의 서정이었거니와 그 저변에 흐르는 시정신은 주로 동일성에 대한 가열찬 희구였다. 그리고 그 배음에 깔려 있는 것이 전일성을 상실한 인간에 대한 부정적 의식이었다. 그리하여 그는 인간의 동일성, 보다 구체적으로 의식과 무의식이 갈라지기 이전의 세계에 대한 그리움의 정서를 표출시켜왔다. 그러한 세계는 종교적으로 보면, 에덴동산이었고, 심리적으로 보면, 상상계의 세계였다. 유토피아와 상상계에 대한 그리움이 개인의 정서에 덧씌워진 것이 『봄 잔디밧 위에』의 기본 주제였다. 그리고 그 형이상학적인 체계가 우주의 이법내지는 섭리의 세계였다.

실상 우주의 이법이나 질서가 구현되는 세계는 수평적 세계, 평화가 공존하는 세계이다. 시인이 표나게 드러내지는 않았지만, 그러한 세계는 욕망이 일탈된 세계, 시사적인 국면으로 그 외연을 넓히게 되면, 양육강식이 없는 세계일 것이다. 이 시기 주된 화두 가운데 하나가 수평적 질서에 의한 아나키즘적 공존이 모든 작가들, 사상가들에게 던져진 희망의 메시지임을 상기하면, 그가 펼쳐보인 우주론적 이법의 세계는 이런 아나키즘의 이상과 하등 다를 것이 없는 것이라 할 수 있다. 실제로 그는 자신의 시론에서 개성에 바탕을 둔 시에 대해 역설하거나 특정 민족만이 갖는 고유성의 시론을 역설한 바 있는데[14], 이는 개성 만능주의나 자유 세계를 한없이 지향하는 아나키즘의 사유로부터 자유로운 것이 아니다.

공존에 대한 아름다운 지향과 희망이 있을 경우 그 이면에 자리한 불온한 현장과 그 실천적 의식이 수면 위로 떠오르는 것도 자연스러운 일일 것이다. 지배와 피지배, 억압과 피억압, 식민과 반식민이라는 이분법적인 세계야말로 우주론적 질서나 이법의 세계와는 상위되는 것이기 때문이다. 조화와 질서, 동일성의 사유에 대해 끝없는 그리움의 정서를 펼쳐보인 조명희가 당대의 사회 구성체에 대해 외면하지 못하는 것은 자연스러운 일이었을 것이다. 그의 시들이 평화와 공존, 자유를 향한 아나키즘적 요인이 개재되어 있는 것이라면, 그리고 훗날 그가 전망과 같은 볼셰비즘의 이상을 자신의 굳건한 세계관으로 포지했다면, 그는 아나키스트에서 마르크시스트로 나아간 드문 경우가 된다고 하겠다.

어린 딸	"아버지, 오늘 학교에서 어떤 옷 잘 입은 아이가 날더러 떨어진 치마 입었다고 거지라고 욕을 하며 옷을 찢어 놓겠지. 나는 이 옷 입고 다시는 학교에 안 갈 터이야."
아버지	"가만 있거라, 저 기러기 소리 난다. 깊은 가을이로구나!"
아내	"구복이 원수라 또 거짓말을 하고 쌀을 꾸어다가 저녁을 하였구려. 마음에 죄를 지어가며……."
남편	"여보, 저 기러기의 손자의 손자가 앉은 여울에 우리의 해골이 굴러내려 갈 때가 있을지를 누가 안단

14 「『봄 잔디밧 위에』 머리말」, 『포석 조명희 전집』, 동양일보 출판국, 1995, pp.372-373.

말이요.

그리고 그 뒤에, 그 해골이 어찌나 될까?

또 그 기러기는 어디로 가 어찌나 되고?

나도 딱한 사람이오마는, 그대도 딱한 사람이오

그러나 우리의 한 말이 실없는 말이 아닌 줄만 알아

두오."

「세식구」 전문

시집에 실려있는 인용시는 가난의식을 드러낸 세 편 가운데 하나이다. 남편과 아내, 그리고 딸의 대화 형식으로 되어 있기에, 서정시 여부가 의심되는 작품이긴 하지만 어떻든 가난의식을 드러내고 있다는 점에서 그 의미가 있는 경우이다.

우선, 이 시에서의 가난의식은 어린 딸과 아내에 의해 제기되고 아버지이자 남편은 이를 선문답 형식으로 처리하고 있는 구성을 갖고 있다. 그런데 여기서 주목의 대상이 되고 있는 것은 어린 딸과 아내의 계급적 담론이다. 먼저 어린 딸은 떨어진 치마를 입고 등교 하지만, 옷 잘 입은 아이가 거지라고 욕하며 치마 옷을 찢었다는 것이다. 그리하여 어린 딸은 이 옷 입고 다시는 학교에 가지 않겠다고 선언한다. 여기서 옷 잘 입은 아이와 그렇지 못한, 떨어진 옷을 입은 어린 딸이라는 구도는 계급적 차이를 만드는데, 중요한 것은 이들의 대립이 분노의 정서를 수반하고 있다는 점이다. 옷 잘 입은 아이의 행동은 우월한 의식에 의해 지배된 경우이고, 그렇지 못한 딸의 경우 비굴한 의식에 의해 지배된 경우이다. 그런데 이들의 의식은 그 정합성 여부를 떠나 계층적 차이에서 오는 정서가 비이성적이라는 사실이다. 특히 옷 잘 입은 아이의 행위는 계급적 우월감에서 오는 선민의식이라는 점에서 더욱 그러하다.

그리고 아내는 딸의 경우와 달리 가난이 부끄러움이라는 윤리가 지배하고 있다는 점에서 다른 경우이다. 가난이라는 개인적 조건을 부끄러움이라는 숙명 탓으로 돌리고 있는 것은 문제가 있지만, 어떻든 생리적 조건에서 오는 가난과 그에 따른 죄의식은 신경향파 단계에서만 가능한 의식이라는 점에서 그 의미가 있다고 하겠다.

바다와 푸른 하늘
흙과 햇빛
아아 우리는 이 바다와 이 푸른 하늘을 잊을 날이 있을까
또는 이 검은 흙과 이 빛나는 햇빛을
비록 어떠한 세상이 오더라도

우리는 우리의 사랑을 잊을 수가 있을까
우리의 목숨을 잊을 수가 있을까
비록 어떠한 위협이 오더라도
우리는 이것을 잊을 수가 있을까

옳도다 우리는 빵에 주린 자
사랑에 목마른 자
○○○목숨
기나긴 어둠이 우리의 뒤에 딸려있다
또는 앞으로 널려 있다

그럴수록에 우리는 바다가 더 그리웁다
푸른 하늘이 더 그리웁다
흙냄새가, 햇빛이 더 그리웁다
사랑을 나누고 싶구나
빵을 배불리고 싶구나
싱싱한 팔다리를 가지고, 씩씩한 숨을 내들이쉬고 싶구나!

어둠에 사는 인간일수록
밝음이 더 그리웁다 자연이 더 그리웁다
산 생명의 펄펄 뛰노는 생활이 몹시 그리웁다
그러나 우리는 한 마디 말을 더 하여두자
"어둠에 사는 자는 희미한 빛을 바라지 않는다"
그렇다 큰 광명이 아니면
차라리 큰 어둠을 바란다
어둠을 지쳐가자 어둠을 지쳐가
그리운 햇빛을 보기 위하여, 그리운 그를 만나기 위하여
이 기나긴 어둠을 전사같이 지쳐 나가자

바다와 푸른 하늘
흙과 햇빛
사랑과 빵
그리고 또 목숨, 뛰노는 목숨
아아 백양목 같은 팔다리로 저 푸른 하늘을 머리에 이고, 이 빛나는 햇빛 아래 이 넓은 땅 위에

발을 내놓아, 동무와 동무의 손을 잡아, 서로서로 일하며
서로서로 뛰놀 시절이 언제나 올고!

「무제」 전문

개인의 서정으로 이루어진 조명희의 시들은 사회적 의식을 담아낼수록 이야기 시의 성격을 갖기 시작한다. 단편 서사시 만큼의 인물이나 사건의 제시, 그리고 시의 긴 호흡을 기대할 수는 없지만, 인물들의 등장과 그들의 발화가 등장하면서 좀더 서사화되기 시작한 것이다. 그의 시들이 갖는 이런 이야기성은 조명희 문학에 있어서 새로운 인식성이 되는바, 이후 그는 서정 양식보다는 산문 양식으로 나아가게 된다. 그가 본격적으로 산문 양식에 발을 디디게 되는 시기가 이때부터라는 사실은 주목을 요하는 것이 아닐 수 없다.

조명희가 처음 산문 양식을 쓰기 시작한 것은 1925년에 발표한 「땅속으로」이다[15]. 이후 그는 「R군에게」를 비롯하여 「저기압」, 「농촌 사람들」 등을 연속해서 발표하고, 그의 대표작인 「낙동강」을 발표하게 된다. 산문 양식으로 경도된 이후, 조명희의 시작활동은 거의 중단된 것으로 알려져 있다. 그의 새로운 시작활동은 1928년 망명 이후 다시 이루어지게 된다. 서정 양식을 포기하고 서사 양식을 선택하게 되었다는 것은 그의 창작 생활에서 이 두 양식이 공존할 수 없음을 보여주는 것인데, 그것은 그의 세계관의 변화와 밀접한 연관이 있는 것이라 하겠다. 「무제」를 비롯한 「농촌의 시」를 쓸 즈음, 조명희는 부인할 수 없는 진보적 세계관을 전취하기 시작했던 것으로 보인다.

15 『개벽』, 1925.2-3.

그리고 그러한 세계관을 담아낼 수 있는 그릇으로서 서정 양식은 더 이상 적당한 경우가 아니었다. 물론 그가 계급 모순을 표현할 수 양식으로 단편서사시 같은 서정 양식도 가능했을 것이다. 하지만, 이를 좀더 논리적으로 표현하고, 좀더 설득력 있는 사상의 표백을 할 수 있는 서사 양식이 있었기에 시의 서사성에 굳이 관심을 갖지 않아도 되었을 것으로 이해된다. 이런 이유이 조명희로 하여금 서정 양식을 포기하고 서사 양식으로 나가게 한 것이라 할 수 있다.

「무제」는 서정 양식에서 서사 양식으로 나아가는 중요 단계에 놓여 있는 작품이라는 점에서 그 시사적 의의가 있다. 뿐만 아니라 이 작품은 시인이 지금껏 설파해왔던 사상적 점이지대와 사회적 맥락이 절묘하게 결합되는 장 역시 마련하고 있다. 앞서 살펴본대로 조명희가 탐색해왔던 서정적 목적은 조화와 이법의 세계였다. 그리고 이 이면에 자리하고 있었던 것은 욕망에 물든 사악한 인간과 그것들 생산해낸 부조화의 세계였다. 물론 그 세계가 만들어낸 불온한 현장이란 계급 모순이 존재하는 사회였다. 그는 이를 적극적으로 표명하지 않았지만, 그 배음에는 분명 이런 모순이 자리하고 있었다.

「무제」는 그러한 모순과 부조화가 만들어낸 삶의 현장을 반추하고 이를 초월하고자 하는 의지를 담아낸 작품이다. 그는 1연에서 조화가 펼쳐지는 세상의 아름다움을 "바다와 푸른 하늘/흙과 햇빛"으로 설정한 다음, "아아 우리는 이 바다와 이 푸른 하늘을 잊을 날이 있을까" 하는 회의의 시선을 던진다. 이러한 응시의 이면에 "우리는 빵에 주린자"라든가 "사랑에 목마른자"라는 피압박의 주체들이 놓여 있었고, "기나긴 어둠이 우리의 뒤에 딸려있다"라는 비극적 현실 인식이 감춰져 있음을 알게 된다.

그러나 이런 부조리에 대한 인식이 어떤 테두리에 갇혀있지 않다는 점에서 비로소 반항적인 자의식이 드러나게 된다. 그는 이런 상황을 수동적으로 받아들이고 인내하는 것이 아니라 이를 적극적인 저항의 몸짓에 실려보내게 된다. "어둠에 사는 인간일수록/밝음이 더 그리웁고 자연이 더 그리웁다"라고 함으로써 비로소 실천적인 자아를 발견하게 되는 것이다. 이런 저항적 포오즈야말로 현실주의자 조명희 문학의 한 단면을 이해할 수 있는 근거라 할 수 있다.

우주론적 질서에 대한 탐색들이 계급 모순과 관련하여 특히 주목의 대상이 되는 부분이 마지막 연이다. 서정적 자아는 여기서 다시 한번 "바다와 푸른 하늘/흙과 햇빛/사랑과 빵"의 소중함을 전제한 다음, 불온한 현실을 딛고 다가올 신천지에 대해 또다시 그리움의 정서를 표백하고 있는 것이다. 그것은 바로 다음과 같은 세계이다. "발을 내놓아, 동무와 동무의 손을 잡아, 서로서로 일하며 서로서로 뛰놀 시절이 언제나 올고!"하는 유토피아가 바로 그러하다. 그런데 이는 막연한 이상, 공상적 환상이나 상상적 꿈이라는 이해를 넘어서 조명희가 추구하는 시집 『봄 잔디밧 위에』가 의도하는 궁극적 세계가 무엇인가 하는 점을 시사하고 있다는 점에서 주목을 요하는 대목이 아닐 수 없다. 이런 세계는 물론 『봄 잔디밧 위에』가 지금껏 펼쳐보인 우주론적 섭리나 이법일 것이다. 뿐만 아니라 이 시기 유행처럼 퍼져나갔던 상호부조의 세계, 곧 아나키즘의 이상일 수도 있다. 그리고 이후 조명희가 걸어간 세계에 비추어보면, 사회주의적 이상, 즉 원시 공산 세계일 수도 있을 것이다.

조명희가 꿈꾸어온 세계는 서정적 황홀의 세계이다. 이는 논리의 영역에서는 쉽게 도달할 수 없는 감성의 세계이다. 따라서 이 유토피아에 대한 그리움의 정서는 두 가지 사실을 전제하거나 시사하게 되는데, 하나는 서정 양식의 특색에서, 다른 하나는 그의 사상적 흐름에서이다. 잘 알려진 대로 서정양식은 극적 통합의 정서를 그 기본 특징으로 한다. 그것은 복잡한 논리를 초월하거니와 변증적 과정을 거치고 획득되는 것이 아니어도 가능한 세계이다. 그것은 역으로 그러한 세계가 불가능한 현실을 가능한 현실로 바꿀수 있는 역설적 기제이기도 하다. 그리고 다른 하나는 산문의 세계와 이후 소련으로 망명하게 되는 단초로서의 의미이다. 조명희는 이 시기 망명이라는 쉽지 않은, 다시 말해 보편적이지 않은 선택을 하게 된다. 이런 선택 역시 꿈이 이루어질 수 없는 현실에 대한 절망 없이는 불가능한 행위일 것이다. 그는 유토피아를 너무 급히 빨리 꿈꾸었다. 그리고 그 실현을 위해 조급했던 것으로 보인다. 그러한 초조감이 「무제」의 세계에 반영되었을뿐만 아니라 그의 행동을 규제하는 근거로 작용했다고 하겠다.

5. 계급모순에서 민족모순으로

1928년 4월 조명희는 소설집 『낙동강』을 백악출판사에서 간행하고, 두달 뒤 『민촌』 소설집을 간행한 이기영과 더불어 공동 출판기념회를 연다. 기념식이 열린 곳은 청량사였고, 이 자리에는 다수의 카프 동료들이 참가했다. 그런 다음 또 다시 두달 뒤인 8월 조명희는 소련으로 망명하게 된다. 그는 블라디보스토크에 있는 조선인 거주지 신한촌에 들어감으로써 조선을, 아니 제국주의의 압제로부터 벗어나게 된다.

시집 『봄 잔디밧 위에』를 꼼꼼히 읽어 보게 되면, 조명희가 선택한 망명의 과정을 어느 정도 이해할 수 있게 된다. 그리고 다른 하나의 근거는 「생활기록의 단편」에서 볼 수 있었던 것처럼, 영웅주의에 기반한 모험심의 발로도 그의 망명 동기가 무엇인지 그 일단을 알 수 있게 한다. 논리가 배제된 감성의 세계이긴 하지만, 그가 『봄 잔디밧 위에』에서 꿈꾸었던 세계는 앞서 언급대로 조화와 질서의 세계였다. 특히 우주의 섭리와 이법이 여과없이 펼쳐지는 유토피아의 세계였다. 이러한 지향들은 그가 동경 유학시절에 체험했던 제반 철학들로부터 얻은 것이었다. 그런데 그런 질서의 세계가 자신의 세계관이랄까 지향점과 교묘히 맞아떨어진 것으로 보인다. 그는 한편으로는 형이상학적인 이법의 세계 혹은 조화를 그리워했는데, 그가 추구한 사회란 것이 실상은 마르크시스트들이 갈구한 그것과 동일한 것이었다. 당시 그 공통의 지대를 만들어 줄 수 있는 공간이란 인접한 이상주의 국가였던 소비에트뿐이었다.

그리고 다른 하나는 그에게 기질적으로 남아있던 영웅주의 사상이었다. 그는 「생활기록의 단편」에서 표나게 드러낸 바와 같이 영웅심의 발로에서 북경사관학교에 가려했다. 비록 성공하지는 못했지만, 그의 도전의식이랄까 영웅주의적 사고 태도는 거의 생리적인 것으로 배태되어 있었던 것으로 보인다. 그러한 그의 영웅주의가 이 시기 풍미했던 엘리트 의식, 다른 말로 하면 상승하는 부르주아들의 의식과 하등 다를 것이 없었다는 사실이다. 그의 선구자 의식내지 영웅의식은 그로 하여금 다른 어떤 사람들보다 미지의 영역으로 거침없이 빠져들게끔 만들었다. 이 시기 매우 예외적이라 할 수 있는 소련망명은 이런 맥락에서 찾아야 할 것으로 보인다.

망명이란 다른 말로 하면 지금껏 자신을 규제하고 있는 제반 억압으로부터 벗어남을 의미한다. 그러니 그 해방된 상태에서 자신의 사유를 마음껏 펼칠 수 있는 계기를 마련할 수 있었는데, 여기서 '마음껏'이란 의미는 이른바 검열제도로부터의 해방과 분리하기 어려운 것이라 할 수 있다. 수많은 카프 문학에서 반제국주의를 함의하는 단어나 문장이 수면으로 떠오를 수 없는 현실에서 보면, 이는 대단한 파격이 아닐 수 없으며, 지금껏 억눌린 사유의 완전한 표명으로 이어질 수 있는 극적인 계기라 할 수 있을 것이다.

> 일본 제국주의 무지한 발이 고려의 땅을 짓밟은 지도 벌써 오래다.
>
> 그놈들은 군대와 경찰과 법률과 감옥으로 온 고려의 땅을 얽어 놓았다.
>
> 칭칭 얽어 놓았다 - -온 고려 대중의 입을, 눈을, 귀를, 손과 발을.
>
> 그리고 그놈들은 공장과 상점과 광산과 토지를 모조리 삼키며 노예와 노예의 떼를 몰아 채찍질 아래에 피와 살을 사정없이 긁어 먹는다.
>
> 보라! 농촌에는 땅을 잃고 밥을 잃은 무리가 북으로 북으로, 남으로 남으로, 나날이 쫓기어가지 않는가?
>
> 뼈품을 팔아도 먹지 못하는 그 사회이다. 도시에는 집도, 밥도 없는 무리가 죽으러 가는 양의 떼같이 이리저리 몰리지 않는가?
>
> 그러나 채찍은 오히려 더 그네의 머리 위에 떨어진다 -

순사에게 눈부라린 죄로, 지주에게 소작료 감해달란 죄로, 자본주에게 품값 올려달란 죄로.

그리고 또 일본 제국주의에 반항한 죄로, 프롤레타리아트를 위하여 싸워가며 일한 죄로!

주림과 학대에 시달리어 빼빼마른 그네의 몸뚱이 위에는 모진 채찍이 던지어진다.

어린 '복남'이는 저의 홀어머니가 진고개 일본 부르주아놈에게 종노릇하느라고, 한 도시 안, 가깝기 지척이건만 벌써 보름이나 만나지 못하여 보고 싶어서, 보고 싶어서 울다가 날 땅에 쓰러지어 잠들었다.

젊은 '순이'는 산같이 믿던 저의 남편이 품팔이하러 일본 간 뒤에 4년이나 소식이 없다고, 강고꾸베야에서 죽었는가 보다고, 감독하는 일본놈에게 총살당하였나 보다고, 지금 일본 관리놈 집의 밥솥에 불을 지펴주며 한숨 끝에 눈물짓는다.

아니다. 이것은 아직도 둘째다 -

기운 씩씩하고 일 잘하던 인쇄 직공 공산당원 '성룡'의 늙은 어머니는 어느 날 아침결에 경찰서 문턱에서 매맞아 죽어 나오는 아들의 시체를 부둥켜 안고 쓰러졌다 -그는 지금 꿈에도 자기 아들의 이름을 부르며 운다.

아니다, 또 있다 -

십 년이나 두고 보지 못하던 자기 아들 정치범 미결감 삼년 동안에 옷 한 벌, 밥 한 그릇 들이지 못하고 마지막으로 얼굴이나 한 번 보겠다고 천 리 밖에서 달려와 공판정으로 기어들

다가 무지한 간수놈의 발길에 채여 땅에 자빠져 구을러 하늘을 치어다 보며 탄식하는 흰머리의 노인도 있다.

이거 뿐이냐? 아니다.

온 고려 프롤레타리아 동무 -몇 천의 동무는 그놈들의 악독한 주먹에 죽고 병들고 쇠사슬에 매여 감옥으로 갔다.

그놈들은 이와 같이 우리의 형과 아우를, 아니 온 고려 프롤레타리아트를 박해하려 든다.

고려의 프롤레타리아트! 그들에게는 오직 주림과 죽음이 있을 뿐이다, 주림과 죽음!

그러나 우리는 낙심치 않는다. 우리의 힘을 믿기 때문에 -

우리의 뼈만 남은 주먹에는 원수를 쳐 꺼꾸러뜨리려는 거룩한 싸움의 힘이 숨어 있음을 믿기 때문에.

옳도다, 다만 이 싸움이 있을 뿐이다 -

칼을 칼로 잡고 피를 피로 씻으려는 싸움이 -힘세인 프롤레타리아트의 새 기대를 높이 세우려는 거룩한 싸움이!

그리고 우리는 또 믿는다 -

주림의 골짜기, 죽음의 산을 넘어 그러나 굳건한 걸음으로 걸어 나가는 온 세계 프롤레타리아트의 상하고 피묻힌 몇 억만의 손과 손들이.

저 -동쪽 하늘에서 붉은 피로 물들인 태양을 떠받치어 올릴 것을 거룩한 프롤레타리아트의 새날이 올 것을 굳게 믿고 나아간다!

「짓밟힌 고려」 전문

이 작품은 망명 직후인 1928년 10월에 쓰여진 것이다. 제목도 그러하거니와 내용을 지배하고 있는 것 역시 민족 모순의 감각과 밀접히 결부되어 있음을 알 수 있다. 일제 강점기 카프 작가들의 계급 모순 속에 민족 모순이 함께 공유되고 있다는 것은 지극히 자명한 일이다. 계급 모순이란 지배와 피지배의 관계 속에서 형성되는 것이기에 이로부터 민족 모순을 배제시키는 것은 쉽지 않은 일이기 때문이다. 다만 식민지 현실에서는 당연한 것임에도 불구하고 민족이나 민족 모순과 같은 말들을 표명하는 것은 계급이나 계급 모순을 말하는 것보다 훨씬 어려운 일이었다[16].

이제 시인을 억누르던 압제는 사라졌고, 표현의 자유는 주어졌다. 그럴 때, 시인이 선택할 수 있는 것은 민족 모순에 대한 올곧은 표출이었다. 억압당했던 정서의 가열찬 표명만이 남아 있었던 것인데, 그가 망명 이후 처음 쓴 작품이 민족 모순에 기반한 「짓밟힌 고려」라는 것은 매우 의미심장한 경우라 할 수 있다.

그리고 이 작품에서 또 하나 간과해서는 안 될 것이 있는 데, 그것은 민족 해방의 주체 문제이다. 압제에 놓인 조선이 해방되어야 하는 것은 당위의 문제이긴 하지만, 시인은 그 해방의 주체가 프롤레타리아가 되어야 함을 명시하고 있다는 점이다. 이는 민족 모순만이 아니라 계급 모순 또한 당연히 이루어져야 한다는 것을 전제한 것이라는 점에서 그 의미가 있는 것이다. 이런 시각은 해방 직후 펼쳐졌던 민

16 이러한 면은 비록 타민족의 경우를 작품의 소재로 쓰긴 했지만, 송영의 「인도병사」를 읽게 되면 금방 알 수 있는 일이다. 이 작품은 이 시기 다른 어느 작품보다도 삭제나 복제 처리된 부분이 많은데, 이는 민족 모순을 드러내는 의식들이 얼마나 어려웠던 것인가 하는 것을 잘 보여주는 대목이 아닐 수 없다.

족 모순과 계급 모순이 충돌하는 현실, 그 선후성의 문제를 고려하면, 매우 시사적인 것이라는 점이다. 민족이 해방되는 것에서 그치는 것은 불구적인 것이고 오직 노동계급의 당파성이 매개되는 해방만이 진정한 해방이라는, 해방 직후 프로예맹의 주장[17]과 그 맥락을 같이 하기 때문이다. 이 또한 분명 조명희 문학이 갖고 있는 선구성이라 할 수 있을 것이다.

짓밟힌 무리의 흘린 핏방울 방울이
지심으로 흘러, 흘러 폭발이 되어
새 화산, 새 세기의 화산이 솟았다.
북방에 높이 솟은 새 '히말라야 산' -소비에트 공화국!
그 앞에 낡은 제도는 골짜기같이 무너졌다.
온 세계는 바다같이 끓는다.
오, 우리의 모국 소비에트 공화국의 거룩한 탄생이여!
자라나가는 우리의 힘이여!
억척스러운 걸음 -걸음이여!
열네 해를 맞는 이 날 아침, 맑은 햇빛 아래에
더 높이 날려라, 붉은 깃발을! 더 높이 울려! 승리의 쇠북을!
만국의 승냥이는 이 갈며 떤다, 떤다.
사자야, 새 화산의 아들 건장한 무리야!
원수를 향하여 소리쳐라, 동무를 불러 소리쳐라,

17 이는 해방직후 민족문학의 주체가 인민성에 기반할 것인가 혹은 당파성에 기인할 것인가를 두고 대립했던, 조선 문학건설본부와 프로예맹의 갈등에서 확인할 수 있다.

더 한층 높이 쳐라, "만세!!" "만세!!"

우리의 손이 망치를 잡았고
우리의 발은 바퀴를 굴린다.
우리의 어깨엔 총이 메여 있고,
우리의 머리 위엔 새 태양과 함께 과학이 빛난다.
이리하여 우리의 건설은 쉬일 날이 없고,
우리의 무장은 원수를 물리치고야 만다.
망치여, 더 힘 있게 내려쳐라!
바퀴여 더 빨리 굴러라!
태양이여, 더 빛나게 내리쪼여라!
우리의 걸음은 한 시가 급하고,
우리의 팔다리엔 힘줄이 뛴다.
오직 -'앞으로!!' '앞으로!!'

「10월의 노래」 전문

이 작품은 소비에트 공화국에 대한 찬양의 시다. 조명희가 소련에 망명한 이상 이러한 성향의 작품이 등장하는 것은 어쩌면 자연스러운 일일 것이다. 민족모순에 대한 표출이 망명지라는 새로운 환경에서 펼쳐질 수밖에 없는 자연스러운 수순이었다면, 공산주의적 이상세계가 펼쳐지고 있는 소비에트 사회에 대한 긍정적 시선이야말로 자연스러운 것이었기 때문이다. 그것은 체제에 적응하기 위한 차원이 아니라 자신이 지금껏 추구해왔던 이상과, 그러한 이상이 실현되고 있는 현실이 마주하고 있는 격정의 순간에 자연스럽게 이루어질 수밖에 없는 수순 가운데 하나였기 때문이다.

6. 이상주의자의 한계

조명희의 문학은 여러 면에서 선구성을 갖고 있었지만, 다른 한편으로는 현실성이 부족한 이상주의적인 면 또한 갖고 있었다. 그는 이 시기 시집 『봄 잔디밧 위에』를 간행함으로써 시사적으로 보면, 김억과 더불어 세 번째 개인 시집을 갖는 시인이었다. 그리고 이 시집 속에 내포된 의미들이 당시로서는 매우 드문 것들이라는 점에서 더욱 그러한 경우이다. 시집이라는 형식과 내용의 파격성이 어우러져 문단에 시선한 충격을 준 것이 시집 『봄 잔디밧 위에』가 갖는 일차적인 사시적 의의라 할 수 있다.

조명희가 이 작품 속에서 표나게 강조했던 것이 맑고 순수한 세계에의 지향이었다. 그것은 기독교적 관점에서 보면, 유토피아의 세계였고, 프로이트나 라깡 식으로 말하면, 무의식이나 상상계의 세계였다. 인간은 이런 경계를 무너뜨림으로써 소위 선과 악이라는 이분법의 세계에 노출되었고, 그 초월이야말로 진정한 이상 세계의 실현으로 이해했던 것이다.

시인이 그러한 이상 세계로 나아가는 도정에서 발견한 것이 '아기'의 이미지였는데, 실상 이 이미지에 대한 발견만으로도 그는 최초의 근대주의자라 해도 무방한 경우이다. 뿐만 아니라 그가 초월하고자 했던 이분법의 세계가 에덴동산의 유토피아라든가 섭리나 이법이 지배하는 우주라는 점에서도 그는 아주 선구적인 근대주의자라 할 수 있다. 그리고 그는 그러한 이상세계를 추체험의 영역이나 초월적인 영역으로 한정하지 않았다는 점에서 그 의의가 있다. 잘 알려진 바와 같이 그는 카프 맹원이었기에, 그리하여 현실 속에서 활발히 움직이고 있는 이데올로기의 활동과 그 자장을 문학화하는 데 있어서 커다란 저력을 보여주었다. 시집의 후반에 발표된 시들이 그러했는데, 이런 의식의 지향은 이후 그가 리얼리즘에 기초한 「낙동강」을 비롯한 산문 양식을 꽃피우게 하는 계기가 되었다.

조명희는 「낙동강」을 발표한 이후 얼마 지나지 않아 자신이 꿈꾸어왔던 이상 세계의 실현을 위해서 소련으로 망명하게 된다. 그는 그곳에서 「짓밟힌 고려」를 비롯한 민족 모순에 입각한 시를 계속 발표하게 된다. 뿐만 아니라 이상 세계인 소비에트 공화국을 찬양하는 시들 역시 생산하게 된다. 이는 분명 이 시기 다른 작가들에게서는 볼 수 없는 선구자적인 면들이라고 할 수 있다. 그에게는 선구자적인 의식, 그의 표현대로 하면, 일종의 영웅 의식이 분명 내재해있었다. 물론 이런 의식의 바탕에 놓인 것은 상승하는 부르주아 의식이었다. 이 의식은 이 시기 엘리트들에게서 흔히 발견할 수 있는 것들이었는데, 가령, 유길준이 있었고, 육당과 춘원이 그러했다. 조명희의 의식은 그들과 하나도 분리되는 것이 아니었다. 어떻든 그는 이 의식을 바탕으로 여타의 작가들이 할 수 있었던 여러 경험을 하게 된다.

그러나 그의 그러한 과감한 선구자의식도 그가 그토록 갈구했던 소련에서 반혁명분자로 낙인받고 처형됨으로서 그 막을 내리게 된다. 그의 문학에는 선구성이 있었고, 또 엘리트적인 우월의식에 바탕을 둔 작품 활동도 있었다. 가령, 「짓밟힌 고려」의 경우를 보아도 그러한데, 이 작품에서는 해방 직후 치열하게 논의되었던, 주도적으로 매개되어야 하는 프롤레타리아의 당파성이 선명하게 제시되어 있는 것이다. 그는 적어도 몇 년 앞을 내다보고, 아니 예단한 문학 행위들을 한 것이다. 이런 선구성야말로 조명희 문학이 갖는 시사적 의의일 것이다. 하지만 조명희는 그 비극적 결말이 말해주듯 실패했다. 문학에 예언자적 기능이 있는 것은 분명하지만, 현실적인 기반이 없는 행위는 공허한 메아리에 그칠 뿐이다. 시집『봄 잔디밧 위에』에서 펼쳐보인 섭리나 이법의 세계는 치열한 시정신의 결과에서 온 것이 아니었고, 그가 일찍 체험한 철학적 기반을 그대로 가져온 것에 불과했다. 뿐만 아니라 그가 선망했던 소비에트 사회로의 망명 역시 마찬가지의 경우이다. 망명은 실존의 불안을 일시적으로 해결해줄 수 있을지언정, 치열한 고뇌의 과정이 생략된 행위라 할 수 있다. 그 해방의 공간에서 민족 모순과 계급 모순을 외친다고 해서 자신의 문학적 혹은 이데올로기적 욕구가 해소되는 것은 아니다. 투쟁과 고뇌는 그것이 규율하고 있는 현장에서 이루어질 때 진정한 가치가 있는 것이다. 조명희 문학들은 그 시사적 선구성이 인정됨에도 불구하고 더 나아가지 못한 것은 이런 현실적 한계들 속에 갇혀 있었기 때문이다.

한국 근대 리얼리즘 시인 연구

동반자 혹은 민족주의자

유완희론

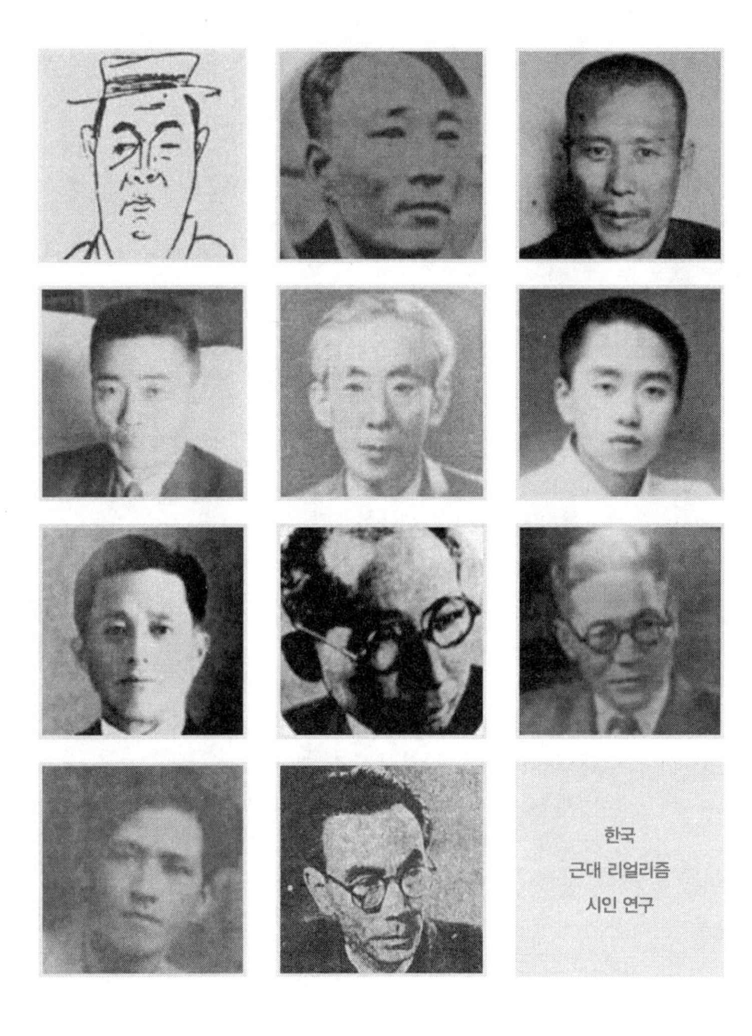

유완희 연보

1901년 경기도 용인 출생, 호는 赤駒
1920년 경기고보 졸업
1923년 경성법학전문학교 본과 1회졸업
1925년 시대일보에 「객관주의 예술과 주관주의 예술」을 발표
시 「거지」를 시대일보(1925.11.30)에 발표하면서 문인의 길에 들어섬
1928년 소설 「현실」을 『조선지광』에 발표
1933년 시 「태양으로 가는 무리」를 『삼천리』에 발표
1934년 시 「오월의 태양」을 『문예창조』에 발표
1937년 첫시집 『태양과 지구』를 간행했으나 1950년 한국 전쟁 중에 소실되어 그 실체를 알 수 없음
1945년 해방공간의 현실에서 남쪽에서 활동함
1963년 용인 자택에서 사망

1. 동반자의 길

적구(赤駒) 유완희(柳完熙)는 1901년 경기도 용인에서 출생하여 1964년까지 활동하다가 이곳 자택에서 타계한 경향 시인 가운데 하나이다. 그동안 유완희라는 이름은 무척 생소한 경우였다. 우선 시적인 성과도 뚜렷하지 않았거니와 그의 사유 속에 내재한 이념적 기반 역시 확실하지 않았던 까닭이다. 뿐만 아니라 해방 이후 전개된 사상적 편향성도 그의 이름을 문학사에 뚜렷이 복원하지 못하게 한 계기가 되었다. 남쪽의 체제 선택을 했음에도 불구하고 그는 한때 프로시인이라는 이유로 이후 남쪽 문학사에서 의미있는 자리를 차지하지 못하고 있었던 것이다.

이런 결과는 무엇보다 그의 시들이 갖고 있는 문학성이랄까 사상성과 같은 시적 성취의 문제가 크게 작용했을 개연성이 크다고 하겠다. 그는 생전에 제대로 된 시집 하나 상재한 적도 없었고[1], 작품의 양 또한 빈약한 편이었다. 게다가 이런 한계를 극복해 줄만큼 시의식이 다른 시인의 경우보다 무척 앞서 나간 것도 아니었다. 이런 문학적 한계들이 그의 시세계를 평가하는데 있어 크나큰 장애가 되었던 것이다.

하지만 이런 한계나 평가에도 불구하고 유완희는 자신만의 고유한 세계관이랄까 시의식을 갖고 있던 시인이었다는 사실은 분명하다. 잘 알려진 것처럼, 그는 리얼리즘 계통의 시인인데, 그가 이렇게

1 그의 아들 유기훈의 회상에 의하면, 유완희는 1937년경 시집을 출판했지만, 1950년 한국 전쟁중에 소실되어 그 실체를 알 수 없다고 한다. 정우택, 「적구 유완희의 생애와 시세계」, 『반교어문연구』 3, 반교어문학회, 1991. p.267.

분류되는 것은 시단에 처음 선보인 작품이 이런 경향의 시였거니와[2] 이후 현실지향적인 시들을 꾸준히 써 왔기 때문이다.

하지만 이런 흐름에도 불구하고 그를 진정한 리얼리즘의 시인, 나아가 카프 시인으로 규정하는 데 있어서는 다소의 혼선이 있는 듯하다. 유완희가 당대의 평자들에 의해 카프 구성원이었다는 근거를 들어서 그를 틀림없는 카프 맹원으로 규정하는 경우가 있는가 하면[3], 카프 조직표에 그의 이름이 없다는 점을 근거[4]로 이 조직과는 무관한 인물로 규정하고 있는 것이다. 이런 상반된 결과에도 불구하고 중요한 것은 작품의 경향보다 조직이라는 관점에서 바라보아야 한다는 것이다. 당파적 결속을 위해서는 단위에서 단단히 묶여야 하는 것인데, 유완희가 카프 구성원에서 이름이 배제되었다는 것은 그가 이 조직과는 무관한 존재라고 보아야 할 것이다. 따라서 그를 정식 카프 구성원이라고 단정하는 것은 무리가 있다고 하겠다. 하나의 집단을 이끄는 것은 이념이고, 또 이를 더욱 강고하게 해 주는 것은 조직이기 때문이다. 따라서 특정 조직에서 배제되어 있다는 것은 이 조직이 지향하는 이념이나 당파적 결속과는 어느 정도 거리를 두고 있다고 보아야 할 것이다. 물론 어느 조직에 가담해 있지는 않지만 그 조직이 내세우는 이념 등에 대해서 얼마든지 동조할 수가 있다. 뿐만 아니라 그들의 모임에 개인적 친분이나 사상적 친연성으로 말미암아 얼마든지 행동을 함께 할 수도 있을 것이다. 하지만

2 유완희의 첫 작품은 「거지」로 알려져 있는데, 이 시가 발표된 것은 시대일보, 1925년 11월 30일자에서이다.

3 이런 사례는 김기진의 글(「10년간 조선문예변천과정」, 조선일보 1929년 1월 27일)과 박팔양의 글(「시인 유완희에 대한 회상」, 『청년문학』, 평양, 1958)에서 확인된다.

4 김윤식, 『한국근대문예비평사연구』, 일지사, 1982, p.32.

행동 반경이나 사상이 일치한다고 해서 어떤 조직의 구성원이 되는 것은 아니다.

일찍이 우리 문학사에서 이런 부류들이 전혀 없었던 것은 아니다. 동반자 그룹이 그러한데, 잘 알려진 대로, 채만식, 유진오, 이효석, 엄흥섭, 강경애, 이용악 등등이 그들이다. 이들은 카프가 지향하는 이념에는 동조하지만, 카프의 정식 구성원은 아니었다. 그래서 이 그룹은 카프 구성원과 달리 동반자 작가로 분류된다. 동반자란 트로츠키에 의해 처음 제기된 용어로서, 사회주의 혁명기에 있어서 노동 계층의 동맹군 정도로 이해되어 왔다. 유완희의 행보와 그 시세계를 천착해 들어가게 되면, 기왕의 동반자 그룹이 보여주었던 외연으로부터 크게 벗어나는 것이 아니다. 지금까지 유완희를 동반자 그룹으로 편입시켜 논의한 경우는 드물다. 대부분의 경우 그는 카프의 맹원이나 그 세계관을 충실히 구현한 시인으로 이해되어 왔기 때문이다.

작품이나 사상적 편력은 틀림없는 카프의 세계 속에 편입시킬 수 있는데, 이 조직의 구성원에는 포함되지 않았던 것이 유완희 자신이나 그의 작품 세계를 이해하는 데 있어서 크나큰 어려움이 있었다. 그리하여 그를 부르주아 민족주의 좌파로 분류하기도 하고[5], 몇몇 사람들의 회고를 빌려 그를 카프 맹원으로 이해하기도 했던 것이다. 유완희 작품들을 꼼꼼히 읽어보게 되면, 이들이 시도한 분류가 어느 정도 부합하는 측면이 있다. 그의 시에서 드러나는 계몽적 지향과 그에 따른 민족 우위의 사유라든가 경향파 문학이 요구하는 계급적

5 강정구, 「부르주아 민족주의 좌파 경향의 시인 유완희」, 『우리 문학 연구』46, 2015.

요소들이 작품 속에 충실히 반영되어 있는 까닭이다.

하지만 유완희의 작품 세계를 단선화하거나 분류라는 미망에 젖어서 그 결과를 통해 작품을 응시할 필요는 없다고 본다. 어쩌면 카프에는 가입하지 않았지만 그들의 이념적 행보에 동조한 동반자 작가로 이해하는 것이 그의 시의 외연을 더 넓혀주는 일이 아닌가 한다. 중요한 것은 이 시인만의 고유한 정신사적 흐름일 터이다. 이는 세계를 보는 인식의 문제와 그에 따른 세계관의 변화가 작품 세계에 어떻게 반영되어 있는가. 그리고 당대의 조류 가운데 하나인 근대를 어떻게 수용했는가 하는 관점과 밀접한 관련이 있는데, 이런 방식으로 그의 시를 이해하는 것이 오히려 바람직한 일이 될 것이다. 다시 말해 이념의 경사도에 따라 세계관이 바뀌는 과정을 탐색하는 일이야말로 그의 작품 세계를 협소하게 만들 위험이 따르는 것이라 할 수 있다. 그의 시들은 계급적 성향의 시들도 있고, 순수 서정시들도 있으며, 근대에 대한 담론과 그 대항담론의 시들도 있다. 중요한 것은 이들 작품 세계가 어떤 고리로 연결되어 있는 것인가. 그리고 그 저변에 자리한 현실 인식은 어떤 것인가 하는 점일 것이다. 유완희는 어떤 특정 사상이나 이념을 고집스럽게 수용한 경우가 아니다. 그는 유행하는 조류에 대해 민감하되 거기에 전적으로 의지하지 않았고, 개인적 친분이나 그에 따른 사상적 매혹 속으로 이끌려졌을지라도 그 깊이로부터 헤어나오지 못한 경우는 아니었다. 그는 무척 유연한 사고의 소유자였는바, 그러한 기질적 특성들을 작품 속에 잘 반영한 시인이었다. 게다가 그가 추구한 시의식의 흐름 또한 보편적 맥락 속에서 충분히 자리매김할 수 있는 것이었다.

2. 계급성과 민족성의 사이에서

유완희의 초기시들은 신경향파 시기의 다른 시인들의 작품 세계와 유사하다. 그가 시인이 된 것은 1925년 작품 「거지」를 발표하면서인데, 이때는 카프가 막 결성된 직후이다. 조직이 결성되었다는 것은 문예운동이 하나의 방향성으로 일관되게 나아갈 수 있는 토양이 마련되어있다는 것이고, 또 그 조직이 내세우는 강령이랄까 지도이념을 충실히 따를수 있는 기반이 마련되어 있다는 뜻도 된다. 그러나 카프가 결성된 직후에도 1920년대 초반부터 시작된 신경향파적인 요소가 작품 속에서 완전히 사라진 것은 아니었다. 적어도 소위 카프가 방향전환을 시도하던 1927년까지는 작품 속에 신경향파적인 요소들이 꾸준히 드러나고 있었다.

신경향파 문학의 특성을 어느 한두 가지 요소로 정리하는 것은 쉽지 않은 일이다. 그럼에도 불구하고 그 특징적 단면들 가운데 대표적인 것은 무엇보다 가난의식에서 찾을 수 있다. 신경향이란 의미도 실상은 가난이라는 소재를 처음 문학에서 도입했다는 의미에서 붙여진 이름이다. 따라서 신경향파의 문학적 특색은 무엇보다 이 가난의식에서 찾아야 할 것으로 보인다. 가난 이외에도 신경향파적인 요소로는 지식인의 자아비판이라든가 일회적인 투쟁이라든가 분노, 그리고 전망의 부재 등등을 들 수 있을 것이다.

네 이름은 거지다
네 血管에 피를 돌리기 爲하야
무리들의 먹고 남저지를 비지는 거지다.

네가 거리에 나안저
푼돈을 빈 지
이미 十年이나 되엇다
그래도 지칠 줄을 모르느냐
-아이고 지긋지긋하게도.

무엇?
그놈을 보고 돈을 달라고
그놈의 피닥지를 보아라
행여나 주게 생겻나.

압다
어떻게 처먹었는지
창얼이 다 들렷고나
- 눈깔이 다 붉어지고
숨은 허덕대고 -

별수 없다
인제는 별수 없다.
차라리 監獄에나 갈 道理를 하야라
- 네 子息을 爲하야 그럴듯한 罪를 짓고…

그것이 오히려

좀더 점잖고 편안한 길인가 한다
거리에 나안저 푼돈을 비는 이보다는…

「거지」 전문

이 작품은 앞서 언급한 대로 유완희의 데뷔 작품이다. 1925년 11월에 발표되었으니 카프가 출발한 시점과 맞물리는 시기이다. 이 작품의 소재도 그러하거니와 주제 역시 가난으로 되어 있다. 거지란 사회적 일탈자이고 또 운명론적으로 이해하게 되면 사회적 맥락으로부터 소외된 존재이다. 이 작품의 의미를 이런 틀 속에 가두어 놓게 되면, 「거지」는 카프의 맥락 속에 편입될 수가 없을 것이다. 하지만 거지라는 존재를 사회적 맥락 속에 편입시키게 되면, 이 작품은 영락없는 신경향파적인 특성을 보이게 된다.

그리고 그러한 특성을 더욱 두드러지게 하는 것이 작품에 나타난 계층간의 대립의식이다. 그 단면을 드러내고 있는 부분이 3연이다. "그 놈을 보고 돈을 달라고/그놈의 피닥지를 보아라/행여나 주게 생겻나"가 그러한데, 여기서 '그놈'이란 시적 자아와 대립관계에 놓인 존재일 것이다. 거지의 분노를 가져올 수 있는 존재라면 적어도 평범한 일상성에 놓인 존재는 아니기 때문이다.

이 작품을 지탱하고 있는 요소는 가난의식인데, 그 촉발은 생리적인 것에서 시작된다. 시적 자아가 거지가 된 것은 "네 혈관을 피를 돌리기 위한 것"이기 때문이다. 생존을 위한 최저 조건을 갖추기 위해서 거지가 되었다는 것이다. 게다가 이러한 생활이 어제 오늘의 것이 아니라 적어도 10년이라는 오랜 세월 동안 이어져 내려왔음을 암시하기도 한다. 즉 거지로서의 삶이 어느 한 시기의 일탈에 의한 것이 아니라 지속적인 것이었음을 강조한다. 시적 자아는 이런 가난의식이 개인마다의 운명론적인 것이 아님을 말하고 있는데, 이를 증거하는 것이 분노의 어조이다. "그놈을 보고 돈을 달라고/그놈의 피닥지를 보아라"에서 드러난 것은 사회의 구조적 모순 속에 형성된, 상반된 주체에게 보이는 격한 어조와 반감의 정서이다. 그 정점에 서 있는 단어란 당연히 '그놈'이라는 비속어일 것이다.

가난과 계층적 대립의식이라는 측면에서 보면, 「거지」는 분명 신경향파적인 요소를 내포하고 있다. 이는 이 시기 가난 담론을 표명했던 다른 카프 시인들의 작품과 동일한 경우이기 때문이다. 한편, 이런 가난의식과 더불어 유완희 시인의 특징적 국면을 내포하는 중요한 요소 가운데 하나가 이 작품의 5연이다. 여기서 자아는 지속적인 가난과 현재의 암울 속에서 존재의 변이를 시도하는데, "인제는 별수 없다. 차라리 감옥에나 갈 도리를 하야라 -네 자식을 위하여 그럴듯한 죄를 짓"자고 하는 데에까지 이르는 것이다. 심각한 가난을 해결하기 위한 방법 가운데 하나가 인위적인 죄를 짓고, 감옥을 선택하는 방법이 선택될 수 있을 것이다. 적어도 그곳에는 생존의 최저 조건을 제공받을 수 있는 기반은 갖춰져 있기 때문이다. 실상 이런 죄에는 세속적인 죄를 포회할 수 있는 최소한의 윤리적 여건은 마련된다. 그런데 자아는 가난을 초월하기 위한 인위적인 죄를 세속의 차원에 한정시키지 않는다. 이에 대한 근거가 "내 자식을 위하여 그럴듯한 죄를 짓고"라는 부분이다. 일부 연구자들은 이 부분이 그의 민족주의를 이해할 수 있는 한 국면으로 받아들인다.[6] 죄란 윤리의식과

6 맹문재, 「일제 강점기 유완희 시세계 고찰」, 『우리문학연구』 53, 2017, pp.188-189.

분리될 수 없는 것인데, 자식에게 최소한의 도리를 지키기 위해서는 그러한 윤리성은 담보되어야 하는 것이기 때문이다. 이 시기 이를 담보하는 최소한의 가치는 민족모순에 의거한 것이 아니면 안 된다. 이 시기 민족모순에 의한 죄야말로 그러한 윤리성에 갇혀있는, 자식에게는 최대한의 도리일 수 있기 때문이다.

이 시기에 발표된 유완희의 시들은 그 소재나 주제가 신경향파의 외연을 벗어나 있는 것이 아니다. 그는 다른 어떤 시인보다 가난이라는 주제를 구체적인 현실 속에서 포착한 시인이다. 게다가 그의 시들은 신경향파 시들에서는 쉽게 볼 수 없는 민족적인 요소들까지 내포시키고 있다. 이런 국면들이 어쩌면 이 시인만의 고유한 특성이라고 할 수 있을 것이다.

봄은 되얏다면서도 아즉도 겨울과 작별을 짓지 못한 채
—낡은 민족의 잠들어 잇는 저자 우에
새벽을 알리는 工場의 첫 고동 소리가
그래도 세차게 검푸른 한울을 치바드며
三十萬 백성의 귓겻에 울어 나기 시작할 때

목도 메다 치여 죽은 남편의 상식 상을
밋처 치지도 못하고 그대로 달려온
애젊은 안악네의 갓븐 숨소리야말로…

惡魔의 굴속 가튼 作業物 안에서
무릅을 굽힌 채 고개 한 번 돌니지 못하고

열두 時間이란 그동안을 보내는 것만 하야도－오히려 진저리 나거든
징글징글한 監督 놈의 음침한 눈짓이라니…
그래도 그놈의 뜻을 바더야 한다는 이놈의 世上－

오오 祖上이여! 남의 남편이여!
왜 당신은 이놈의 世上을 그대로 두고 가셧습닛가?
－안해를 말리고 자식을 애태우는….

「女職工」 전문

계급성과 민족성이 공통의 지대를 만들어가고 있다는 점에서 보면, 「여직공」 역시 「거지」의 연장선에 놓인 작품이라 할 수 있다. 우선 이 작품의 주인공은 제목에서 보는 바와 같이 여성이다. 이 시기 여성이 화자로 되어 있는 경향시들은 무척 많은 편인데, 하나의 유형화가 가능할 정도로 주류적 흐름을 형성하고 있다. 여성은 남성에 비해 약자의 위치에 놓여 있을 수밖에 없고, 더구나 열악한 현실 속에서는 더 쉽게 피압박계층에 놓일 수 있다는 개연성이 크다는 점에서 카프 작가들이 즐겨 사용하는 단골 소재 가운데 하나가 되었다.

「여직공」의 여성 화자는 남편을 잃은 주체인데, 그 남편은 목도를 메다 치여 죽은 근로자였다. 하지만 현실의 조건들은 그렇게 죽은 남편의 '상식 상'조차 편안하게 차려줄 수 없게 만든다. 그 상을 치울 시간도 없이 여성 화자는 다시 노동의 현장으로 내몰려야 하기 때문이다. 그런데 그러한 그녀를 기다리고 있는 노동 현장은 남편이 죽을 수밖에 없었던 현장과 별반 다를 것이 없다. 열두 시간의 처절한 노동에 시달릴 뿐만 아니라 "징글징글한 감독 놈의 음침한 눈짓"조

차 아무런 여과없이 고스란히 받아들여야 하기 때문이다.

이런 상황에서 여성 화자가 선택할 수 있는 일이란 거의 없다. 그저 지금 여기에 없는 조상이나 남편에게 이곳의 열악한 현장에 대해 탄식의 음성을 보내는 것이 이 여성화자가 할 수 있는 최대한의 일이기 때문이다. 실존적 한탄이나 좌절의 상황 속에서 울부짖는 것이 전부일 뿐이다. 마땅한 해결책이 없는, 그리하여 본능적 고통에 호소할 수밖에 없는 현실이라는 측면에서 보면, 「여직공」은 신경향파의 범주를 벗어나지 못한다. 조합이나 조직을 통한 변증적 해결이 아니라 개인의 결단에 의한 실존적 해결이야말로 신경향파 문학의 주요한 특색이기 때문이다. 불온한 현실에 대한 시적 화자의 울분은 작품 「희생자」의 경우에서도 예외가 아니다.

> 저녁볏이 건너ㅅ山을 기여올을 때
> 남편은 憤怒에 질닌 얼골로
> 동네 작인들과 함께
> 작대를 끌고 南쪽 마을로 달려가드니
>
> 밤은 三更이 지나서
> 달빗조차 낡어 가는 이 한밤에
> 屍體로 變하야 집으로 돌아온다
> 눈도 감지 못한 채 들거지에 언쳐서 -
>
> 그러면 아까 막 설거지를 마치고 날 때
> 때아닌 총소리가 연거푸 뒷山을 울리더니

그것이 내 남편의 靈魂을 모셔 가는
애닯은 永訣 초혼 소래이던가 보다

오냐 이놈!
한 개의 탄자로서 내 남편을 바꿔 간 원수 놈 -
아모련들 가슴의 매듭이 풀릴 줄 아느냐!?
내 목숨이 世上에 머물러 잇는 동안은 -

「犧牲者」 전문

이 작품의 화자 역시 여성으로 되어 있다. 여성이 주조화되었다는 점에서 이 시기 대부분의 카프 시인들과 유완희의 경우는 특별히 구분되지 않는다. 하지만 작품 화자가 여성으로 되어 있다고 해서 1920년대 우리 시의 주요 흐름 가운데 하나였던 여성 콤플렉스[7]의 관점으로 이 작품을 접근하는 데에는 무리가 있어 보인다. 현재의 모순을 해결해나갈 힘이 없고, 미래로 향하는 전망의 부재가 낳은 것이 1920년대의 여성 콤플렉스이다. 이 의식은 과거적 정서에 함몰되어 있고, 미래가 닫혀 있다는 점에서 카프 시의 진취적인 여성화자들과는 분명히 다른 경우이다. 카프 시의 여성 화자들은 과거의 정서에 갇혀 있지 있을 뿐만 아니라 비록 단독자의 울분이라고 하더라도 미래에 대한 강력한 의지가 내재되어 있기 때문이다. 따라서 미래로 향한 이 의식이 비록 개인의 정서에 한정된 것이라 하더라도 이 시기 소월류

7 김윤식은 3.1운동의 실패에 따른 전망의 부재가 시 양식을 선택하게 되었고, 시속의 주류적 흐름이 여성화자의 등장이었다고 한다. 김윤식, 『한국현대시론비판』, 일지사, 1986, p.285.

의 여성화자들과는 다른 지점에 놓인 것이라 할 수 있을 것이다.

「희생자」는 계층 갈등에서 오는 한 가족의 비극적인 상황을 담아낸 시이다. 공정성이 의심받는 상황에서 남편은 동네 작인들과 더불어 반대편에 놓인 자와의 대결을 펼친다. 그 대결하고자 하는 대상이 정확히 나와 있지 않지만 상대적인 위치에 놓인 지주 정도로 추정될 뿐이다. 하지만 계급 갈등에 의한 싸움의 결과는 남편의 죽음이었다. 그 죽음 속에서 여성은 한을 간직한 주체로서 이윽고 의식의 전환을 이루게 된다. 남편의 죽음이 가져온 원한과, 이를 해소하기 위한 응전의 자세가 이 여성화자의 의식을 지배하고 있는 것이다. 하지만 울분은 더 이상 어떤 발전적인 매개를 발견하지 못하고 개인적인 복수를 다짐하는 것으로 끝을 맺는다. 따라서 이 작품 역시 본능의 복수라는 신경향파적인 요소로부터 크게 자유로운 것이 아니다.

이 시기 유완희는 다른 어떤 경향파 시인 못지않게 가난과 관련된 작품을 많이 생산해내었다. 그의 작품양으로 볼 때, 이런 흐름은 그를 이 시기 대표적인 경향작가로 분류해도 좋을만큼 충분한 조건을 갖게 만든다. 이런 특징과 더불어 그의 시의 또 다른 특징적 국면은 이른바 민족의식에서 찾아야 할 것으로 보인다. 이미 그는 작품 「거지」에서 그러한 단면을 극명하게 보여준 바 있다. 윤리성이 가미된 범죄를 통해서 그것이 민족의 어떤 영역과 분리될 수 없는 것임을 뚜렷이 일러주었기 때문이다.

민족의식과 관련된 그러한 함의들은 「여직공」에서도 그대로 표명된다. 1연의 "낡은 민족의 잠들어 잇는 저자 위에"에서 알 수 있는 것처럼, 그는 우리 민족을 미몽의 상태에 놓인 존재로 인식하고 있다. 이 시에서 그런 함의는 이중적인 것으로 구현되는데, 하나가 '낡은'

이라면, 다른 하나는 '잠들어' 있는 담론에서이다. 우리 민족은 이 요소들에 의해 어둠에 물들어 있다는 것, 그리하여 깨어나지 못한 꿈의 상태, 곧 미몽의 상태에 놓여 있다는 것이 유완희의 진단이다.

일제 강점기 현실을 직시하게 되면, 계급의식과 민족의식을 분리해서 생각하는 것은 어려운 일이다. 해방 직후 카프 구성원들의 고백에서 드러난 것처럼, 그들은 계급해방 운동이 민족해방 운동의 연장선에 놓여 있는 것이라 생각했기 때문이다[8]. 따라서 일제 강점기에 계급과 민족이라는 이 두 가지 의식을 동시에 표명하는 것은 어쩌면 지극히 자연스러운 일이라 할 수 있을 것이다. 그러나 이 의식들이 동전의 앞뒤와 같은 동일성을 갖는 것이라 해도 여전히 해소되지 않은 의문이 남아있게 된다. 그것은 민족의식의 각성이 계몽과 불가분의 관계에 놓이는 것이고, 계급의식 또한 이 관계로부터 자유로운 것이 아니기 때문이다. 계급의식이란 어쩌면 반근대적인 것이다. 그런데 유완희가 표명하는 민족의식은 근대적인 것과 상당히 가까운 것이었다. 하나의 의식 속에서 어떻게 서로 상충되는 의식이 동시에 놓여 있는 것일까. 만약 가능하다면, 그의 의식은 상호모순 되는 것이 아닐까.

「여직공」의 시를 꼼꼼히 들여다보게 되면, 시인의 의식 속에 서로 상반되는 의식의 편린이 분명 드러나게 된다. 낡은 민족이 반근대적인 상태에 놓인 것인 반면, 계층 갈등은 근대적인 요소가 강한 것이기 때문이다. 하지만, 해방 직후 카프 구성원의 자기 반성에서 알 수

8 임화, 「조선 민족문학건설의 기본과제에 관한 일반 보고」, 『건설기의 조선문학』, 1946.6. 임화는 이 글에서 조선에 있어 반봉건적 투쟁은 일본제국주의에 대한 투쟁이었다고 했다.

있는 것처럼, 이 두 가지 사유는 결코 다른 것이 아니라는 사실이다. 다만 유완희의 경우는 이를 표나게 드러내고 있었을 뿐이다. 1920~30년대를 통해 의식의 변모에 의해서가 아니라 동시적인 상황에서 이 두 가지 사유가 함께 드러난 매우 드문 경우이다. 이런 특징적인 단면들이야말로 유완희 시의 고유성을 말해주는 것인데, 이는 이후 그의 시를 규정짓는 주요 요소로 작용하게 된다. 이런 의식과 관련하여 또 하나 주목해서 보아야할 작품이 「아오의 무덤에」이다.

아오여! 아오의 魂魄이여!
兄은 방금 이 땅을 버리고 가려 한다
한 아버지가 주추까지 노아 준
이 땅 이 터의 이 집을 버리고 가려 한다
千 里나 萬 里나 정처도 업는 곳으로－

그래도 그대는 白骨이나마
祖上의 끼친 터를 베고 잇건만…

「아오의 무덤에」 전문

이 작품의 소재는 유이민이다. 이 시기 유이민이란 뿌리뽑힌 자들의 삶이지만, 그것이 운명론적인 것이 아님은 익히 알려진 사실이다. 편향된 사회 구조와 모순 속에서, 게다가 일제 강점기라는 불온한 현실 속에서 발생한 것이 이들의 존재이기 때문이다. 시인의 초기 시세계와 비춰볼 때, 이런 의식의 표명은 매우 주목할 만한 것이라 할 수 있다.

이 작품은 서간문 형식으로 되어있는데, 이런 형식이 우리에게 낯선 것은 아니다. 산문 형식이긴 하지만 최서해의 「탈출기」에서 이와 유사한 면을 볼 수 있기 때문이다. 민족모순 속에 불가피하게 형성된 것이 유이민이지만, 「아오의 무덤에」는 「탈출기」의 경우와 매우 다른 특징적인 면을 갖고 있다. 서사 양식에 비해 짧은 서정 양식이 갖는 한계이긴 하겠지만, 이 작품에서는 유이민의 처지가 된 필연적 과정이 생략되어 있기 때문이다. 그것은 「탈출기」와 비교할 때, 더욱 그러한데, 이 작품의 주인공이 조국을 떠나려는 근본적인 목적은 실천에 있었다. 그 실천이 진보적인 운동임은 당연한 것인데, 「아오의 무덤에」에서는 이러한 면을 검출할 수 없는 것이다.

진보적 관념이 사상된 「아오의 무덤에」를 두고 경향파에 편입시키는 것은 쉽지 않아 보인다. 그것은 「탈출기」와 비교할 때 더욱 그렇다고 할 수 있다. 오히려 이 작품은 김동환의 「국경의 밤」과 가까운 경우이다[9]. 계급 모순보다는 민족 모순에 더 가까이 있는 것인데, "그래도 그대는 백골이나마/조상의 끼친 터를 베고 있건만"이라는 구절이 그러하다.

민족 모순이나 민족 의식과 관련하여 「아오의 무덤에」가 시사하는 것은 크게 두 가지이다. 하나는 유이민이라는 소재인데, 유이민이란 일제 강점기라는 구조적 모순에 의해서 발생한 것이라는 점에서 민족적인 측면과 불가분하게 얽혀 있는 것이다. 그리고 다른 하나는

9 김동환의 『국경의 밤』 마지막 부분이 그러한데, 가령, "거의 묻힐 때 죽은 병남이 글 배우던 서당집 노훈장이/「그래도 조선땅에 묻힌다!」하고 한숨을 내쉰다"(『국경의 밤』 71장)가 그것이다. 여기서 '조선땅'이라는 표명은 일제 강점기라는 현실을 감안할 때, 민족모순과 분리하여 생각하기 어려운 것이다.

앞서 언급한대로 조상의 터에 묻힌다는 관념이다. 이 시기 조상과 땅에 대한 의식이야말로 가장 민족적인 것이라는 점에서 그러하다[10] 이런 면에서 이 작품은 「거지」나 「여직공」의 연장선에 놓여 있는 것이라 할 수 있다.

유완희의 초기 시들이 지향하는 것은 분명 신경향파적인 속성을 지니고 있다. 그리고 이런 특징적 단면들이 그로 하여금 경향파의 작가로 분류하는 데 있어 아무런 제약이 없었던 것으로 보인다. 비록 카프 구성원으로 등재되어 있지 않아도 말이다. 하지만 그의 초기시들은 이런 경향시적인 구성 요소와 더불어 민족적인 요소들을 완전히 배제하는 것은 불가능해 보인다. 민족 모순과 계급 모순을 뚜렷히 구분할 수 없는 것이 이 시기의 특성이긴 하나 유완희의 경우처럼 이를 적극적으로 작품화한 사례는 찾아보기 힘들다는 점에서 그러하다. 민족 모순이 이타성에서 형성되는 것이긴 하지만, 유완희는 그러한 의식을 이 테두리에서만 이해하지 않았다. 초기 김동환의 시에서 볼 수 있는 것처럼, 이 시인의 작품에서도 계몽이랄까 애국주의적인 것에 바탕을 둔 요소들이 보다 강하게 드러나기 때문이다. 이러한 면들은 그의 후기 시에서 다시 한번 수면 위로 부상한다는 점에서 그의 시정신을 이해하는 데 좋은 준거틀이 되기도 한다.

10 소월은 이런 민족의식을 '무덤'의 이미지로 표현했다. 무덤을 "옛 조상들의 기록을 묻어둔 그곳"이라 했는데, 이 표명이야말로 가장 민족적인 것이라 할 수 있을 것이다. 소월의 작품 「무덤」 참조.

3. 의식의 과잉과 시의 관념화

1927년 카프는 새로운 전기를 맞게 되는데, 익히 알려진 대로 제1차 방향전환을 시도한다. 그 변화의 가장 큰 특징적 단면은 전위의 눈으로 무장한, 조직적인 투쟁의식의 고취였다. 카프는 이를 계기로 신경향파적인 속성으로부터 벗어나 강력한 정치 투쟁을 위한 목적의식적인 문학 단체로 거듭 태어나게 된다.

전위의 눈으로 세상을 응시하고, 거기서 발견되는 모순의 의미를 포착해내는 것은 프롤레타리아 문학의 존재 의의이자 기본 목적일 것이다. 그런데 전위의 눈을 갖는 것은 한편으로는 강력한 당파성을 드러내 보이는 효과를 가져 오기도 하는 것이지만 그 반대의 부작용도 피하기 어렵게 된다. 가령, 전위의 눈을 갖기 위해서는 어떤 당위적인 선언이나 의식의 과잉으로만 달성되는 것이 아닌데, 그 목표를 위한 적절한 매개가 사상된다면, 관념의 우위라는 문학의 주관적 경향을 피할 수가 없게 된다.

실제로 목적의식기를 거치면서 이런 부작용들은 어느 정도 예견되어 있었다. 그것은 문학과 독자와의 상관관계에 주목한, 이른바 수용미학의 관점에서 그 문제점이 파생되기 시작했다. 팔봉의 예술대중화론이 바로 그러한데, 그가 이 예술론을 주창하게 된 근본 원인 가운데 하나가 '문학성'의 구현이었다[11]. '문학의 맛'으로 지칭되는 문학성의 부재가 독자로 하여금 카프 문학을 도외시하게 만들었다는 것이다. 이념의 변증적 효과라든가 정합성의 문제를 떠나서 카프

11 김팔봉, 「단편서사시의 길로」, 『조선지광』, 1929.5.

는 대중에 대한 의식의 감염 효과를 포기하고는 성립하기 어려운 집단이다. 아무리 좋은 사상이나 이상도 대중이 외면하면 그것은 사상 누각에 불과하기 때문이다. 현실의 구체성이라든가 인물의 합리적인 성격 변화의 과정이 제외된 문학이란 단지 선전 문구에 불과할 것이다. 팔봉이 지적한 것은 이런 면이었는데, 사상과 일정 정도 거리를 두는 듯한 그의 문학관이 카프 구성원들에게 긍정적인 반응을 불러일으키는 것은 애초에 불가능한 일이었다[12].

> 타는 가슴! 불붓는 심사!
> 그것은 民衆의 앞으로 民衆의 앞으로 굿세게 나가기를 要求한다
> 소리치는 나의 音聲 -音聲의 波動
> 그것은 멀리 더 멀리 民衆의 가슴을 뚫고 民衆의 마음을 이끌고 나간다
> 누가 나의 앞을 막느냐? 나의 앞을
> 나는 民衆의 앞에 서서 民衆과 함께 나가랴는 사람이다
> 나의 든 "브러쉬"는 나의 든 붓자루는 民衆을 그리고 民衆을 노래하려는 道具다
> -온 - 假痘의 看板이 되고 삐라가 되어…
> 나는 지금 衝動에 눌리고 잇다
> 灼熱된 나의 感情 그것은 떨어지는 잎과 같이 그같이 허무히 슬어지지는 아니하리라

12 임화, 「시인이여! 일보 전진하자!」, 『조선지광』, 1930.6.

感情이 爆發되는 날

그날이 나의 가슴으로부터 나의 마음으로부터 이끼[苔]가 사라지는 날이다

그리고 그들은 同志의 壯嚴한 禮式을 擧行하게 되리라

「나의 行進曲」 전문

이 작품이 발표된 것은 1927년 11월 5일자 조선일보이다. 시기상으로 볼 때, 카프가 시도한 방향전환기와 거의 일치하는 시점에 발표한 것이다. 유완희는 카프가 지향하는 이념에 대해서 동조했을망정 이 조직에 적극적으로 가담하지는 않았다. 그럼에도 불구하고 그는 카프의 이념과 그 지도 원리에 비교적 충실한 면을 보여주었다. 신경향파 시기의 문학도 그러하거니와 「나의 행진곡」을 비롯한 일련의 그의 작품들 또한 카프의 행보와 그 궤를 같이 하고 있기 때문이다.

이 작품을 지배하는 일차적인 정서는 "타는 가슴! 불붓는 심사!"이다. 얼핏 보아도 알 수 있는 것처럼, 시인의 자의식을 지배하는 것은 내적 분노이다. 그런데 이 분노가 어떤 경로에 의해 형성된 것인가에 대해서는 잘 나타나 있지 않다. 정서가 어떤 객관적 기초에서 솟아나오는 것이 아니라 알 수 없는 불모의 지대에서 형성되고 있기 때문이다. 다만 그것이 민중적 정서와 불가분의 관계에 놓여 있다는 사실은 2행에서 확인할 수 있는데, 가령 "민중의 앞으로 민중의 앞으로"가 그러하다.

시적 자아의 정서를 지배하고 있는 것은 '타는 가슴'이고, '불붓는 심사'이다. 그런데 그것은 객관적 필연성에 의해 형성된 것이 아니기에 '지극한 충동'에 불과하다. 실상 문학에서 이런 충동이 만들어

낼 수 있는 것이 무엇인지 굳이 따져볼 필요도 없을 것이다. 시인 자신이 여기서 인정한 것처럼, 그것은 단지 '간판'이고 '삐라'의 수준에 머무는 것이기 때문이다.

문학이 선전문구나 삐라가 될 수 있다는 것은 주관의 과잉이 낳은 결과이다. 이는 전달되는 이념이 좋으면 다른 모든 형식적 요건은 배제해도 좋다는, 박영희가 초기에 표방한 이념 위주의 문학관과 하등 다를 것이 없다[13]. 문학이 객관적, 자연적 현실 속에서 녹아들어가지 못하고 오직 관념의 과잉상태에서 기술되었다는 부정적 평가는 이와 밀접한 관계가 있을 것이다[14].

> 行列! 푸로레타리아의 行列!
> 家庭에서 田園에서 工場에서 또 學校에서
> 街頭로 街頭로 흗터저 나온다
> 營養에 주리여 蒼白한 얼골-그러나 熱에 띄인 거름거리
> 그들은 그들의 뛰노는 心臟의 鼓動을 듯는 듯하다
>
> 비웃느냐? ××× 무리들
> -그늘에 자라날 享樂의 날이 아즉도 멀엇다고
> 그러나 그 거름거리를 보라! 大地를 울리고 新生으로 新生으로 다름질하는 그 거름거리를

13 박영희, 「투쟁기에 있는 문예비평가의 태도」, 『조선지광』, 1927.1.

14 정우택, 앞의 논문, p.275.

그들은 인제는 너에의 覺醒을 더 바라지도 안는다
−赤道가 北쪽으로 기울어지기를−事實 以外에 더 큰 일이 잇기를−바라지 안는다
다만 힘으로써 힘을 익이고 힘으로써 힘을 어드랴 할 다름이다
그곳에 새롭은 世紀가 創造되고×××××××를 맛볼 수 잇스리니−

빗켜라! ××들!
그들의 行列을 더럽히지 말라! 굿세게 前進하는 그들의 압길을

行列! 푸로레타리아의 行列!
家庭에서 田園에서 工場에서 또 學校에서
街頭로 街頭로 흗터저 나온다
하날에는 눈보라 감돌아 올으고 따에는 모진 바람 휩쓸어드는데
−돼지 무리 살가지 우슴 웃고…

「민중의 행렬」 전문

인용시는 「나의 행진곡」에 비하면, 싸움의 주체랄까 전선이 보다 분명하게 드러난 경우이다. 첫 행에 나와 있는 것처럼, 지금 거리에서 펼쳐지고 있는 것이 프롤레타리아의 행렬임을 분명히 밝히고 있기 때문이다. 하지만 앞의 작품처럼, 이 시도 세계관 우위의 작품이다. 사회의 제반 관계에서 시가 만들어지는 것도 아니고, 어떤 구체적인 현장감을 전달하고 있는 것도 아닌 까닭이다. 다시 말해 지금

현재 진행되고 있는 프롤레타리아의 행렬이 파업에 의한 것인지 혹은 어떤 불합리한 조건을 개선하기 위한 집단행동인지가 분명하지 않은 것이다. 단지 지금 이곳에서 어떤 운동이 일어나고 있다는 사실만을 감정의 과잉 상태에서 전달하고 있을 뿐이다.

소재가 보다 분명하게 드러나 있다는 점 이외에도 이 작품을 목적의식기의 범주에 편입시킬 수 있는 근거는 전망의 확보 차원이다. 신경향파 시들과 달리, 이 작품에서는 미래, 곧 전망이 열려 있다. 미래에 대한 승리적 관점이 지배하고 있는 것인데, 시인은 이를 '힘'의 논리에서 구하고 있다. 즉 프롤레타리아와는 상대적인 자리에 놓인 '너'에게 어떤 동정심이나 윤리적 결단에 의존하지 않는, 전취라는 실천적 행위에 의해서 가능한 것임을 말하고 있는 것이다. 부르주아지들이 의식의 전변을 이룰 가능성은 "적도가 북쪽으로 기울어지는 것"만큼이나 불가능한 일이다. 그렇기에 싸움의 주체들에게 승리의 깃발을 안겨주는 것은 오직 힘이라고 주장한다. "힘으로써 힘을 이기고 힘으로써 얻으랴 할 따름이라는 것"이 바로 그러하다.

목적의식기를 전후하여 유완희의 시들은 어느 정도 변모한다. 그는 카프의 공식 구성원은 아니었지만, 카프가 지향하는 이념이나 지도원리에는 비교적 충실했던 것으로 보인다. 1927년 방향전환기에 발표된 그의 작품들이 이를 증거하는데, 비록 관념 우위의 작품이긴 했지만, 어떻든 카프가 요구하는 당파성은 어느 정도 구현하고 있었던 것이다.

유완희 시들은 이 외에도 이때 이전과는 다른 모습을 보이기 시작하는데, 신경향파 시기에 이따금씩 펼쳐보였던 민족주의적인 색채들이 점점 엷어지기 시작하는 것이다. 당파적 결속력이 어느 때보다 강하게 요구되던 시기이기에 이런 변화는 어쩌면 자연스러운 것이라 할 수 있다.

그럼에도 여기서 주목해야 할 담론 가운데 하나가 바로 '힘'이다. 물론 이 작품에서 '힘'이 갖고 있는 함의는 노동계급적인 단결일 터인데, 이후 시세계에서 이 힘의 논리가 전략적 이미지 가운데 하나로 자리한다는 점을 전제한다면, 여기서 이를 가벼이 넘길 문제는 아닌 듯 싶다. '힘'이란 그에게 상대적인 자리에 놓인 대상을 초월하는 수단이기도 하지만, 이후 시세계에서는 현재의 자기, 현재의 상황을 뛰어넘을 수단으로 기능하기 때문이다[15].

一

바람! 大地를 몰아오는 바람!
어둠을 삼키고 거리로 저자를 휩쓸어 든다
-감돌아 오르는 티끌 희미한 불빛마저 가리고

二

보라!
거리에 싸다니든 무리
모도 다 꼬리를 감추고 말앗다
紅燈을 싸고도는 노래소리도 끊기고

15 '힘'에 대한 이해는 이 글 4장에서 자세히 논의할 예정이다.

뒷거리의 紙型 뜨는 소리 - 피대 소리도 끊졌다
그리고 敎堂의 種소리도…
-千八百餘 年 前의 마리아를 찾는…
무엇이 酒酊軍의 군소리가 그저 남어 잇슬 리 잇느냐?

三

바람이다 -바람 波濤 가튼 바람 - 우레 가튼 바람
그 바람이 瞬間的으로 斷息될 때
宇宙는 무서운 沈默에 둘닌다!
時計는 열둘을 치고
거리에는 한나 젊은 女子 허득여 우는데 -

四

가엽슨 이여! 그대는 왜 우는가?
겨울을 몰아가는 바람!
봄을 불너오랴는 이 바람의 앞에서 -
이 바람은 길이 불 바람은 아니다
그러나 내 가슴의 暗黑이 살아질 때까지는 불어야 한다
닭의 무리 홰처서 울고 새벽 種소리 울어 날 때까지는…

「바람」 전문

유완희의 목적시들은 주로 1927년에 창작되었다. 그런데 1928년에 이르게 되면, 그의 작품 세계는 또 다른 변모를 하게 된다. 전위의 눈을 지닌 채 밖으로만 향하던 그의 시선들은 현저하게 내성화되기 시작하는 것이다. 이 과정에서 새로이 등장하는 소재들은 주로 자연과 관련이 깊은 것들이었다. '봄비', '가을', '바람', '봄' 등등이 그러한데, 실상 소재만으로도 그의 시들은 모순의 현장이 아니라 삶의 외연으로 향해져 있음을 알게 된다.

소재가 자연과 깊은 관련을 맺고 있다고 해서 현장의 삶과 무관한 것으로 이해하는 것은 곤란하다. 실제로 그런 낭만화 경향들은 우리 시사에서 흔히 찾아볼 수 있는데 가령, 김억이 그러하고, 또한 소월이 그러했다. 뿐만 아니라 김동환이나 홍사용의 경우도 예외가 아닐 것이다. 그러나 삶의 예민한 현장에서 전위의 눈을 지니고 있던 작가가 자연으로 향한다는 것은 분명 특정 이념을 향한 인식적 기반과 깊은 관련이 있을 것이다. 작품 「바람」을 꼼꼼히 살펴보게 되면, 유완희가 그런 경우가 아닌가 한다.

앞서 언급한 대로 그는 카프의 공식 구성원이 아니었다. 그는 카프에 대해 동반자적인 의식을 가졌기에 이들 조직이 요구하는 제반 사항들에 대해 충실히 수용해야 할 의무는 없었던 것이다. 게다가 동반자 의식이란 가변적인 요소가 너무나 큰 경우이다. 중간자 이상의 의식, 다시 말해 카프에 대한 중간 이상의 의식만 있으면 동반자가 되지만, 그렇지 않다면 그는 바로 동반자라는 지위를 잃게 된다. 그만큼 동반자 작가에게 있어 사상의 변화는 카프 구성원보다는 훨씬 자유로웠다는 뜻이 된다.

「바람」은 제목에서 알 수 있듯이 '바람'이라는 자연물을 소재로 한 시이다. 하지만 바람의 의미가 현실을 초월한 것에서 의미화되는 것은 아니다. 바람에는 분명 '어둠'을 삼키는 정화의 기능이 있기 때문이다. 뿐만 아니라 시인 자신에게도 그것은 "내 가슴의 암흑이 사라질 때까지" 불어야 하는 당위성을 갖고 있기도 하다.

유완희의 시들은 1928년에 접어들면서 현저하게 변모하기 시작한다. 신경향파 시기의 시가 있었는가 하면, 목적의식기에 놓인 시가 있기도 했는데, 그런 경향적 요소들이 이 시기에 들어서면서부터는 현저하게 약화되기 시작하는 것이다. 그는 관념의 과잉에 의한 주관위주의 카프 시를 쓰기도 했지만 이 시기에 이르면, 그러한 사회성의 자취들은 서서히 사라지기 시작했다. 그는 이제 또 다시 새로운 변신을 준비하고 있었는데, 수면 아래 놓여 있는 민족 의식이 다시 부상하고 있었던 것이다.

4. 계몽 의식의 함양과 힘의 논리

유완희의 시들은 목적의식기를 거치면서 새로운 변신을 거듭하고 있었다. 1927년의 시와, 28년의 시가 다르고, 1929년의 시가 달랐다. 그 변색의 정도는 물론 계급성에 있었다. 유완희는 가난을 시의식의 본령으로 삼았고, 목적의식기에 이르러서는 그 의식이 정점을 이루었다. 하지만 1928년에 이르러서 그 계급성은 서서히 물러나기 시작했다. 그리고 계급지향적인 시세계와 더불어 그의 시의 한 축을 담당하고 있었던 것이 민족주의적인 것이었는데, 이 시의식은 계급성과 반비례 관계에 놓이면서 새롭게 부상하고 있었다. 일제 강점기에 계급모순이나 민족모순을 굳이 구분할 필요는 없겠지만, 어느 것에 더 큰 비중을 두었느냐에 따라 실천의 방향은 달라질 수 있는 것이다. 세계관의 언어적 표현인 문학의 경우도 마찬가지일 것이다.

유완희의 시세계는 1920년대 후반에 들어서면서 민족주의적 성향의 시들이 다수를 차지하게 된다. 민족주의적 성향이라 했지만 그것은 계몽 의식과 분리할 수 없는 것이기도 했다. "낡은 민족이 잠들어 있다는"(「여직공」) 인식이야말로 그러한 표현의 단적인 예가 될 것이다. 그에게 시급한 것은 어쩌면 계급 모순에 대한 집요한 문제 제기보다는 아직도 봉건의 상태에 머물고 있었던 조선과 조선 민중에 대한 계몽이 보다 큰 당면 문제로 다가왔을 가능성이 높다.

이 과정에서 유완희가 직면한 고민이랄까 세계관의 혼돈은 분명 피할 수 없는 숙명과도 같은 것이었다. 익히 알려진 대로 계급 모순이나 민족 모순은 근대성에 편입된 결과에서 오는 것이다. 긍정적인 것이든 혹은 부정적인 것이든 상관없이 그것은 근대의 양면성과 밀접한 관련이 있었던 것이다. 근대는 발전이라는 긍정적 측면과 제국주의라는 부정적 측면이 공존하고 있었고, 또 문명과 계급 발생이라는 양면성 역시 공유하고 있었다. 이 양면성의 본질에 대해 뚜렷한 해법을 가질 수 없었던 것이 이 시기 시인들의 고민이었거니와 그것은 유완희의 경우도 예외가 아니었다. 그런 착종된 의식 속에서 생산된 시들이 1929년 이후 유완희의 시세계라 할 수 있다.

甦生을 안고 새해는 왓다 -

一九二九年!

鄕村에도 都市에도 또 學校에도 새해의 氣分이 넘친다 - 一九二九年!

나가는 발 머리에 새 힘이 움돗고 새벽 종소리 가슴을 두드려 일어난다 - 一九二九年!

오오 깃븜의 새날 - 새날의 첫아침!

새해의 첫날 - 첫날의 첫아층을 마즌 그대들의 가슴

果然 그 얼마나 용소슴처 파도치느냐 - 새 힘에 복밧처 -

나가라! 兄弟여! 姉妹여!

새해를 마저 새 마음 새 힘으로서 새 光明을 안고 새길로 나가라! 새 길로 나가라! 압흐로 - 압흐로

마을을 지나 저자로 저자를 지나 거리로 거리로 나가라! 힘잇게 나가라! 行列을 지여 -

大地의 눈보라는 아즉도 다하지 아니하얏다 -사나운 눈보라는 그러나 봄은 봄이다! 장차로 종다리 노래를 올 봄이다!

繁華의 때가 너에게 잇다! 隆盛의 때가 너에게 있다! 그리고 光榮의 飽滿의 때가

그러나 그 "때"는 저절로 너에게 오지는 안다 - 너에의 힘을 보지 안코는 -

마치 太OOOOOO 서야만 앞날의 歷史를 가저오 듯이 그 "때"도 너에의 힘 - 힘의 前進을 보고야만 너에의 압해 오리라

굿세인 防波堤를 문는 물질이 되랴거든

너에는 먼저 힘을 싸으라! 그리고 압흐로 - 압흐로 前進하라! 힘차게 더 굿세게 -

힘차게 前進하는 그 압해 무엇이 잇스랴 - 泰山도 崑崙그리고 또 무엇도

오즉 前進하는 그것만이 잇슬 다름이다 - 모든 힘의 實在로써 -

지난해 - 그해 - 年間에 잇서서 너에는 뜻잇는 거름을 옴기여 노앗다 勝算, 잇는 계략으로 - 그러나 그것은 强烈한 힘은 되지 못하앗다 질둔한 힘이였다! 沈鬱한 힘이엿다!

現實 속에 現實을 차즈랴는 無謀한 힘이엿고 現實을 꿰뚫는 힘은 되지 못하얏다 - 現實을 는 힘의 前進은

-

OOOOOOO 그 果取을 要求한다 果取한 힘을 - 果取한 힘의 前進을 -

太陽은 언제까지나 밤만을 繼續치 않고 歷史는 언제까지나 잔 註만을 실고저 하지 않는 까닭이다.

나가라! 兄弟여! 姉妹여!

언제까지나 現實의 다리 밑만을 지나지 말고 바로 現實의 墓地를 파기를 계획하라!

그리하야 現實과 힘잇게 싸우라! 싸워 前進하라! 勝利를 어들 때까지 -

그곳에 우리에 맛기여진 使命이 잇고 義務가 잇는 것이다

"사탄"에 속지 안는 "이부"가 다시 살아 오고

埃及의 "미이라"가 다시 숨 돌리기를 바라지 말라
現實은 어대까지 現實이요 現實의 힘은 어대까지 그 主人公의 힘으로써야만 支配할 수 잇는 것이니 -
이제 우리는 새해의 첫날을 마졌다! 첫날의 첫아침을 당하였다!
오오 兄弟여! 姉妹여!
힘을 모으라! 行列을 지으라! 울리는 새벽 鍾소리에 발 마춰 前進할 記錄의 行列을 -
그리하야 理論의곡괭이를 내리고 詩 쪽의 標木을 우라!
自身의 발 머리를 붓잡어 주고 발 머리의 前進을 指導하야 줄…

봄은 왔다! 一九二九年의 봄은 왔다!
오오 반가운 첫날의 첫 아침!
우리의 全身은 希望에 벅찼고 힘에 넘첫다!
前進하라! 앞으로 - 앞으로 저자를 뚫고 거리로 - 거리로 또 저자로!
兄弟여! 姉妹여!
그러나 아직도 겨울의 사나운 눈보라는 다하지 아니하였다.

「1929년」 전문

제목에서 알 수 있듯이 인용시는 일차적으로 새해를 맞는 기쁨을 노래한 시이다. 새해는 과거를 청산하고 새로운 출발의 기준이 된다는 점에서 존재의 인식 변화를 가장 극명하게 이루어낼 수 있는 단위가 된다. 이 작품의 1연에도 그러한 기대와 의지의 표명이 잘 나타나 있는데, 이런 기조는 이 시의 전편을 다 착색하고 있다고 해도 과언이 아닐 정도이다.

우선 이 작품의 특징적 단면은 '힘'에서 찾을 수 있다. 새로운 출발에 선 시적 주체가 '새로운 힘'에 의해 의식의 고양을 이루는 것은 당연할 것인데, 그 토대가 되고 있는 것이 '새해'라는 시간적 질서이다. 그것이 '새 힘'인데, 「민중의 행렬」에서 표명되었던 힘의 전취가 이 작품에서 다시 수면 위로 떠오르고 있는 것이다. 하지만 「민중의 행렬」에서의 '힘'과 「1929년」의 '힘'은 동일한 역능을 갖고 있긴 하되, 그 내포는 전연 다른 경우이다. 전자에서 '힘'은 부르주아를 이기기 위한 '힘', 다시 말해 당파적 결속력을 의미하는 경우이지만 「1929년」에서의 힘이란 계급적 색채가 「민중의 행렬」 보다 훨씬 옅어진 경우이다. 여기서는 새로운 계절이라는 인식성이 주는 신선함, 곧 형이상학적인 다짐이기 때문이다.

하지만 이러한 힘의 의미는 뒤편으로 갈수록 한층 구체화되는 양상을 보인다. 그것은 현재의 상황과 역사적 맥락 속에서 그 의미가 구체화되는데, 전자의 경우는 현재의 불온성을 극복하는 힘으로 후자의 경우는 이를 초월하는 발전의 힘으로 의미화된다. 시인은 현재의 실존적 조건을 "대지의 눈보라가 덮인" 세상으로 인식한다. 그것은 때로 '사나운 눈보라'가 되어 현재의 실존을 위협하기도 하는 것이다. 두 번째는 앞날의 역사를 가져올 힘이다. 그것은 시인의 표현대로 '그때'인데, 여기서 '그때'란 현실의 불합리한 조건을 개선시킬 수 있는 절대적 상황일 것이다

유완희는 그러한 조건을 만들기 위하여 또 다시 선봉에 선다. 목적의식기의 시들에서 보여주였던 선전문구나 삐라와 같은 격정의 담론들을 여기서 다시 쏟아내고 있는 것이다. 이 또한 관념의 과잉이 낳은, 그의 시의 약점 가운데 하나인 과도한 주관화 현상일 것이다. 하

지만 이런 호소나 선언이 목적의식기의 시들과 비교할 때, 절제되지 않은 정서의 노출이라고 비판할 필요는 없을 것이다. 그것은 이 시기 그의 시들이 계몽의 정신과 불가분하게 결합되어 있기 때문이다.

유완희 시들은 이 시기를 기점으로 해서 계몽주의자의 면모를 분명히 드러내기 시작한다. 일찍이 그는 "조선을 낡은 민족이 잠들어 있는 상태"로 인식한 바 있거니와 이러한 인식을 지배하는 저변에 자리하고 있는 것은 선구자 내지는 똑똑한 우등생 의식이라 할 수 있을 것이다. 우리는 그러한 한 단면을 일찍이 육당의 경우에서 이해한 바 있다. 육당은 상승하는 부르주아지였고, 이를 기반으로 그는 미몽의 상태에 놓여 있는 조선의 민중을 계몽이라는 이름으로 각성시키고자 했다[16]. 그러한 계몽 의식이 1920년대 후반의 시인에게도 고스란히 재현되고 있었다. 이런 계몽의식이 민족주의와 분리할 수 없는 것은 당연한 것인데, 이후 그의 시들은 이런 계몽 의식에 기반을 둔 '힘'의 논리를 계속 주장하기 시작한다.

> 우리들은 時代의 苦痛을 倦怠를 닛기 爲하야 詩를 쓰는 것은 아니다
> 우리들은 저들의 無智를 錯誤를 비웃기 爲하야 詩를 쓰는 것은 아니다
> 우리들은 사랑의 對象을 또는 니저 준 사람을 찾기 爲하야 詩를 쓰는 것은 아니다.

16 송기한, 『육당 최남선 문학연구』, 박문사, 2016.

그러면 鄕土의 呪咀를, 都市의 憎惡를 살우기 爲하야 쓰는 것이냐? 그런 것도 아니다

그럿타고 祖上으로부터 傳하야 오는 가느다란 情緖를 노래하기 爲하야 쓰는 것은 勿論 아니다.

우리들의 詩는
神을 밋는 것이 아니요
꿈을 쫏는 것이 아니요
또는 달콤한 人生의 香氣를
오늘의 泰平을 그리는 것이 아니다
그러기에 우리들은 奇蹟을 幻想을 눈물을 歡樂을 몰은다
×
'삶'은 힘이다!
힘은 歷史를 낫는다!
우리들은 그 힘을 밋고
그 힘으로써 가저와 줄 歷史를 밋는다

힘! 그 偉大한 힘이 現實의 위를 다름질할 때 우리들은 크나큰 響動을 밧는다

이것이 우리들의 詩다!

우리들의 詩는
兄弟에게 보내는 傳令이다!
姊妹에게 보내는 誠銘이다!

또는 우리들 自身에 내리는 宣言이다!
그렇타! 우리들 自身에 내리는 宣言이다!

우리들은 이 宣言으로 말미암아 自身의 나아갈 길을 찾고 明日이 歡喜를 늣긴다
그들이 街頭에 行列 지을 때
우리들의 詩는 行進曲이 된다
그들이 東西에서 서로 불을 때
우리들의 詩는 信號가 된다
　天嶺을 넘어
　大洋을 건너
　서로 傳하는 信號가 된다

이 信號 가온대
우리들의 힘은 커 간다
우리들의 歷史는 잘아 간다
그리고 우리들의 詩는 더욱더 빗나 간다

들으라!
　傳令을
　　誡銘을
　　　宣言을
　　　　그리고 또 信號의 信號를.

「우리들의 시」 전문

인용시는 유완희의 세계관을 일러주는 일종의 시론시에 해당한다. 시론시가 작가의 세계관이나 문학관을 즉자적으로 암시하는 것이라 할 경우, 「우리들의 시」 만큼 시인의 시의식을 잘 말해주는 것도 없을 것이다. 그는 이 시기 유행하는 제반 시의식에 대해 통렬한 자기 반성을 한 다음, 앞으로 서정시가 나아갈 방향을 제시한다. 지금까지 전개된, 그리하여 반성해야 할 시의식으로 그는 세 가지를 예로 들고 있는데, 그 가운데 하나가 1연에 나타나있는 것처럼 현실도피주의적 경향이다. "우리들은 시대의 고통을 권태를 잊기 위하여 시를 쓰는 것이 아니다"라고 했거니와 여기에 담긴 함의는 이 의식과 분리되는 것이 아니다. 이 시기 이런 경향의 시가 뚜렷이 존재했다라기보다는 시의 순수성을 이야기한 그룹과 이를 내재화한 시세계일 것이다. 두 번째 역시 마찬가지인데, "저들의 무지를 비웃기 위한 것"은 일종의 풍자나 현실비판의 시를 경계하고 있다. 마지막 세 번째는 사랑의 정서나 이별의 고통을 읊은 시세계, 곧 낭만주의적 경향의 시들에 대해 경계한다.

시인이 경계했던, 첫 번째와 두 번째는 일견 모순되는 듯 보이지만 유완희가 말한 의도를 이해하게 되면, 이들의 관계는 전혀 무관한 것이 아님을 알 수 있다. 시인이 시에서 담아내고자 한 것은 그러한 이타성의 문제가 아니라 내성의 문제였던 까닭이다. 그 내성이란 바로 우리 자신의 문제이다. 그것은 4연에서 말한 것처럼 "삶은 힘이다"라는 단정이다. 힘이란 이타적인 것이 아니라 스스로의 영역에 놓인다. 따라서 시인이 말한 시란 이런 자아지향성에 있어야 한다는 것이고, 그의 표현대로 하면 그것은 힘의 발굴과 그 전파에 놓여 있는 것이다. 이때 힘이란 스스로에 의해서 만들어져야 한다. 그러니 시가 타인의 행동에 대해 왈가왈부할 문제가 아니고, 또 사랑이나 이별같은 개인의 정서 속에 머물러서도 안 된다는 것이다.

시인이 말한 '힘'은 역사를 만들어나가는 것이기에, 우리는 그 힘을 믿고 그것이 가져다줄 역사를 믿어야 한다는 것이다. 따라서 시는 그러한 역사를 위해서 복무되어야 한다는 것이 이 시의 주제이다. 게다가 시는 그러한 힘의 의미를 담아서 형제에게 보내는 전령이 되어야 하고, 또 자매에게 보내는 계명이 되어야 한다는 것이다. 뿐만 아니라 우리들 자신에게 선언되어야 한다고까지 한다. 결국 시는 무엇을 위한 도구가 되어야 하는데, 그 무엇이란 역사를 위한 힘과 그 전파에 있다고 하겠다. 여기에 이르게 되면, 유완희의 시정신은 지극히 계몽적인 것으로 바뀌게 된다. '잠들어 있는 민족'을 일깨우는 것은 '힘'이고, 그 '힘'의 실체를 알리기 위해서 시는 전달의 도구가 되어야 한다는 것, 곧 계몽의 요구에 충실히 답해야 한다는 것이다.

> 이 땅의 젊은 아들과 딸들은 太陽으로 가는 길을 發見 하였다.
> 그리고 그들은 그 길로의 장한 出發을 約束하였다.
> - 大地를 무을 듯한 크나큰 呼吸 미터서
> 太陽은 地球를 나엇다.
>
> 그러나 그것이 얼마나 오래된 일인지는 모른다.
> 또 알 必要도 없을 것이다.
> 다만 地球는 太陽으로부터 생겨나서 그 惠澤 아래에 오늘날까지 길니워 온 것이다.
> 그렇다! 太陽은 無限의 熱과 不可量의 光明을 가졌다.

그리고 그 無限의 熱 - 不可量이 光明으로써 地球를길너 왔다.

그것은 밤과 낫을 분간하고 또 봄과 여름을 가을과 겨울을 구별하여 놓았다.

그것은 暗과 明을 陰과 陽을 調和하고 또 凉과 溫을 寒과 暑을 循環시키였다.

그리하야 地球 自體의 完成을 도읍고 脈轉을 붙잡어왔다.

地球가 오랜 歲月을 두고 아모러한 故障이 없이 歷史의 쳇바퀴 위를 다름질하야 온 原因이 果然 어디 잇다고 생각하는가?

地球는 太陽의 품 안에 안기여 길니워 왔다. 그리고 온갓 動物과 아울러 人間을 비저내엿다.

人間의 始祖가 - 始祖의 發端이 '에 - 덴' 동산에서 '사탄'의 誘惑을 밧든 아담과'이브'로부터 시작되앗는 지 모른다

또 神話의 主人公 '쥬피터 -'의 손끝으로부터 한 장난거리 비슷하게 뜻하지 않고 맨드러서 나온 것인지도 모른다.

그러나 어쨋든 人間이 오 -ㄴ 地球上의 가장 高等한 動物로서 모든 것을 支配하고 또 自身의 歷史를 지여 온 것만은 事實이다.

그러타! 우리가 이제 認識하고 우리가 이제 이야기할만한 宇宙의 歷史는 人間 된 우리들의 始祖 - 즉 人類그 것의 創成으로부터 비로서 실마리를 지은 것이다.

우리들의 祖上 - 아니 이 地上의 支配者들은 이 歷史 를 등에 지고 꾸준히 代물려 가며 人間 된 光榮 속에서 그들 自身의

天地를 開拓하야 온 것이다.

元始心의 換作! 自然의 開拓!

그것은 文明을 나였고 文化의 길을 열었다.

우리들 - 人間의 발자취가 멈추어지면서부터 참말 이 地球上에는 땀과 마주치는 연장의 빗과 音響이 끊길 날이 없었다.

이리하야 그들은 뫼를 끊고 내를 물었다.

또 들을 열고 마을을 세웠다.

- 無限의 熱 不可量의 光明 속에서 몸을 달구고 未來를 꿈꾸어 가며

이것이 그들의 全體엿고 歷史엿다!

말하자면 그들은 그들 自身의 存在를 意識하고

그들 自身이 使命을 깨닫는 데서 그들 自身이 勤勞하지 아니하면 안 될 義務를 길이 그 연장 끝에 실엇든 것이다

이리하야 그들은 繁榮하고 發展하야 왔다.

그러나 그 繁榮 - 그發展이 果然 永久의 것이엇든가?

「태양으로 가는 무리」 부분

시인의 계몽주의가 인용시에서 그 발전의 정점으로 '태양'을 발견한 것은 하나도 이상할 것이 없다. 태양은 지구를 낳았고, 그 혜택 아래서 오늘날까지 발전해왔다고 하는데, 따라서 그것은 지구의 진화와 발전에 있어서 절대적인 존재가 된다고 본다. 이런 맥락에서, 태양은 「우리들의 시」에서 표명된 '힘'의 구경적 실체로 인식된다.

비록 상징에 불과한 것이긴 하지만, 유완희가 계몽의 일환으로 태

양을 발견한 것은 자연스러운 도정이라 할 수 있다. 그가 이 시대에 요구한 것은 태양과 같은 강렬한 힘, 전능한 도구였기 때문이다. 따라서 "이땅의 젊은 아들과 딸들은 태양으로 가는 길을 발견하였다" 하는 것은 그의 시적 작업이 도달한 정점이라 할 것이다.

그런데 계몽은 이중성을 내포하고 있는 것이었다. 그가 태양 사상을 받아들이고, 그 기능적 가치를 높게 평가했음에도 불구하고 그것이 시인이 처한 시대적 모순을 해결해주는 것은 불가능한 일이었을 것이다. 힘이나 태양 사상이라는 것은 근대 초기 단재 신채호가 기댔던 양육강식론과 비교되는 부분이라는 점에서 주목을 요하는 경우이다. 오직 강력한 힘만이 새로운 질서, 피억압적 상황을 극복할 수 있다는 논리는 역설적으로 말하면, 일제의 지배를 정당화하는 것이었다. 단재가 이러한 모순을 발겨한고 아나키즘의 세계로 나아간 것은 결코 우연이 아니었다[17].

> 아득한 宇宙의 現象에 比하면
> 우리들의 存在는 넘어나 적다.
> 그러나 우리들의 生命은 크다.
> 그리고 그 生命과 生命의 結合은
> 보다 더 크고 보다도 굳에인 것이다.
> 우리들의 生命의 連鎖는
> 우리들의 기나긴 歷史를 얽어 왔고
> 우리들의 生命과 生命의 積體는

17 송기한, 「근대성의 4형식으로서의 무정부주의: 신채호론」, 『한국현대시의 근대성 비판』, 제이앤씨, 2010.

모 -든 地球上의 實在를 支配하야 왔다
우리들의 肺腑를 박차고 나오는 生命의 숨길은
이제야 宇宙에 들어찼다 - 드러차 흐른다.

野蠻에서의 文明!
自然에서의 文化!
이것은 모다 우리들의 生命의
힘이다!
힘의 結晶이다!
우리들은
우리들의 生命을 찬미한다
生命의 成長은 - 登場을
成長의 無限을 - 登場의 永遠을

1 우리는 大地에 뿌리박은 한 개의 生命이다
우리는 한 개의 生物이다
大地에 뿌리박은 한 개의 生命體 -意識體다!
우리들은 大地에서 나서 그곳에 길니워서 다시 그곳으로 돌아간다.
이것은 宇宙가 배판되고 人類가 創始되면서부터
따와 人類와의 사히에 굳게 굳게 約束된 바로서
過去 우리들의 조상이 그리하였고
現在 우리들이 그러하고
未來 우리들의 자손이 또한 그러할 것이다

大地는 우리들의 가장 偉大한 母體다!
우리는 이 偉大한 母體의 품에 안기여 그 無限한 사랑 속에 살고
그 偉大한 배 속에서 자라고
그 永遠한 眞理 속에 단련된다.

우리들의 呼吸은 즉 大地의 呼吸이다!
우리들의 心臟은 大地의 숨길과 서로 통하고
우리들의 脈博은 大地의 그것을 전한다
그리고 우리들의 精神은 大地의 精華의 反應 그것이요.
우리들의 活動은 大地에의 끈임없는 感謝의 表現이다.
우리들의 뼈와 살과 피는 마침내는 이 크나큰 母體의 풀 속에 돌려보내지 않으면 안 되는 것이다
우리들의 들에서 소리칠 때
또는 바다를 향하야 부를 때
그 音響은 우리들 自身의 귀에만 끊치지 않고
길이길이 이 母體의 가슴을 더듬어 우리들의 兄弟에게 姉妹에게 전한다.

우리들은 지금 이 母體의 가슴을 힘 있게 밟고 서 있다
그리하야 우리들 自身의 삶을 삶의 現實을
가장 아름답게 가장 眞實되게 하려고 計畫하고 있다
그리고 가장 힘 있게 가장 光明되게 하려고 努力하고 있다

그렇다! 설사 그들의 뜻과 실지가 부합되지 않는 한이 있더라도

그들을 그들의 生涯에서 일측이 이 計劃과 努力을 저 버린 적이 없다.

이같이 하야 그들은 그 도막도막의 生命을 이여 오늘의 그들의 歷史를 가저오고,

그들의 偉大한 母體인 大地의 壽命을 증명하야 왔다.

「생명에 바치는 노래」 부분

우선 이 시가 말하고자 한 부분은 3연에 잘 나타나 있는데, 시인은 "야만에서의 문명"이나 "자연에서의 문화"가 창출된 것을 모두 생명의 힘, 다시 말해 힘의 결정에 의한 것이라고 했다. 이 논리에 기대게 되면, 힘이란 개발의 논리인데, 이를 근대적 국면에서 이해하게 되면 과학의 힘일 것이다. 이는 계몽과 분리하기 어려운 것인데, 그는 이렇듯 문명이나 문화를 발전 사관에서 찾고 있다.

하지만 그는 그것을 찾는 정도에서 그치는 것이 아니라 찬미의 수준까지 고양시키고 있다. 그는 힘의 원천을 생명에 두면서 "우리들의 생명을 찬미한다"고 선언하고 있기 때문이다. 그런데 이런 논리를 계속 밀고 나가게 되면, 단재 신채호가 그러했던 것처럼, 그의 근대성은 논리적 모순에 빠지게 된다. 태양과 힘, 그리고 그 발현체인 생명을 강조하다 보면, 그가 지금껏 강조해오던 조선의 계몽이라는 것이 양육강식론과 같은 한갓 신기루에 불과한 것임을 알게 되기 때문이다. 이 논리적 모순을 어떻게 극복할 것인가. 실상 이에 대한 답이야말로 유완희 시의 정점이거니와 이후 그의 시정신을 결정하는 중요 기점이 될 것이다.

유완희가 그러한 모순에서 새로운 출구를 모색하게 되는데, 그 가

운데 하나가 대지의 사상, 곧 모성적 상상력이다. 진보와 발전, 계몽을 찬양하던 주체가 갑자기 그 대항담론에서 또 다른 출구를 찾은 것은 일견 모순처럼 비춰진다. 하지만 그가 이해한 계몽과 조선의 현실을 감안하면 이런 선택은 불가피한 것처럼 보인다. 시인은 인용시 1에서 "우리는 대지에 뿌리박은 한 개의 생명이다"라고 하거니와 계속해서 "우리는 한 개의 생물이다" 혹은 "대지에 뿌리박은 한 개의 생명체 -의식체다!"라고 선언하기에 이르른다. '태양'이 생명이 근원이라고 했다가 갑작기 '대지'를 생명의 근원으로 이해하고 있는 것이다. 태양과 대지를 자연의 한 현상으로 편입시키면, 시인이 이해하는 이런 사유의 모형들은 전연 이상할 것이 없다. 하지만 시인은 태양과 대지가 자연이라는 동일성보다는 대항담론의 위치에 놓여 있었다는 사실이다. 태양은 계몽이나 진보의 관점에 서 있는 것이었고, 대지는 그 반대의 경우에 놓여 있는 것이다. 근대 이후 전개된 사상적 흐름을 이해할 때, 이런 구도는 일견 정합성을 갖는 경우이다. 해체를 선언한 데리다의 경우[18], 태양은 근대 도구적 이성의 전유물이었던 까닭이다. 반면 대지는 통합적 사유의 구경이면서 계몽의 한계가 만든 절대적 도피처라는 점에서 그러하다. 따라서 태양과 대지는 근대적 사유 체계에서 서로 정 반대에 놓여 있는 것이고, 대항적 위치에서 길항관계에 놓여 있는 것이라 할 수 있다.

그런데 이런 대립적 이미지가 유완희의 시에서는 생명이라는 담론으로 표상되어 평행선을 긋고 자리하고 있는 것이다. 이것은 물론 엄연한 형용모순이다. 하지만 시인의 정신 세계와 시대적 국면 속에

18 데리다. 『그라마톨로지』(김성도역), 민음사, 1996.

이들을 편입시키게 되면, 시인에게 이런 의미화는 불가피한 것이었다. 유완희는 조선의 근대화에 대해 단 한순간도 포기한 적이 없었다. 그의 의식의 저변에는 언제나 낡은 잠을 자고 있던 조선의 모습과 민중들이 자리하고 있었고, 이를 문명의 장으로, 그리고 문화의 공간으로 이끌어내고 싶었다. 이는 그가 등단한 신경향파 시기의 작품에서도 그러했고, 이후의 시세계에서도 그러했다. 그가 목적의식기를 거쳐면서 계급투쟁의 전선에 앞장선 것도 어쩌면 이 의식과 불가분하게 얽혀 있는 문제였을 것이다[19].

반면, 그가 계몽적 사유에 얽매여 있으면 있을수록 제국주의를 비판을 근거 역시 부족했을 것이다. 근대라든가 계몽에 대한 옹호야말로 제국주의에 대한 또다른 긍정으로 비춰질 수 있었기 때문이다. 근대를 두고 펼쳐지는 긍정과 부정 사이에서 그가 선택할 수 있었던 것은 이 두 가지 모순을 수용하는 길밖에 없었다. 태양과 대지의 이미지로 수렴되는 그의 자의식이 바로 그러한데, 계몽과 반계몽이 만들어내는 모순의 극점에서 그가 발견한 것은 이렇듯 생명 사상이었고, 그 생명이 자라는 뿌리 곧 대지라는 관념이었다. 그것이 곧 모성적 상상력인데, 이는 그의 근대성이 안착한 최후의 지점이라는 점에서 그 의미가 큰 것이라 하겠다.

19 카프의 계급운동이 민족해방운동의 연장선에 있었다는, 해방 직후 카프 구성원들의 일관된 고백들이 이를 증거한다.

5. 동반자 의식과 계몽의 한계

유완희의 해방 이후의 행적은 뚜렷하지 않다. 여기서 모호하다는 것은 작품의 향방이라 할 수 있는데, 실상 해방 직후부터 그는 작품 활동을 거의 하지 않은 것으로 알려져 있다. 다만 3.1운동 기념시와 한국 전쟁에 대한 회고시 정도가 남아 있는 것으로 알려져 있는데, 이 몇 편의 시를 통해서 시인의 사상적 흐름을 추적하는 것은 쉽지 않은 일이다. 그러한 까닭에 그의 문학사적 궤적은 1930년대에서 멈춘 것이라 해도 좋을 것이다.

이런 짧은 결말은 유완희의 시세계를 일별할 때, 어느 정도 예견된 것이기도 했다. 그는 잘 알려진 것처럼, 동반자 작가였다. 카프에 직접 가담하지는 않았지만, 이 집단이 추구하는 이념에 대해서는 어느 정도 동조한듯 했다. 그는 다른 누구보다도 그러한 동반자 그룹의 속성을 잘 대변하고 있었다. 하지만 동반자 위상에 걸맞게 그의 시들이 시적 성공을 거둔 것은 아니었다. 그것은 사상성의 경도가 아니라 시적 형상화의 문제였는데, 그의 시들은 세계관 위주의 시가 대부분이었고, 이런 관념의 과잉 상태가 낳은 시들은 모두 선전 문구나 삐라와 같은, 문학적 성취도가 낮은 것이 대부분이었기 때문이다.

하지만 그의 경향 문학이 세부 현실에 대한 구체적인 묘사, 그리고 그로부터 얻어지는 자연스런 문학적 형상화가 부재한 경우였다고 해서 문학사적 의미가 전혀 없던 것은 아니었다. 그는 이 시기 다른 시인들과 달리 자신만의 문학적 영토를 개척하고 있었는데, 그것은 다름 아닌 민족주의적 사고였다. 그는 대상으로 향하는 비판의 시만 쓴 것이 아니라 안으로 응시할 수 있는 시를 쓸 줄도 알았는바, 그것은 민족 내부의 처연한 모습의 발견과 그 형상화였다. 그는 조선과 조선 민중이 처한 현실을 '낡은, 그리고 잠에 취한 민족'이라고 하였거니와 이 미몽의 상태를 일깨우는 데, 자신의 시적 탐색을 시도한 시인이었다. 현실에 대한 비판성과 계몽성이 겹쳐진 이런 중층적 사유태도야말로 유완희만이 갖는 고유한 시정신이었고, 그것이 그를 이 시기에 시사적으로 의미있는 존재로 만들었다.

유완희는 민족을 계몽할 첫 번째 수단으로 '힘'의 논리를 내세웠다. 그것은 목적의식기의 시들에서 표명되었고, 이후 계몽에 바탕을 둔 시의식에서도 계속 표출되었다. 하지만 이 두 지점 사이에서 형성된 '힘'의 논리가 동일한 내포를 갖는 것은 아니었다. 전자는 당파적 결속으로서의 그것이었고, 후자는 계몽에 바탕을 둔 그것이었기 때문이다.

그런데 그가 경향시부터 일관되게 주창했던 힘의 논리는 사실상 그 자체적으로 모순을 내포한 것이었다. 그는 목적의식기 이후, 계몽의 수단으로 '힘'을 내세웠지만 그것은 어디까지나 양육강식의 논리에 기댄 것이었다. 힘을 기르고 그것으로 민족의 문명과 문화를 개발하고 진척시킬 수 있다는 것이야말로 이 논리의 구경적 목적이기 때문이다. 이런 논리에 기대게 되면, 식민지 민족 모순을 지각한 자에게는 또 다른 역설적 고뇌를 불러일으키게 된다. 힘에 의한 지배는 곧 힘으로 지배하는 주체들에게 일종의 면죄부를 주는 것이기 때문이다. 그것이 그의 시의 전략적 이미지 가운데 하나였던 '태양' 사상이었다.

근대로 나아가는 길과 이를 수용하는 길 사이에서는 커다란 모순이 놓여 있었던 것이다. 이런 자가당착적인 모순에 빠진 유완희는 그 힘에 새로운 의미화를 시도하게 되는데, 그것이 땅, 곧 대지(大地)의 사상이었다. 유완희에게는 계몽으로 나아가면 갈수록 문명과 발전이라는 아름다운 매혹이 있었지만, 다른 한편으로는 식민지 모순이라는 또 다른 질곡이 기다리고 있었다. 야만에서 문명으로 향하기 위해서는 '태양'같은 힘이 필요했지만, 그것으로만 가기에는 한계가 있을 수밖에 없었다. 그래서 그러한 한계를 딛고자 한 것이 '대지'의 사상, 곧 모성적 상상력이었다. 그것은 분명 반근대적인 것이고, 계몽을 절대 선으로 내세운 유완희로서는 수용하기 힘든 것이었지만, 객관적 현실은 그에게 그러한 선택을 용인하지 않았다.

유완희는 중간자적인 삶을 살았다는 것이 그의 삶이나 시세계에 대한 올바른 인식일 것이다. 그는 카프가 내세운 이념에 매혹되었지만, 거기에 완전히 몰입하지 않고 동반자의 길을 걸었다. 뿐만 아니라 계몽에 대한 미련을 두면서도 이를 완전히 수용하지도 않았다. 식민지 현실의 양육강식의 논리가 그의 발목을 잡은 것이다. 그리하여 계몽을 발전 사관으로 완전히 받아들이지 못했고, 그것의 대항담론으로 대지라는 모성적 세계를 어정쩡하게 수용하게된 것이다. 그는 끊임없이 중간자적인 길을 걸어간, 일제 강점기 보기 드문 시인 가운데 한 사람이었다. 그것이 유완희 삶의 특색이자 그의 시의 시사적 의의라고 할 수 있을 것이다.

낙관적 전망의 시인

박세영론

박세영 연보

1902년	경기도 고양 출생
1917년	서울 배재고보 입학
1922년	시 「향수」를 『조선문학』지에 발표하면서 문단활동을 시작함 송영, 이호, 이적효 등과 진보단체인 염군사 창립
1925년	카프 결성에 참여하여 중심 맹원으로 활동함
1926년	진보적 아동문예지 『별나라』 창간
1931년	임화 등과 『카프시인집』 간행
1936년	「오후의 마천령」, 「산제비」 등을 발표
1938년	시집 『산제비』 간행(중앙인서관)
1940년	만주에서 독립운동을 벌이다 체포되어 청진 감옥에 투옥됨
1945년	청진 감옥에서 해방을 맞이하고 서울에서 조선프롤레타리아 예술가 동맹에 가입함
1946년	6월에 월북하여 북조선예술연맹에 참여하여 활동 시집 『횃불』 간행(우리문학사)
1947년	북한의 애국가를 작사함
1950년	인민군 종군작가로 활동함. 시집 『승리의 나팔』 간행
1959년	애국가 가사를 만든 공로로 최고 훈장과 공훈작가의 칭호를 받음
1989년	사망, 평양 애국열사릉에 묻힘
1991년	시선집 『산제비』(미래사) 간행
2012년	『박세영 시전집』 간행(소명출판사)

1. 중국 여행과 현실인식

박세영은 1902년 경기도 고양군에서 5남매의 중 셋째 아들로 태어났다. 그 스스로 작성한 연보에 의하면, 아버지의 직업은 선비였고, 집안은 그리 넉넉하지 못한 편이라고 했다. 그래서 가정 경제의 대부분은 은행원이었던 맏형에 의지했다고 한다.[1] 12살 되던 해인 1914년 형이 직장을 충남 강경으로 옮김에 따라 한때나마 박세영은 이곳에 정착하게 된다. 강경에서 몇 년을 보낸 후 1917년 다섯 살 되던 해에 서울 배재고등보통학교에 입학하게 되고, 여기서 소설가 송영 등을 만나게 된다. 그는 재학 중에 송영과 더불어 『새누리』를 발간하면서 문학에 본격적으로 접하게 된다.

문학에 대한 관심과 함께 박세영의 사유 형성에 가장 큰 영향을 준 것은 1919년 3.1운동이었다. 그는 이 운동에 자극을 받아 등사판 신문 『자유신종보』를 발간하면서 본격적으로 민족 의식을 키워나가게 된다. 그런데 그의 사상적 변이는 여기서 그치지 않고 배재고보를 졸업하던 해에 송영, 이호, 이적효 등과 더불어 사회주의 진보단체인 염군사(焰群社)를 창립하면서 하나의 전기를 마련하게 된다. 익히 알려져 있는 것처럼, 이 단체는 1923년 결성된 파스큘라와 합쳐져서 1925년 카프로 거듭 태어나게 된다. 문학보다는 사회 제반 분야에 더 큰 관심을 갖고 있었던 것이 염군사인데[2], 박세영은 오히려 이들의 성향과 반대였다. 그는 사회보다는 문학에 보다 큰 관심을 갖고

1 「저자의 약력」, 『박세영 전집』(이동순외 편), 소명출판, 2012, p.603.

2 김윤식, 『한국근대문예비평사연구』, 일지사, 1982, p.30

있어서 이 단체의 일반적 성격과는 거리가 있었던 것으로 이해된다.

어떻든 염군사가 만들어진 시기에 박세영은 이 단체의 특파원 자격으로 중국 유학을 떠나게 된다. 상해에 있는 해령영문전문학교에 유학을 하게 되는데, 이때 박세영의 사상이나 문학관이 거의 만들어진 것으로 보인다[3]. 특히 민족주의자 심훈을 만난 것은 그의 민족주의적 성향을 일깨우게 된 좋은 계기가 되었다.

박세영의 중국체험 시들은 이 시기에 발표되었던 간도 체험의 시들과는 몇 가지 측면에서 차이가 나는 경우였다. 하나는 그 배경에 관한 것이다. 우리문학의 중국 체험이 주로 간도 지역을 중심으로 이루어진 것임에 비하여 그의 체험들은 중국 내륙 깊숙한 곳에서 얻어진 것이라는 사실이다. 뿐만 아니라 단지 중국인이라든가 중국인 지주와 같은 보편적 대상이 아니라 구체적인 지명이나 지역 혹은 인물을 통해서 그의 시들이 생산되고 있다는 사실 또한 매우 예외적인 경우이다.

둘째는 그러한 체험들이 자신들의 세계관을 통해서 철저히 굴절되어 나타나는, 다시 말해 자신의 이데올로기적 관점에 의해 그가 경험한 이 지역의 특색들이 작품화되고 있다는 사실이다. 그것은 「명효릉」이나 「침향강」같은 지명에 국한되지 않고, 「강남의 봄」과 같은 자연 현상을 소재로 한 작품을 통해서도 일관되게 유지되고 있는 것이다. 이것은 그의 중국 체험이 단지 센티멘털한 정서나 여행자의 낭만적 감수성의 결과가 아니라는 사실을 말해준다. 그의 체험들은 철저하게 그 자신의 세계관에서 걸러진 대상의 전복과, 그 주관화의 결

3 현실인식을 바탕으로 한 중국 체험의 시들이 여기서 쓰여졌고, 그러한 세계는 이후 그의 시세계에 일관되게 나타나고 있기 때문이다.

과에서 얻어진 것이다.

흐리고나 바단가 싶은 이 강물은
어지러운 이 나라처럼,
언제나 흐려만 가지고 흐르는구나.

옛날부터 흐리고나, 이 강물은
그래도 맑기를 기다리다 못하여
이 나라 사람의 마음이 되었구나.

해는 물 끝에 다 갈 때,
물은 붉은 우에 또 붉었다,
아직도 남은 배란 윗물에 나부끼는 돛단배 하나

「양자강」 전문

인용시는 1923년 『염군』에 발표된 것으로, 박세영의 첫 작품에 해당된다. 작품의 소재로는 제목에서 알 수 있는 것처럼 양자강이다. 이 강이 중국 내륙을 관통하는, 중국을 대표하는 강이기에, 그것이 함의하는 바는 매우 큰 것이라 할 수 있다. 그것은 곧 지역이 아니라 보편을 대변할 수 있는 소재이기 때문이다.

박세영이 이 작품에서 읽어내고자 한 것은 강에 비유된, 중국인들의 처지이다. 가령, 흐리다는 비유적 의미가 그러한데, 단어의 의미대로, 이는 중국인들이 처한 상황의 열악함을 대변하는 담론이라 할 수 있다. 이렇듯 박세영이 중국 기행을 통해 응시한 것은 나그네의 객수감 같은 센티멘털한 정서가 아니다. 그의 사유는 철저하게 현실과 밀접하게 맞물린 것이거니와 이를 통해서 '지금 여기'가 처한 상황들에 대해 냉철하게 응시하고 있는 것이다. 이런 미메시스적인 묘사야말로 매우 자연스러운 것이고, 그런 사유가 형성되는 하나의 단초가 되었던 것으로 이해된다.

「양자강」은 박세영의 첫 작품이라는 점에서 이 작품이 주는 시효성이랄까 내포가 무척 중요한 경우이다. 한 시인의 사상적 흐름과 그 궤적을 천착해 들어가는 데 있어서 초기작이 주는 의미는 아무리 강조해도 지나치지 않기 때문이다. 그 연장선에서 또 하나 주목할 작품이 바로 「바다의 마음」이다.

> 바다! 잔잔도 하게, 곱기도 하게/거울같이 은혜로운 바다,//사랑의 바다./나는 어찌 가없는 바다로,/배를 저어가고 싶지 않으리까.//아침의 바다는 나에게 새로운 느낌을 주지요,/모든 비밀을 말하여주어/나는 바다로만 배를 저어가지요,/가없는 바다로만.//달밤의 바다는 그립고 그리워,/나의 가슴에 숨은 괴로움을 곱게도 씻어주어/나는 달물결에 입을 대지요.//모든 위안을 주는 바다여!/나는 그대에게서 살아남을 얻어,/아-그리운 바다에서./내가 저어가는 배는 그대의 사랑을 따라/어디로나 가지요,/작은 나의 배는 풍요롭게 그대의 감추어논/영원한 나라로 저어만 가지요.//바다는 나에게 일러주지요,/너는 마음이 좁아 우주의 비밀이란/티끌만큼도 알기 어려우리라,/오너라, 그러면 나는 너에게/비밀을 알려주리라.//나는 느끼지요,/대지보다는 바다가 얼마나 사랑을 끼쳐주는지

나는 또 저어만 가지요.//그러나 기쁨이 지나는 나의 사랑은 너무나 놀랐지요,/폭풍이 일며 점점 커가는 바다의 물결,/이것이 무슨 일인가?/아무것도 모르는 나는 바다를 歐歌만 하였던가,/잔잔한 파문, 月波, 血潮를 그리워만 했던가?/바다여 바다./고왔더니 만치 사나운 알 수 없는 바다여!/시꺼먼 물 속은 무슨 罪의 심연이냐,/무슨 비밀을 그리도 많이 숨기고 있느냐./나는 그대로 배를 저어 저 언덕으로만 가려 했지요,/그동안에 바다는 또 잔잔하여/너를 사랑한다는 소리는 들려오지요,/가늘게도 속삭이는 소리는,//바다여! 너의 끝없는 사랑 고왔던 몸이/그런 暴威를 가졌더냐/나의 사랑하는 임같이 그렇게도 네 마음,/아 - -轉變은 알 수가 없구나.//나는 어리석은 者 사랑의 꼬이는 말만 듣고,/그래도 또 저어만 가지요,/나의 작은 배는 다시 풍랑을 만나 대지에 채 닿기도 전에,/나는 물결에 얻어맞고,/나의 작은 배는 깨어지고 말았지요.//나는 힘없이 깨어보니/바다는 황혼의 血潮를 띠고 있어,/나는 놀랐지요,/나는 그래도 사랑하고 싶었지요./바다로만 가고 싶었지요.//나의 임이여!/아-바다의 마음이여 하고 나는 당신을 생각해보지,//

「바다의 마음」 전문

「바다의 마음」을 이해하는 데 있어서 한 가지 오해랄까 선입견이 대두되는데, 이는 어쩌면 필연적 귀결일지 모른다. 박세영하면, 흔히 알려진 대로 신념파 프로시인이라든가 낭만파 프로시인이라는 레테르가 붙여져 왔다[4]. 실상 이런 평가들이 크게 잘못된 것이라고는 할 수 없다. 시인의 세계관과 사상적 변모 과정에서 그 특징들이 곧바로 드러나 있기 때문이다. 하지만 어떤 선입견이 앞서다보면, 한 시인의 사상이나 그것이 형성된 과정이 정확히 파악되지 않는 난점이 뒤따르게 된다. 그럴 경우 「바다의 마음」과 같은 작품이 함의하는 것을 포착하지 못하는 오류를 범하게 될 것이다.

「바다의 마음」이 박세영의 것이 아니라면, 이 작품은 다른 각도에서 많은 관심을 받았을 것으로 이해된다, 박세영의 작품으로 귀속시켜야 할 어떤 사상적 근거도 찾아내기 어렵기 때문이다. 하지만 그의 작품이기에 또 다른 해석을 필요로 하는 것이 이 작품이 갖고 있는 의의인지도 모르겠다.

근대라는 형이상학을 이해하는 데 있어서 어느 한 가지 경로가 경전처럼 놓여 있는 것은 아니거니와 그 도정은 여러 갈래로 이해된다. 그 가운데 대표적인 것은 리얼리즘적인 것과 모더니즘적인 것이라 할 수 있다. 전자가 생산관계라면, 후자는 계몽의 방식 혹은 정도와 관계를 맺고 있다. 물론 이 두 가지 경로가 전연 다른 측면을 대변하면서도 다른 한편으로는 동일한 국면에서 이해될 수도 있다. 마치 동전의 앞뒤처럼 붙어있는 것이 이 둘의 관계이기 때문이다.

「바다의 마음」이 주목되는 것은 이런 쌍생아의 관계에서 비롯된다. 이 작품은 김기림의 「바다와 나비」를 연상시킨다. 바다와 그것이 내포하는 것을 공유하기 때문이다. 다른 점은 응시의 주체이다. 「바다와 나비」가 '바다'로 비유되는 근대의 무지막지함, 곧 근대의 비의라면, '나비'는 그것에 대해 절대적인 무지를 드러내는 주체이다. 「바

4 김재홍, 『카프시인비평』, 서울대 출판부, 1990, pp.35-70.

다와 나비」의 그런 대항적 관계는 「바다의 마음」에서도 그대로 재현된다. 이 작품에서 '나비'를 대신하는 주체는 바로 '자아 자신'이다. 김기림의 '나비'처럼 이 작품의 서정적 자아도 바다로의 거침없는 여행을 떠난다. 김기림의 작품에 비하여 비교적 큰 서사적 구도를 형성하고 있지만, 그 뼈대는 거의 비슷한 구조를 갖고 있다. 바다는 기쁨과 위안을 주는 존재인데, 바다에 대한 이러한 신뢰는 계몽 초기의 모습에서 볼 수 있는 낭만적 자세라 할 수 있다.

하지만 이런 낭만적 여행이 한없이 지속되지 않는다. '바다'의 공포에 놀란 나비가 시퍼렇게 질려 그 항해를 멈춘 것처럼, 「바다의 마음」에서의 서정적 자아도 '나비'와 동일한 길을 걷기 때문이다. "바다여! 너의 끝없는 사랑 고왔던 몸이 그런 暴威를 가졌더냐"는 고백이야말로 시퍼렇게 질린 나비의 모습과 하나도 다를 것이 없기 때문이다.

근대를 향한 박세영의 사유는 김기림의 그것과 하등 다를 것이 없다. 그는 근대에 대해서 깊이 사유하지 못했거나 혹은 그 피상적 결과만을 알고 있었던 것으로 보인다. 그것이 그로 하여금 좌절의 정서를 갖게 했는데, 어쩌면 이 정서가 현실 속으로 깊게 빠져들어가게끔 한 주요 요인 가운데 하나가 되었을지도 모른다. 다시 말하면, 일제하의 조선이라는 현실, 군벌을 비롯한 다양한 지배세력 하에 놓여 있는 중국이라는 현실을 통해서 얻어진 체험의 정서와 함께, 근대가 주는 좌절의 감각까지 더해지면서 그의 이데올로기적 시야는 한층 넓어지고 강화되는 계기가 되지 않았나 생각되는 것이다. 그것은 김기림적 표현대로 과학의 명랑성을 포기하는, 그리하여 그 비극적 인식을 깊게 만드는 근본 동인이 되었을 것이라는 사실이다. 계몽은 더 이상 유효하지 않다는 것, 그리고 올곧은 현실인식과 거기서 솟아나는 갈등의 변증법적 해결을 위한 현실 변혁 사상만이 근대를 헤쳐나갈 수 있는 유일한 준거틀로 이해했던 것으로 판단된다.

2. 귀향과 신경향파적 특성

1922년 염군사 중국특파원 겸 중국에 유학갔던 박세영은 1924년 9월경 귀국하게 된다.[5] 염군사가 파스큘라와 통합하여 카프로 새롭게 태어나면서 그는 이 조직의 공식 구성원이 된다. 박세영이 국내로 돌아오면서 그의 문학에 큰 변화를 가져오는 계기를 마련하게 되는데, 이는 국내 체험이 곧 그의 시의 근본 토대가 된다는 뜻이다. 물론 자신의 거주 공간이 문학에 절대적으로 영향을 미치는 것은 아니지만, 귀향 이후 그의 문학이 새로운 단계로 접어든 것은 분명하다고 할 수 있다. 작품의 배경 자체도 바뀌었거니와 주제 역시 압제와 수탈 같은 계층갈등이 본격적으로 나타나고 있기 때문이다.

못재리에 가지런하든 모들이
얼만큼 자란 때
논과 논에는 농부로 널이다
모두들 옮겨심느라.

5 이동순, 앞의 책, p.624.

뫼속은 뜨거운 해ㅅ빛이 쪼여
大地는 타랴함 같을 때
끊일 새없이 푸른물결은 흘러서
동무들은 씩씩히 자란다고
보드럽게 일르고들 지나가다.

논과 논의 물은 맘나오나
黃金의 들이 되어올 때
참새떼들은
놀새도 없다고
미칠 듯이 날아다니다.

나는 쉴새없이 소리치다
새떼들은 쫓아
나락이 얼른 영글나고
따뜻한 해 -ㅅ빛이 안아주기를 바라다
해보다도 새보다도 먼저 나와서

아무것도 몰랐던 나는 뉘우치다
철없는 나는 우리 건줄만 알었더니
이는 모도다 헛일이었다
이는 꿈같은 일이었다.

아버지는 몇해나

이짓을 하엿노?
길러주기만 하는 헛일을 하엿노
어느 날은 동무들과 노래부르며
들 건너 저 언덕으로 갔을 때
그곳에는 우리 먹는 쌀이삭이
누런 터벌개 꼬리같이
흔들고들만 있었다.

山기슭으로 더 올나갈젠
벌레먹은 십사귀에
馬鈴薯는 해도 못보고 자라
나는 서름에 울었다
우리먹는 糧食조차.

나는 한숨지우고 울다
일하기에 늙은 아버지가
얼마나 속이 탔던 것을
깊이깊이 알아오니
나는 한숨에 울었다.

넓은 들은 黃金의 나락으로
옷은 입었다 한같같이 옷은 입었다
平和로운 幸福의 들이 되었것만
그 속에는 반듯이

피눈물이 들위에 떨어지고
쉴사이 없이 歎息,怨望,咀呪는 바람이 되어
펄펄 불어 오고감을 알다
나는 알었다

나는 마음먹었다
이 다음날이 올젠
저런 헛일이랑 아니하리라고
그때도 이렇게 금빛 물결이 칠 때는
우리의 가슴속까지
기쁘고 보드럽게 흘러올
우리들의 즐거운 때를 지으리라
豊饒의 노래를 실컷 부르리라

넓은 들에 滿足은 차서
우리들의 피땀이
生命의 거름이 되는
그때를 맛보리라 가지리라
大地여! 나는 농부의 아들이다
沒落한 농부의 아들이다.

지금 우리는
피눈물을 헛되이 말리고 있다
아버지는 괴로움에 늙어버리고

아! 설어라
벌레와 새떼가 몰려있어도
누가 보아주는 이 없는
우리의 糧食은
저 강마른 언덕에 있다
그러나 익어가고 있다

「농부 아들의 탄식」 전문

이 작품은 1927년 1월 『문예시대』에 발표되었는데, 비교적 긴 형식을 취하고 있는 장시이다. 전반부에는 곡식이 익어가는 평화로운 모습이 제시되고, 후반부에는 이에 대한 자아의 소회가 제시되어 있다. 시적 자아는 그러한 환경과 하나 되어 완전히 동일화된 삶을 살아가고 있음을 알리고 있는 것이다.

하지만 이런 전일화된 삶은 곡식을 수탈하는 현실을 목도하면서 새로운 국면을 맞이하게 된다. "철없는 나는 우리 건줄만 알었더니/이는 모도다 헛일이었다"라는 시행에서 알 수 있는 것처럼, 시적 자아는 빼앗긴 자의 고뇌와 슬픔의 정서를 깊이 노정하고 있는 것이다.

「농부 아들의 탄식」은 작품의 배경이 중국이 아니라 국내라는 점, 그리고 계층 갈등이나 계급 모순을 처음 드러낸 작품이라는 점에서 그 의미가 큰 경우이다. 농촌 현실을 두고 빚어지는 박세영의 시들은 이 이외에도 「타작」을 통해서도 동일하게 재현되는데, 일제 강점기의 사회구성체가 모두 농업 분야 중심으로 이루어졌음을 감안하면, 그의 현실인식은 지극히 당연한 것이었다. 이는 카프 문학이 흔히 빠질 수 있는 세계관 우위의 문학, 곧 관념편향적 위험으로부터 어느 정도 벗어나 있다는 뜻과도 관련이 있다.

그럼에도 불구하고 이 작품이 갖고 있는 한계 또한 분명하다. 자아 각성과 이를 토대로 제시되는 전망이 선언적으로 제시되고 있기 때문이다. 이 작품이 발표된 시점인 1927년은 카프가 신경향파적인 단계, 조합주의적인 단계를 벗어나 본격적인 투쟁의 단계에 들어선 시기이다. 전위의 눈으로 대상을 인식하고 투쟁 우위의 문학이 강조되던 시기에, 미래에 대한 이런 낙관적 전망은 당연한 시적 성취로 비춰질 수 있을 것이다. 하지만 이런 지나친 낙관주의는 비과학적인 주관의 우위를 드러낼 뿐, 객관적 현실에 대한 올바른 반영과는 거리가 있다고 하겠다.

따라서 이 작품은 그보다는 자아의 각성이라는 관점에서 그 시사적 맥락을 찾는 것이 보다 올바른 이해라고 할 수 있을 것이다. 전위의 주체가 되기 위해서는, 그리하여 새로운 단계로 나아가기 위한 인식의 발전을 위해서는 이런 주체 변화의 과정이 반드시 필요하기 때문이다.

이와 관련하여 주목해서 보아야 할 부분이 그의 시에서 드러나는 여성 화자들이다. 마치 임화가 펼쳐보였던 '순이'계열의 시처럼 박세영의 작품에서도 이런 여성 화자를 확인할 수 있기 때문이다. 박세영 시의 화자로 여성을 등장시킨 것은 우선, 남성과의 대비를 통해서 얻을 수 있는 이미지의 극적 효과 때문인 것으로 이해된다. 박세영의 작품들이 '남성 화자'가 많은 것은 사실이지만[6], 여성 화자 혹은 여성을 주인공으로 한 작품도 예외적으로 많이 등장하고 있다. 해방직

6 김재홍은 박세영 시에서 드러나는 남성 화자를 이 시인만의 고유성 내지 특이성으로 이해하고 있다. 김재홍 앞의 책『카프시인비평』참조.

후의 '순아'를 비롯한 여성, 누이, 어머니가 그들이다.

> 일흔이 넘으신 어머니, 그 어두우신 눈으로,
> 깊은 밤까지 남편의 버선을 기워야 되고,
> 손수 밥을 끓여야 되옵니까?
> 콧물을 씻으시는, 동태 같은 어머니 손이여,
> 이 못난 자식을 때려주소서.
>
> 이 자식은 십 년째나 늙으신 어머니를 속였음이나 무에 다르오리까
> 해마다 올해는 편안히 모시겠다는 그 말을, 그러나 나의 어머니여,
> 이 땅의 가난한 어머니들이여 불쌍하외다.
>
> 눈 날리는 거리에는
> 여우목도리를 두른 아낙네들이 수없이 오고가는데,
> 비단옷에 향그러운 꽃 같은 아낙네들이 지나가는데,
> 어머니는 산촌에서 뜨뜻이도 못 입으시고, 「고려장」의 살림을 하시나이까,
> 가슴이 미어지고 서글프외다.
> 아 -산촌의 어머니여!
>
> 「산촌의 어머니」 부분

중국에서 돌아온 직후 발표된 이 작품의 화자는 제목에 제시된 대

로 어머니이다. 이 시의 일차적인 정서는 효라는 윤리, 곧 전통적인 것에 그 바탕을 두고 있다. 부모와 자식 사이에서 일어날 수 있는 이 윤리 감각은 개인적인 차원으로 한정될 수 있는 것이지만, 이 작품은 그런 한계를 벗어난다.

우선, 시적 화자의 어머니에 대한 정서는 센티멘털한 것에서 시작된다. 그 정서의 끝자락에는 효라는 윤리가 자리하고 있지만 그 어머니는 시인 자신만의 어머니로 한정되지 않는다. 그 확장성이 이 작품의 특징인데, 5연의 마지막 행에서 이를 확인할 수 있다. 자식의 무관심 속에 버려지는 어머니가 "이 땅의 가난한 어머니들"로 확대됨으로써, 어머니는 개인사가 아니라 보편사 속으로 편입되어 새롭게 탄생한다. 게다가 그 어머니는 계급적 한계를 갖는 존재로 변주된다. 이를 가능케 한 상징이 '여우 목도리'와 '비단 옷'이다. 이 외피에 의해 나의 어머니를 비롯한 어머니들이 새롭게 변이됨으로써 계층적 한계 속에 갇혀 있음을 알리고 있는 것이다.

박세영의 시들은 선언이나 명령과 같은 관념 위주의 시들과는 거리가 멀다. 어머니는 단지 가난한 어머니라는 선언에 의해 그 존재가 규정되지 않는다. 어머니는 '여우 목도리'로부터 소외된 어머니다. 이런 구체적 감각, 현실적 감각이야말로 그의 시들을 관념의 두터운 옷으로부터 자유롭게 만든다.

「산촌의 어머니」에서 알 수 있는 것처럼 박세영은 여성 화자를 적절히 활용함으로써 정서의 폭과 깊이를 가져오기도 했고, 또 독자 대중에게 강한 호소력을 느끼게끔 했다. 이 여성 화자가 주는 효과는 남다른 것이었는데, 그것은 다소 딱딱하고 강렬한 이념 위주의 카프 시를 대중화하는 데에 적절한 기여를 했던 것으로 보인다. 이념 위주의 시가 남성 화자와 결부되면서 경직화되는 현상을 어느 정도 차단 시켰던 것이다.

> 바다의 바람은 송림을 울리고/갈매기 미칠 듯이/날아 헤매는 구름 낀 낮은/세상을 모르는 젊은놈의 가슴을 우울하게 만들어/구름이 벗어지기를 기다리는지 나체의 흑인과 같이 하늘을 쳐다본다/도시의 ××××× 아들들은/한 녀석 두 녀석씩 나와서 —//구름은 검은데 더 검어 바다는 금방에 폭풍우가 일어들어/갈매기도 쫓겨든다 숲으로 한 놈씩 두 놈씩/그리하여 저들의 享樂場은 대포를 맞는 도시와도 같이 깨어진다 무너진다/저기압에 눌려 호흡조차 할 수 없는 이 바다에 바다를 가르려는 소리 송림을 쓰러뜨리는 소리 파도에 쫓기는 소리 이 어지러운 움직임은 우리의 마음과 이같이도 같단 말이야// 그러나 어부의 아내가 어제까지도 바닷가 해당화 덤불에 숨어/그 녀석의 꼬임에 빠져 이같이 말하였단다/「서울 손님 나는 당신이 그리워요」/그럴 때마다 여인의 아름다움에 취하여/「바다의 시악씨여 어여쁜 시악씨여」/그 녀석은 이같이 외쳤단다//저기 숲속에 보이는 건 어부의 집/세상이 무너지거나 달아나거나/저희들은 다만 고요한 속삭임에 열중되어 오늘의 낮을 보내고 있다/바다는 이미 수라장이 되고 遺物을 깨뜨리고 말았을 때/밤이 되어 숲 사이로 창빛이 빗기는데도/어느 틈엔지 그 녀석은 여인과 함께/아메리카 영화와도 같이 지랄을 한다//숨이 죽은 바닷가의 밤은/冷血類의 탄식으로 찼을 때/그 녀석은 아낙네의 험한 손을 놓을 줄 모르고/그 말에 마

음을 모조리 빼앗기었다/「나를 서울로 가게 하여주세요/당신이 나는 그리워요/비린내 나는 사나이 나는 싫어요」/「나는 영원히 그대를 사랑하리라」/이 같은 말은 그 녀석에서 백 번이나 나왔다/그럴 때마다 그 여인은 도시의 환락을 꿈꾸었다/미구에 잊혀질 저의 괴로움을 기뻐하여/내일로 떠나자는 것이다//그러나 그 녀석은 이튿날 아침 그 여인도 몰래 좀도둑같이 달아났다//戰跡과 같은 바닷가의 모양/전일과 같이 해당화 덤불에 나타나는 그 여인의 야윈 모양도/마치 폭풍우에 시달린 海濱과 같구나/저희들의 향락장은 모두가 파멸된 채/강렬한 늦은 아침의 태양을 쏘이고 있을 때/트렁크 들고 돌아가는 녀석들/제방의 길은 자동차로 분잡하였다//그러나 어부의 아내의 빙수와 같은 탄식을 누가 알랴/「배불뚝이 그 녀석은 속임쟁이/나는 부끄럽다 어찌 또 내 사나이를 보랴/그 녀석의 말을 참으로 알았던 나는/차라리 바다 저 깊이 빠질까보다/그놈은 내 몸을 휘정거리고 달아났으니/아―분하구나/그러나 나는 목숨이 있을 때까지 싸우리라

그놈들을 개로 알리라/저희들은 거짓 세상에서 길러지고 또 익숙해져서/가는 곳 사귀는 곳마다 거짓을 정말로 행세하는 놈들이구나/내 한 번 속았지 또 속으랴/오―저기서 흰 돛단배가 오는구나 낯익은 저 배!/아마도 나의 사나이가 돌아오는 게다/타는 볕에 지지리 탄 내 사나이

그리고 거짓이란 깨알만큼도 모르는 씩씩한 사나이를/나는 왜 차려 들었나/저 배에서 노도와 싸우며/집이라고 아내라고 돌아오는 그이가 오직 내 사나일뿐이다/세상의 가난한 계

집은 이때까지 얼마나 그놈들에게 짓밟히었니/나는 맞으리라 깨끗한 마음 불타는 마음으로 나의 남편을 맞으리라」//지금에 그 여인은 쏠려오는 波浪을 거슬러 돌아오는 어선을 향하여 한 걸음 두 걸음/저도 모르게 나간다/배에서는 북소리 둥둥 붉은 기가 펄펄 날릴 때 —//

「바다의 여인」 전문

제목에서 알 수 있는 것처럼, 이 작품의 주인공 역시 여성이다. 여성 화자를 주인공으로 한 박세영의 시 가운데 이 작품만큼 서사구조가 구체적인 경우도 드물 것이다. 따라서 그것이 묘파해나가는 작품의 의미 또한 그 구체적 행보에 따라 여러 겹으로 중첩되어 있다.

이 작품의 표면적인 의미는 우선 반도시주의적 맥락에서 찾아야 할 것이다. 여기서 도시와 농촌은 뚜렷이 구분되어 있는데, 작품의 배경이 그러하고, 등장하는 인물 또한 그러하다. 농촌은 순수로 표상되는 반면, 도시는 부정적 국면으로 표상된다. 이런 대비야말로 「바다의 여인」이 근대성의 한 국면을 떠나서는 성립될 수 없음을 말해준다.

이 대립 속에 우리의 주목을 끄는 경우가 여성 화자이다. 이 여성은 서울 손님의 꼬임에 빠져 그와 사랑을 나누게 되고, 궁극에는 자신을 서울로 데리고 가라고 한다. 그런 다음 이 여성 화자는 남성과 함께하는 도시의 환락을 꿈꾸게 된다. 하지만 서울 사람은 이튿날 이 여인 몰래 달아나게 된다.

이런 아픔을 겪고 난 이후, 바다의 여인은 존재의 변이를 시도하게 된다. "저희들은 거짓 세상에서 길러지고 또 익숙해져서/가는 곳

사귀는 곳마다 거짓을 정말로 행세하는 놈들이구나"하는 각성 속에 새로운 존재로 거듭 태어나고자 하는 것이다. 그러한 탄생을 가능케 한 것이 '세상의 가난한 계집'이다. 물론 그 반대편에 놓인, 자신을 그렇게 추동하도록 한 사람은 부유한 사내일 것이다.

사랑을 매개로 존재의 변화 과정을 거치는 것은 이 시기 신경향파 문학의 주요 서사구조 가운데 하나이다. 가령, 한설야의 「그릇된 동경」이 그러한데, 이 작품의 여주인공은 순수한 조선 청년을 버리고 부자 일본인과 결혼한다. 그 선택이 잘못된 것임은 이혼의 과정을 통해서 알게 되고 이후 새로운 존재로 태어나게 된다. 자신이 꿈꾸었던 동경이 그릇된 것임을 알고, 선진적인 투사가 된다고 하는 것이 이 작품의 주제이다. 「바다의 여인」 또한 「그릇된 동경」의 서사 구조와 하등 다를 바가 없다. 잘못된 동경과, 거기서 얻어진 결과를 좌절의 늪으로 끌고가지 않고, 새로운 투쟁의 단계로 설정하는 이야기 구조가 매우 유사하기 때문이다.

누나!
그날을 또 어떻게 지내셨수
유황가루 얻어맞은 것 같은 세 자식을 데리고
돌려가며 밥 달라는 굶은 어린것들을 데리고
허나 누나를 보고 오는 나의 마음은
비스듬한 고개가 갑자기 깎아질러 보이고
내려다뵈는 도시를 향하여 가슴을 몇 번이나 두드렸소

누나!

그러게 내가 무어라고 그랬수
가난한 사람은 다 같은 생각을 가져야 한다고
내 몸은 가난의 그물에 걸렸으면서도
생각은 가장 理想境, 문화주택을 생각하고
재산을 생각하지만 어디 되는 줄 아우
가난한 사람이 누구라 안 부지런하우마는
돈을 모을 수가 있습디까 그것도 봉건시대에 말이유
부지런이란 무엇 말라빠진 것이란 말이유

누나!
십 년을 공부하고 나온 몸이라
언제나 重病者와 같은 여공들을 볼 때는
개나 같이 생각하지 않았수마는
누나도 사흘 굶고 공장에로 안 나서셨수
그럴 때 ×들은 누나가 늙었다고 거절을 하지 안았수
나이 삼십이 넘은 누나가 늙었다는 것은
자본주의 시대의 솔직한 말이 아니유
×들은 조금이라도 우리의 힘을 더 ××슬 생각밖에

누나!
그러면서도 또 무슨 생각을 하시유
이제는 北平으로 가버린 남편도 기다릴 게 없수
그저 새 생각을 먹고 나서시유
다른 공장에라도 가보시유

그래 같은 여공 ××가 되어

우리들의 ××을 위하여 ××나갑시다

누나!

그래야 가장 훌륭한 누나가 아니겠수

머리는 기름박을 되쓴 것같이 윤이 흐르는 ×들의 여편네들은

뱃속의 촌맥충이나 무에 다르겠수

누나! 그러면 나는 기다리겠수

누나의 레포를 기다리겠수

「누나」 전문

남성 화자를 통한 존재의 변이, 곧 여성 주인공을 인유하는 서사 구조는 작품 「누나」에서도 그대로 재현된다. 이 작품에서도 자아가 포회하는 욕망의 한쪽 끝은 도회적인 것에 닿아 있다. 작품의 주인공인 '누나'는 문화주택을 생각하고 이를 위해서 돈을 꿈꾸는 것이다. 그런데 '누나'는 그것이 소위 부지런하다는 윤리적 행위를 통해서 성취될 수 있다고 믿고 있다. 하지만 이를 응시하는 또 다른 화자인 동생의 생각은 다르다. 그런 사고야말로 비과학적이고 봉건적인 틀에 갇힌, 비현실적인 것이라는 판단이다.

동생은 누나가 갖는 생각이 한갓 몽상에 불과한 것임을 구체적인 사례를 통해서 제시하는데, 가령 사흘을 굶고 공장에 나간 누나를 두고 그들은 늙었다고 거절했다는 것인데, 자본주의 질서에서는 이 판단이 결코 잘못된 것이 아니라는 것이다. 하지만 이런 구체적인 사례에도 불구하고 누나는 쉽게 화자의 의견에 동의하지 못한다. 마지막

연의 "누나! 그러면 나는 기다리겠수"라는 말이 이를 증거한다.

박세영의 초기 시들은 신경향문학이 갖고 있는 특성처럼 이와 비슷한 경향을 보이고 있다[7]. 그렇다고 이것이 잘못된 것이라고 하는 것은 아니다. 모두 자연발생적인 시기에 보이는 특징들과 유사한 까닭이다. 가난의식과 함께 신경향파 시기 박세영의 작품에서 주목되는 것은 이런 자아비판의 시들이다. 그릇된 동경을 통해서 잘못된 길을 걸어간 자아가 이를 반성하고 새로운 의식을 전취하는 것이 신경향파 문학의 특성인데, 「바다의 여인」을 비롯한 일련의 작품들에서 박세영은 이를 잘 그려내고 있는 것이다.

이 시기 경향파적인 특색을 드러내는데 있어 여성 주인공이나 여성 화자가 특히 유효했던 것은 다음과 같은 이유 때문이다. 첫째는 여성은 억압받기 좋은 위치에 놓여있었다는 점이다. 남성보다는 여성이 이런 구조에서 더욱 취약했기에 여성을 작품의 전면에 내세움으로써 이런 대립구도를 효과적으로 달성할 수 있었다는 점이다. 둘째는 이미지의 효과에서 찾을 수 있는데, 여성이 쉽게 욕망할 수 있는 대상과 그것이 뿜어낼 수 있는 역설적 효과에 주목할 수 있었다는 점이다. 특히 '여우 목도리'의 이미지가 주는 감각적 이미지와 정서적 효과는 다른 어떤 의장보다도 작가의 의식을 전달하는 데 좋은 수단이 되었다고 할 수 있을 것이다. 셋째는 다소 딱딱하고 경직된 이념 위주의 문학을 부드럽게 하는데 있어서 여성 화자가 적절하게 활용될 수 있었다는 점이다. 여성 화자가 대중에게 비교적 부드럽게

7 신경향파 문학의 특성은 크게 세 가지로 분류할 수 있는데, 극심한 가난의식, 본능의 복수, 지식의 자의식 비판 등으로 요약된다. 이런 특성은 모두 자연발생적인 것이기에 어떤 계급의식이나 조합과 같은 집단적 투쟁 의식 등이 드러나지 않는다.

접근됨으로써 이념 위주의 시가 갖고 있는 경직성으로부터 어느 정도 벗어날 수 있게 하는 효과를 가져오게 한 것이다.

3. 목적의식기의 시들

잘 알려진 것처럼, 카프는 1927년 제1차 방향전환을 거치면서 본격적인 목적의식을 드러내게 된다. 자연발생적인 신경향파 단계를 넘어서서 조직적인 투쟁의 문학으로 들어서게 된 것이다. 박세영의 시들도 이 시기를 거치면서 이전과는 다른 새로운 경향을 보이게 된다. 하지만 그러한 방향은 어디까지나 카프가 제시하는 것과 크게 다른 것은 아니었다. 그는 카프가 내세우는 정책의 방향, 곧 당파성을 다른 어느 작가보다도 충실히 구현하는 경우였다.

그러한 경향들 가운데 특히 주목해야 할 것이 그의 시에서 드러나는 문학성의 측면들이다. 그의 시들의 특징은 이른바 개념 위주의 시, 소위 뼈다귀 시라고 불리는 이념을 표나게 내세우는 작품과의 거리두기였다. 실상 이념 위주의 시는 카프 시인들이 갖고 있었던 근본 한계이거니와 그러한 경향이 카프 문학을 대중으로부터 멀어지게 하는 결과를 가져온 것은 잘 알려진 일이다. 그리하여 그 대안으로 제시된 것이 팔봉의 대중화론이었다. 그것은 카프 시가 어떻게 하면 대중 속으로 들어가 그들의 정서와 쉽게 어우러지면서 카프의 이념을 전파할 수 있을까 하는데 그 목적이 바쳐졌다. 그러기 위해서는 자연스러운 이야기의 도입과 대중 친화적인 정서의 도입이 필요했다. 그것이 곧 단편서사시의 양식적 특성이었다.

단편 서사시는 임화의 「우리 오빠와 화로」를 분석하는 글에서 처음 등장했지만, 이 시기 대부분의 카프 시인들에게서 이런 류의 경향시가 창작되고 있었다. 다시 말하면 그것은 임화만의 고유한 것이 아니었다는 뜻이다. 서정시가 길어지고, 거기에 인물과 사건이 등장하는 것은 박세영의 초기시부터 일관되게 구사했던 시적 의장이었기 때문이다.

시내가 잔디에서
풀을 베다가
낫에 찔린 개구리
한마릴 보고
미운놈들 부른 배를
생각하였다

논두렁에 앉아서
풀을 베다가
황금이삭 물결치는
들판을 보며
지주놈들 곳간을
생각하였다

언덕에 올라서
풀을 베다가
낫을 들고 붉은 노을

바라보면서
북쪽나라 깃발을
생각하였다

「풀을 베다가」 전문

인용시는 1928년에 발표되었는데, 여기서 박세영은 계급의식을 처음, 그리고 보다 분명하게 드러냈다는 점에서 그 의미가 큰 경우이다. "시냇가 잔디에서 풀을 베다가 낫에 찔린 개구리의 배를 보면서 미운놈들 부른 배를 생각했다"는 것이 1연의 요지인데, 내용이 지시하고 있는 대로 가진 자들에 대한 분노가 섬뜩하면서도 전투적이다. 그런 사연은 2연에도 동일하게 제시되는데, 황금 이삭을 보면서 지주들의 곳간을 생각하는 것이 그러하다. 서로 반대편에 놓인 대항담론 속에서 그 나름의 의미를 찾고, 자아의 전투의식을 고취하는 것이 이 작품의 특색인데, 이런 방향성은 소위 '전위의 눈으로 대상을 응시하라'는 카프의 교시와 분리해서 설명하기는 어려울 것이다.

갈등을 인식하고, 그 싸움에서 대상을 전취하고 승리하고자 하는 의식은 3연에서 확인할 수 있다. 실상 미래에 대한 이런 낙관적 전망은 어쩌면 박세영 시만이 갖는 특징이라고 해도 과언이 아닐 것이다. 그는 신경향파 단계에서도 전망을 비교적 분명하게 제시한 예외적인 시인이었다. 가령, 「바다의 여인」이나 「누나」 같은 작품에서도 "뱃소리 둥둥 붉은 기가 휘날리는 상황"을 예기하거나 "누나의 레포를 기다리"면서 미래에 대한 밝은 전망을 기대하는 것이 바로 그러하다. 이런 그를 두고 신념파 프로시인이라고 규정하는 것은 어쩌면 당연한 것처럼 생각된다[8].

우리들은 해ㅅ살도 못 보고,
왼종일 싸움터 같은 이 공장에서
젊은 시절을 보냈다.

네 놈들의 하루 담배값도 못 되는 삭전을 받으며서
네 놈들의 배ㅅ기름을 더 두껍게만 해주느라고,
네 놈들의 야편네를 더 즐겁해 주느라고,
그러나 우리도 살아야 하겠기,
네 놈들에게 항쟁을 하지 안았드냐.

그러나 네 놈들은 우리의 힘이 너무나 큰 것에 떨지 안았드냐.
피를 빨릴대로 빨리여 약한 우리들,
비록 맨주먹이었지만
네 놈들은 바람이 일 듯 놀라지 안았드냐.

허나 모르는 女子라고
그물 속에 잡아넣으려는 늬들의 심사
새로이 女工을 뽑지 않었드냐.

그러나 싸움이 끝나기 전에

8 그가 카프와 그것이 지향하는 이념에 얼마나 충실하게 대응했는가 하는 것은 이 전망의 제시에서 뚜렷이 확인할 수 있다.

모가지를 디미는 녀석들이나,
배만 불리려는 늬들이나
모두가 우리들의 적이 아니냐.

우리는 오늘밤을 그대로는 못 보내겠다.
그놈들 편을 드는 남편과 나눠질지언정,
우리들의 공장을 전취하련다.
이 밤에 우리가 뒤끌어간다고
누가 우리를 비겁하다하겠느냐.

늬들이 하는 꼴
이젠 더 참을 수 없다.
우리들의 피를 더 끓이고는 못 견디겠다.

「夜襲 -平壤 고무쟁의에 보내는 노래」 전문

이 작품은 평양 고무 공장의 파업을 묘사한 것이다. 우선 공장의 파업을 작품화하고 있다는 점에서 매우 예외적인 작품이 아닐 수 없다. 1930년대의 사회구성체가 주로 농업을 기반으로 한 것이기에 공장의 파업을 작품화한다는 것은 매우 낯선 사례이기 때문이다. 노동 작가인 이북명, 김남천[9] 등이 이 파업을 소설적으로 형상화한 경우는 있지만, 시 양식에 있어서는 박세영이 처음이 아닌가 한다.

이 작품에서 공장 노동자는 여타의 공장 상황이 대부분 그러하듯

9 이북명의 「암모니아 탱크」가 그러하고, 김남천의 「평양고무공장」이 그러하다.

매우 열악한 처지에 놓여 있다. 뿐만 아니라 그에 비례하여 근로하는 대중들의 모습 또한 동일한 처지에 놓여 있다. 그들은 오랫동안 햇살도 보지 못했을 뿐만 아니라 임금 역시 최저 생활도 영위하지 못할 만큼의 처우를 받고 있다. 노동자들이 정당하게 받지 못하는 임금은 모두 사용자들에게 귀속되었다는 것인데, 이런 불합리한 현실이 노동자들을 분노케 했고, 파업의 원인이 되었다.

생산 현장과 거기서 파생되는 갈등의 원인에 대한 포착은 오직 전위의 눈에서만 가능하다. 단순히 무엇을 해야만 한다는 세계관 위주의 의식만으로는 불가능하다는 뜻이다. 세계관 위주의 문학은 관념이 압도, 그리하여 이념이 압도하는 형국의 문학을 낳을 수밖에 없다. 하지만 이 작품은 작가의 세계관이 우위에 있지 않다. 자아가 각성하고 의식의 전환을 이루어내는 데는 열악한 공장 환경이 그 배경에 깔려있다. 뿐만 아니라 투쟁의 동기와, 대상을 전취해 나가는 과정 또한 자연스럽게 그려져 있기도 하다. 「야습」은 1930년대 카프시가 도달할 수 있는 가장 높은 경지의 작품 가운데 하나라고 할 수 있다. 그것은 두 가지 이유 때문에 그러한데, 하나는 작품의 배경이 노동현실이라는 점이고, 다른 하나는 관념이 배제된 문학이라는 점에서 그러하다. 이 작품은 세계관과 창작 방법이 절묘한 균형을 이루면서 사상과 형식을 모두 성취한 경우이다. 이런 균형감각이야말로 이념 위주의 카프 시에서 흔히 볼 수 없는 풍경이라고 하겠다.

> 굴뚝도 없는 공장
> 밤낮 문이 닫혀 있는 공장

공장이랄까 ……여보세요 말이 안 나요
아침이면 여섯시 밤이면 아홉시
들고날 때 쳐다보면 별과 달밖에
해라고는 보지도 못하였지요

이 공장은 털구덩이
노루털 개털 사슴털 토끼털을 조각 뜨는
산골의 털공장입니다
우리들의 몸에선 짐승내가 나고
얼굴은 황달이 들었습니다
여보세요 당신들은 산골의 이 공장은
일도 안 하는 줄 아시지요
그러나 우리들은 벌써 칠 년째나 다녔습니다
칠 년째 ……에 얽혀 다녔습니다
장마 때는 무르팍까지 다리를 걷고
공장에를 다녔지만
아는 이란 없을 겁니다

그러나 이런 줄을 몰랐지요
……쥔이 이렇게도 사람을 묘하게 ×하는 줄은 몰랐지요
생기기는 ……같이 뚱뚱하고 점잖은 사람이
마음씨요 어째서 늙은 …… 같을까요

여보세요 칠 년이 되어 삭전이 오 전 올랐더니

이번에는 칠 년 전의 삯전대로 준다지요
그것도 갑절이나 올랐다면 모르지만
오전을 올리고 도로 깎는 이의 심사는
그래 옳단 말입니까
우리들은 이 소리를 듣고 일을 집어치우고
모두 일어나서 밤낮 닫혀만 있던
그 공장문을 열어젖뜨렸습니다
그러나 이것이 무슨×라고
우리를 이렇게 …………
………………… 옳단 말입니까
별장 같은 쥔의 집에선 라디오 소리가 흘러나오고
아가씨는 꽃을 한 묶음 가지고 자동차를 타러 나갈 때

여보세요 어디 분하여 ×수가 있습니까
우리는 돌아왔으나 가슴이 미어집니다
이튿날도 어느 ××기 하나 돌봐주는 이 없이
우리는 ……과 버티고 ××습니다
그러자 ……………의 형제들은 쫓아왔습니다
우리의 소식을 듣고 이 산골짜기로
그리하여 우리는 힘을 모아 …………습니다

우리는 기뻐서 눈물이 납니다
우리들은 위하여 밤낮으로 애써주는
노…… 형제들의 뜨거운 마음씨에

그리하여 우리들 오십 명은

(이하 약)

「산골의 공장 -어느 여공의 고백」 전문

「산골의 공장」 역시 「야습」의 연장선에 놓여 있는 작품이다. 작품의 배경이 공장이라는 점, 주인공이 근로하는 노동자라는 점, 그리고 시의 주체가 여성이라는 점 등등에서 그러하다. 그리고 여기에 또 하나 주목해야 할 점은 이른바 유적 연대성의 구현이다. 잘 알려진 대로, 자연발생기와 목적의식기 문학을 구분짓는 가장 중요한 기준 가운데 하나가 이 의식이다. 개별적이고 분산적인 투쟁이 자연발생기의 문학적 특징이었다면, 목적의식기의 그것은 조합을 결성하고, 투쟁의 힘을 한데 모으는 유적 연대의식과 밀접한 관련을 맺고 있는 경우이다.

이 작품의 배경은 작품의 제목처럼 산골의 공장이다. 여기는 다른 곳이 그러하듯 열악한 곳이고, 또 근로하는 여성 또한 비슷한 처지에 놓여 있다. 반면 사용자는 노동 주체들과는 다른 생각을 하면서 전혀 다른 삶을 누리고 있다. 갈등의 씨앗은 여기서 시작되었고, 이를 더욱 배가시킨 것은 임금 문제였다. 작품 화자의 처절한 고백처럼, "여보세요 칠 년이 되어 삯전이 오전 올랐더니/이번에는 칠 년 전의 삯전대로 준다지요"라는 회한 속에 그들이 처한 노동환경이 어떠한가를 극명하게 제시하고 있는 것이다.

자연발생기라면, 이런 노동조건이 개인의 울분이나 한탄 속에 묻힐 뿐 더 이상 어떤 발전적, 혹은 점진적인 구조를 갖지 못했을 것이다. 하지만 전위의 눈으로 현실을 응시하고 유적 연대성의 힘을 확인하게 된 단계에 이르러서는 이런 울분과 한탄이 더 이상 개인의 것으로만 한정되지 않게 된다. 비슷한 처지의 동료들이 우리의 열악한 소식을 듣고 이곳 산골로 몰려와 우리에게 힘을 주기 시작하는 것이다. 그들의 응원에 힘입어 서정적 자아를 비롯한 근로의 주체들은 승리할 수 있다는 기쁨의 눈물을 흘리게 된다.

박세영의 시들은 비교적 일관된 시의식과 세계관을 가졌던 것으로 보인다. 그의 작품들은 카프가 제시했던 발전 단계와 맞지 않는다고 할 정도로 엇나가고 있었던 것으로 이해된다. 특히 자연발생기의 경우가 그러한데, 그의 작품들은 이때의 특징을 갖고 있긴 했지만, 그것에 정확히 갇혀 있지 않았다는 점이 이를 증거한다. 그 가운데 하나가 전망의 문제이다. 신경향파 문학의 가장 중요한 특징 가운데 하나는 전망의 부재로 요약된다. 닫힌 회로에서 나아갈 방향을 찾지 못하고 헤매이는 것이 신경향파 문학의 특징 가운데 하나이다. 그런데 박세영의 시들은 신경향파 단계에서도 이런 전망의 부재를 드러내지 않는다. 그의 시들은 저멀리의 마지막 목적, 곧 최후의 승리를 전취해내는 의지로 가득차 있는 까닭이다. 이런 특징이야말로 박세영의 작품들과 여타 시인들의 작품을 구분하는 중요한 지점이 될 것이다.

4. 카프 해산기의 작품들과 자연시들

1930년대 중반에 들어서 일제는 제국주의적 성향을 더욱 노골적으로 드러내게 된다. 만주사변을 일으키면서 대륙으로 진출하고자 하는 야욕을 보이기 시작한 것이다. 객관적 상황이 열악해지면서 진보적인 문학 활동 또한 이제 제한을 받는 상황을 맞이하게 된다. 그 여파로 카프 구성원들은 수차례 검거되고 감옥에 가게 된다. 그럼으로써 그들의 문학 활동은 크게 위축되기에 이르른다. 그 정점은 이들의 활동기반인 카프의 해산이었다. 1935년 임화 등은 경기도 경찰부에 카프 해산계를 제출함으로써 카프는 역사의 뒤안길로 사라지게 된다. 1945년 해방이 되기까지 적어도 10년간은 이제 공식적인 진보운동, 사회주의 운동은 불가능하게 된 것이다.

카프가 해산되면서 여기서 활동했던 사람들의 행보는 많은 다양성을 노출하게 된다. 그 가운데 하나가 전향이었다. 전향이란 자신의 사상을 바꾸어 새로운 의식을 받아들이고 이를 자기화하는 과정이다.[10] 하지만 사상의 전이가 그렇게 단순하게 수학적으로 계산될 수 있는 성질의 것은 아니었다. 그 흔적은 다양하게 남게 되었는데, 그 여파 가운데 하나가 소위 후일담 문학[11]이라는 장르의 탄생이다.

물론 후일담 문학을 가능케 한 것은 주체의 상실과 불가분의 관계에 놓여 있었다. 미래를 향해 전진하는 주체, 전위의 눈을 가진 주체란 카프 문학의 해산기에는 가능하지 않은 경우이지만 그런 외피에서 오는 좌절의 늪이 이들이 전유할 수 의식의 전부는 아니다. 그렇기에 그 투쟁의 여운을 어떡하든 보존하고 또 이어나갈 수 있는가의 여부가 후일담 문학의 가능성을 담보해 주었다.

카프 해산기를 거치면서 박세영의 시들도 불가피하게 변모하기

10 김윤식, 앞의 책, pp.164-165.

11 이런 후일담 문학의 대표적인 경우가 한설야이다. 그는 '일상의 복귀'라는 수단을 통해서 어떡하든 현실과 연결된 고리를 놓지 않으려는 시도를 보여주었다. 실상 일상에의 복귀라는 것은 갈등이 자리하는 공간에서 이를 변증적으로 해결하고자 하는 자의식의 표출과 불가분의 관계에 놓인 것이라 할 수 있다.

시작했다. 미래를 응시하는 전위의 눈들이 더 이상 나아가지 못하게 된 것이다. 자신만만했던 그의 의지도 이제 수면 아래로 가라앉기 시작했는데, 그러한 사유의 일단을 보여주는 시가 「花紋褓로 가린 二層」이다.

> 으스름 달밤, 호젓한 길을 나는 홀로 걷는다
> 야트막한 장담을 끼고, 이 밤중에 나는 여우 냄새를 맡으며,
> 옛 보금자리가 그리운지, 단잠을 깨는 물새 소리를 들으며 궤도를 가로지른다.
>
> 車도 그치고, 사람의 자취 없건만, 홀로 깨어 껌벅이는 담배 광고
> 너 붉은 네온은 지난날과 같구나!
> 그러나 맞은편 이층 젊은이들의 소식은 모르리라.
> 나는 한밤중 이 길을 지날 때마다 한 번씩 안 서곤 못견디겠구나.
>
> 그전날, 내가 이 길을 지날 때는 이층의 젊은이들의 우렁찬 소리가 하늘을 쩡쩡 울렸더니라.
> 헬멧트가 비스듬히 창에 비치고, 파초잎 같은 창이 저쪽 벽에 비쳤더니라.
> 그러면 나는 용감한 병사 짜-덴을 그려보면서,
> 먹물을 풀어 휘정거린 듯, 저 하늘로 휘파람을 날렸다.

그 번화스러웠던 때를 누가 다 -앗아갔느냐?
지금은 바람만 지동치듯 문앞엔 바리겔과 같이 겻섬이 둘리었고,
깨어진 창문으론 바람만이 기어드는데.

바람찬 꽃무늬 襖가 들먹일 때마다 보이는 건 장롱,
어느 새살림이 이곳을 차지했는가?
늬들의 단잠은 여기라 깨어질 리 없건만,

지친 나의 걸음은 여기서 이 밤을 새우고 싶다.

나의 동무여! 늬들은 탈주병은 아니언만,
한 번들 가선 소식이 없구나,
아 - 무너진 참호를 보는 나의 마음이여!

나는 다만 부상병같이 다리를 끌며
지금은 폐허가 된 터를 헤매이며 전우를 찾기나 하듯,
그리하여 허물어진 터를 쌓으며
나는 늬들이 돌아오기를 기다리겠다.
늬들이 올 때까지 지키고야 말겠다.

「花紋襖로 가린 二層」 전문

한설야의 「후미끼리」의 주인공이 펼치는 투쟁의 편린을 이 작품에서 찾아보는 것은 쉽지 않은 일이다. 그것은 산문 양식과 시 양식이

갖는 한계이기도 한데, 의식의 전환이 가져오는 격한 정서의 변화들에 대해서 낭만적 자아가 감당하는 것은 쉽지 않은 일이었을 것이다.

제목이 시사하는 것처럼, 운동의 주체들이 모여들었던 집은 이층이다. 그런데 이 집은 지금 불이 꺼져 있다. 한때 유적 연대의식으로 묶여 있던 동료들은 어떤 강제에 의해 뿔뿔이 흩어져버렸다. 그로 인한 허전함이 자아를 으스름 달밤, 호젓한 길을 걷게 한다. 사라진 그들의 흔적을 더욱 아프게 느끼도록 하는 것은 무정한, 그렇지만 변치 않는 '붉은 네온'이다.

그러나 시인은 패배의 그림자가 짙게 깔린 환경을 온전히 수용하지는 않는다. 「후미끼리」의 주인공처럼 적극적인 싸움의 주체가 되지는 못하지만, 새로운 단계로 나아가려는 저항의 몸짓은 결코 포기하지 못하는 것이다. 전위의 주체는 사라졌지만, 그렇다고 온전히 버린 것은 아니기 때문이다. '부상병'처럼 무너진 주체이긴 하지만, "허물어진 터를 쌓으며/나는 늬들이 돌아오기를 기다리겠다"는 의지는 결코 포기되지 않는 것이다.

> 지나간 내 삶이란,/종이쪽 한 장이면 다 쓰겠거늘,/몇 점의 원고를 쓰려는 내 마음,/오늘은 내일, 내일은 모레, 빚진 者와 같이/나는 때의 破産者다./나는 다만 때를 좀먹은 자다.//언제나 찡그린 내 얼굴은 펼 날이 없는가?/낡은 백랍같이 야윈 내 얼굴,/나는 내 소유를 모조리 나누어주었다.//오랫동안 쓰라린 현실은 내 눈을 달팽이 눈 같이 만들었고,/자유스런 사나이 소리와 모든 환희는 나에게서 빼앗아갔다,/오 나는 동기호-테요 불구자다.//허나 세상에 지은 죄란 없는 것 같으니/손톱

만한 재주와 날카로운 인식에/나는 가면서도 갈 곳을 잊는 건망증을 그릇 천재로 알았고,/북두칠성이 얼굴에 박히어 영웅이 될 줄 믿었던 것이/지금은 罪가 되었네,/그러나 七星中의 미쟈(開陽城)가 코 옆에 숨었음은 도피자와 같네.//해밝은 거리언만, 왜 이리 침울하며/끝없는 하늘이 왜 이리 답답만 하냐.//먼지 날리는 끓는 거리로/나는 로봇같이/거리의 상인이 웃고, 왜곡된 철학자와 문인이 웃는데도,/나는 실 같은 희망을 안고,/세기말의 포스타를 걸고 나간다.//

「자화상」 전문

이 작품은 「花紋褓로 가린 二層」의 경우보다 자아의 모습이 더욱 축소되어 있다. 스스로의 모습에 대해 '파산자'로 인식하고 있기 때문인데, 박세영은 이 작품에서 자아의 모습을 여러 가지로 비유하고 있다. 그는 자신을 '동키호테'라고도 하는가 하면, '불구자'라고도 한다. 밖으로만 향하던 주체가 안으로 스며들고 있을 뿐만 아니라 하나의 방향도 갖기 힘든 '동키호테'와 같은 존재로 스스로를 가치하락 시키고 있는 것이다.

「자화상」에서도 자아의 모습은 유랑하는 존재로 구현된다. 「花紋褓로 가린 二層」에서의 떠도는 자아와 거의 비슷한 이미지를 보여주고 있는 것이다. 자아 곁에 굳건히 자리하고 있었던 연대의식이 사라지고 난 뒤의 허전함이 여기서도 그대로 묻어나고 있다.

밖으로 향하지 못하고 수면 아래로 가라앉은 자아의 모습은 전형기의 시에서 흔히 볼 수 있는 모습들이다. 탈출구를 찾지 못하고 헤매이는 모습은 자연발생적인 신경향파 초기의 자아들과 비슷한 경우가 아닐 수 없는데, "해밝은 거리언만, 왜 이리 침울하며/끝없는 하늘이 왜 이리 답답만 하냐."는 회한의 담론은 이를 잘 대변해주는 것이라 할 수 있다.

하지만 이런 유폐된 모습에도 불구하고 박세영은 미래의 시간을 예비해두는 것을 잊지 않았다. 이 시인의 작품 세계를 형성하고 있는 낙관적 전망은 결코 포기하지 않은 까닭이다. 이 작품의 마지막 부분에서도 그 일단을 확인할 수 있는데, "나는 실 같은 희망을 안고,/세기말의 포스타를 걸고 나간다"가 그러하다. '실 같은 희망'이야말로 '미래'에 대한 강력한 여백의 시간이 아닐 수 없는 것이다.

주체의 상실에 따른 전망의 부재는 카프 해산기의 작품에서 흔히 볼 수 있는 현상 가운데 하나이다. 그 상실이 가져오는 주체의 해체는 시대의 환경으로부터 자유로운 것이 아니다. 이른바 모색의 단계에 이른 것인데, 이 감수성이란 현재의 모호함과 불확실성에서 발생하는 불완전한 사유 가운데 하나이다.

잘 알려진 대로 이런 사유를 가장 잘 대변해주는 사조 가운데 하나가 모더니즘이다. 근대가 주는 좌절과 불안의 정서가 이 사조의 근본축이기 때문이다. 그런데 근대의 지배적 요소들이 모더니즘적 사유에서만 유효한 것은 아니다. 그것은 리얼리즘의 영역에서도 동일한 무게로 다가오는데, 이렇듯 이 두 사조를 구분하는 주요 기준은 주체를 세우는가 혹은 그렇지 않은가에 의해 갈라진다고 하겠다.

1930년대는 주체가 상실되는 시대이다. 문단사적 맥락으로 이해하게 되면, 이런 시기를 흔히 전형기로 불리운다. 굳이 카프적 사유가 아니더라도 그 밑바탕에 깔린 것은 새로운 단계로 나아가고자 하는 모색의 과정이라 할 수 있다. 이런 경우는 카프 작가들이라 해서 예외가 아니다. 카프가 해산하면서 이들에게 놓인 과제랄까 방향은 대개 두 가지였는데, 하나는 잘 알려진 대로 사회주의 리얼리즘의 수용이었다. 하지만 이 사조는 1930년대 우리 문예 수준에서 결코 이해되거나 수용될 수준의 것은 아니었다. 그것이 소개되고 자연스럽게 받아들여질듯한 것으로 인식된 것은 변증법적 창작방법이 갖고 있었던 한계 때문이었다. 다시 말해 너무 유형화되고 뻔한 서사적 경로를 벗어나기 위한 탈출구로 이 사조를 받아들인 것이다. 이런 그릇된 인식이 사회주의 리얼리즘이 지향하는 방법과 의장을 제대로 수용할 리가 없었던 것이다.

그리고 다른 하나는 이른바 자연의 문학적 수용이었다. 자연은 이법과 섭리라는 형이상학적 관념을 전제로 하는 것이어서 근대 세례를 받은 모더니스트들에게 파편화된 자아를 완결시키기 위한 방법적 의장으로 수용되었다. 변하는 것 속에서 변하지 않는 것에의 기투야말로 인식을 완결시키기 위한 좋은 수단이 되었기 때문이다. 자연이 시 속에서 수용된 것은 이런 서정적 경로와 불가분의 관계에 놓여 있었던 것인데, 그 전단계로 고향같은 보편적 정서, 항구적 정서가 전제되기도 했다.

전형기를 맞이한 박세영의 시들도 모색이라는 이 문단사적 흐름으로부터 자유롭지 못했다. 카프 해산이라는 충격과, 그에 따른 결손의 정서를 메우지 못한 채 방황하고 있었기 때문이다. 그러한 상황 속에서 그가 발견한 것이 자연이었다. 그것이 그의 시에서 의미가 있었던 것은 이런 이유 때문이다.

하늘은 왜청같이 파랗고,

들은 금같이 누른데,
바람이 이네, 물결을 치네
아 -나는 거기 살고 싶네.

씻은 듯 하늘은 맑고,
이삭은 영글어 바다 같은데,
野菊 핀 언덕 밑, 맑은 개울로,
왜가리 한 마리 거닐고 있어
홀로 가을을 즐기는 듯,
전원의 가을은 곱기도 하여라.

바람결에 스치는 벼향기,
목메어 새쫓는 애들의 소리,
평화한 가을의 전원은 모든 사람을 오라 부르나,
못살아 흘러간 마을 사람도 다시 오라 부르나!

「전원의 가을」 전문

박세영에 의해 인유되는 자연 또한 모더니스트들의 그것과 하나도 다를 것이 없다. 그에게도 자연은 하나의 완벽한 전일체로 다가오는 까닭이다. 경우에 따라 그가 사유하는 자연은 1920년대 소월 등이 보여주었던 낭만적 동경의 대상이 되기도 한다. 가령 1연이 그러한데, 서정적 자아는 우선 자연의 전일성에 매료되고, 거기에 기투하고자 한다. "하늘은 왜청같이 파랗고,/들은 금같이 누른데"가 전자의 사례라면, "바람이 이네, 물결을 치네/아-나는 거기 살고 싶네"는 후자의 정서를 대변한다. 이 부분만 본다면, 위 시에서 자연은 소월의 「엄마야 누나야」와 하등 다를 것이 없는, 낭만적 이상향의 세계이다.

이처럼 자연은 박세영의 시에서도 완벽한 세계로 구현된다. 이런 묘사는 모더니스트들의 그것과 동일하다. 하지만, 자연을 응시하는 부분이랄까 초점은 모더니스트들의 그것과 전혀 다르게 나타난다. 그의 자연은 인식의 완결성과 같은 형이상학의 관념과는 거리가 있는 까닭이다. 박세영에게 있어 자연은 완전하되, 그 완결된 감각이 관념의 차원이 아니라 현실 차원에서 이루어진다. '이삭'과 '벼향기'가 그러하듯 그가 응시하는 것은 조화와 같은 관념이 아니라 자연이 주는 물질성에 있기 때문이다.

벼는 물질적 풍요로움과 자연의 한 구성 요소이다. 아니 자연이라는 형이상학적 완성보다는 풍요롭다는 말이 더 적당한지도 모르겠다. 그런데 그 반대편에 놓인 것은 이와 현저히 다르다. 이런 물질성의 혜택으로부터 소외된 경우인데, 그들은 결손되어 있고, 그로 말미암아 '못살아 흘러간 존재', 곧 유이민들을 발생시킨다. 자연은 그들을 위해서 존재해야 한다. 적어도 박세영은 그렇게 이해하고 있는 듯하다. 실상 이런 면들은 모더니스트들의 자연시와 뚜렷이 구분되는 점이 아닐 수 없다. 자연은 완벽하지만 그 치유의 대상은 전혀 다른 것이다. 불구화된 관념을 치유하기 위한 대상으로서의 자연이 아니라 결핍화된 현실을 뛰어넘고자 열망한 자연이 박세영이 추구한 관념이다.

이런 그의 사유는 고향 연작시에서도 그대로 드러난다. 모더니스트들이 사유하는 고향 감각 또한 자연과 대동소이한 함의를 갖는다.

자연이 전일적 감각으로 수용되듯이 고향 또한 그러한 감각으로 받아들여지기 때문이다. 고향은 모더니스트들의 관점에서 보면, 변하지 않는 그 무엇이다. 이런 항구성이야말로 근대라는 일회성, 순간성을 딛고 넘어서는 좋은 수단이 된다. 박세영의 경우도 고향은 이런 감각으로 이해된다.

아 -그립구나 내 고향,
익은 들이 물결치는 가을,
누르런 들과 새파란 하늘을 볼 땐
생각키느니 내 고향,

산골짜기엔 藥水
마을 앞엔 푸른 강,
강에 배 띄우고 고기 잡던 옛시절
내 고향은 이리도 아름다워라.

산 없는 이곳에서,
물 흐린 이 땅에서
흘러다니는 나그네 몸이 외롭구나,
지금은 추석달, 끝없는 지평선에서 떠오르는 저 달,
北滿의 들개 짖는 소리에 마음만 소란쿠나.
(중략)
그야 이 내 몸뿐이랴,
마을의 처녀들도 눈물지고 떠나들 갔으며,

마을의 장정들도 고향을 원망하고 달아났다.
그리운 고향은 야속도 하구나.

수수이삭에 걸린 추석달,
잠든 호숫가에 거니는 기러기,
지금은 그 멀리 들릴거라 다듬이 소리,
아 -그립고나 이 내 고향!

「향수」 부분

고향은 시인에게 이중적인 정서가 내포되는 공간이다. 1930년대 시인들의 정서에서 일관되게 발견되는 정서처럼, 그의 감각도 일차적으로는 회고의 정서로 표출된다. 회고란 수구초심이란 일차원적인 정서를 뛰어넘지 못하는 경우이다. 그것은 가장 생물학적인 것이고, 또 근원적인 것이다. 그렇기에 이런 정서로부터 어떤 특이성이랄까 고유성을 찾아내는 것은 아주 난망한 일이 아닐 수 없다. 그만큼 여기서 어떤 시사적 의의나 시대적 맥락을 읽어낼 수는 없을 것이다. 그것이 의미있는 경우는 근대성의 맥락에 편입될 경우뿐이다.

박세영의 시에서 고향은 이중적인 함의가 있다고 했는데, 그 하나가 위와 같은 회고의 정서이다. 그에게도 고향은 애틋한 정서를 불러일으키는 일차원적인 것에서 시작되기 때문이다. 하지만 이런 정서는 시대적 맥락에 편입되어 가면서 전연 새로운 것으로 의미화된다. 나의 의지에 의해 고향을 떠난 것이 아니라 타의에 의해 떠날 수밖에 없는 상황을 맞이했기 때문이다. 고향이 이렇게 의미화되게 되면, 그것은 더 이상 낭만적 회고의 대상으로 남아있지 않게 된다. "마을의 처녀들도 눈물지고 떠나들 갔으며,/마을의 장정들도 고향을 원망하고 달아난"것으로 이해된다. 이럴 때 고향은 그리움의 정서보다는 그 반대편의 정서에 갇힐 수밖에 없게 된다.

박세영에게 고향은, 자연이 그러한 것처럼, 낭만적 이상이나 형이상학적 관념의 대상이 아니다. 그것은 지극히 현실적인 맥락에서 수용되고 이해된다. 그 현실이란 넉넉하고 포근한 것이 아니다. 자연의 의미처럼, 고향은 박세영에게 파편화된 자아를 완결시켜주는 수단이 아니었던 것이다. 그것은 현실과 불화하는 그의 자의식이 결코 모더니스트들이 펼쳐보였던 관념적 사유의 편린과 동일하지 않았던 것임을 말해준다. 고향과 자연은 전일한 것이지만, 그런 사유가 파편화된 시인의 정서를 완결시키는 기능으로는 결코 다가오지 않았다는 뜻이 된다. 그것은 박세영이 현실주의자였기에 그러했을 것이다. 이런 면은 그의 대표시 가운데 하나인 「산제비」에서도 확인할 수 있다.

> 남국에서 왔나,
> 북국에서 왔나,
> 山上에도 上上峰,
> 더 오를 수 없는 곳에 깃들인 제비.
>
> 너희야말로 자유의 화신 같구나,
> 너희 몸을 붙들 者 누구냐,
> 너희 몸에 알은 체할 者 누구냐,
> 너희야말로 하늘이 네 것이요, 대지가 네 것 같구나.

녹두만한 눈알로 천하를 내려다보고,
주먹만한 네 몸으로 화살같이 하늘을 꿰어
마술사의 채찍같이 가로 세로 휘도는 산꼭대기 제비야
너희는 장하구나.

하루 아침 하루 낮을 허덕이고 올라와
천하를 내려다보고 느끼는 나를 웃어다오,
나는 차라리 너희들같이 나래라도 펴보고 싶구나,
한숨에 내닫고 한숨에 솟치어
더 날을 수 없이 신비한 너희같이 돼보고 싶구나.

槍들을 꽂은 듯 희디흰 바위에 아침 붉은 햇발이 비칠 때
너희는 그 꼭대기에 앉아 깃을 가다듬을 것이요,
산의 정기가 뭉게뭉게 피어오를 때,
너희는 마음껏 마시고, 마음껏 휘정거리며 씻을 것이요,
원시림에서 흘러나오는 세상의 비밀을 모조리 들을 것이다.

멧돼지가 붉은 흙을 파헤칠 때
너희는 별에 날아볼 생각을 할 것이요,
갈범이 배를 채우려 약한 짐승을 노리며 어슬렁거릴 때,
이 나라에서 저 나라로 알려주는
千里鳥일 것이다.

산제비야 날아라,
화살같이 날아라,
구름을 휘정거리고 안개를 헤쳐라.
땅이 거북등같이 갈라졌다,
날아라 너희들은 날아라,
그리하여 가난한 농민을 위하여
구름을 모아는 못 올까,
날아라 빙빙 가로 세로 솟치고 내닫고,
구름을 꼬리에 달고 오라.

산제비야 날아라,
화살같이 날아라,
구름을 헤치고 안개를 헤쳐라.

「산제비」 전문

인용시는 현실인식과 이를 형상화하는 시적 의장이 가장 잘 조화를 이룬 것으로 알려진 박세영의 대표작인 「산제비」이다. 산제비가 자연의 일부라는 관점에서 이해하게 되면, 그의 후기시의 주된 특성 가운데 하나인 자연시의 범주로 분류할 수도 있을 것이다. 현실에 대한 주체적 응전력이 현저하게 약화될 때, 박세영은 이렇듯 자연으로 경사하고 있었다.

박세영의 자연시들은 매우 현실적인 맥락에서 구성되는데, 모더니즘의 인식론이나 형이상학적 의미와 같은 관념의 음역으로부터 일정 정도 거리를 두고 있었다. 그 연장선에서 「산제비」가 시사하는 음역은 무척 다양하게 펼쳐지는데, 그것은 대략 몇 가지로 분류해서 이해할 수 있을 것이다.

첫째는 카프 해산 이후 현실에 응전하는 주체와의 관련양상이다. 카프 해산 이후 많은 시인들이 전위의 눈을 거둬들이고, 그 나름대로 새로운 모색을 하고 있었다[12]. 박세영은 굳건한 신념의 시인답게 현실을 날카롭게 응시하는 전위의 눈을 쉽게 포기하지 않았다. 그의 시선에는 언제나 미래로 향하는 전망의 세계가 펼쳐져 있었던 까닭이다. 갈등의 현장을 비껴가더라도, 그리하여 투쟁의 강도는 약화되었다고 하더라도, 그는 미래에 대한 전망을 결코 포기하지 않은 것이다. 이 작품에서 멀리 날아가는 산제비의 모습에 자아를 투영하는 것도 이 연장선에서 설명할 수 있을 것이다. 새가 높은 하늘로 날아간다는 것은 전망에 대한 또 다른 은유이고, 미래에 대한 응시를 결코 포기할 수 없다는 실존적 고뇌의 표현일 것이다.

둘째, 산제비는 일종의 전지전능한 주체이다. 실상 자연으로 대표되는 산제비를 무한 능력의 주체로 인식하는 것도 현실적인 맥락 속에 편입시키지 않고는 결코 얻어질 수 없는 사유이다. 자연이 섭리이자 이법으로 치환되는 것은 어디까지나 관념의 영역에서 가능한 사유이다. 그런데, 이 작품에서 그런 원리는 관념이 아니라 구체적인 현실 속에서 실현되고 있는 것이다. 산제비는 하늘을 소유하고 대지를 소유하는 주체이다("너희야말로 하늘이 네 것이요, 대지가 네 것 같구나"). 세상의 물상을 전유해서 자가화할 수 있는 주체, 이 주체

12 이 시기는 임화는 민족주의나 낭만주의적 사고를 받아들여 자신의 시세계를 넓혀 나가고 있었다. 물론 이런 변화가 세계관이나 리얼리즘의 퇴보를 의미하는 것은 아니다.

야말로 전능함의 상징이 아니겠는가.

셋째, 산제비는 약자를 구원하는 존재이다. 자연의 한 표상인 산제비는 전능의 주체인데, 이를 바탕으로 인간의 서글픈 소식을 전해주기도 하고, 가난한 농민을 위하여 '구름을 몰고 오'기도 한다.

이처럼 산제비는 단순한 자연물이 아니라 시대의 음역과 결부되어 다양한 의미를 생산하는 은유로 구현된다. 그 가운데 가장 중요한 것은 상승 의지, 곧 해방 의지일 것이다. 카프가 해산되면서 더 이상 운동의 주체가 될 수 없는 현실에서 박세영은 '산제비'의 활동성과 그것이 주는 이미지를 통해서 현실에 꾸준히 적응하는 주체로 거듭 태어나고자 한 것이다.

5. 문학과 정치의 통일

빼앗겼던 산천이 되돌아오는 날, 해방의 날이 왔다. 해방은 잃었던 주권이 되돌아오는 날이기도 하지만, 권력 주권의 주체가 누가 되는가의 문제점도 함께 안겨주었다. 민족주의적 관점에서 국가를 만들 것인가, 그렇다면 그 주체는 누가 되는 것인가의 문제가 그 하나였고, 다른 하나는 진보주의적 정권을 만들 것인가, 아니면 중립적인 정권을 만들 것인가의 문제가 다른 하나였다.

아무 것도 정해진 것이 없었지만, 그러나 해방 정권은 우리들의 기대대로 흘러간 것은 아니었다. 뿐만 아니라 정권의 주체 역시 어떤 보이지 않는 힘에 의해서 그리고 정해진 대로 흘러가는 듯 보였다. 말하자면, 우리 스스로 선택할 수 있는 여지란 거의 없어보였던 것이다. 그것은 모두의 기대에 어긋나는 것이고, 이는 결국 또 다른 비극을 낳는 싹이 되었다.

어떻든 해방이 주는 기대감으로 많은 문인들은 자신들의 세계관에 따라 발빠르게 움직이기 시작했다. 해방 직후 제일 먼저 조직에 착수한 것은 임화 중심의 문학건설본부였다. 이어서 조선프롤레타리아 예술가 동맹이 결성되었는데, 동일한 진보진영이 이렇게 다른 지점에 그 근거를 둘 수 있었던 것은 해방 정국에 대한 인식의 차이 때문이었다. 잘 알려진 대로 임화 중심의 문학 운동은 인민성에 근거한 것이었는데, 그것은 일종의 타협에 가까운 것이었다. 이데올로기와 불가분의 관계를 맺고 있는 문학이 타협될 수 있는 것인가의 문제는 남아 있지만, 어떻든 임화가 주창한 인민성은 그 나름의 근거가 있는 것이기도 했다. 점증하는 분열주의가 압도할 수 있다는 불안감과 초조감이 그 근저에 깔려 있었다고 본 것이다.

하지만 조선프롤레타리아 예술가 동맹이 보는 관점은 임화의 그것과 매우 다른 것이었다. 문학은 이데올로기이고, 이데올로기에는 타협이 있을 수 없다는 주장을 이들은 내세웠다. 문학이 곧 이데올로기가 되어야 한다는 것은 투쟁적, 실천적 현장에서는 무척 유효한 관점일 것이다. 그런 면에서 어떤 것도 정돈되지 않는 해방 정국에서 문학이 이데올로기라고 하는 것은 단선적 노선과 투쟁의 일관성을 위해서는 유효한 것인지도 모른다. 하지만 여기에도 난점이 전혀 없었던 것은 아니다. 아직 정돈되지 않은, 그렇지만 강력한 힘의 실체가 무엇인지를 이해하는 절차가 남아있었던 까닭이다. 그것은 친일파의 문제, 민족 반역자의 문제가 개입되어 있기에 그러했는데, 해방 정국에 있어 가장 중요한 문제 가운데 하나는 물론 친일파에 대한 정리였다. 결과론적 관점이긴 하지만 이들에 대한 정리 및 처단이야말로 해방 정국의 중요한 문제 가운데 하나였다. 하지만 남쪽만의 상황을 보게 되면, 우리 민족의 기대와는 다른 방향으로 그들의 문제를 비껴가고 있었다. 이는 민족문학의 매개가 인민성이 되어야 하는가 혹은 당파성이 되어야 하는 문제를 초월하는 것이었다. 어쩌면 이런 제기 자체가 상황 판단과 시대의 흐름을 읽어내지 못하는 공허한 이야기가 되는 것인지도 모르는 것이었다.

해방이 되었다고 해서 박세영의 세계관이 이전의 시들과 비교해서 뚜렷이 달라진 것은 없었다. 아니 달라질 이유가 없었거니와 해방 이전부터 내포되었던 세계관이 더욱 발산하는 계기가 되었다고 해도 과언은 아니다. 그는 이때에 이르러 문학이 정치와 더욱 결속되어야 한다고 이해했는데, 갈등의 현장이 빚어지고 있는 이때의 상황을 고려하면, 이는 충분히 납득할 만한 것이었다.

> 금일의 문학은 옳은 정치노선을 따라야만 가장 타당할 것이오. 그럼으로써 정치와 문학은 관련이 있는 것이니, 이 노선을 떠나서는 문학적 평가를 내릴 수 없는 것이다.[13]

여기서 옳은 정치 노선이란 당파성에 근거한 것이다. 이에 의하면, 문학이란 정치와 분리될 수 없는 것이고, 그 관계에서만 문학은 정당한 평가를 받을 수 있다는 것이다. 문학에서의 개인주의와 반민족주의, 그리고 부르주아적 편향을 경계한 것인데, 조선프롤레타리아 예

13 박세영, 「현단계와 시인의 창작적 태도」, 『예술』, 1946.2.

술동맹의 강령을 이해하게 되면, 이런 노선은 충분히 근거가 있는 것이라 하겠다.

이와 더불어 이 시기 박세영의 시를 이해하는 준거틀은 이런 정치적인 관계에서만 찾을 수 없다는 점이다. 이는 논리를 앞세운 산문의 세계와 감성이 우선시 될 수밖에 없는 시의 세계가 분리되는 지점이 아닐 수 없는데, 박세영은 감성의 세계를 통해 해방정국이 나아갈 길에 대해서 뚜렷이 제시하고 있었다. 이는 논리의 세계를 넘어서는 것이었다. 다시 말해 당파성의 논리만으로는 설명할 수 없다는 사실이다. 임화를 비롯한 문학건설본부나 이기영, 박세영 중심의 프로예맹이 한결같이 내세운 것은 친일파와 민족 반역자에 대한 제거였다. 그 연장선에서 박세영 등이 관심을 갖고 있었던 것은 민족주의적 관점의 유지였다. 특히 이 시기 그가 관심을 가졌던 것은 일제 강점기 민중들의 삶과 그들에 대한 찬양, 추모의 정이었다. 가령, 「추도사」 같은 시들이 그러하다.

비바람 지나간 지/스물여섯 해/드렁바위 들꽃엔/이슬이 방울방울/불에 타고/총칼에 쓰러진/님들의 한 맺힌/넋이 드뇨/

「추도사」 부분

이 작품은 만세 운동 때 무참히 학살당한 수원 제암리 주민들의 죽음을 애도한 시이다. 이 작품이 노리는 의도는 분명하다. 하나는 폭악한 일본 제국주의자들에 대한 고발이고, 다른 하나는 추모의 정을 통해서 새로운 국가 건설이 이 아우라에서 유지되어야 한다는 뜻이겠다. 그것은 친일 반민족주의자들에 대한 단죄의식이라고 해도 무방하다.

친일주의에 대한 경계는 이 시기 박세영의 시에서 가장 중요한 주제 가운데 하나로 자리한다. 반민족주의자들에 대한 처벌이 활발히 진행되고 있었던 북쪽 지역에 비해 남쪽 지역은 전연 다른 형국으로 나아가고 있었기 때문이다.

> 서울은 서글프고나
> 철갑을 둘렀다는
> 南山의 소나무들도
> 간곳이 어드메냐
> 병풍같이 둘린 산이
> 산마다 중 이마 같고나.
>
> 서울은 거칠고나
> 한때는 왜놈들을 덩그렇게 살리더니
> 지금은 팔도에서 쫓겨난
> 반역자들의 안식처가 되다니
>
> 팔은 것은 양심이요
> 얻은 것은 돈과 지위라고
> 외치는 자만이
> 그리고 물욕에만 미친 자들이
> 활갯짓하는 서울이여!
> 얼마나 가려느냐.

추울세라 따뜻한 골방에서
왜놈은 길러줘도,
故國이라 찾아온 동포들은
갈 곳 없어 한데서 잠자거니
칠칠한 놈들의 집 누가 다 -들었느냐.

아! 따분한 서울이여!
울상을 거두라,
아직도 거만하게
서울을 내려다보는,
남산의 저 귀신집들이
허물어지는 날
이제 명랑한 새날이 오리니.

「서울의 부감도」 전문

인용시는 서울의 중심인 남산의 소나무들을 빗대어 지금 이곳에서 벌어지고 있는 비윤리적, 반민족적 행태를 고발하고 있는 작품이다. 마치 오장환의 「병든 서울」에서 보았던 서울의 모습과 하나도 다른 것이 없는 것처럼 보인다. 박세영은 서울을 부패한 도시로 이해한다. 일제 강점기에는 왜놈들과 여기에 빌붙은 자들을 살린 곳이 서울이었다고 본다. 하지만 해방이 되었다고 해서 그 역할이 바뀐 것은 없다. 지금은 "팔도에서 쫓겨난 반역자들의 안식처가 되고 있기" 때문이다.

서울을 부정적으로 보고 있는 이 작품은 그러나 그러한 현실에 대해 단순히 고발하는 차원에서 그치고 있지 않다. "서울을 내려다보는, 남산의 저 귀신집들이 허물어지는 날" "이제 명랑한 새날이 오리니"라는 강한 신념이 개입되어 있기 때문이다. 박세영은 그가 당면한 현실이 어떠하든 간에 여기에 굴복한 정서를 드러낸 경우는 거의 없다. 일제 강점기도 그러했거니와 마치 기울어진 운동장처럼 보이는 해방 정국의 현실에서도 마찬가지였다. 그는 미래에 대한 밝은 전망을 한결같이 포기하지 않은 것이다.

그리고 이 시기 박세영의 작품에서 또 하나 주목해서 보아야 할 부분들이 여성 화자를 내세운 시들이다. 그는 해방 이전 「산촌의 어머니」, 「바다의 연인」, 「누나」 등에서 여성 편향의 작품들을 써 낸 바 있다. 그가 여성을 작품의 화자로 내세운 배경은 몇 가지 의도가 있었던 것인데, 앞서 언급대로 하나는 여성의 이미지를 이용하여 외적 권력의 폭압성을 고발하려는 의도이다. 남성적 권력과 맞서는 여성은 아무래도 미약할 수밖에 없는데, 그런 억압구조를 통해서 근로 대중이 겪을 수 있는 한계랄까 고통을 적극적으로 드러내고자 했던 것으로 보인다. 그리고 다른 하나는 거기서 얻어질 수 있는 윤리적 효과이다. 그의 시에서 여성은 양립적으로 구현되는데, 하나는 욕망의 노예가 된 자이고, 다른 하나는 그렇지 않은 자이다. 욕망에 쉽게 빠진 자와 그렇지 않은 자를 대비시킴으로써 이에 따르지 않은 후자의 윤리성을 더욱 부각시키려 했는데, 실상 욕망과 관련하여 여성 화자만큼 극적인 효과를 노리는 소재도 드물 것이다. 여성화자를 통한 현실고발은 해방 이후에도 그대로 재현된다. 해방 이전에 잠적했던 '순아'가 해방 이후 새로운 '순아'가 되어 또다시 나타난 것이다.

순아 내 사랑하는 동생,
둘도 없는 내 귀여운 누이
내가 홀홀이 집을 떠날 제
너는 열 여섯의 소녀.

밤벌레같이 포동포동하고
샛별 같은 네 눈,
내 어찌 그 때를 잊으랴.

순아 너, 내 사랑하는 순아,
너는 오빠 없는 집을 버리려고
내가 집을 떠나자마자
서울로 갔더란 말이냐.

집에는 홀어머니만 남기고,
어찌하면 못살아
놈들의 꼬임에 빠져 가고 말었더냐.
어머닌 어쩌라고 너마저 갔더란 말이냐.

그야 낸들 목숨이 아까와 떠났겠니,
우리들의 일을 위하여
산 설고 물 설은 딴 나라로,
달포나 걸어가지 않었겠니.

어느덧 그 때도 삼년 전 옛 일,
내 몸은 헐벗고 여위고
한숨의 긴 날을 보냈을망정,
조국을 살리려는 오직 그 뜻 하나로
나는 양식을 삼었거니.

너, 내 사랑하는 순아!
빼앗긴 조국은 해방이 되여
왜놈의 넋이 타 버리고,
오빠는 미칠듯 서풍모양 왔는데도
너는 병든 몸으로 돌아오다니.

딴 시악씨더냐,
그 고왔던 얼굴이 어디로 가고
내 그 옛날 순아는 찾을 길 없고나.

가여워라 지금의 네 모습
어쩌면 그다지도 해쓱하냐,
어린 너의 피까지 앗아가다니
놈들의 공장 악마의 넋이 아직도 씨였니.

그러나 너, 내 사랑하는 순아,
집을 돌보려는 너의 뜻 장하고나,
낮과 밤, 거리거리로

입술에 분홍칠하고 나돌아다니는
오직 행락만 꿈꾸는 시악씨들보다야.

왜놈의 턱찌끼를 얻어먹고 호사하며,
침략자와 어울리여 민족을 팔아먹으려던
반역자의 노리개가 아닌 너 순아
차라리 깨끗하고나,
조선의 순진하고 참다운 계집애로구나.

「순아」 전문

이 작품의 주인공은 작가의 여동생인 '순아'이다. 그녀는 "우리들의 일 위하여 산 설고 물 설은 딴 나라로" 갔을 때, 고향을 버리고 서울로 떠난 존재이다. 그녀가 서울로 떠난 것은 두가지 동기가 있었는데, 하나는 어머니를 돌보고자 하는 것이었고, 다른 하나는 "놈들의 꼬임"이었다. 여기서 놈이 어떤 성격의 존재인지 정확하게 나타나 있지 않지만, 어떻든 순아의 정직한 의도를 만족시켜주는 주체들은 아니다.

이향과 귀향은 일제 강점기나 해방 직후 문학에서 흔히 볼 수 있는 서사구조인데, 「순아」 역시 그러한 서사성을 그대로 보여준다. 그리고 그 과정은 자아의 의도와는 무관한, 어떤 절대적인 힘에 의해 강제되는 것이 대부분의 경우로 나타난다. 열악한 현실에 의해 떠밀려난 것이 이향이고 유이민의 발생이었다면, 귀향 또한 그 연장선에 놓여 있었다. 특히 귀향이란 해방된 조국에서 정당하고 당연한 절차였지만 그것이 모성적인 포근함으로 다가온 경우는 없었다. 「순아」에서의 여주인공 또한 마찬가지의 경우이다. 이향을 통해서 얻어진 병든 몸이 귀향을 통해서 어떤 구원의 메시지도 받지 못한 까닭이다.

「순아」는 여성들의 이미지가 대립적으로 형성되고 있다는 점에서도 이전의 시들에서 보여주었던 서사성과 동일선상에 놓여 있는 작품이다. 박세영의 여성 화자들은 건강한 주체와 그렇지 못한 주체가 함께 등장하게 되는데, 이는 곧 욕망의 노예인가 그렇지 않은가에 의해 구분되어 왔다. 「순아」에서도 이런 대립적 이미지는 그대로 재현되는데, 병든 순아가 건강한 주체라면, "입술에 분홍칠하고 나돌아다니는/오직 행락만 꿈꾸는 시악씨들"은 욕망에 사로잡힌 병든 주체들이다. 순아는 이런 대항구조에서 건강한 주체로 더욱 부각하게 된다. 뿐만 아니라 이 이미지가 해방직후의 상황과 맞물리면서 순아는 뚜렷한 윤리적 주체로 우뚝 서게 된다. 그리고 "조선의 순진하고 참다운 계집애"로 새롭게 태어나는 존재이기도 하다. 이는 곧 윤리성의 승리라고 할 수 있을 것인데, 이런 감각이야말로 새나라 건설을 위한 정당한 주체라고 이해한 것이다.

> 그날을 누가 가져왔는가,/삼천만의 한숨을 모으면/장마 때 하늘보다도/더 답답하던 것을 앗아갔으니.//꿈에라도 자유를 못 가져보던/아아 긴 세월이 어디메로 날아가고,/무거운 사슬에 감긴 몸으로/그 어찌 해방의 종을 울렸던가.//마음에 그려보던 태극기가/푸른 하늘 밑에 물결칠 때,/막혀가던 핏줄도 용솟음쳐 흐르고/꿈이 아닌 이 순간에 자유의 새암은/어느새 우리들의 몸을 씻어주었다./자유의 민족이 되라고,/권력의 인민이 되라고,//그러나 그대들은 듣는가,/자유와 권력이 외치

는 소리를!/너는 일찍이 나라를 근심하였더냐/너는 일찍이 민족을 사랑하였더냐/너는 일찍이 근로대중을 살리려 들었더냐,/아니면 너만의 행복을 싸고돌았더냐.//만일에 나라를 근심한다고 너만의 향락을 꿈꾸고,/민족을 사랑한다고 네 민족을 팔아먹던 생각이거든/물러서라, 자유와 권력은 너에게 벌을 주리라./일장기를 고친 旗가 무슨 우리 旗더냐,/불끓는 우리 마음에 거짓 旗는 살라지리라.//거리를 뒤덮은 저 붉은 旗,/붉은 旗를 쥔 억세인 그대들 손에/모든 권력은 쥐어지리라,/기어코 쥐어지리라,/그렇지 않고는 자유란 무엇이며/해방이란 무엇이냐.//날아라 붉은 旗, 이 땅에 우에 날아라./물감을 들여 붉은 줄 아느냐/빛깔이 좋아 붉은 줄 아느냐/진실로 나라와 민족을 사랑하기 때문에,/노농대중을 살리려 하기 때문에,/흘린 피 동지들의 그 귀한 피로/물들여 붉은 줄 모르느냐,/날아라 붉은 旗, 거리거리 날아라.//

「날아라 붉은 기」 전문

그러한 윤리의식이 만들어낸 세계가 붉은 기의 의미일 것이다. 이것이 말하는 상징적 의미야말로 식민지 이후 박세영이 꿈꾸었던 세계일 것이다. 해방은 그러한 가능성을 열어놓았고, 이제 그 기를 앞세우고 행진하면 되는 것이다. 하지만 가짜와 위선자들은 그 기를 들 수 없다. "나라를 근심한다고 너만의 향락을 꿈꾼"자라든가 "민족을 사랑한다고 네 민족을 팔아먹던"자들은 이 깃발을 들 자격이 없다고 보는 것이다. "진실로 나라와 민족을 사랑하는"자나 "노농대중을 살리려 하는"자만이 들 수 있는 까닭이다. 그것은 "동지들의 붉은 피로 만든 깃발"이기 때문에 그러하다. 해방 직후 박세영의 감각은 이 수준에 까지 이르르게 되었다.

6. 박세영 시의 시사적 의의

박세영의 시는 신념에 가득한 것이었다. 그는 초기부터 해방직후, 아니 북에서 펼쳐보인 작품들에 이르기까지 당파성을 실현하는데 있어 머뭇거리거나 의심의 시선을 보낸 적이 없다. 그는 언제나 앞을 보고 있었고, 저 멀리서 휘날리는 '붉은 기'를 향해 있었다. 객관적 정세의 악화라는 어두운 시간에도 불구하고 그는 자신의 신념을 버린 적이 없었다. 신념이 있기에 포기가 없었고, 승리를 믿기에 좌절이 없었던 것이다.

박세영은 투철한 이데올로기의 수호자였다. 그는 언제나 근로 대중을 위하는 신념, 일제에 저항하는 투쟁의지만큼은 이 시기 다른 어떤 시인보다도 강렬하게 표출시켰다. 이런 의지가 있었기에 그는 해방 직후 임화 중심의 민족문학을 받아들이지 않았다. 문학의 인민성이 아니라 당파성을 주장할 수 있었던 것도 이런 의지의 결과 때문이었다. 그의 의지나 신념은 한결같은 것이었다. 해방 정국의 상황이 결코 낙관적이지 않음을 인식하고 곧바로 북을 선택한 것도 그의 강력한 의지가 있었기에 가능한 것이었다.

그는 월북하여 지금의 북한 애국가 가사를 만들었다. 그 내용은 강력한 민족주의였고, 근로 대중의 우월한 정서로 점철된 것이었다. 따라서 이 가사는 그의 사유의 총체라 할 수 있을 것이다. 그리고 그의 사유의 한끝을 차지하고 있는 민족주의가 폐쇄적이라거나 국수주의적인 것이라고 비난할 필요는 없다. 사회주의라는 보편주의도 민족주의라는 구체성 없이는 성립하기 어려운 것이기 때문이다. 압제의 시절에 이 둘은 동전의 앞뒤와 같은 것이었다. 민족주의가 있었기에 일제에 대항할 수 있었고, 또 인민을 위해 싸울 수가 있었다. 식민지 시기의 민족주의란 민족모순과 계급모순이 중첩될 수밖에 없는 것이라는 점에서 그러하다.

한국 근대 리얼리즘 시인 연구

민족모순에서 계급모순으로

김창술론

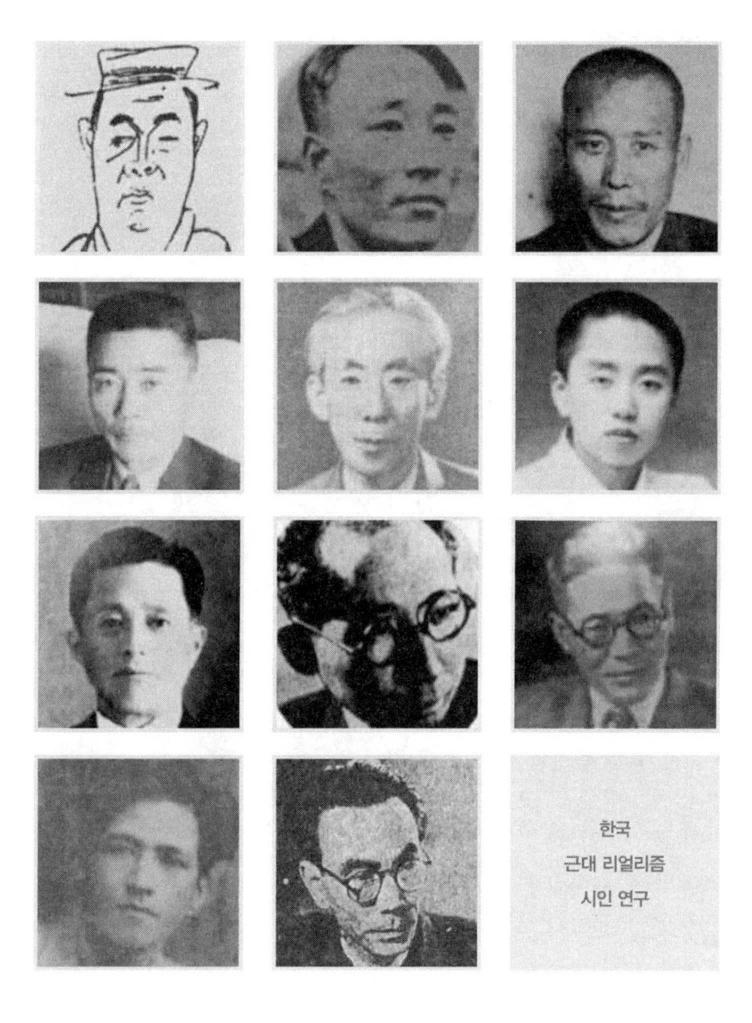

김창술 연보

1903년	전북 전주 출생, 호는 野人
1924년	조선일보에 시 「여명의 설음」을 발표한 이후 본격적으로 시작활동을 함
1925년	조선일보 신춘문예에 시 「그립은 달」 입선 카프에 가입하여 본격적으로 활동하기 시작함 그의 대표작 「대도행」 등을 『개벽』에 발표 「을축문단개관」을 12월 15일부터 19일까지 조선일보에 발표
1933년	임화, 박세영, 권환, 안막 등과 『카프시인집』 상재.
1938년	동향의 김해강과 공동으로 시집 『기관차』를 간행하려 했으니 출판금지조차로 발간하지 못함
1945년	해방공간의 현실에서 남쪽에 남아 활동함.
1950년	사망
2002년	『김창술 시전집』 간행, 문예연구사
2014년	『김창술 시전집』(최명표 편) 간행, 신아출판사

1. 생애 및 활동

김창술의 호는 野人으로 1903년 전북 전주에서 태어났다. 가난한 집안 형편으로 제도 교육은 보통학교 정도로 마치게 된다. 소학교 졸업 후에는 가게 점원 등을 하며 혼자서 문학수업을 하다가 1925년 카프에 가입한 것으로 되어 있다.[1] 하지만 그가 정식 카프의 구성원이었던가에 대한 의문은 여전히 남아 있다. 카프 조직에 그 구체적인 명단이 없을 뿐만 아니라 실제로 이 조직과 관련된 어떤 행동을 보인 바도 없기 때문이다. 이는 유완희와 사정이 비슷한 경우이다. 그래서 유완희를 동반자 작가로 분류한 바 있는데, 이 기준에 의하면 김창술도 동반자 작가로 보는 것이 옳을지도 모른다.

하지만 중요한 것은 김창술이 카프라는 조직에 구체적으로 가입했는가의 여부보다 얼마나 그가 이 조직이 요구하는 것들을 수용하면서 창작 생활을 충실히 했는가에 있을 것이다. 그는 1931년 간행된 『카프시인집』에 가장 먼저 나와 있거니와 권환, 임화 등과 더불어 많은 양의 작품을 여기에 상재하고 있다. 이런 면에서 그는 틀림없는 카프 시인이지만, 이런 시묶음집이 있다고 해서 그를 카프 맹원으로 간주하는 것은 섣부른 이해라고 할 수 있을 것이다. 『카프시인집』은 이 단체가 지향하는 이념들을 반영한 작품들을 모아서 엮은 것이지 꼭 카프 맹원이기에 그러한 것은 아니기 때문이다. 따라서 작품의 경

1 카프의 최초 발기인은 박영희, 김팔봉, 이호, 김영팔, 이익상, 박용대, 이적효, 이상화, 김복진, 안석영, 김온, 송영, 등이며 발족과 동시에 최승일, 조명희, 박팔양, 최학송, 이양, 조중곤, 윤기정, 유완희, 김창술, 홍양명, 이기영, 한설야, 임화, 김남천 안막 등이 참가했다. 이기봉, 『북의 문학과 예술인』, 사사연, 1986, pp.47-48.

향이 동일하다고 해서 어느 특정 시인을 특정 단체의 구성원이라고 단정하는 것은 오류일 것이다.

김창술은 17세에 이미「反抗」을 쓰지만 24년 조선일보에 「黎明의 설음」, 「虛無」 등을 발표하면서 본격적으로 문단 활동을 하고 25년 개벽에 「大道行」을 발표하면서 문단의 주목을 받게 된다.[2] 20년대 초반부터 시작된 그의 창작 활동은 노동을 하는 한편 독학을 바탕으로 이루어진 것이다. 그는 30년대 중반까지를 끝으로 작품활동을 마치게 되는데 그의 마지막 작품이 32년인 것으로 보아 이 이후에까지 작품활동을 하였다는 사실은 확인하기 힘들다. 이 시기 동안 그는 50여 편의 시와 2편의 평론을 발표했다. 그는 이미 20년대에 첫시집『熱과 光』이라는 시집을 간행하려 했지만, 일제의 방해로 출간하지 못한 것으로 되어 있다. 뿐만 아니라 두 번째 시집『기관차』도 김해강과 함께 발간하고자 하였으나 카프 해산과 일제의 방해로 역시 출판하지 못한 것으로 알려져 있다.[3]

김창술의 시작 활동은 카프의 발생 및 소멸과 그 궤를 같이 한다. 카프 맹원이 되면서 카프와 관련한 문예지에 본격적으로 작품을 발표했다는 외형적 사실뿐만 아니라 자신의 창작 경향을 카프의 지도 원리와 일치시켜 왔던 점, 또한 그가 창작활동을 마치게 된 시점이

2 『김창술의 데뷔에 관해서는 각 연구서마다 다르게 말하고 있다. 17세에 지었다는 최초의 시「반항」이 1926년 5월 30일 조선일보에 발표된「반항」과 혼선을 빚고 있는가에 대한 의문이 드는데 그 처음의 시가 확인되지 않기 때문이다. 문예지에서 확인할 수 있는 가장 최초에 발표된 시는「여명의 설움」이다.「대도행」이 데뷔작이라는 언급도 있으나 이는 김창술을 부각시켰던, 말하자면 출세작에 해당한다. 「반항」이 17세에 씌어졌다는 사실은『북한문학사전』에서 찾아볼 수 있다.

3 『한국문학대사전』(1973, 문원각)에는 시집『열과 광』,『기관차』모두 간행 준비만 하였지 카프 검거 사건으로 실패하였다고 적고 있다.

카프 해산과 거의 때를 같이 한다는 사실은 그의 조직과의 관련성을 말해주는 부분이다.[4] 실제로 김창술은 김해강, 박팔양 등과 더불어 가장 활발히 프로시를 창작했던 시인 가운데 하나이다. 그러나 그가 카프에 가담하게 된 경위나 조직원으로서의 활동 양상, 카프 해산 후의 행적에 관한 자세한 것은 알려지지 않고 있다.

김창술에 관한 연구는 문학사에서 단편적으로 언급한 것 이외에 단일한 것으로서는 김재홍의 「월북, 실종 시인 연구」[5]나 김성윤의 소논문[6] 정도로 매우 미미하다고 할 수 있다. 최근 들어 한 연구자의 노력에 의해 그의 작품들에 대해 일정한 복원이 이루어졌고, 또 그의 작품 세계에 대한 체계적인 연구가 시도된 바 있다[7]. 하지만 그의 정신세계를 일별할 수 있는 연구라든가 시의식의 지속성, 그리고 그 사상적 흐름에 대한 일관성 있는 연구들은 여전히 부족한 편이다. 한편 김창술은 우리의 문학 연구 범주로 볼 때 북한문학으로 분류되는데 그런 만큼 북한의 연구사에서는 김창술이 빠지지 않고 등장한다는 것을 알 수 있다.[8] 이것은 김창술이 50년에 사망하여 월북자이거나 계속해서 활동을 한 인물이 아니라는 것에 비추어볼 때 상당히 관심

4 카프의 제1차 검거 사건이 마무리되는 과정에서 카프의 지도부는 조직을 추스리기 위해 한편으로 『카프시인집』(1931)을 간행하는데 이 책은 김창술, 권환, 임화, 박세영, 안막 등의 합동시집이다(권영민, 『한국계급문학운동사』, 문예출판사, 1998, p.238.). 김창술은 여기에 「汽車는 北으로 北으로」를 싣는다.

5 김재홍, 『카프시인비평』, 서울대출판부, 1990.

6 '김창술의 시세계와 경향시의 전개양상', 『한국현대리얼리즘시인론』, 태학사, 1990.

7 최명표, 『김창술 시전집』, 신아출판사, 2014.

8 북한에서 쓰여진 모든 『조선문학사』나 김정일이 쓴 『주체문학론』에도 김창술에 대한 언급이 되어 있는 점으로 미루어 김창술에 대한 연구가 북한에서 심도있게 진행되었을 가능성이 있다.

이 가는 부분이 아닐 수 없다. 그가 소부르주아 인텔리겐차가 아니라는 계급적 기반과 그의 창작경향에서 비롯한 것이 아닌가 한다.[9]

김창술은 계급주의에 입각한 작품을 쓰긴 했지만, 그것이 그의 작품 세계의 본령은 아니다. 그는 1920년대 우리 문단의 주요 화두 가운데 하나였던 낭만적 경향의 시세계를 보이기도 했고, 또 민족주의자로서의 면모를 분명히 보여주기도 했기 때문이다. 이런 시세계를 거친 다음, 그는 계급주의에 입각한 작품 활동을 보여주었다. 그런데 이런 단계마다의 펼쳐보인 그의 시세계를 하나로 연결시켜줄 마땅한 고리가 없었던 것이 사실이다. 이런 시정신의 변화에 자리하고 있는 어떤 계기랄까 심연이 분명 존재함에도 불구하고 이에 대한 연구가 무척 소략했다고 할 수 있다. 그는 이 시기 김동환과 더불어 민족주의적 성향의 시, 혹은 애국주의라든가 민족모순을 드러낸 작품들을 활발히 발표했다. 그러한 그의 시세계는 이런 인식적 기반 위에서 형성된 것이고, 이에 대한 체계적인 접근이 이루어질 때, 그동안 낯선 지대로 남아 있던 그의 시세계는 비로소 문학사의 수면 위로 떠오르게 될 것이다.

9 김창술은 『해금시인 99선-너 어디 있느냐』(김윤식 편, 나남, 1988)에 시 2편과 함께 수록되어 있는데 이 책의 머리말에는 가장 최근에 해금된 시인들을 선정했노라 하고 있다. 즉 1988년 7월 19일 4차로 해금된 시인에 해당한다. 4차 해금조치는 한설야, 이기영 등 5인을 제외한, 1차부터 3차까지에 걸쳐 지금까지 해금되지 않았던 나머지 전원의 해방전까지의 모든 작품을 대상으로 하는 것으로 김창술이 이 시기에 해금되었다는 것은 그의 좌익적 성향을 말해주는 것이라 할 수 있을 것이다.

2. 낭만적 동경의 세계

김창술의 시편들은 그리 많지 않지만 몇 가지 유형으로 범주화될 만한 특징을 지니고 있다. 이들 범주는 서로 간섭하기도 하고 제외되기도 하면서 시인의 정신 세계 내부에 잠복한 채 자리하고 있다. 가령 과잉된 정서의 낭만적 유출이라든가 민중과 현실에 대한 구체적 인식 혹은 이들에 대한 비유적 상사구조, 현실에 대한 이데올로기적 전유가 그의 시에서 끌어낼 수 있는 범주들이다. 대부분의 시에서 이들 범주들은 어느 정도 혼재되어 있긴 하지만, 그러나 이들 중 어떠한 범주가 작품의 주류를 점하고 있는가에 따라 시의 성격이 드러나거니와 김창술의 경우 그들을 몇의 시기로 구별해볼 수가 있을 것이다.

시인의 정신세계에서 두드러진 획을 긋는 부분, 가령 기존의 시들과는 그 성격과 인식이 확연히 변모하는 부분으로 먼저 「대도행」(『개벽』 25)을 들 수 있다. 이 시가 김창술을 문단에서 조명 받도록 하였다고 했거니와 이 시에 이르러 그의 시적 태도는 기존의 여성적이고 소극적인 데서 벗어나고 있다. 이 시가 창작될 시점이 곧 카프가 결성되고 계급적 민족운동이 확산되는 때인데 시인의 목소리는 이러한 현실인식과 이데올로기적 상황을 잘 반영하고 있는 것이다. 같은 시기에 발표된 「푸른하늘」, 「문열어라」, 「失題」, 「黎明」, 「긴밤이 새여지다」 등은 모두 유사한 특성을 보여준다. 「成熟期의 마음」과 「아-지금은 첫겨울」은 「대도행」 이후에 발표되었지만 이 시기 일련의 시들과 성격을 달리하는데, 그것은 발표연대와 창작 연대의 차이에서 비롯되는 것임을 확인할 수 있다. 김창술에게 시의 성격은 당시의 시대

인식과 분명하게 조응하며 드러나고 있다는 것을 알 수 있다.

어떻든 전기적 사실이 장막에 가려있는 김창술이 어떤 계기로 문단에 등단한 것인지는 확실하지가 않다. 뿐만 아니라 그가 문단에 처음 발표한 작품 역시 제대로 밝혀진 것이 없다. 하지만 기록으로 확인되는 그의 데뷔작은 1923년 8월 26일자 동아일보에 발표된 「반항」이 아닌가 한다. 이 작품은 그를 작가의 반열에 올려 놓은 최초의 것이라는 점에서 의미가 있고, 또 그의 정신세계가 어디에 놓여 있는지를 일러주는 좋은 사례라는 점에서 주목을 끄는 경우이다.

나도 사람이외다
피와 살과 뼈가다가튼사람이외다
가트면왜? 平等이아니라해요
白丁놈이란무엇임닛가
쌍놈이란무엇임닛까
나도人格이잇서요! 個性도잇구요
나는反抗함니다 내生命내生命 때문에

올소이다! 白丁!
白丁이란내일흠이외다!
당신이부르든……내일흠이구요
내肉體는떨니엇지요
피는용소슴츠고요
마음쓰림은 내마음쓰림은……
아! 나는 反抗하여요

絕對平等을부르지즈며

階級이라는强盜를破滅식히기로……

「反抗」 전문

이 작품의 주제는 제목에 나와 있는 바와 같이 '반항'이다. 서정적 자아가 반항하는 것은 불평등인데, 이런 사유의 저변에 깔린 것은 무엇보다 반봉건 의식이다. 자아의 신분은 작품의 내용에 나와 있는 대로 '백정'이다. 이 계층이 봉건적 질서에서, 아니 신분적 질서에서 가장 최하위 계층에 놓여 있음은 익히 알려진 것인데, 그 규율적 힘들이 지금 이 순간에도 여전히 지배하고 있다는 것이 시인의 판단이다.

이런 신분적 위계질서가 주는 질곡의 늪에서 서정적 자아가 고뇌하는 것은 인격과 개성이 갖추어진 생명에의 고양이다. 그리고 그것을 가능케 해주는 것이 바로 '절대 평등'이다. 이런 정도의 반항이 봉건적 질서에서는 용납될 수 없거니와 만약 가능하다면 그것은 혁명적 상황에서만 가능할 것이다. 하지만 자아의 고뇌가 펼쳐지는 곳은 봉건 질서가 지배하는 과거가 아니라 계몽의 이상이 지배하는 근대사회이다. 근대성의 이상 가운데 하나가 건강한 시민성의 발현, 곧 수평적 개성이 존중되는 사회임을 감안하면, 김창술이 이 작품에서 말하고자 한 의도가 무엇인지 대번에 이해하게 된다. 그 역시 근대성에 편입된 계몽적 주체였던 것인데, 이런 사유의 확장이야말로 반봉건과 시민성이 가져다 준 절대 개성의 고양이자 자율성의 극점이라 할 수 있을 것이다.

하지만 평등한 주체가 되고자 하는 자아의 고뇌가 모두 근대성의 맥락에서만 설명될 수는 없을 것이다. 봉건적 질서에 대한 반항이 여전히 남아 있는 구시대적 사회구성체로 한정되는 것은 아니기 때문이다. 그 이면에는 분명 백정으로 은유된 조선 민중의 불편부당한 현실이 놓여 있을 것이다.

김창술이 문단에 등단한 1920년대 초반은 3.1운동의 실패에 따른 암울한 현실과, 닫힌 미래가 당대의 분위기를 지배하고 있었던 시기이다. 그러한 경향을 대변한 것이 세기말 사조의 범람과 퇴폐적 미의식의 확산이었다. 이런 시대의식이 현실을 비관하게 만들고 낭만적 이상이나 동경의 정서를 만들어낸 것은 익히 알려진 바 있다. 소월을 비롯한 낭만파 계열의 시인들이 꿈의 세계나 이상적 공간, 혹은 사랑과 같은 관념의 세계 속으로 몰입된 것은 이와 밀접한 관련이 있다.

이런 경향이 김창술에게도 예외적인 것은 아니었다. 그는 「반항」에서 알 수 있는 것처럼, 반봉건적 질서에 대한 저항뿐만 아니라 이 시기 주도적 담론 가운데 하나였던 낭만과 동경의 세계도 꾸준히 탐색하고 있었기 때문이다. 가령, 「그립은 달」 같은 작품의 경우가 그러하다.

> 햇슥한 내얼골에
> 맑고도흰달이 흠북빗춰줄 때
> 希望과 憧憬이 소사남니다
>
> 오오 그리운밤 고흔달이여
> 당신은 내의 希望과 憧憬이외다
> 내마음이 懊惱에 탈 때

당신을 보오면 모든希望이 살아남니다
나의사랑이 비췬고흔달이여
당신은 永遠히 나를빗춰주십시오

꽂피엿든 때를 그리워하는 복숭아나무는(桃)
푸른열매를 몸에달고서
첫녀름더운바람에 흐느적흐느적춤을춥니다
오오 그대의 쩖은시절에는
붉으스럼함 그곳을 보고저
流浪의 무리가 모아들더니
그대의 靑春이 반남아감인가
당신의빗은 쓸쓸하외다

「그립은 달」 전문

이 작품을 시대적 맥락과 분리해서 생각하는 것은 어려운 일이다. 지금 자아가 어떤 처지에 놓여있는가를 말해주는 것은 '해슥한 내얼골'과 '내 마음의 오뇌'일 것이다. 반면 그 반대편에 놓여 있는 대상은 '맑고도 흰달'이다. 자아는 그러한 달이 자신을 흠뻑 비추어줄 때, '희망'과 '동경'이 솟아난다고 했다. 1920년대 낭만주의 시인들이 한결같이 구가했던 꿈과 이상을 향한 의지들이 이 작품에서도 그대로 드러나고 있는 것이다.

낭만적 동경은 낭만적 아이러니가 만들어낸 결과이다. 자아는 완결되어 있는데, 현실은 그렇지 못할 경우 이 아이러니가 발생하는데, 이를 해소하는 과정에서 등장한 것이 동경의 세계이다. 하지만 이것은 낭만주의가 태동했던 지역에서 한정되는 것일 뿐, 조선의 현실과는 전연 다른 경우이다. 이 시기 자아를 완결된 상태로 인식한 시인은 없었고, 그렇기 때문에 이런 조건에서 생기하는 낭만주의란 부재했다고 보는 것이 옳을 것이다. 그보다는 3.1운동의 실패에 따른 공허한 상태가 만들어낸 부재의 정서가 이런 동경의 세계를 만들어냈다고 보는 것이 보다 적절할 것이다.

물론 사회적 맥락을 배제한다고 해도 김창술의 시에서 소위 존재론적 고독이라든가 형이상학적 결핍의 세계가 전혀 없는 것은 아니다. 객관적 현실이 주는 불온의 세계가 늘상 개입하게 되는 것이 이 시기의 필연이기는 하지만 그렇지 않은 경우도 엄연히 존재할 수 있기 때문이다. 가령, 이 시기 저항의 포즈를 가장 크게 취했던 이상화의 경우가 그러하다. 그는 대사회적 울림이 강하게 묻어나는 작품을 쓰는 한편으로 존재가 처한 형이상학적인 고민들을 작품 속에 계속 언표화했기 때문이다[10].

그러한 존재론적 고독이랄까 실존의 고민들을 담은 시들 역시 김창술의 경우에도 계속 표명되고 있다. 개인의 실존성이 사회성과 견고히 결합되기 이전에 김창술은 개인의 음역으로 한정시킬 수 있는, 존재에 관한 물음들을 계속 묻고 있었다.

> 엄마의 가삼에 안겨 젓빨든때는
> 넷날의꿈가티 아릿한속에 남어가고
> 지금의오날은고사리가튼손과 텬진스럽든마음이

10 송기한, 「우주동일체로서의 상화시의 자장」, 『한국시의 근대성과 반근대성』(지식과 교양, 2012) 참조.

굿세고 얼크러저 가시밧갓도다.

청춘이란 괴로움이 내령육(靈肉)에 하늘거려
세가지와 닙흔 슬픔에 북바쳐
가지와 닙사귀새이로 떠도라난다
엄마의 따뜻한사랑에 우슴웃든 녯날의그때가
그립고 또다시그리워서 몸부림치도다.

지금은 성숙(成熟)이란 쇠줄에 얼키여
눈물나는 사랑에 애끈으며
깃븜 슬픔 울음 우슴 -
이러한 열매를 내몸에달어
령육은 부댓겨 헤매이도다.

세상이란 생각이 내가삼에 들 때
사람이란 환영(幻影)이 눈우에슨다.
사람! 인생고(人生苦)에 쪼들린 뼈다귀사람!
살과피는 그엇더한 녯날에 마르고,
다만 해골이 남어다니는 무서운사람의무리

길가에다니는 그사람들이라고
옛날 어머니가삼에 안기든때를
그리워안으리 누구랴마는
성숙이란열매가 고약한열매가

그들을 안고도라 엇절수업도다.

성숙! 인생고의청춘이 내에게 왓스니
아아, 나의령육도 길거리에 다니는해골과가티
인습(因習)이란고개와 도덕이란구렁을지나
허식(飾)의 우슴과 량심(良心)의울음을
녯날의어머니 가삼에 하소하면은.....
(舊稿에서)

「성숙기 마음」 전문

이 작품은 카프가 본격적으로 조직, 활동하던 시기에 발표된 시이다. 우선 작품의 내용을 그대로 수용하게 되면, 세계 속에 내던져진 자가 가질 수 있는 고통의 세계를 읊고 있는 것이 이 시의 특징이다. 뿐만 아니라 라깡이 말한 상상계와 상징계로 구분되는, 실존의 고통을 잘 표현한 시이기도 한다. 상상계란 언어 이전의 세계, 곧 어머니와 하나가 되는 세계로써 이른바 영원성이 구현되는 시기이다. 반면 상징계는 그러한 영원성이랄까 동일성이 파탄된 시기이다. 자아 안의 또 다른 자아를 알게 되는 시기로, 이때부터 형성된 현실적 자아는 본질적 자아를 향한 끝없는 여행을 떠나게 된다.

심리학적 국면에서 이해할 때, 「성숙기의 마음」은 동일성이 훼손된 자아의 실존적 고민을 표명한 시이다. 그렇지만 이 작품의 외연을 좀더 넓히게 되면, 이 시가 이런 심리적 국면에서만 편입되지 않고 있음을 알게 된다. 그것은 이 시기 김창술의 의식 속에 자리한 사회적 의식 때문에 그러하다. 그것은 「그립은 달」에서 드러난 바와 같이 낭만적 동경의 세계와 불가분하게 연결되어 있는 것이다. 파편화된 자아가 가장 먼저 도달할 수 있는 동경의 지대야말로 모성적인 것이기 때문이다.

3. 반봉건과 민족모순의 결합

김창술 시의 일차적인 특징은 평등주의에 있다[11]. 그가 내세운 평등주의는 일차적으로 신분적인 것에 기인하는데, 「반항」에서 드러난 바와 같이 고유의 개성과 인격이 하나의 수평선에 나란히 놓일 수 있는, 반위계적인 질서가 그가 희망한 평등의 이상이었다. 그의 초기시들은 이 이상을 실현할 수 있는 것들에 대한 소재와 그 방법적 의장의 탐색에 있다고 해도 과언이 아닐 정도로 여기에 초점화되어 있었다. 그러는 한편으로 그러한 이상이 실현될 수 없는 현실에 절망하여 낭만적 동경을 드러내기도 했고, 모성적 동일성의 세계를 그리워하기도 했다.

하지만 이런 동경과 희망의 정서가 개인의 실존적 국면에서만 한정되는 것이라고 보기는 어려울 것이다. 가령, '백정'으로 은유된 것에서 조선 민중의 현실을 읽을 수도 있고, 폐쇄된 자아에는 현실 너머의 불온한 세계가 상존하고 있었기 때문이다. 흔히 신경향파 시기라 할 수 있는 1920년대 중반 이전에 김창술의 시세계를 지배하고 있었던 것은 주로 이런 흐름들이었다. 그러한 까닭에 그의 시들을 카프

11 최명표, 앞의 논문 참조.

의 반열에 올려놓고 이 조직이 요구하는 수준을 충실히 따른 경우로 이해하는 것은 그의 작품이나 정신 세계를 이해하는 데 있어 올바른 방법이 아닐 것이다. 이것이 카프라는 조직으로부터 독립된, 동반자 작가들이 선택할 수 있는 사상의 유연성과도 깊은 관련이 있기 때문이다.

어떻든 김창술은 카프가 결성되기 전이나 혹은 결성된 직후 흔히 말하는 이들 조직의 선전선동과는 전연 무관했다. 뿐만 아니라 소재라든가 주제 역시 카프와는 일정 정도 거리를 두고 있었다. 이 시기 김창술은 그만의 독특한 작시법으로 현실을 인식하고, 그에 준하는 자신만의 고유한 시정신을 갖고 있었던 것이다.

그러한 시정신 가운데 무엇보다 주목되는 것이 반봉건 의식이다. 「반항」에서 알 수 있었던 것처럼, 그의 시정신은 일차적으로 봉건적인 질서를 거부하고, 근대가 요구하는 새로운 질서 속에 적극적으로 편입되고자 했다. 이런 관점에서 볼 때, 김창술은 근대 계몽주의에 대해 상당히 긍정적인 관점을 가졌던 것으로 이해된다. 근대성이 삶의 질에 대한 개선과 불가분의 관계에 놓여 있는 것이라는 전제에 설 경우, 평등주의를 향한 그의 이상이야말로 이로부터 분리되는 것이 아니기 때문이다. 그는 낭만적 꿈을 담은 작품을 집중적으로 발표하던 시기에도 근대성이라든가 근대 시민 사회가 요구하는 제반 과제들에 대해 꾸준히 관심을 갖고 있었다. 그러한 관심을 표명한 작품 가운데 가장 주목의 대상이 되는 작품이 「대도행」이다.

一

네활개를 벌리고 큰길우에 闊步한다.

無限한理想, 偉大한思索으로

맑게개인푸른한울을展望하며,

몬지가다다구찌인市場과사람들의얼골을굽어다보며훨훨
히거러간다

虛榮을裝飾한집들을볼때

虛榮에들씌인얼골들을볼 때

『참』이란구석은하나도업다

二

수레박퀴가 활개를 치고 큰길우에 闊步한다

眞心의進行, 꾸준한軌道로

녹아흐르는 눈(雪)의물결을跳躍하며,

덜커덕 덜커덕 숨쉬는소리는 無限한製作의거룩한몸씨로
훨훨히궁구러간다

自己創作인最後를바래며

뜨거운땀물이뚝뚝떠러질때

『거짓』이란구석은하나도업다.

三

絕對로平等인 큰길우에 네활개를 벌리고 闊步한다

差別이란 한픈어치도업고 큰길우에는

乞人 -貴族 -賣淫女 -貴婦人 -勞動者 -資本家 -모도가 自由로
거러를 간다

이세상어느곳에이나오즉이길만은平等主義者다

염치빠진 이세상에는 길만이거륵한聖者이다

四

이길을거러라! 훨훨히거러라!

붉은가슴이熱火에 탈때

쓸아린눈물이두뺨에흘을때

이自由스러운길우에나아오거라

慈悲한聖者의위로를들어라

헤매이는 理想과 永遠한光明을 괴요이괴요이일너주리라

나아오거라, 훨훨히거러라, 이自由의길을........

「대도행」 전문

초기 시의 흐름에 비춰볼 때, 이 작품이 갖는 함의는 매우 중요하다. 「대도행」은 「반항」의 연장선에 놓여 있고, 또 갈등이 전제되는 민족 모순, 혹은 계급 모순의 관점에서 하나의 전기가 되는 시이기 때문이다. 확실히 이 작품은 기존의 작품 경향들과는 상당히 이질적으로 다가온다. 강렬한 남성적 목소리는 김창술의 초기 시편들에서 보인 우울과 좌절이 배인 연약한 소리와는 다른 위치에 놓이는 것이다.

그리고 이러한 변화가 카프라는 조직의 결성으로부터 자유로운 것이 아님을 알 수 있다. 그는 모순에 대한 감각을 자신의 작품 속에 계속 유지하고 있었다. 그런데 이를 실천적으로 운용할 수 있는 이념과 집단, 곧 카프가 등장한 것이다. 이 시기부터 김창술은 카프의 영향권에 본격적으로 편입되기 시작한다.

그럼에도 한계는 여전히 남아 있다. 이 시기 시의 구조는 초기 시편들과 크게 다르지 않은 일면을 보여주고 있기 때문이다. 현실 인식에 비유적 구조가 탈각되어 직접적으로 현실의 구조를 드러낸다는 점이 다를 뿐 자유, 평등이라는 역사의 방향성과 과감한 어조를 통해 낭만성을 보인다는 점은 기존 시의 형상구조와 다를 바가 없다.

그러나 「대도행」이후 일련의 시들은 김창술 시의 특징을 정립시키는 데 큰 기여를 할 정도로 기존의 것과는 차이를 보인다. 이는 현실을 보다 직접적으로 반영하며 낙관적 미래상을 보여줌으로써 새로이 변화된 이데올로기 환경에 조응하는 데 성공했기 때문이다. 이때 적극적이고 남성적 어조는 현실을 극복하는 힘을 상징하는 핵심적 요소이다.

우선, 이 작품의 주제는 김창술 초기 시의 주제 가운데 하나였던 평등사상에서 찾아진다. 그런데 평등의 주체랄까 계층들은 「반항」의 경우와 매우 다르다. 「반항」에서의 자아는 봉건적 계층인 백정으로 한정된 반면, 이 작품의 주체들은 여러 계층이 망라되어 있다. 가령, 걸인과 귀족이 있는가 하면, 귀부인과 노동자, 자본가 등이 있기도 하다. 그런데 이런 계층의식은 위계질서에 의해 만들어진 것도 있고, 근대 자본주의 질서가 만든 것들도 있다. 그런 만큼 이 작품에 이르기까지도 김창술의 시정신이랄까 시의식은 카프가 요구하는 지점과는 상당한 거리가 있는 것이 사실이다. 뿐만 아니라 평등의 이념을 실현할 수 있는 근거도 어떤 주체적인 힘에 의해서라기 보다는 대도(大道), 곧 큰 길이라는 자연적 질서에 기대고 있는 바가 크다.

그러나 이런 한계에도 불구하고 「대도행」이 김창술의 작품 세계에서 주요한 한 축임은 부정하기 어려운데, 그것은 여기에서 계층갈등이 처음으로 인식되기 시작했다는 점 때문이다. 물론 그러한 갈등의 단초는 「반항」에서 읽을 수 있는 것이지만, 그것은 어디까지나 봉건적 질서로부터 한 발자국도 벗어나지 않는 것이었다. 그러나 「대도행」에서는 앞에 열거한 주체들, 노동자와 자본가 등의 구분도 그러하지만, 허영을 장식한 집이라든가 허위 의식에 물든 얼굴들을 통해서 근대 자본주의 질서에 편입된 주체들의 군상이 작품의 소재로 등장하고 있었다. 아니 단순한 등장이 아니라 이들과는 반대되는 주체들을 설정하고, 그들과 대비되는 의식을 제시함으로써 자본적 질서 하에서 자본에 의한, 선과 악이라는 질서를 뚜렷이 구분시키고 있는 것이다.

이 작품에서 김창술은 평등뿐만 아니라 자유의 가치를 제시하고 평등 이후의 세계, 곧 자유가 갖는 의미에 대해서도 긍정적으로 제시해 놓고 있다. 자유와 평등이 근대 시민 사회의 궁극적 이상임은 잘 알려진 일인데, 이에 대한 강조야말로 뚜렷한 역설이 아닐 수 없을 것이다. 그것은 곧 현재의 실존적 조건이 그러한 이상을 실현하기 위한 충분조건이 아님을 일러주는 것이기 때문이다.

김창술의 시들은 「대도행」 이후 서서히 사회적 음역을 향해 나아가기 시작한다. 물론 그의 이러한 행보는 갑자기 시도된 것은 아니었다. 그는 「반항」에서 그 일단을 드러냈거니와 비록 낭만적 동경이긴 했지만, 현재의 불안한 실존에 대해서도 예각화하기 시작한 것이다. 그러한 도정이 1920년대 중반, 정확히는 카프가 형성되기 시작하면서부터 사회적 영역을 자신의 작품 속으로 편입시키기 시작한 것이다.

자유와 평등이 실현되지 못하는 삶의 조건이 이 시기 어떤 상황과 연결된 것인지는 굳이 이야기하지 않아도 된다. 뿐만 아니라 이런 문제의식이 시인에게 어떤 자의식으로 구현될지 예상하는 것도 어려운 일이 아닐 것이다. 이미 초기시에서부터 그 잠재적 의식에서 드러난 바와 같이 시인이 희구했던 의식의 편린은 삶의 실존적 조건에 놓여 있었다. 그 조건을 규정하고 있는 것은 당연히 일제 강점기라는 현실이다.

일제 강점기라는 현실과, 불구화된 존재론적 조건들이 사회적 음역으로 편입되어갈 때, 시인의 시의식이 어떤 방향으로 나아갈 것인지는 보다 분명해질 것이다. 그것은 불평등한 세계, 곧 모순에 대한 즉자적인 인식이었다. 따라서 이 시기 김창술 시의 가장 큰 특징 가운데 하나가 민족 의식의 함양, 곧 민족 모순으로 나아가는 것은 당연한 수순 가운데 하나였기 때문이다. 실제로 이 시기 그의 작품의 대부분은 모두 이 의식과 분리하기 어려운 것들이었다.

> 학다리여 그대는 지금 어대로 갓느냐
> 너는 오직 넷날의 장엄을 띄우고
> 힌옷의무리를 건느어주든
> 오 침묵의돌다리의精靈아!
> 내쫓긴 너의몸은 어데가 무치엇느냐
>
> 나는 지금 너를 그리워서 여기에 서있다.
> 그러나 그대는 간곳이 업고나
> 너의巨大한몸우에 꽃신으로 거러다니는 어린애는
> 보아라! 적은몸이되여 넷빗을 차지려 서잇도다
> 오 굵다란생명이여 정령이여 나를따르라

학다리여 녯날의존엄을 지니고잇든 학다리여
내가서잇는 이 자리는 新作路란다.
까소린 냄새를 뿌리고 다니는 近代의문명이 나하논 길이란다.
한여름에 죽은이의 언짠은 내음처럼 고약한
이냄새를 돌다리의정령아! 밋느냐

그러나 그대여 나를따르라
조선혼을 차지려 쏘대는 내뒤를따르라
남녁의빈터 흐리머리한 녯길을
차저 나는간다. 『先驅者의노래』를 부르면서 나는간다
오 버림을바든빈터여 이 선구자의 洗禮를 기다리는가.

「실제」 전문

이 작품의 주제는 뿌리뽑힌 자의 삶을 형상화한 것이다. 이 시기 그는 이 작품 외에도 여러 작품에서 이와 비슷한 주제의식을 드러내고 있는데, 가령, 「문열어라」를 비롯해서 「긴밤이 새여지다」, 「여명」 등등이 그러하다. 냉혹한 일제의 검열이 시도되고 있는 현실을 감안하면, 이만한 정도의 민족 의식 함양만으로도 이 시인이 지향하는 정신세계의 정도랄까 그 세기를 짐작하게 만든다.

「실제」는 여러 층위를 갖고 있는 작품인데, 우선 민족의식의 고취가 그 하나이다. 김창술은 여기서 우리 민족을 상징하는 기제들을 여러 의장을 통해 제시하고 있는데, '학다리'라든가 '흰옷의 무리' 등이 그것이다. 게다가 '조선혼'이라는 언표를 통해서도 이 의식을 직접적으로 표명하기도 한다. 그러한 의식은 실존의 국면과 밀접하게 연관되어 표현되는데, 시적 화자의 버팀목이었던, 그리고 "흰옷의 무리를 건느어주든" 학다리는 지금 이곳에 없다는 것이 그러하다. 그런데 그것이 현재 부재하는 상황은 자발적인 것이 아니라 외적인 힘에 의해 사라진 것이다. 그것의 사라짐이란 곧 자아에게는 보호의 외피가 벗겨진 것과도 같은 현실이다.

그리고 다른 하나는 김창술이 응시하는 근대 의식이다. 시인이 초기에 바라본 근대는 사뭇 긍정적인 것이었다. 「반항」에서 알 수 있는 것처럼, 그는 근대를 시민 사회가 펼쳐지는 평등한 사회로 인식했기 때문이다. 위계질서에 의해 만들어진 봉건적 신분계층에 대한 부정의식과 그 대안으로 제시된 것은 근대 시민 사회의 이상이었기 때문이다. 근대성의 이상이 현재보다 개선된 삶에 있다는 것을 수용하게 되면, 「반항」에서의 근대는 무척 긍정적인 것이었다고 할 수 있다.

하지만 「실제」에 이르게 되면, 근대를 응시하는 시인의 시선은 이전과 커다란 낙차를 보인다. 그것을 가장 상징적으로 보여주는 담론이 바로 '신작로'이다. 그것은 「대도행」에서의 '길'에 대한 사유와는 전연 다른 것이라 할 수 있는데, 그는 이 작품에서 대로에 선 주체들은 모두 수평적 관계를 필연적으로 가질 수밖에 없는 것으로 인식했다. 위계적 질서에서 자유로운 공간을 제시해주는 것이 '대로'의 상징적 의미였던 것이다. 하지만 「실제」에서는 '신작로'가 「대도행」의 '대로'와는 전연 다르게 의미화된다. 그것은 평등이 이상을 실현시키는 수평적 의미가 아니라 차별과 모순을 일으키는 위계적 의미로 수용되기 때문이다. 그러한 부정성을 무매개적으로 구현한 것이 "까소린 냄새를 뿌리고 다닌 근대의 문명이 나하논 길"이라는 인식이다. 그런데 이 길은 여기서 그치지 않고 "한여름에 죽은이의 언짢은 내응처럼 고약한" 것으로 가치하락되기도 한다.

많지 않은 작품이긴 하지만, 김창술이 근대에 대해 갖고 있었던 사유는 이중적인 것이었다. 어쩌면 이보다는 시정신의 변모에 따른 계기성을 갖고 있다고 보는 것이 보다 옳은 이해하고 할 수 있을지도 모른다. 그는 근대를 긍정적 시각으로 응시하다가 1920년대 중반에 접어들면서 이와 반대되는 사유를 보여주기 시작한다. 그가 이렇게 변신한 이유는 진보적 사유의 확산과 카프의 결성과 무관한 것이 아니고, 또 근대화를 계기로 제국주의의 길을 걸어간 당대의 시대적 흐름과 밀접한 관련이 있을 것이다.

그리고 세 번째는 자아의 존재론적 변신이다. 김창술의 초기 시를 지배한 것은 낭만적 흐름이었다. 현재의 불온성과 그 대안으로 모색된 것이 과거의 영광일 것인데, 그의 불구화된 정신들은 그 영광을 위한, 동일성이 확보된 이상적 공간이나 모성적 세계를 모색했다. 하지만 이런 관념화된 공간이나 꿈이 그의 불구화된 의식을 완결시키는 동인이 되지는 못했다. 오히려 이를 추동시킨 것은 그러한 개인적 결손을 사회성과 결합시키는 일이었다. 그 불가피한 조화가 만들어낸 것이 민족 의식의 함양과 민족 모순에 대한 자각이었다. 「실제」는 그러한 존재의 변이가 뚜렷히 나타나 있는 작품이라는 점에서 주목을 요하는 경우인데, 자아는 이 작품의 마지막 연에서 "그대여 나를 따르라"고 전제한 다음, "선구자의 노래를 부르면서 나는 간다"라고 선언하기에 이른다. '선구자'는 존재의 변이를 통해서 자아가 도달한 구경적 실체이다. 이로써 김창술은 실천의 주체로 거듭 태어나게 된다. 이는 마치 자아비판이나 의식의 각성을 통해서 실천적 자아, 혹은 전위의 주체가 되는 카프 작가들의 행보와 비견되는 것이라 할 수 있다. 이제 시인은 낭만적 회고와 추억을 통한 관념적 통합의 세계를 지향하는 것이 아니라 실천을 통한 현실 변혁의 적극적인 주체로 거듭 태어나게 된 것이다. 억압이나 모순이 개인적 차원에 머무는 것이 아니라 사회적 차원으로 나아가는 계기를 마련한 것이다.

> 캄캄한 휘장이 이땅우에 나리엇는데,
> 멍청한백성들이 그안에서 허부적으리다
> 오 자연이어 너는 무슨일로 이사람들을
> 이 순진한 사람들을 이나라안에 모부섯느냐
>
> 우리의몸이 붓침이되어 가이업는푸대접에
> 염통의북킴을 맛보도다, 애처러이 맛보도다.
> 그러나, 그모순의긴밤이
> 『우리도』라는 생각이들자 그긴밤이새여지다.
>
> 『짓발핌이로다 짓뭉갬이로다
> 그 순한마음이, 생각이, 온령혼이
> 독수리의발톱처럼 악착스러운손에
> 불타는가슴을 묵기엇고나 붓잡혓고나』
>
> 그러나, 새롭음이어
> 검향가티 샛캄한세상이 임의밝고
> 우둔한백성이 눈이열리다

오 긴밤이새여지고, 눈이열리고,

새롭음이어, 더러운행복이거든 보내지말라
차라리 이나라안에서 싸홈(戰鬪)을바래나니
올흠과글흠은 뭇지도말고
그저 正義의쌈싸호는 백성이되여지라.

「긴밤이 새여지다」 전문

이 작품은 「실제」에서 나타난 의식들이 좀 더 구체화된 경우이다. 그 가운데 우리의 주목을 끄는 것이 민족 모순을 드러내는 의장들이다. 김창술은 지금 이곳의 현실을 "캄캄한 휘장이 이 땅 위에 내리었다"고 하거나 "독수리의 발톱처럼 악착스러운 손에 불타는 가슴이 묶이거나 붙잡혔다"고 하면서 현실을 부정적, 혹은 억압적으로 인식한다. 그런가 하면, "검향같이 새캄한 세상"이라고 은유화하기도 한다. 그러나 이런 현실에 놓인 피압박 주체들은 이를 조율해나갈 능력이 없다. 그들은 '그안에서 허부적거릴' 뿐만 아니라 분노의 정서를 단순히 표출하는 정도에서 그칠 뿐이다.

하지만 이런 불같은 분노가 일회성에 그치는 것은 아니다. 그것이 한순간의 분노에 머무를 수 없었던 것은 '우리도'라는 연대의식과 '새롭음'이라는 인식 때문에 가능했다. '나' 혹은 서정적 자아만의 문제가 아니라 '우리'라는 공동체 의식 혹은 연대의식으로 확장되어 나갈 때, 잠들지 않는 상태가 만들어진다고 이해한다. 시인의 표현대로 '긴밤'이라는 정서적 표출이 가능해진 것이다. 따라서 "긴밤이 새여지다"라는 것은 물리적 시간이 아니라 실천이 겸비된 정신적 시간이라고 할 수 있다. 이 시간성의 확보에 의해서 자아는 이제 또 다른 주체로 거듭 태어날 수 있게 된다.

그리고 다른 하나는 '새롭음'에 대한 사유이다. 여기서 이 담론 속에 내포된 구체적 함의가 무엇인지 잘 나타나 있지는 않다. 다만 맥락 속에서 그 의미를 추적하게 되면, 주체의 인식적 전환이 아닌가 한다. '새로움'이란 단계를 거치게 되면, '검향같이 캄캄한 세상'이 '임의 밝고', '우둔한 백성'이 '눈이 열릴' 뿐만 아니라 '긴밤이 새여지는' 까닭이다.

비록 은유적 표현이긴 하나 일제 강점기에 민족 현실을 두고 이만한 정도로 표현할 수 있다는 것은 시인의 실천적 의식 없이는 불가능한 경우이다. 아직 경향시의 단계로 나아간 것은 아니지만 주체의 각성 과정은 경향시의 그것과 매우 닮아 있다. 단순한 주체, 혹은 미몽의 주체에서 실천의 주체로 새롭게 탄생하는 과정이 경향시에서 보이는 주체의 변이과정, 곧 선진적 자아로 나아가기 위한 자아비판의 과정과 매우 흡사하기 때문이다.

> 오 黎明이여 불타는 黎明이여
> 이러나는 선비들의 군호소리를 듯는가
> 녹쓰른보검을 어루만진후
> 허리것든히차잇슴을 보앗는가
>
> 무참히도 현실에 얽매인흰옷의무리
> 녯날의 모지라진 목숨의타남은 재를밟으며
> 가슴속환상의殿堂을 해여본다.

오 할아버님! 지금 우리는 이러케 나아갑니다

남국의山川이여
갓모대와의병이 모라다니는 남쪽의나라여
露天에 헛날리는 망국의 英靈아!
그때의눈물이 남아 잇슴을 아는가 몰으는가

그대들의 발자국흔적이
욱으러진폐허 남녁의도시에 나타낫슬때.
오 C府의 백성이여 얼마나 피 골엿드냐

그러나 흘으는날은지나고와서
이제는 가도다 그자최조차사라지도다

靑기와 朱土기둥 三層 주춧돌
오『現代의文明』은이古風의집임을 모라버리엿고나

나는운다 나는운다 순진한백성들이 싸하노흔
그일허진 청기와집 터전을 붓들고나는운다
빈터여 장엄한빈터여 내눈물의禮를바드라
오 할아버님! 우리는 一念으로 再建을하여갑니다.

하나 젊은형제여 송가를부르라!
이『文明의再建』의頌歌놉히부르라

나는 지금장엄한 빈터우에 『文明의 再建』의터를고르고잇다.
이터우에 순박한 춤터가열릴것을새벽이여알고잇는가

「여명」 전문

이 작품은 「긴밤이 새여지다」에서 보인 실천의 의지가 한층 구체화된 시이다. 그러한 과정을 상징적으로 표현한 것이 '여명'이다. 시인이 작품의 제목을 '여명'으로 한 것도 이와 무관하지 않을 것인데, 여기서도 중요한 것은 실천의 현장으로 나아가는 주체의 새로운 탄생일 것이다. 서정적 자아는 이제 '새로움'을 거치면서 존재의 변신을 시도하는데, 그 은유적 의장이 '녹스른 보검'으로의 무장이다.

이런 존재의 변신을 통해 김창술이 의도하고자 했던 것은 무엇일까. 그것은 앞서 언급처럼 민족 모순에 대한 궁극적 해결이었을 것이다. 그는 일찍이 위계질서가 만들어 놓은 신분적 질서에 대해 반항적 자의식을 드러낸 바 있다. 하지만 그는 여기서 그치지 않고 반봉건의식을 반제의식으로 확장시켜 나아가고자 했다. 그것이 민족 모순에 대한 뚜렷한 인식이었던 것인데, 실상 그에게 있어 평등 의식과 민족 모순은 별개의 것이 아니다. 모두 위계에 의한 수직의 관계라는 틀을 벗어나지 못하는 것이기 때문이다. 이런 모순을 극복하기 위해 바쳐진 것이 이 시기 김창술의 시적 전략이었다. 하지만 단지 모순이 감각되고, 이를 초월하기 위한 정서가 강렬한다고 해서 그것이 곧 실천을 향한 구체적인 동인이 되는 것은 아니다. 거기에는 무언가 구체적인 것, 감각되는 그 무엇이 있어야 실천을 확장시켜 나아갈 수 있기 때문이다.

이런 한계를 딛고 나타난 작품이 「여명」이다. 비록 녹슨 장검이긴 하지만 이로써 무장하고 현재의 모순을 극복하기 위해 싸움의 무대로 나아가고자 한 것이 이 작품이기 때문이다. 하지만 싸움의 현장과 시인의 자의식을 곧바로 연결시킨다고 해서 실천의 어떤 구체성이 확보되는 것은 아니다. 뚜렷한 목표가 제시되지 않으면 이 또한 관념이나 추상과 같은 부정의 음역에서 자유롭지 않기 때문이다.

「여명」에서 시인이 무장이라는 갑옷을 입는 것은 '잃어버린 청기와 집'을 찾기 위한 것이다. 그것은 '순진한 백성'들이 쌓아 놓은 것, 곧 역사적인 것이다. 그리고 그 역사란 다름아닌 민족 혹은 국가일 것이다. 김창술은 그 사라진 역사를 복원하기 위해, 민족의 정체성 회복을 위해 '현대의 문명'을 활용하고자 한다. 그것을 통해서 잃어버린 청기와집을 찾는 것, 여기에 이 시기 김창술의 정신사적 구조가 놓여 있는 것이다.

과거의 영광, 잃어버린 역사를 복원하고 이를 회복하기 위한 시인의 노력은 매우 가열차다. 여기에는 어떤 비관이나 패배의 정서가 묻어나 있지 않다. 오직 투쟁에 의한 승리의 환희만이 넘쳐나고 있을 뿐이다. 이런 낙관적 전망이야말로 이 시기 김창술 시의 가장 큰 특징이라 할 수 있다.

4. 민족 모순에서 계급 모순으로

김창술은 이 시기 다른 어떤 시인보다도 민족의식을 뚜렷히 표명한 시인이다. 검열과 통제가 강화되던 시기에 그는 상징이나 은유적 장치를 통해 이를 구체적으로 표현하고 있었던 것이다. 하지만 이런 장치만으로 자신의 시정신을 표현하기에는 한계가 있었다. 표현으로서의 문학이 실천으로서의 문학을 능가할 수는 없었기 때문이다.

김창술이 민족에 대한, 그리고 조국에 대한 모순을 인식하고 그 실천적 방안을 모색하던 시기에 운동으로서의 문학을 표방하던 카프가 조직되었다. 그가 카프의 공식 구성원인가 하는 것은 확실하지 않다고 했다. 그럼에도 그는 이 시기 다른 누구보다도 카프가 요구하는 감성을 적극적으로 수용했다. 1931년 간행된 『카프 시인집』에 그는 권환과 더불어 가장 많은 작품을 발표했기 때문이다[12]. 카프라는 조직에 적극 가담하지 않으면서 경향시를 이렇게 많이 발표한 경우도 예외적인 일이 아닐 수 없는데, 이는 그가 초기부터 표명하기 시작한 민족 모순에 대한 인식과 어느 정도 밀접한 관련이 있었던 것으로 보인다. 모순에 대한 인식과 그 초월은 실천이 동반되지 않고서는 불가능한데, 그는 그 실천적 매개 혹은 투쟁의 수단으로 마르크시즘의 방법론을 받아들였던 것으로 보인다. 김창술의 시세계에 있어서 민족 모순이 계급 모순과 겹쳐지는 것, 그 만나는 장은 이렇게 이루어졌던 것이다[13].

김창술의 초기 시가 시인 개인의 고달픈 생활 체험이 스며들면서 민족적 공유점을 찾은, 다시 말해 즉자적인 것들에 속한다면 그 후의 시편들에는 현실의 민족적, 구조적 모순에 대한 인식이 진전되면서 보다 대자화된 인식 구조가 드러난다. '우둔한 백성이 눈이 열리다'

12 『카프시인집』에는 권환이 가장 많은 7편, 임화가 6편, 그리고 김창술이 세 번째로 많은 4편이 수록되어 있다.

13 이런 관점에서 마르크시즘을 반외세 투쟁으로 받아들였다는 것은 일견 설득력있는 것이라 할 수 있다. 최명표, 앞의 논문 참조.

에서 보는 것처럼(「긴밤이새여지다」), 이런 각성의 과정은 시인이 갖고 있었던 인식 지평의 확대를 말해주는 것이라 할 수 있다. 카프가 조직됨으로써 이 시기 시들에 낙관적이고 이상주의적인 경향이 나타나는 것은 김창술의 경우도 예외는 아니며 그는 이 시기부터 조직의 이념에 따라 기층 민중과 착취 세력과의 대립을 날카롭게 인식하게 되는 것이다. 카프가 결성된 이후부터 그는 기층 민중에 대해 계급적인 관점이 보다 구체적으로 드러내기 시작한다. 이러한 접근은 「賣罰」에서의 소작인, 「戰線으로」에서의 노동자들의 투쟁적 삶의 모습에서 그 일단을 확인할 수 있다. 우선 「賣罰」의 경우 그 인식의 전환을 극적으로 보여준다는 점에서 주목을 끄는 경우이다.

> 한녀름 금볏을 실타안코
> 거름주고 붓도다서
> 순집고 벌에잡어
> 잘지어논 이담배를
> 맘대로팔엇다고 잡혀가는 이몸!
> 엇지타 이몸은
> 이농사를 지엇는고
> 산말막 험한땅을 곡광이질 하여가며
> 고된줄 모르고힘써지어논
> 이제와서 묵겨가는이몸!
>
> 전매라는 그것이생겨진이제는
> 제물건도 못파는신세이라

가난한목숨이 굶을수업서서
다만 두묵금을 몰래팔엇다구
붓들려가는이몸!
오동마차는 안탄다드래도
이상투를 잘느게 될것이니
마을사람 보기에도
붓그러운
오 말할수업는이몸

가슴속 분로는
관솔불처럼 타오르고
짓밟힌 피덩이는
터지려는 폭탄가튼데
스므하로가치게된이몸!

「賣罰」 전문

이 작품이 김창술의 작품 세계에서 차지하는 비중은 매우 크다고 하겠다. 그것은 이 시가 중층적 모순을 담고 있기에 그러한 것인데, 우선 하나는 민족적인 것에 걸쳐 있고, 다른 하나는 투쟁적인 것에 놓여 있다. 소소유자적(小所有者的) 성격이 강한 농민의 특성상 농산물에 대한 타자의 수동적인 개입은 용납하기 어려운 것인데, 투옥이라는 극단적 상황은 더더욱 수용하기 힘든 경우였을 것이다. 그 도정에서 시적 자아가 느낀 것은 불같은 투쟁의식이다. 실상 이런 적극적인 투쟁의식은 이 시기 김창술 시의 주요한 특징 가운데 하나가 된다.

하지만 자아의 분노는 대부분은 상황에 대한 막연한 정서에 그침으로써 그 구체성이랄까 현장감을 확보하는데 실패하고 만다.

그러나 「매벌」에 이르게 되면, 서정적 자아의 분노는 이전 시기의 그것과 뚜렷이 구분된다. 구체적인 일상의 현장에서 형성되고 있는데, 가령 전매 제도의 부당성을 알리면서 그로부터 형성된 분노의 정서가 일상의 현장에서 걸러지고 있기 때문이다. 이 작품을 계기로 김창술의 시는 새로운 단계로 나아간다. 막연한 호소나 분노가 아니라 구체적인 일상의 현장에서 그의 리얼리즘이 완성되고 있는 까닭이다.

이로부터 시인의 인식론적 지형이 기층 민중의 삶과 조화롭게 맞물리면서 리얼리즘적 형상화가 제대로 갖춰지기 시작한다. 이를 계기로 기존과는 차별되는 시적 인식이 1927년 조선일보에 발표된 「地𣫿을뜨는무리」와 「무덤을파는무리」에서 집중적으로 이루어지기 시작한다. 기존의 시들이 단지 민중과 투쟁에 대한 인식을 막연하게 보여주고 있는 데 그친다면, 이 시들에서는 분명하게 계급적 각성과 그 투쟁적 태도를 드러내고 있기 때문이다. 이후에 발표된 「進展」과 「展開」가 같은 성격으로 분류될 수 있는데, 여기에서도 계급의식과 프롤레타리아 국제주의에 대한 인식 역시 드러나게 된다. 이 시기는 바로 카프가 내세운 목적의식기에 해당하는 때인데, 이 시기 김창술 시의 특징을 두고 이념의 생경한 노출과 관념성을 지적하고 있긴 하지만[14], 그의 관념적 낭만성은 초기 시편들의 한 부분과 겹치는 것이고 계급구조에 대한 인식을 명확하게 하고 있다는 점에서 그 의의가 있

14 김성윤, 「1920~30년대 경향시의 전개양상」, 연세대석사, 1988.

다고 하겠다.

「매벌」 뿐만 아니라 「앗을대로앗으라」와 「汽車는北으로北으로」 역시 계급성에 기반한 김창술 시의 원숙성을 보여주는 것들이다. 이들 시에는 총체적으로 진전된 인식과 함께 민중의 삶이 구체화되고 있으며 차분한 어조 속에 관념적 낭만성도 누그러져 있는 상태를 보여주고 있다.

김창술에게 목적의식기 이전은 가장 왕성하게 작품활동을 하였던 시기에 해당한다. 이 시기의 창작경향들은 요컨대 현실에 대한 직접적인 인식을 바탕으로 투쟁과 극복의 의지를 드러내는 것이라 할 수 있다. 그러나 목적의식기에 이르면 현실을 인식하는 계기로 마르크시즘의 모순 논리랄까 투쟁의식이 본격적으로 개입된다. 시인에게 고통스럽고 힘겹기만 한 삶은 기층 민중의 것과 동일한 것이었고 이에 대해 마르크스의 과학적 인식을 수용하면서 결국 계급의식과 혁명에의 지향에로 나아가게 된 것이다. 김창술의 무산계급으로서의 입지야말로 카프의 이념과 만날 수 있는 기본 조건이 되었던 바 그에게 프롤레타리아 의식과 마르크스주의는 전혀 충돌없이 받아들여진다.

『굿센자여!
너의일흠은 푸로레타리아』

새로운 못토는 인류의마음에 새향기를 새빗을 새힘을피워다 보내엇다

동무야 우리는모든것을 떠나왔나니
술에서 계집에게서 또工場에서 小作權에서

새로운힘을 呪文가티 실업슨 그겁질을 물리치고 세계의 디도에 굵은줄을 그신다

地型을 뜨는 一隊 -
아세아…… 모스코바 칼커타 상해 서울 도-교……밧비 陣圖를그린다

地型을 뜨는 一帶
유롭……벨린 파리 런던 위인……밧비를 陣圖를 그린다

인터나쇼날의 峻烈한宣告가 대원의 가슴에 緻密을 부친다

이 큰물처럼 밀리는 동무의발길이 굵은줄을밟고간다

船夫여 坑夫여 鐵工 印刷 配達 헤일수업는 모든 工人이여 小作人이여

『너의일홈은 프로레타리아 굿센자!』

사랑하는前衛여 그대들은 지금 地型을뜨고잇지 아니한가

보라!

해는 젊은해는 糾察隊가티 우리를 보지안느냐 정성으로

새날을 마즈려고 씨어 애쓰는 우리의가슴이여 굿세어라

『地型의改造』!

물결치는바다는 이 航船을실코 깃붐의航海를니어간다.

같이 걸어가자 邁進이다 機關車처럼 가난한사람아 일하는 사람아

×型! ×型!

(一九二七, 六. 一〇 全州)

「地型을뜨는무리」 전문

이 부분에 이르러 김창술 시의 관념성은 어느 정도 사라지게 된다. 이 시기 김창술은 현실 을 과학적이고 구조적으로 사유하면서 인식론적 발전을 보인다. 즉 이전 시기의 현실에 대한 구체적 인식을 바탕으로 이데올로기가 전유되기 시작하는데 이는 곧 마르크시즘의 도입에 따른 결과라 할 수 있다. 이 사유의 도입과 함께 초기의 낭만적 속성이라든가 폐쇄적 자의식은 사라지고 투쟁 의지와 혁명성으로 전변하게 된다. 중요한 것은 마르크스 이념이 도식적으로 드러나긴 했지만 이 이념은 그다지 생소하지 않다. 그것은 바로 김창술의

계급적 존재 기반 및 매 시기의 형상구조의 유사성에서 말미암는 것이라 생각해 볼 수 있는데, 그의 이데올로기 노출과 투쟁의지는 시인에게 귀속되는 것이자 민족의 현실을 타개할 수 있는 구체적인 계기에서 나온 것이기 때문이다. 이러한 점에서 볼 때 그의 작품에서 드러나는 약간의 추상성이라든가 선전 선동성이 있긴 하지만 식민지 현실의 모순을 파악하고 약동하는 시대적 정신을 힘써 구현했다는 점에서 그 의의가 있을 것이다. 뿐만 아니라 이러한 면들은 카프 시인으로서의 사명을 완수한 것으로 평가하는 것이 가능하다고 하겠다.[15]

앞에서 「앗을대로앗으라」와 「기차는북으로북으로」가 김창술의 원숙한 경지를 보이고 있다고 했는데 이 지점에 이르기 전 김창술은 약간의 조정기를 거친다. 「五月의薰氣」와 「가신 뒤」의 작품 세계가 바로 그러하다. 이 두 편의 시에는 목적의식기에서 보였던 명료한 계급적 인식과 투쟁 의지가 맹목이다시피 하여 드러나는 대신 현실적 좌절과 함께 제시된다는 것을 알 수 있다.

사랑하는 친구여!
꽃피던 범도 인젠 가버렸구나
봄이 오면은 세상 사람들이 봄빛을 따랏고
그리고 봄빛은 세상 사람들을 끌어내어서 젊음을 찾았었다

그리하였다

15 김병민, 『조선현대문학사』, 한국문학사, 1998, p.18.

우리가 공장에서 젊은 피를 말릴 때에 우리가 탄갱
속에서 바다 위에서 산과 들에서 모든 정력을 흩트리는 가
운데 봄은 우리를 찾았었다

기나긴 늦은 봄날 우리의 한 떼가 도로코를 밀고 레일 위를
치달을 때
씩씩한 그대와 모든 동무들의 걸음이 한층 빛났었다

개미의 규율 같은 우리들의 행렬이 그 근로의 향진을 계속
하는 가운데 그 봄은 가버렸다

지난 겨울에 얼어터진 발뒤꿈이 암울기도전에
뻰득이와 풀뿌리를먹고 독이나서 누어게신어머님끠 약한
첩 들이지못하는 비참속에 봄은 가버렷다.

사랑하는친구여
勇敢한 우리의 젊은사나희야
이 봄이 가기 전 아마 이월 스무날 저녁이었었다.
우리들이 머리를마조대고 씩씩하고도 깃붐긔붐속에서 갈
나든때다

그러나 바로그 뒤 그대와 모든근로하는靑年이 삼월의 독수
에 붓잡혀가고.

그봄이 그대들과 나와 말못하는 그속에서 가버렷섯다.

한데 오월이왓다.......
꽃동산이 무너지고 울창한 녹음이 깊어 가며 오월이 왔다

그렇지만 그 벽돌담을 넘어서 봄과 또는 오월이
우리 우리 오월의 기운이 그대들의 굳센 의지에 찾아갔으리라

동무여!
그 찬 마룻장을 뚜드리고 어떻게나 지내었는가

지금 나온 용감한청년들은 오월의空氣를마시며
勞動하는靑年을차저서 아아 우리의피오닐을 차저서 五月太陽을 억게우에메고 前進한다.
새 세기를 향한 전초여 나팔을 불라!
새 세기를 향한 기수여 기를 두르라!

그리하여 현실을 메스 대 위에 던져라

「五月의薰氣」 전문

낙관적인 투쟁의 의지는 현실의 탄압에 부딪혀 잠시 좌절을 경험한다. 미래에 대한 밝은 전망과 낙관적 희망의 세계는 현실의 절벽 앞에서 그 투쟁의 강도가 무뎌지게 되는 것이다. 이러한 면들은 그의

작품 세계에서 예외적인 국면이라 할 수 있는데, 그는 초기시부터 다른 누구보다도 미래에 대한 전진의 정서를 뚜렷이 표명해왔기 때문이다.

그럼에도 이러한 그의 시의식이 지속되는 것은 아니다. 곧바로 반전이 일어나게 되는데, 그 계기를 마련한 것이 작품에 나타난 것처럼 '오월'이다. 그는 다시 '메이데이'로 상징되는 '오월'의 훈기를 등에 짊어지고 전진하려고 하는 것이다. '五月太陽'을 어깨에 메고 '나팔을 불고' '기를 들고' 나아가고자 하기 때문이다. 이러한 생명력은 김창술의 낭만적이고도 남성적인 힘에 근거하며 보다 근원적으로는 민중성 혹은 계급성에 기반한 것이라 할 수 있다. 현실의 벽앞에 약간의 좌절이 있을망정 그의 심연에 굳건히 자리한 생명력, 곧 노동자 계급의식이 그를 계속 추동하고 있었던 것이다. 그러한 힘과 정서는 다음 시에서 힘차게 다시 솟아오르게 된다.

> 불가티 뜨거운 해ㅅ빗미테서 살을데우고 피를말리며
> 모든힘을다하고 오장을 다태우면서
> 알뜰이 지어노흔 쌀은 누구에게 빼앗겻는가
>
> 왼일년의 정력도 모다 소용이업섯고
> 또 봄이왓구나 봄이!
> 작년가튼 흉년에도 제×놈들이 용심것 빼앗어갓섯다
> 그리고도 그리고도 부족해서 눈이 벌거쿠나
> (중략)
> 앗을대로 앗어보아라

네놈들의 잔*한 **가 잇지안느냐
그러나 념여도업겟고 주저할 것도 업스리라
그러나 우리들은 *복을하지안으면 안될것이아니냐

벗아!
똑가튼 긔ㅅ발아래에서 움직이는 세계의벗들아 그러치아니하냐
우리의희망은 분노는 깃붐은 불으지즘은 모다 우리들의것이아니냐

「앗을대로앗으라」 부분

이 시는 민족 모순이 민중적 삶 속에 투과되어 극도의 피폐를 경험하는 모습을 구체적으로 드러낸 작품이다. 시인은 민족적 고난의 극복을 민중의 힘을 통해서 가능하다고 보는데, 짧은 시간임에도 불구하고 김창술의 그러한 현실인식은 무척 날카로운 것이었다. 이런 면들은 그의 시들이 일상의 현장과 밀접히 연결된 것에서 나온 것이라 할 수 있는데, 실상 이 시기 우리 사회의 주된 사회구성체는 농업이었다. 그의 작품 세계에서 노동 현실을 담은 것이 전혀 없는 것은 아니지만, 농민의 전형을 담은 시들이 많은 부분을 차지하고 있다는 점은 주목을 요하는 것이라 할 수 있다. 그는 분산되고 고립된 농민들을 하나의 집단으로 묶어내어 이를 실천의 장으로 이끌어내려 하고 있기 때문이다. 프롤레타리아 동맹군으로서 농민을 적절히 끌어들이고 있는 것이다.

그리고 또 하나 주목해야 할 것이 프롤레타리아 연대주의다. 이 시

기 카프 문학이 시도한 두 가지 흐름이 있는데, 하나가 노동 계급성의 문학적 형상화이고, 다른 하나는 프롤레타리아 연대주의 혹은 구제화이다. 이런 면들은 이 시기 경향시들에서 흔히 드러나는 것들인데, 이야말로 김창술의 작품들, 여타 카프 작가들의 작품들이 카프라는 조직의 영향에서 자유롭지 않음을 보여주는 단적인 근거가 된다고 하겠다. 김창술은 카프의 지도원리에 대해 외면하지 않았다. 이 시적 표명에서 보듯 그는 카프의 요구를 충실히 수용하고 있었던 것이다. 하지만, 이런 연대화에 대한 형상화는 카프 문학이 갖고 있는 한계와도 분리하기 어려운 것인데, 이곳의 처지에 대한 객관화된 인식없이 프롤레타리아 국제주의와 곧바로 연결시키는 것은 관념적 창작방법의 한계일 수 있기 때문이다.

5. 민족주의의 행보

김창술에 대한 연구가 본격적으로 이루어지지 않은 것은 그에 관한 자료 부족에 기인한다. 문학사에서의 단편적인 언급과 시 작품에 대한 몇몇의 연구가 김창술 연구의 거의 전부에 해당하는데 그나마 그의 작품들에 대한 접근이 피상적이고 부정적인 시각에서 이루어진 경향이 대부분이다. 그렇다고 민중의 삶의 묘사와 투쟁의식의 고취라는 현실주의 시 일반적 관점으로 그의 시를 보는 것도 무의미하다.

그리 많지 않은 그의 시들은 각 시기에 따라 차별을 보이면서도 공통된 범주가 혼재해가며 변형, 전개되고 있었다. 범주의 공통성은 시인의 고유한 특질에 관계되는 것이고 각 시기별 차이는 인식의 진전 및 주변 이데올로기 상황에 따른 것이다.

우선, 그의 시에서 가장 특징적으로 드러나는 단면은 민족주의적인 의식이었다. 그는 이 시기 다른 누구보다도 민족 모순에 입각한 작품을 많이 생산해내었다. 이는 그를 카프작가로만 한정시켜온 기왕의 견해와는 전연 다른 면이라 할 수 있을 것이다. 그 모순에 대한 의식이 낳은 것이 이 시기 유행하고 있었던 낭만적 사유의 반영이었다. 이런 관점에서 그의 시들을 고찰할 경우 시인에게 낭만적 성향이 강한 것은 사실이지만 그것 자체만으로 시의 질이 규정되는 것은 아니라는 사실이 중요하다. 김창술의 경우 낭만적 요소는 초기 시부터 존재하던 것으로 이러한 요소가 각 시기별로 어떻게 굴절되며 변화하는가를 살피는 것은 의미있는 일일 것이다. 또한 그에게 낭만적 요소야말로 투쟁을 지속시켜나가는 동력이자 힘이 된다고 할 수도 있다. 한편 이것과 시인의 현실 인식, 그리고 민중적 상상력을 통한 형상화가 맞물린 시적 구조를 인식하는 것이 김창술의 시를 한층 객관적으로 바라볼 수 있는 방법일 것이다.

낭만적 정서와 미래에 대한 전망의 세계가 낳은 것이 마르크시즘의 도입이었다. 김창술은 처음부터 카프 작가가 되고자 한 것은 아니었다. 이는 그가 조직으로서의 카프로부터 거리를 둔 사실과도 관련이 있을 것이다. 그에게 우선이었던 것은 민족 모순이 먼저였지 계급 모순이 앞서 있는 것은 아니었기 때문이다.

하지만 모순에 대한 인식만으로 미래를 향한 그의 시정신이 해소되거나 충족되는 것은 아니었다. 그에게 필요한 것은 실천의 수단이랄까 방법이었다. 이때 마침 유행하던 것이 실천으로서의 계급문학이었다. 운동으로서의 문학, 실천으로서의 문학을 이야기 할 때, 경향문학만큼 좋은 수단도 없었을 것이다. 따라서 그는 카프 결성 이후 다른 누구보다도 카프가 지향하는 이념과 창작방법을 적극적으로 수용하게 된다. 따라서 그에게 카프는 민족 모순을 해결하고자 하는 실천의 도구로서 받아들여졌을 가능성이 크다. 그에게 중요했던 것은 계급 모순보다는 민족 모순이었던 것이다. 그는 카프작가이기 이전에 민족주의적 성향을 가진 작가였다고 할 수 있다.

김창술에게 계급보다 민족이 우선이었다는 것은 해방 이후의 행적에 대해서도 그 근거를 마련할 수 있을 것이다. 해방공간은 잘 알려진 것처럼, 국가 선택이 자유로운 공간이었고, 이념 또한 그러했다. 말하자면 이 공간에서는 아무런 방해를 받지 않고, 자신이 원하는 대로 어떤 것이든 선택할 수 있었다. 특히 이데올로기라는 국면에서는 더더욱 그러했다. 많은 자료가 남아있지 않기에 김창술이 해방공간에서 어떤 선택을 했는지는 분명하지 않다. 한때 임화 중심의 문학건설본부가 아니라 이데올로기 중심의 프로예맹에 가입한 것으로 되어 있지만, 그 이름이 뚜렷이 남아있지도 않다.

하지만 그의 이름을 발견하기 쉽지 않다고 해서 그의 행보가 전연 미궁의 상태로 남아있는 것은 아니다. 이런 상황을 유추하건데, 그는 체제선택에서, 혹은 이념 선택에서 적극적인 행보를 보이지 않은 것이다. 그 단적인 증거는 김창술이 남쪽에 남아있었다는 사실이다. 여기서 그가 남쪽에 있었다고 해서 남한의 체제를 인정했다는 것은 섣부른 판단이 아닐 수 없다. 그는 선택한 것이 아니라 그냥 남아있었다는 것이 옳은 표현일 것이다. 이를 두고 선택이라고 할 수 있을 것이다. 하지만, 그에게 중요했던 것은 민족이었지 이념, 특히 계급이 아니었다. 그는 애초부터 민족주의자였고, 그 의식이 그를 민족 모순을 처절하게 인식하게끔 만들었다. 그리고 이를 극복하기 위한 실천의 매개로 그는 마르크시즘을 받아들였을 뿐이다.

그런데 해방이란 표면적으로 볼 때, 민족 모순은 해결된 국면으로 비춰졌을 개연성이 크다. 그러니 더 이상 실천으로서의 마르크시즘은 그에게 필요하지 않았을 것으로 이해된다. 그러니 그 치열한 이념 대결의 현장에서 그는 한발짝 물러서 있었던 것이 아닌가 한다. 다만 심정적 동조가 전혀 없는 것이 아니었기에 프로예맹에 기웃거렸을 수는 있을 것이다. 하지만 그는 이를 전면적으로 수용하기도 하기는 하지만 다른 한편으로는 이 조직과는 거리를 두기도 하는 등 어정쩡한 자세를 취했던 것으로 이해된다.

김창술의 정신사를 지배한 것은 민족이었고, 그 모순에 대한 적극적인 인식이었다. 이를 초월하고자 한 것이 그의 리얼리즘이었다. 이제 해방이 되었으니 그의 필생의 과제였던 그 모순은 일차적으로 해결되었다. 민족이 우선이었기에 이데올로기는 뒤로 밀려날 수밖에 없었다. 그것이 그로 하여금 더 이상 창작활동에서도 조직생활에서도, 그리고 이념에서도 거리를 두게 만들었다. 그 앞에는 오직 민족만이 놓여 있었다. 그는 그저 단순한 민족주의자였을 뿐이다.

제7장

이념과 순수의 줄다리기

권환론

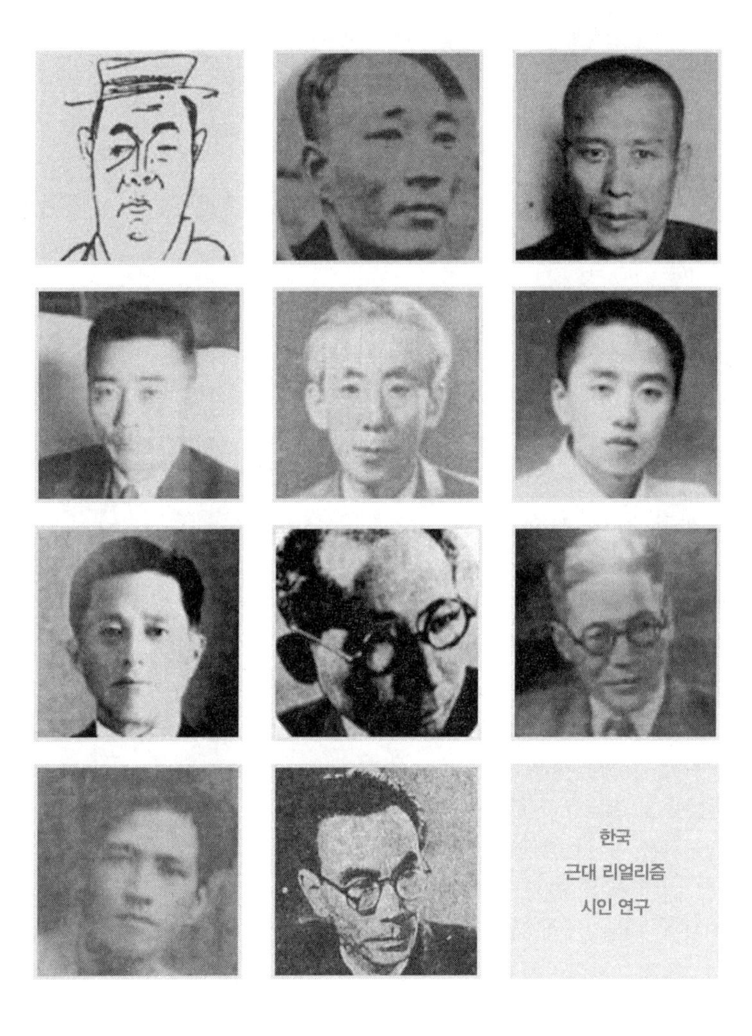

권환 연보

1903년 경남 창원 출생, 본경 권경완(權景完)
1927년 교토제국대학 졸업
유학생 잡지 『학조』에 「앓고 있는 靈」 등을 발표하면 문인의 길에 들어섬
1927년 카프 가입
1930년 카프 중앙위원 피선
1931년 제1차 피검
임화 등과 더불어 『카프시인집』 간행
1933년 제2차 피검 때 검거되어 옥고를 치름
1943년 시집 『자화상』 간행
1944년 시집 『윤리』 간행
1945년 조선프롤레타리아예술가 동맹 결성
1946년 전국문학자대회에서 서기장으로 당선
시집 『동결』(건설출판사) 간행
1954년 마산에서 폐결핵으로 사망

1. 권환 시를 보는 한 시각

권환은 1903년 경남 창원군 진전면 출신이다.[1] 그의 문학적 행보는 예외적이라고 내세울 만한 특별한 것은 없었다. 그는 근대 문학의 산실이라 할 수 있는 휘문중학과 제일고보를 거쳐 경도 제국대학에 입학했다. 근대를 경험했던 이 시기 대부분의 문학인들처럼 그의 문학적 행보도 이들과 거의 대동소이했던 것이다.

그럼에도 권환이 우리 문학사에 특별한 자리를 차지하고 있는 것은 그의 문단사적 위치에 기인한 바가 크다. 익히 알려진 대로 그는 1920년대 후반부터 1930년대 초반에 이르기까지 카프를 주도적으로 이끈 인물 가운데 하나이다. 카프는 자연발생기적인 수준을 넘어서면서 이 시기에 이르러 보다 강력한 전선을 형성하게 되는데, 권환은 이 과정에서 중요한 역할을 한 것이다. 그는 유학생활을 접고 귀국한 뒤, 임화 등과 더불어 카프 소장파의 일원으로 활동했다.

카프는 이들 소장파가 합류하기 전까지만 해도 자연발생기적인 수준을 넘어서지 못하고 있었다. 초기에 카프를 주도했던 사람들은 박영희와 김기진이었는데, 이 시기 문학 수준이 그러했던 것처럼, 이들의 활동은 운동으로서의 문학을 영위해 나갈 만큼 이론적인 국면에서나 조직을 운영하는데 있어서나 매우 소박한 수준에 머물러 있었다. 따라서 카프가 실천적 측면 혹은 조직의 측면에서 신경향파적인 단계를 벗어날 필요성이 강력히 제기되었는데, 그 필연성에 의해 부각된 것이 새로운 인물과 이념의 수혈이었다. 그리고 카프의 이런

1 그의 출생이 1906년으로 된 것도 있으나 한국문인대사전(권영민편, 아세아문화사)에 기록된 연도가 설득력이 있는 것이어서 이에 따르기로 한다.

욕구를 메워준 것이 임화와 권환 등 신진 세력이었다[2].

카프는 이들의 활약에 의해 새로운 단계로 나아가게 되는데, 예술에 있어서의 볼셰비키화가 바로 그것이었다. 그 실천적 결과가 제1, 2차 방향전환으로 나타났는바, 그 매개자들이 바로 권환을 비롯한 소장파였던 것이다.

권환의 초기 시들은 이런 배경 하에서 창작되었고, 또 그의 시를 응시하는 시각 역시 그것과의 조응에서 벗어나는 것이 아니었다. 카프가 운동으로서의 문학, 실천으로서의 문학, 도구로서의 문학이라는 점을 감안하면, 권환 시를 이해하는 이런 시각이 전혀 잘못된 것은 아니었다. 당연히 그렇게 분석하고, 자리매김하는 것이 응당 합당한 일이었기 때문이다. 따라서 권환의 시를 아지프로의 시, 곧 선전선동의 시로 규정하는 것은 하나도 이상할 것이 없는 일이었다[3]. 하지만 그 올바른 정합성에도 불구하고, 이런 시각은 카프 해산기 이후의 권환 시를 이해하는데 완벽한 것이라고는 할 수 없다. 물론 운동으로서의 문학이니까, 그리고 시대적 맥락과 함께 하는 것이니까, 상황의 변화에 따라 문학이 변모하는 것은 자연스런 일처럼 비춰질 수도 있을 것이다. 이는 권한만의 고유한 현상도 아니었고, 대부분의 카프 시인, 나아가 서정 시인 일반에게서도 흔히 목도할 수 있는 일이기 때문이다.

하지만 이런 해석은 지극히 현실추수적인 이해일 뿐만 아니라 한 시인의 정신사적 흐름에 대해 철저하게 외면한 결과라는 한계를 갖

2 김윤식, 『한국근대문예비평사연구』, 일지사, 1982, pp.37-40.

3 정재찬, 「시와 정치의 긴장관계」, 『한국현대리얼리즘시인론』(윤여탁외편), 태학사, 1990.

는다. 한 시인의 정신구조는 토대가 주는 직접적인 규율로부터 자유로운 것은 아니지만, 그렇다고 그런 구조에 전적으로 얽매여 있다고 보는 것도 올바른 이해의 방식은 아닐 것이다. 이데올로기는 굴절될 수밖에 없는 것이고, 특히 인접한 환경에 의해 무지개처럼 다양한 색채를 발산하는 것이 이데올로기의 특성이고 한 시인의 정신구조인 것이다.

사유의 외화가 빚어내는 다양한 스펙트럼을 외면하게 되면, 권환의 초기시와 중기시, 혹은 해방 이후의 시들에 대한 일관적 흐름에 대해 통찰하는 일이 무척 난망하게 된다. 물론 이를 외면하는 일도 가능한데, 가령 전기시와 후기시에 일어나는 급격한 단절, 혹은 정신사적 차이를 운동의 에네르기 존재 여부로 치부하면 그만이기 때문이다.[4] 하지만 이런 시각은 유기적인 정신구조를 파편적으로 이해한 것이라는 근본적 한계가 있거니와 해방 이후 그의 시세계를 이해하는 데에도 어려움이 놓이게 된다. 대부분의 연구자들이 해방 이후의 시에 대해서 언급하지 않는 것도 여기에 그 원인이 있을 것이다.

권환의 초기시들은 분명 선전 선동의 국면이 강하게 나타나는 것이 사실이다. 그의 시를 아지프로의 전형적인 사례로 이해하는 것도 이 연장선에 놓여 있다. 그런데, 권환 시의 그러한 경향들은 카프 해산기 이후 현저하게 사라지거니와 그는 이 시기 거의 순수 시인의 상태로 돌아가게 된다. 하지만 이런 변화를 두고 단순한 단절로 이해하기에는 그 연결고리가 너무도 분명하게 드러나고 있다. 뿐만 아니라 그런 시세계의 변화는 해방 이후 발표된 그의 작품들과도 어느 정도

4 김용직, 「이념우선주의-권환론」, 『한국현대시사1』, 한국문연, 1996.

연관성을 갖고 있다는 것이 필자의 판단이다. 이제 그 연결고리를 찾아서 그의 시를 올바르게 자리매김하는 것, 그리고 그의 정신사적 구조를 올바르게 이해하는 것이 필요할 때가 된 것이다. 그의 시들은 단절이 아니라 연속이고, 그것이 곧 시인의 행보를 결정짓게 한 근본 동인이 되었다는 사실이다.

2. 당파적 결속으로서의 초기시

권환이 처음 작품 활동을 한 것은 1925년이다. 교토에 유학중이던 시절, 권환은 한인 유학생들이 펴낸 잡지 『학조(學潮)』에 작품활동을 했는데, 실상 여기에 실린 작품들은 그가 본격적인 작품활동을 하는데 있어서 예비적 행위였다고 하겠다. 가령, 2호에 발표된 소설 「앓고 있는 영」이 그러했는데, 이는 거의 습작 수준을 넘지 못하는 것이었다.

권환이 실질적으로 문인의 길에 들어선 것은 일본에서 귀국한 직후이다. 그는 1929년에 카프에 가입하고, 카프 중앙위원이 되는데, 이런 활동을 통해서 작품 활동 역시 자연스럽게 이루어지기 시작한 것이다. 그것이 1930년 『조선지광』에 발표된 「가랴거든 가거라」이다. 이 작품은 권환의 데뷔작이라 할 수 있고, 그런 면에서 그의 정신사적 편린을 이해할 수 있는 좋은 사례라고 할 수 있을 것이다.

카프가 결성된 것은 1925년이지만 1930년대 전후까지만 해도 이 조직의 완성도랄까 실천의 수준이 정상 궤도에 오른 것은 아니었다. 물론 1927년 제1차 방향전환을 통해서 본격적인 조직의 결성[5]과, 이를 바탕으로 운동으로서의 문학을 향한 발걸음을 내딛긴 했지만, 여전히 이합집산의 수준을 벗어나지 못하고 있었다. 그 과정에서 올바른 당파성 확립을 위한 노력들이 꾸준히 제기되었는데, 가령, 아나키스트 김화산과의 아나키즘 논쟁[6]과 내용, 형식 논쟁[7] 등이 그 대표적인 경우였다.

이런 논쟁을 통해서 알 수 있는 것처럼, 카프는 신경향파의 단계를 넘어서 새로운 지대로 나아가기 위한 발걸음을 계속 내딛고 있었다. 다시 말하면, 방향 전환이란 이전의 단계를 지양, 극복하고 한 단계 전진하는 것이라 할 수 있는 것인데, 그 근저에 놓인 것이 보다 굳건한 조직을 위한 투쟁이었던 것이다. 올바른 당파성은 비당파적 요인들을 제거하는 데에서 시작된다. 그러기 위해서는 우선 이론적, 실천적 무장이 있어야 했는데, 거기에는 대항적 요소가 있어야 가능한 싸움이었다. 이 불씨를 제공한 것은 잘 알려진 대로 팔봉 김기진이었거니와 그는 내용, 형식 논쟁 뿐만 아니라 대중화 논쟁의 중심에 서 있기도 했다. 그는 여러 편의 대중화론을 발표하면서[8], 내용 위주의 문학이 아니라 문학의 문학성, 곧 형식적 측면을 강조했다. 내용보다는 형식을 우위에 두는 듯한 이런 문학성에 대한 옹호가 카프 구성원들에게 쉽게 용인될 성질의 것은 아니었다. 그에 대한 반론이 임화 등에 의해 있었음은 잘 알려진 일이다[9].

5 박영희, 「문예운동의 방향전환」, 『조선지광』, 1927.4.
6 임화, 「착각적 문예이론」, 조선일보, 1927.9.4.-11.
7 박영희, 「투쟁기에 있는 문예비평가의 태도」, 『조선지광』, 1927.1.
8 김기진, 「통속소설고」, 조선일보, 1928.11.9-20.
김기진, 「프로문예의 대중화문제」, 『문예공론』, 1929.5.
김기진, 「단편서사시의 길로」, 『조선문예』, 1929.5.

권환이 문단에 등장한 시기는 이때와 일치한다. 카프의 주요 논객이었던 임화와 권환의 행보는 겹쳐지는 부분이 대단히 많은데, 나이도 비슷하거니와 공부한 시기, 장소도 대동소이했다. 뿐만 아니라 사상적 기반 또한 공유하고 있었는데, 이런 여러 동질성들이 이들 사이의 유대관계를 더욱 공고히 하는 계기가 되었다[10]. 1920년대 후반 임화와 권환 등이 주도한 카프의 운영과, 제2차 방향 전환[11]은 어느 정도 역할 분담이 있었던 것으로 이해된다. 가령 권환의 경우 비평과 시를 통해서 자신의 사상과 그 지도 방향을 피력했는데, 이는 임화와 현저히 다른 경우였다. 임화는 주로 비평을 통해서 그 이론적 근거를 제시했지만, 작품에는 그러한 편린들이 잘 드러나지 않고 있기 때문이다. 따라서 권환이 주로 작품을 통해서 당파적 근거를 마련했다면, 임화는 주로 비평을 통해서 이를 수행해내었다고 할 수 있다.

> 小부르조아지들아
> 못나고 卑怯한 小부르조아지들아
> 어서 가거라 너들 나라로
> 幻滅의 나라로 沒落의 나라로
>
> 小부르조아지들아
> 부르조아의 庶子息 프로레타리아의 적인 小부르조아지들아

9 임화, 「김기진군에 답함」, 『조선지광』, 1929.11.

10 권환과 임화의 이런 친분 관계는 이후 권환의 시세계를 형성하는 데 있어서 주요 계기가 된다. 특히 해방 이후 이루어진 권환의 행보와 그 시세계의 형성에 임화의 역할은 결정적으로 영향을 미치게 된다.

11 제2차 방향 전환은 카프의 볼셰비키화로 1931년 시도되었다.

어서 가거라 너 갈 데로 가거라
紅燈이 달린 카페로

따뜻한 너의 집 안방구석에로
부드러운 보금자리 여편네 무릎 위로!

그래서 幻滅의 나라 속에서
달고 단 낮잠이나 자거라
가거라 가 가 어서!

작은 새앙쥐 같은 小부르조아지들아
늙은 여우같은 小부르조아지들아
너의 假面 너의 野慾 너의 모든 知識의 껍질을 질머지고

「가랴거든 가거라 -우리 진영 안에 잇는 小부루조아지에게 주는 노래」 전문

제목도 그러하지만, 부제를 통해서도 이 작품이 의도하고 있는 바가 무엇인지 분명히 알리고 있는 시이다. 이른바 정리의 감수성, 누구누구에게 주는 경고의 메시지가 제목을 통해서 아주 뚜렷이 나타나 있기 때문이다. 시인은 우선, 소부르주아지들을 강력하게 비난한 다음, 이들이 갖고 있는 이중성에 대해 폭로한다. 그들은 부르조아의 서자식(庶子息)이면서 다른 한편으로는 프롤레타리아가 타도할 적으로 규정하고 있는 것이다.

실상 하나의 조직이 굳건히 유지되기 위해서는 동지적 연대와 사

상적 동일성이 무엇보다 중요하다. 특히 카프 같은 조직에 있어서는 이런 연대와 동질성이 더욱 필요해진다. 그런데 이들 집단에 가장 위험한 것은 경계지대에 놓여 있는 회색분자들일 것이다. 색채가 분명히 드러나 있는 경우, 그를 적으로 인식하면서 집단으로부터 축출하는 것은 쉬운 일인데, 왜냐하면, 어느 누군가가 적이라는 사실, 동일성을 헤치는 파괴자임을 분명히 알 수 있는 까닭이다. 하지만 그 경계가 모호한 자들일 경우, 이를 구분하고 제거하는 것은 결코 쉬운 일이 아니다. 소부르주아지는 경계적 존재인데, 한편으로는 부르주아적 성격을 갖고 있기도 하고, 다른 한편으로는 프롤레타아리적 속성 또한 갖고 있다. 따라서 그들은 경계인 혹은 중간자라는 이중성을 지니고 있다. 하지만 겉과 속이 비슷하기에 이를 솎아내는 일이 쉬운 것은 아니다. 논쟁은 이런 어려움에서 촉발되었는데, 1930년대 전후 난만히 분출된 카프 내의 논쟁은 이런 비당파적 요인들과 밀접한 관련이 있었다. 당파적 단일체로 새로이 태어나기 위해서는 온갖 이질적인 요인들을 분명히, 그리고 깨끗이 걸러낼 필요가 있었기 때문이다.

권환의 「가랴거든 가거라」는 그 연장선에 쓰여진 작품이다. 시인은 소부르주아지들에 대한 성격과 그들이 갖고 있는 위험을 분명하게 제시한 다음, 그들이 있을 곳은 당파적 전위조직이 아니라 개인의 욕망이 무한대로 발산하는 "홍등이 달린 카페"라고 제시하고 있는 것이다. 뿐만 아니라 "따뜻한 너의 집 안방 구석"이라든가 "부드러운 보금자리 여편네 무릎 위"도 그들이 있을 공간으로 제시한다. 이는 소시민들이 갖고 있는 계급적 한계와 분리하기 어려운 곳이다.

機械가 쉰다
怪物가튼 機械가 숨 죽은 것가치 쉰다
우리 손이 팔줌을 끼니
돌아가든 數千機械도 命令대로 一齊히 쉰다
偉大도 하다 우리의 ××력!

웨 너들은 못 돌니냐?
낡은 명주가치 풀 죽은
白獵가치 하—얀
고기 기름이 떠러지는 그 손으로는
돌니지 못하겠늬?

너들게는 呂宋煙 한 개 갑도
우리한테는 하로 먹을 쌉갑도 안되는 그 돈 때문에
동녘 하늘이 아즉 어두운 찬 새벽부터
언 저녁별이 빤작일 때까지 돌니는 機械

빈 배를 안고 부르짓는 어린 아들 딸을
떨치 노코 와서 돌니든 機械
幾萬尺 비단이 바닷물가치 이게서 나오지만
치운 겨울 병든 안해 울음 떨게 하는 機械
가죽 調帶에 감겨 뼈가지 가루 된 兄弟를 보고도
아무 말 없시 눈물 찬 눈물만 서로 깜빡이며 그냥 돌니거든 機械

웨 너들은 못 돌니나?
낡은 명주가치 풀 죽은
白獵가치 하—얀
고기 기름이 떨어지는 그 손으로는
돌니지 못하겟늬?

너들의 호위 ××이 긴 ×을 머리 우에 휘둘은다고
겁내서 그만둘진대야
너들의 '사랑妾' 개량주의가 타협의 단 사탕을 입에 넣어준다고
꼬여서 그만 말진대야
우리는 애초에 ×××× 시작 안 햇슬게다

못난 '스캅푸'가 쥐색기처럼 빠저나간다고
妨害돼서 못할진대야
너들의 가진 ××에 떨려서
中途에 ××할진대야
우리는 애초에 ×××× 시작 안 햇슬게다
'나폴레온'의 ×××도 무서운 '××'의 ××가 우리에게 없섯드라면
우리는 애초에 금번 ×을 시작도 안 햇슬게다

機械가 쉰다
우리 손에 팔줌을 끼니
돌아가든 數天 機械도 명령대로 一齊히 쉰다
위대도 하다 우리의 ××력!

웨 너들은 못 돌니나!
낡은 명주 가치 풀 죽은
白獵가치 하—얀
고기 기름이 떨어지는 그 손으로는
돌니지 못하겠늬?

「停止한 機械 -어느 공작 ×××兄弟들의 부르는 노래」 전문

권환 시의 가장 큰 특성 가운데 하나는 선전 선동성이다. 그는 이 시기 다른 어떤 시인보다도 이 의도를 달성하기 위한 남다른 노력을 보여준 경우이다. 파업투쟁을 담은 「정지한 기계」도 그러한 사례 가운데 하나인데, 우선 기계가 정지했다는 것은 파업이 시작되었다는 것을 의미한다. 1연의 "기계가 쉰다"는 것은 그러한 상황의 비유적 의미이거니와 이를 통해서 표상되는 근로자들의 힘은 "위대도 하다 우리의 ××(단결)력!"에서 극명하게 제시된다.

이 작품을 이끌어가는 힘은 현실의 본질을 꿰뚫는 '전위의 눈'에서 비롯된다. 모든 사물에 대한 인식과 정서는 선진적인 노동자의 시선을 떠나서는 성립하지 않는 것이다. 그리고 그 대결구도는 철저한 이항대립, 곧 계급의식에서 나온 것들이다. "우리가 팔짱을 끼어서" 멈춘 기계들을 "고기 기름이 떨어지는 그 손으로는" 돌리지 못하는 현상이야말로 이 의식과 분리해서 논의하기 어려운 것이다.

「정지한 기계」는 파업의 현장에서 빚어질 수 있는 장면들이 사실적으로 제시됨으로써 그 극적 긴장도 매우 높은 작품이다. 파업 현장에서 흔히 볼 수 있는 훼방의 몸짓들이 아주 생생하게 제시되어 있기

때문이다. 가령 "타협의 단 사탕을 입에 넣어준다고" 우리의 파업이 끝나는 것도 아닐뿐더러, 또 그 유혹에 넘어가서, 곧 "못난 '스캅푸'가 쥐색기처럼 빠저나간다고 방해돼서 못할진대야"라든가 "중도에 ××할진대야" "우리는 애초에 금번 ×을 시작도 안 했슬게다"라는 것이 그러하다.

우리들을 여자이라고
가난한 집 헐벗은 여자이라고
민초처럼 누른 마른 명태처럼 빳빳야윈
가난한 집 여자이라고
　　　×들 마음대로 해도 될 줄 아느냐
고래 가튼 ×를
젓 빨듯이 마음대로 빨어도 될 줄 아느냐
　　　×들은 만흔 리익을 거름(肥料)가치 갈라 가면서
눈꼽작만 한 우리 싹돈은
한없는 ×들 욕심대로 작구 작구 내려도
아무 리유 조건도 없이
신고 남은 신발처럼
마음대로 들엿다 ××치도 될 줄 아느냐

우리가 맨들어 주는 그 돈으로
　　　×들 녀편네는 寶石과 金으로 꿈여 주고
우리는 집에 병들어 누어
늙은 부모까지 굼주리게 하느냐

안남미밥 보리밥에
썩은 나물 반찬
　　×지죽보다 더 험한 기숙사 밥

하 -얀 쌀밥에 고기도 씹어 내버리는
　　×의 집 녀펜네 한번 먹여 봐라

태양도 잘 못 들어오는
어둠컴컴하고 차듸찬 방에
출×조차 - - -게 하는
　　××보다 더 - - -한 이 기숙사 사리
낫이면 양산 들고 련인과 植物園 꼿밧헤
밤이면 비단'카 -텐' 미테서 피아노 타는
　　×집 딸자식 하로라도 식혀 보라

「우리를 가난 한 집 여자이라고 -이 노래를 工場에서 일하는 數萬名 우리 姉妹에게 보냅니다」 부문

이 작품은 두가지 측면에서 그 의미가 있는데, 하나는 작품의 주인공이 여성이라는 점에서 찾을 수 있다. 경향시에서 서정적 화자나 주인공이 여성으로 된 것은 하나의 주된 흐름 가운데 하나인데, 임화의 「우리 오빠와 화로」가 그러하고, 박세영의 「누나」, 「바다의 여인」 등이 그러하다. 그런 면에서 권환의 이 작품은 이들 시의 연장선에 놓인 것이라 할 수 있다. 경향시에서 여성 화자나 주인공이 등장하는

것은 그 나름의 전략적 의도가 있는 것인데, 하나는 이들이 사회구조상 약자일 수밖에 없다는 점, 그리하여 피압박이 주인공으로 자연스럽게 부각될 수밖에 없다는 점에서 찾아진다. 다시 말해 여성이라는 사실만으로도 억압의 주체가 될 수 있다는 점을 인유한 것이다.

그리고 다른 하나는 여성을 욕망의 주체로 설정하는 것이 다른 어떤 것보다 그 효과가 매우 크다는 사실이다. 여성이라고 해서 욕망에 무한정 노출되는 존재는 아니지만, 소위 가진 자와 그렇지 못한 자를 구분하는 데에 있어서 여성만큼 좋은 소재가 된다. 가난 한 집 여자와 그 반대편에 놓인 부유한 여성은 그 계급적 차이를 보여주는 효과가 다른 어느 경우보다 매우 크기 때문이다.

「우리를 가난 한 집 여자이라고」에서 묘파된 이들 사이의 계급적 차이는 보다 극명하게 드러난다. 이 시의 주체는 무엇보다 여성 근로자들이라는 데에서 그 특징적 단면이 드러나는데, 우선 이들이 처한 삶은 매우 열악한 것으로 구현된다. 가령, 이들이 먹는 음식은 "안남미 밥 보리랍에/썩은 나물 반찬"이 전부이고, 그 반대 편에 놓인 자들의 것은 "하얀 쌀발과 고기" 등인 것이다. 이 얼마나 상반되는 기막힌 대비인가. 뿐만 이들이 처한 노동의 조건 또한 그들이 먹는 음식의 열악한 조건과 정비례되어 설명된다. "태양도 잘 못 들어올" 뿐만 아니라 "어둠컴컴하고 차듸찬 방"에서 고통에 찬 세월을 보내고 있는 것이다. 반면 부르주아의 집안의 여자들은 "낮에는 연인과 식물원에 가고" "밤이면 비단 카-텐 밑에서 피아노"를 타는 등 근로하는 여성은 감히 접근할 수 없는 고상한 삶을 누리고 있다.

이런 극단적인 대비가 환기시키는 효과는 분명할 것이다. 계급적 인식과 그에 대한 분노의 정서일 것이고, 그 대중적 환기 효과일 것이다. 이는 작품의 부제에서도 명확히 드러나 있는데, "이 노래를 工場에서 일하는 數萬名 우리 姉妹에게 보냅니다"로 되어 있기 때문이다. 이는 이들의 한계 조건이 그들만의 것이 아니라 근로하는 전체 여성에게 향해져 있는 것임을 알리고 있다. 이러한 면들은 경향시가 강조하는 대중화 효과와 함께, 그들과 함께 하는 유적 연대성과 불가분하게 연결되어 있다. 선진적인 의식과 강력한 연대의식은 노동계급의 성장과 전진을 이루게 하는 절대 조건 가운데 하나이기 때문이다.

권환의 시들은 무매개적이다. 이념의 직접적인 제시가 있는가 하면, 파업의 현장에서 곧바로 들어가 거기서 얻어지는 여러 정서들을 언어화하고 있는 것이다. 이런 국면들은 사건의 제시와, 이를 읽는 독자가 자연스럽게 하나의 현장 속에서 만나는 의장과는 거리가 있는 것이다. 실상 이런 기법은 어쩌면 팔봉이 임화의 시 「우리 오빠와 화로」에서 체득한 정서와 겹쳐지는 부분일 것이다. 무매개적인 이념의 제시가 아니라 간접적인 제시를 통해서 이를 은연중에 독자에게 전파해나가는 힘, 그것이 팔봉이 말한 시의 대중화의 한 모습일 것이다. 하지만 권환의 경우는 그러한 대중화와는 거리를 두고 있다. 권환은 자신의 창작 방법론을 볼셰비키 대중화라고 했거니와 그것이 의도하는 것은 독자 대중의 정서에 자신이 갖고 있는 이념을 직접적으로 감염시키는 것이다[12].

커—다란 아가리에 드러갔다 나온

12 권환, 「조선예술운동의 구체적 과정」, 중외일보, 1930.9.12.

울긋불긋한 詩 原稿
퍼―런 하늘로 날러가 버린다
한 장 두 장 노랑새가 되어

象徵詩,모던이즘詩, 이마지즘 詩, 抒情詩, 敍事詩, 戀愛詩 …

퍼드덕 한 번 치는 날개
힌 구름 속으로 훨 날렀다

가물가물 적어 가는 그림자
하늘 저편에 살아저 버린다

「魔術」 전문

선전 선동에 주로 복무된 권환의 시들은 이 시기 카프가 요구한 당위적 요구들에 대해서 충분히 답한 경우이다. 그는 이때 다른 어느 시인보다 작품의 볼셰비키화에 많은 노력을 기울였고, 카프 구성원이 시도한 당파적 결속에 충실히 부응했다. 이런 선전 선동의 시와 더불어 또하나 우리의 주목을 끄는 경우가 「魔術」이다.

작품의 내용에서 알 수 있는 것처럼, 여기에는 노동자의 세계관이나 그들의 이상, 혹은 파업 투쟁과 같은 격렬한 정치의식들이 드러나 있지 않다. 그럼에도 불구하고 권환의 작품 세계에서 이 작품이 갖는 함의는 아무리 강조해도 지나치지 않는데, 그것은 소위 부르주아 예술에 대한 경계와 그 배척의 정서가 담겨져 있기 때문이다.

카프가 이념적 결속과 당파성의 구현에서 주로 관심을 가졌던 것은 주로 내부의 문제에서 비롯되었다. 하기사 어떤 투쟁이 대외적으로 뻗어나기기 위해서는 무엇보다 스스로의 문제에 대한 점검이 우선해야 할 것이다. 자신들이 하나의 단위로 묶여져 있지 않고 대외적인 관심과 투쟁으로 나아간다는 것은 어불성설이기 때문이다.

하지만 이런 당위적 임무에도 불구하고 권환은 소위 자본주의의 사적 문화라든가 개인의 욕망에 기반한 작품들에 대한 경계를 잊지 않았다. 그 노력의 일환으로 제시된 작품 가운데 하나가 「魔術」이었던 것이다. 권환이 여기서 경계한 작품군들은 "상징시, 모더니즘시, 이마지즘 시, 서정시, 서사시, 연애시 - - -" 등등이다. 모두 개인의 정서라든가 자본주의라는 사적 문화에 기반을 두고 있는 작품군들인데, 여기서 서정적 자아는 이들 작품군들에 대해 하나의 마술을 시도한다. "커 -다란 아가리에 드러갔다 나온/울긋불긋한 詩 原稿"들이 "퍼 -런 하늘로 날아가 버리는 것이다". 이들을 날려 보낸 것은 마술하는 주체의 입이지만, 그것이 권환 자신의 세계관, 문학관임은 두말할 필요도 없다. 리얼리즘적 경계를 벗어나는 작품군들에 대해 권환은 이렇게 심하게 타매하고 있었던 것이다. 그런 행위는 이 시기 그의 시들이 보여준 선전 선동의 결과일 것이고, 또 「가랴가든 가거라」에서 묘파된 소부르주아적 세계와의 거리두기와 동일한 것이라 할 수 있다.

그는 이렇듯 운동의 측면에서나 문예미학적 측면에서 비당파적 요인들에 대해 예리하게 응시하고, 이를 배제하는 시야를 갖고 있었던 것이다. 따라서 「魔術」은 단순한 비판이 아니라 볼셰비키적 대중화라는 그의 정치적 의도와 맞닿아 있는 것이라 할 수 있다. 그리고 이와 관련하여 주목되는 작품 가운데 하나가 「自畵像」이다.

A

거울을 무서워하는 나는
아침마달 하—얀 壁 바닥에
얼굴을 대 보았다

그러나 얼굴은 영영 안 보였다.
하—얀 壁에는
하—얀 壁뿐이었다
하—얀 壁뿐이었다

B

어떤 꿈 많은 時人은
'第二의 나'가 따라다녔드란다
단둘이 얼마나 심심하였으랴

나는 그러나 '第三의 나'…'第九의 나'… '第××의 나'까지
언제나 깊은 밤이면
둘러싸고 들복는다

「自畵像」 전문

의식과 무의식의 문제는 심리학적인 영역에 놓인 것이지만, 이 시기 작가 이상의 등장으로 이 둘의 관계는 문학적으로 새삼 주목을 받게 되었다. 특히 그것이 근대성의 한 양상 속에서 자아의 완결성이나 동일성의 상실로 표상되면서 모더니즘 예술의 특징적 단면으로 이

해된 것이다. 이상의 「거울」은 그런 근대인의 분열적 자의식을 잘 보여준 작품이다.

권환의 「자화상」의 쓰여진 배경이랄까 동기 역시 이상의 「거울」로부터 자유로운 것이 아니다. 선전과 선동에 치중된 권환의 작품 세계가 겨냥한 것은 운동으로서의 문학에만 한정된 것은 아니었다. 그는 조직의 당파적 결속이라는 과제에 대해서도 철저하게 복무했지만, 문학의 그것에서도 철저한 면을 보여주었기 때문이다. 작품 「마술」의 갖고 있는 의의도 여기서 찾을 수 있는데, 권환은 여기서 한걸음 더 나아가 이상의 보증수표와 같았던, 30년대 모더니즘 문학의 중심에 있던 무의식의 세계를 꼼꼼히 들여다보고 비판하는 데에까지 나아가고 있다.

「자화상」은 크게 2연으로 나뉘어진 작품이다. 우선 A로 구분된 1연의 경우, 서정적 자아는 거울이라는 매개, 라깡이 말하는 거울상 단계를 애써 회피하고자 한다. 대신 그가 선택한 것은 거울에 비견되는 하-얀벽이었다. 자아는 거기에 얼굴을 대고 또 다른 자아, 곧 무의식을 찾아 기나긴 여행을 떠난다. 하지만 그가 응시한 벽, 뚜렷한 형상을 기대하고 바라본 벽은 그저 벽으로 현상될 뿐, 어떤 새로운 환영이 다가오지는 않는다. 의식의 한 단면이었던 '하얀-벽'이 또 다른 '하얀-벽'으로 다시 판박이되고 있는 것이다. 그는 이상의 보증수표였던 거울상이라든가 그것이 펼쳐보이는 분열상을 전혀 경험하지 못하고 있는 것이다. 아니 경험하지 않는 것이 아니라 그것은 권환에게 애초부터 존재하지 않고 있었다는 것이 옳은 말일 지도 모른다.

B로 구분된 2연도 마찬가지의 경우이다. 여기서 펼쳐지는 거울상 단계는 A연과는 확연히 구분된다. 시인의 자의식 속에 비춰진 또 다

른 자아는 하나가 아니라 여럿으로 오버랩된다. 의식 속에 여러 무의식이 겹쳐진다는 이 기막힌 역설이야말로 거울상을 부정하는 또다른 기제가 아닐 수 없는데, 그것이 의도하는 것은 이상식의 자의식, 거울로 매개되는 분열상에 대한 부정에 있을 것이다. 실상 이런 감각은 B의 1연부터 조롱의 정서로 구현된다. "어떤 꿈 많은 시인은/제二의 자아가 따라다녔드란다"라고 전제한 다음 "단둘이 얼마나 심심하였으랴"라고 규정하고 있기 때문이다. 여기에 센티멘탈이라든가 연민의 정서가 스며들 틈이 없는데, 이를 증거하는 것이 B의 2연이다.

권환은 여기서 의식과 무의식의 이분법적 분열이라는 거울상 단계를 근원에서부터 부정한다. 그의 자의식 속에는 하나가 아니라 여럿의 자아들이 있고, 그들이 밤만 되면 자신을 "둘러싸고 들볶는다"고 희화화하고 있는 것이다. 이런 이해의 밑바탕에는 의식과 무의식의 이원적 대립이라는, 근대인의 원형적 분열상을 인정하지 않는 사유가 깔려있는 것이다. 물론 이를 두고 다층적 억압이라는 집단 무의식이나 그 중첩성의 표현이라고 설명할 수 있지만, 권환이 의도하고 있는 것은 거기에 있는 것이 아니다. 그는 이상식의 분열상이란 한갓 신기루에 불과한 것이라고 이해하고 있기 때문이다.

그리고 인간이란 내적 분열의 존재가 아니라 오직 계층 갈등에서 오는 사회적 아우라 속에서만 가능한 존재라는, 마르크스적 사유와 무관하지 않을 것이다. 어떻든 권환의 의도는 라깡의 거울상이라든가 이상의 「거울」이 표방하는 그런 의식의 분열을 인정하는 쪽이 아니었다. 전위의 눈으로 무장하고 보다 강화된 당파적 결속을 위한 것이 「가랴거든 가거라」등의 작품이었다면, 그 예술적 경계는 「마술」

이나 「자화상」 등의 작품이었던 것이다.

3. 전형기의 순수시

1930년대 초반은 카프에 있어 많은 변화가 있었던 시기였다. 그것을 가능성의 시각에서 이해하게 되면, 제2차 방향전환을 통해서 카프라는 조직을 새롭게 일신할 수 있는 기회였고, 그 반대쪽의 입장에서 보면, 검거열풍으로 조직이 쇠퇴할 수 있는 위기의 시대였다. 그러나 전자보다는 후자의 상황이 카프의 활동을 더 어렵게 만든 것이 사실이었다.

잘 알려진대로 1930년대는 소위 객관적 상황이 점점 열악해가는 시기였다. 만주 침략을 계기로 일제는 제국주의의 본색을 더욱 노골적으로 드러내기 시작했고, 이에 비례해서 진보 운동에 대한 탄압은 더욱 가중되었다. 그 결과는 검거 열풍으로 이어졌는데, 권환은 1931년 제 1차 검거 때 투옥되었다. 물론 검거되었던 대부분의 성원들이 불기소 처분을 받고 풀려나왔지만, 이들의 활동 영역은 이때부터 현저하게 축소되기 시작했다. 그 후 1934년 제2차 검거 사건에 연루된 권환은 약 일 년간 전주 감옥에서 투옥생활을 하게 된다[13].

1차 검거에서도 그러했지만, 2차 검거와 감옥 생활을 거친 뒤 권환은 이전과는 전연 다른 세계를 걷게 된다. 하나는 그의 보증수표와 같았던 볼셰비키 대중화론을 포기하고 사회주의 리얼리즘을 수용

13 김용직, 앞의 책, p.500.

하는 것이었고, 다른 하나는 평론을 쓰지 않고 시창작에 전념하는 것이었다. 카프가 사회주의 리얼리즘을 수용한 것은 객관적 상황의 변화에 따른, 어찌 보면 왜곡된 현실의 결과였다. 카프는 창작방법으로는 변증적 유물론에 바탕을 둔 것이었는데, 이 방법이 예술을 교조적으로 만들고 이데올로기의 다양성을 무시하는 결과를 가져오게 한 것은 잘 알려진 사실이다. 이를 기계주의적 창작방법이라 할 수 있겠는데, 어떻든 그것이 지향하는 것은 편 내용주의, 세계관 우선주의였다. 창작의 유연성이 부정되는 이 창작방법은 무언가 새로운 변화를 필연적으로 요구받고 있었고, 그 대안으로 제시된 것이 사회주의 리얼리즘의 수용이었다. 하지만 이 사조가 조선의 현실에 맞지 않는 것이었거니와 특히 개성의 자연스러운 발전을 강조하는 방법적 특성이 사상의 유연성으로 이해되는 오류를 범하기에 이르렀다. 사회주의 리얼리즘이 지향하는 이념적 특색에 비추어보면, 이는 분명한 잘못된 수용이 아닐 수 없었다. 그럼에도 카프 구성원들은 변증적 유물론에 의한 창작방법의 질식 상태로부터 벗어나고자 이 리얼리즘의 방법적 특색을 자의적으로 받아들이게 되었던 것이다.

다른 하나는 평론을 포기하고 시창작에 열중하게 된 권환의 의도랄까 세계관의 변이현상이다. 평론은 산문의 세계이다. 산문이란 논리가 굳건히 서야만 비로소 써내려갈 수가 있는 글이다. 따라서 그가 산문을 포기했다는 것은 두 가지 국면에서 그 이해가 가능할 것인데, 하나는 우선 논리의 부재 현상에서 찾을 수 있다. 사회주의 리얼리즘의 수용에서 알 수 있었던 것처럼, 이 시기 카프 구성원들은 이 리얼리즘이 제시하는 원칙과 방법에 대해 제대로 이해하지 못했다. 이해가 불가능했다는 것은 그들 나름의 논리가 없었다는 뜻과 동일하다. 이미 이들에게는 이 시기 사회구성체에 대한 이해와 점증하는 제국주의의 힘에 대응할 논리적 근거를 잃어버린 뒤였다. 그 논리 부재가 권환으로 하여금 산문이라든가 비평의 세계를 초월하게끔 만든 계기가 되었다. 두 번째는 산문과 시가 갖는 장르상의 특징에서 찾아진다. 시는 논리가 있어도 쓰여질 수 있고, 또 없어도 쓰여질 수 있는 양식이다. 다만 상황에 따라 그 내용이 조금 달라질 수 있을 뿐, 그 본래적 성격이 바뀌는 것이 아니다.

권환은 말을 해야만 하는 처지에 놓여 있었기에 어떻든 적절한 발화적 표현 양식을 찾아야 했다. 그것이 그의 글쓰기의 의무이고 윤리였기 때문이다. 이 윤리의식은 시대가 바뀌었다고 해서 그의 내재적 정서라든가 욕망에 의해 포기될 성질의 것이 아니었다. 그는 비평가 이전에 감수성 예민한 시인이었고, 따라서 시인이라는 직분이 논리의 세계가 떠났다고 해서 포기될 수 있는 성질의 것이 아니었던 것이다. 논리가 떠난 자리에 그의 시쓰기가 존재했던 것은 이런 사정이 자리하고 있었다. 하지만 산문의 세계가 동반자의 위치에 서 있는 때와, 그것이 떠난 때의 상황이 동일할 수는 없을 것이다. 그의 시들이 카프 해산기에 이르러 전연 다른 길을 걷게 된 것은 일단 여기서 그 원인을 찾아야 할 것으로 보인다.

제2차 검거와 카프해산기를 전후해서 권환의 작품은 크게 구분된다. 그래서 그의 시를 평가하는 데 있어서 전반기는 프로시, 후반기는 순수시로 구분하고 있는 것이다[14]. 권환의 시를 꼼꼼히 읽어보게 되면, 이런 이해가 전혀 잘못된 것은 아니다. 하지만 이런 이해 방식

14 김재홍과 김용직을 비롯한 대부분의 논자들이 이 부분에 대해 동의하고 있다.

에는 몇 가지 난점이 따르게 된다. 현상이 맞다고 해서 그 밑에 깔려 있는 본질이나 정신세계가 곧바로 맞아떨어지는 것은 아니기 때문이다. 어쩌면 중요한 것은 현상이 아니라 본질일지도 모른다. 그리고 그 근저에 깔려 있는 것이 정신적 심연, 다시 말해 면면히 흐르고 있는 사상적 흐름일 것이다.

권환의 시들이 1930년대 중반을 경과하면서 뚜렷이 구분되는 것은 상황의 변화에 따른 불가피한 것이었다. 문학을 사회적 음역으로부터 분리시키는 순수 문학이라고 해도 그것이 사회나 정치의 아우라로부터 자유로운 것은 아니기 때문이다. 하지만 그런 상황 논리가 1930년대 중반 권환의 순수시를 이해하는 모든 준거틀이 된다고 할 수는 없을 것이다. 현상은 분리된 것처럼 보이더라도 권환의 후기시는 전기시로부터 독립된 것이 아니기 때문이다.

익히 알려진 대로 카프가 해산된 이후, 그 구성원들에게는 여러 갈래의 길이 놓여 있었다. 전향하는 자가 있는가 하면, 사소한 일상이라도 관심을 갖는등 현실로부터 벗어날 수 없는 자가 있기도 했다. 뿐만 아니라 전향은 하되, 자신의 내면은 끝끝내 감춘 위장 전향자의 경우도 있었다[15]. 이런 복잡한 내면에 대한 올바른 이해 없이 1930년대 펼쳐진 전향의 논리와, 새로운 운동 단계를 언급하는 것은 피상적인 수준을 벗어나지 못하는 것이 된다.

시인의 눈앞에 강력한 압제의 힘이 제시될 때, 그가 선택할 수 있는 길은 지극히 제한될 것이다. 그럼에도 그 출구랄까 탈출의 경로가 전연 불가능한 것도 아니다. 특히 그가 문학인이라면, 특히 시인이라

15 몇몇 경우를 제외하면, 대부분의 카프 구성원들은 이 부류에 속한다고 보는 것이 옳을 것이다.

면 그 해방구는 더 많이 선택될 수 있을 것이다. 이는 권환이라고 해서 예외가 아니다.

> 三間草家ㅅ집 들窓 속
> 까물거리는 殘燈 밑에
> 애기冊 읽는 소리가 들린다
>
> 人文 九雲夢 한가운데
> 聖眞이가 八仙女 다리고
> 구름 속에서 노는 場面이었다
>
> 「古談冊」 전문

1930년대 중반 이후 권환의 작품에서 흔히 볼 수 있는 것 가운데 하나는 퇴행의 정서이다. 퇴행은 시간적, 혹은 공간적인 측면에서 과거로의 여행이다. 반면 목적시들은 그 반대의 경우이다. 이 작품들의 성패여부는 미래에 놓여져 있고, 그 다가올 사건에 대한 전취여부가 성공의 열쇠가 된다. 권환의 시들이 과거의 시공간으로 되돌아갔다는 것은 프로시의 세계관을 갖고 있던 시인에게는 현실에 대한 탈출이나 도피로 비춰질 수밖에 없을 것이다.

일반적인 의미에서 퇴행은 부정적 정서이다. 지나온 과거가 아무리 긍정적인 것이라 해도 무매개적으로 그 정서에 빨려들어가는 것은 발전이라는 정서와는 무관한 까닭이다. 게다가 그러한 행보가 열악한 현실과 밀접하게 맞물려 있는 경우라면, 이런 혐의는 더욱 짙어질 것이다. 하지만 그 반대의 경우도 가능할 것인데, 이럴 경우에는 과거로의 시간여행이란 긍정적 정서를 갖게 될 것이다. 그러한 흐름 가운데 하나를 1930년대 문예조류 가운데 하나에서 찾을 수 있다.

일찍이 우리 문학사에 놓여 있는 커다란 주제 가운데 하나가 사상적 변모 과정이다. 특히 자본주의 현실에 반응하는 두 가지 테제, 곧 모더니즘과 리얼리즘의 상관관계이다. 모더니스트가 리얼리스트로 변모하는 사례는 익히 보아온 터이다. 자본주의 문화를 세밀히 탐색하는 고현학(考現學)이라든가 분열된 자의식을 노정하고 이를 이해하는 도정 등이 모더니스트들이 표방했던 대표적인 사유였고 또 의장이었다. 모더니스트들은 완결된 자의식을 위해 치열한 자기 모색의 과정을 거치게 된다. 그리하여 고향이나 자연과 같은 영원성의 세계를 만나기도 하고 종교의 영역에 침잠하기도 한다. 이는 모두 형이상학의 국면에서 시도되었던 것이고, 또 어떤 자의성에 의해 시도되지 않는 것이기에 그 나름의 보편성을 갖고 있었다. 그러나 보편성이 인식의 완결을 보증하는 것이 아니고, 그들은 영원의 세계를 탐구하거나 그렇지 못한 경우 이상 세계에 대한 그리움의 정서를 드러내보이기도 한다.

우리 시사에서 모더니스트들이 모색했던 이상 세계에 대한 열정이 또다른 사조에 대한 경사, 곧 리얼리즘의 수용으로 나아간 것은 잘 알려진 일이다. 모더니스트였던 임화가 그러했고[16], 김기림이 그러했다. 뿐만 아니라 오장환도 여기서 예외는 아니었고, 정지용 또한 이 음역에서 자유로운 경우가 아니었다. 만약 이상이 해방 이후까지 생존했다면, 그는 어떤 사유체계를 받아들였을까. 그의 행보 역시 어

16 임화는 잘 알려진 바와 같이 다다이즘과 같은 모더니즘의 시를 창작하면서 문인의 길로 들어섰다.

느 정도 유추 가능한 것이라는 점에서 매우 흥미로운 상상력을 제공해준다.

실상 이상의 가상적 선택이 무척이나 궁금했을 것인데, 어떻든 이런 모든 과정은 모더니스트가 리얼리스트로의 변모 과정을 보여준 대표적 사례가 아닐 수 없다. 하지만 그 반대의 경우도 충분히 가능한 것이라 할 수 있는데, 이를 이해하거나 연구한 경우는 거의 없었다고 해도 과언이 아니다[17]. 그 불모성이란 물론 경우의 수나 사례의 빈곤성이 될 수밖에 없다는 하나의 예증이 아닐까.

우리는 그 적은 경우의 수나 사례의 빈곤성을 권환의 경우에서 찾아보는 것이 가능하지 않을까 한다. 물론 이는 가설의 차원이 아니라 정설이 되어야 비로소 하나의 명제로 성립될 수 있는 성질의 것이라고 하겠다.

권환은 틀림없는 리얼리스트이다. 그는 카프의 이론가였고, 그 이론을 시로 묘파한 실천가였기 때문이다. 그리고 1930년대 이후 그는 리얼리스트로서의 면모를 잃고, 순수 서정의 세계로 함몰되었다. 이런 정신사적 변화를 두고 사상의 단순한 포기라든가 변절과 같은 레테르를 그에게 붙이는 것이 가능한 일일까.

자본주의 사회에 반응하는 두 가지 응전방식은 크게 리얼리스트적인 것과 모더니즘적인 것으로 구분할 수 있겠다[18]. 자아가 반응하는 방식이나 실천이 다르다고 하더라도 그 인식적 토양이 자본주의

17 실제로 우리 시사에서 리얼리스트가 모더니스트로 변모하는 과정에 대해서 주목은 있었을지언정 이를 이해하고 해석해서 문학사적으로 자리매김하는 경우는 거의 없었다고 해도 과언이 아니다.

18 실상 이런 구분은 일찍이 루카치가 시도한 것이었다. 루카치, 『현대리얼리즘론』(황석천역), 열음사, 1986 참조.

라는 것은 틀림없는 사실이다. 하지만 현실인식의 방식이나 그 변증적 해결에 대한 실천의 방식에서 이 두 사조는 크게 갈라진다. 루카치가 지적한 것처럼, 그 주요 개념적 차이는 전망의 유무일 수도 있을 것이다[19]. 하지만 여기서 강조하고자 하는 것은 그 전망의 여부가 아니라 자본주의 현실에 반응하는 자아의 시선이다. 리얼리스트적인 자아는 전진하는 사유이고, 모더니스트적인 자아는 후퇴하는 사유이다. 아니 미래가 닫힌 상태에서 고민하는 사유라고 하는 편이 보다 정확한 표현일 것이다. 그럼에도 이 두 가지 시선이 전혀 다른 것은 아니다. 모두 지금 여기의 현실에 대해 응시하는 시선, 그것을 예리함 혹은 적확함이라고 할 수 있다면, 그 날카로운 시선이라는 점에서는 공유의 지대를 형성하고 있기 때문이다. 그 예민한 시선이 미래로 향하느냐, 아니면 현실 그 자체에서 확장되느냐에 따른 리얼리스트적인 것과 모더니스트적인 것으로 구분된다고 하겠다.

현실에 예민하게 반응하는 권환의 시선은 분명 리얼리스트적인 것이고, 전진하는 것이었다. 하지만 외부 현실의 열악성은 이제 그로 하여금 전진의 시선이 더 이상 불가능한 상황을 맞이하게 된다. 미래가 폐쇄되었으니 시선은 이제 당연히 뒤로 향해야 한다. 「고담책」의 세계는 그 시선의 결과가 보여준 결과이다. 이러한 회귀는 인식의 완결을 향해 나아가던, 그리하여 찾아야 했던 모더니스트들이 보였준 인식적 행보와 어느 정도 겹쳐지는 면이 있다. 고전의 세계가 그 가운데 하나인데, 이런 맥락에서 보면, 권환이 펼쳐보인 「고담책」의 세계는 모더니스트들이 보여주었던 인식적 기반과 하등 다를 것

19 루카치, 위의 책 참조.

이 없어 보인다[20]. 그러한 가능성은 민담의 세계를 작품화한 「접동새」의 세계에서도 찾아볼 수가 있고 「고향」의 경우에서도 찾아볼 수 있다.

> 내 故鄕의
> 욱어진 느티나무숲
> 가이없는 목화밭에
> 푸른 물결이 출넝거렸습니다
>
> 어여쁜 별들이 물결 밑에
> 眞珠같이 반짝였습니다
>
> 검은 黃昏을 안고 돌아가는 흰 돛대
> 唐絲 같은 옛 曲調가 흘러나왔습니다
>
> 그곳은 틀림없는 내 故鄕이었습니다
>
> 꿈을 깬 내 이마에
> 구슬 같은 땀이 흘렀습니다
>
> 「故鄕」 전문

이 작품은 고향을 소재로 한 권환의 대표작 가운데 하나이다. 입

20 이러한 면은 1930년대 대표적 모더니스트였던 박태원의 고전 탐구와 밀접한 것이라 할 수 있다.

몽(入夢)의 형식을 취하고 있긴 하지만 고향의 정서를 언어로 풀어내었다는 점에서 이 시기 흔히 볼 수 있는 고향시 계열의 작품이라고 해도 무방한 경우이다.

고향을 소재로 한 시들은 1930년대 시의 한 조류를 형성하고 있을 만큼 많은 양을 차지하고 있긴 하지만, 고향에 대한 묘사는 일률적인 것이 아니어서 시인마다의 세계관에 따라 약간의 편차를 보이고 있었다. 이용악 류의 황무지적 고향이 있는가 하면, 오장환 류의 전근대적 아우라가 지배하는 고향도 있었기 때문이다. 반면, 부정의 정서보다는 긍정의 정서로 그려진 경우도 많았는데, 박세영이라든가 정지용 등의 경우가 그러하다. 물론 정지용의 정서에 남아있는 고향의 모습이 긍정일변도는 아니었지만, 그리움이라든가 회고의 정서에 있어서만큼은 다른 어떤 시인보다 앞선 경우였다.

고향에 대한 긍정적 정서는 권환 시인의 경우도 예외가 아니다. 고향은 과거의 과거성이고 현재의 현재성이라는 이중성을 갖고 있다. 그렇기에 그것은 과거의 시간성 속에 갇혀 있는 것이 아니고 현재의 시간성 속에 자연스럽게 편입된다. 뿐만 아니라 고향은 변치 않는 그 무엇으로 영원의 의미를 내포하고 있다. 그 영원성의 감각이 순간적 감수성에 젖은 현대의 파편화된 의식을 구원하게 된다. 모더니스트들이 파편화된 자의식을 완결시키기 위한 매개로 고향같은 영원의 감각을 수용하는 것은 모두 여기에 그 원인이 있다.

모더니스트들에게 고향이 분열된 인식을 완결시키기 위한 매개였다면, 리얼리스트들에게 그것은 어떤 수단이나 의미로 다가오는 것일까. 실상 이 물음에 대한 답이야말로 권환 후기시의 특징을 이해할 수 있게 하는 단서가 될 것이며, 프로시와의 관련성을 해명하는데 있어서도 주요 준거틀이 될 것으로 보인다.

근대를 인식하는 방법 가운데 하나는 시선이다. 하지만 그것은 단순히 바라보는 것이 아니라 현실을 냉철히 분석하고 이해하는 응시이다. 영원성을 상실하고 스스로 규율해나가는 것이 모더니스트들인데, 그 도정에서 그들의 정서가 파편화되는 것은 잘 알려진 일이다. 그리고 그 인식의 통일을 위해 꾸준한 자기 모색을 하는 것이 모더니스트들의 일반적 행보이다. 그런데 이런 도정은 리얼리스트라고 해서 크게 다를 것이 없다. 현실에 대한 이해와, 이를 통한 미래로의 여행 역시 자기 모색의 결과에서 오는 것이기 때문이다. 그러나 그 행보가 닫혔을 때, 곧 미래라는 시간이 폐쇄되어 있을 때, 시인의 자의식이 앞으로 나아가지 못하는 것은 당연한 일이 될 것이다. 이제 이 지점에서 모더니스트와 리얼리스트는 동일한 운명을 맞이하게 된다. 고향과 같은 영원의 감각, 자연과 같은 섭리의 정서가 이들 모두의 지대 속에서 동일한 함량으로 이 지점에서 기능하기 때문이다.

권환 시에 편입된 고향의 정서는 일차적으로 여기서 그 의의를 찾아야 할 것으로 보인다. 그것은 모더니스트들에게 편입된 것과 같은 완결된 인식이다. 전진하는 시선, 전위의 시야는 더 이상 나아갈 길을 찾지 못했다. 그러한 단절의 원인이 외부의 힘에 의한 것인지, 혹은 자아 내부의 갈등에 의한 것인지 하는 것은 큰 의미가 없다. 중요한 것은 이제 자아가 존재의 변이를 해야한다는 것, 그리고 그 매개란 무엇인가 하는 점이다.

카프 해산기에 작가들이 보여주었던 창작방법 가운데 하나가 세태묘사라든가 일상에의 복귀 문제였다. 현실에 대한 본질에 온전히 접근하지 못할 때, 진보주의자들이 할 수 있었던 최후의 몸부림이란 일상에의 끈을 놓지 않는 것이다. 이런 노력은 실상 권환의 경우에서도 예외가 아니다. 이 시기 권환의 시들은 시간 구성상 현저하게 지금 여기의 순간에 놓여져 있기 때문이다. 가령, 「풍경」같은 시가 그러하다.

> 저— 영감 좀 봐요
> 아— 주 대머리 뒤 꼭지에다
> 감투를 탁 재껴 쓰골랑
> 한 손에는 곰방담배때
> 한 손에는 단장을 끄으는 집주름
>
> 어둔 골목을 비틀비틀
> 혼자 빙글빙글 웃으면서
> 호박 밭 徐 主事내 집
> 흥적을 붙힌 게지
>
> 「風景」전문

이 시를 지배하는 주요 의장은 응시이다. 하지만 어떤 문제의식을 갖고, 다시 말해 전위의 눈으로 응시하던 카프 시절의 예민한 시선은 이 작품에서 추방되어 있다. 제목도 풍경이거니와 작품을 지배하는 주요 의장 또한 단순한 응시의 미학으로 구성되어 있기 때문이다. 마치 하나의 풍경화를 보는 듯한 착각을 불러일으킬 정도로 주관의 개입 없이 경치에 대한 세밀한 묘사가 돋보이는 작품이다.

1930년대 중반 이후 권환의 시에서 이런 기법이 갖는 함의는 주목을 요하는 것이 아닐 수 없다. 이는 고향과 같은 통합의 정서와 더불어 이 시기 권환 시의 중심 기법이라고 해도 과언이 아닐 정도로 그 내포적 의미가 무척 큰 경우이다.

당파적 결속과 조직의 일원성을 강조하던 시기에 권환이 무엇보다 경계한 것은 예술의 관념화라든가 부르주아적 예술 형태이다. 한편으로는 노동 현장의 계급의식을 드러내면서도 예술에 있어서의 부르주아적 성향을 다른 어떤 카프 시인보다 통렬히 비판한 것이 이 시기 권환의 행보였다. 하지만 카프 해산 이후 권환의 시들은 이전에 그가 비판했던 부르주아적 성향의 예술을 적극적으로 수용하게 되는 아이러니컬한 상황을 맞이하게 된다.

이 시기에 권환은 자신이 그토록 비판했던 부르주아적 성향의 예술들을 이 시기에 적극적으로 수용하게 된다. 그런 행보는 고향의 정서를 자신의 작품 속에 편입시켰던 일의 연장선에 놓여 있는 것인데, 그 매개로 작용한 것이 지금 여기의 현실에 대한 이해와 응시였다. 실상 현실에 대한 적확한 응시는 이미지즘 예술의 토대였다. 잘 알려진 대로 흄(Hume)이 표방한 이미지즘은 현실을 떠나서는 성립할 수 없는 것이었다. 예술은 일상의 구체적인 사물을 떠나서는 성립할 수 없는 것인데, 다만 그 일상이란 참신한 것, 새로운 인식 속에서만 예술로서의 가치를 가질 수 있다는 것이었다. 일상에서 시작하되 그 일상의 사물을 새롭게 묘사하는 것, 그것이 흄이 제창한 이미지즘의 예술이었던 것이다.

이미지즘 예술의 탄생과 그 인식적 기반을 이해하게 되면, 권환이 「풍경」에서 시도했던 의장을 어느 정도 알게 된다. 이 작품을 이끌어 가는 중심 매개는 일상에 대한 충실한 응시와 이해에 있기 때문이다.

권환은 이 작품에서 한 단계 더 나아가 이전에 비판했던 부르주아 예술을 더 적극적으로 수용하게 된다. 그 작품이 바로 「집」이다.

우리집이 어드매 어느게냐구요
山 넘어도 바다 건너도 아니라오
당홍 고추 하—얀 박이 울긋불긋
초가집웅을 繡놓은
저—기 저 집이라오

꽃송이 같은 반시 紅柹
傳說같이 주렁주렁 달린 감나무에
까치 한 떼 날러 앉음
저—기 저 집이라오

건너편 푸른 山 바라보며
얼룩박이 황소 한 마리
혼자 여물 씹는
저—기 저 집이라오

초록저고리 분홍치마 길게 끄으는 색시 뒤에
감둥강아지 따러 나오는
저—기 저 집이라오

붉은 황토밭 밑 늙은 느틔나무 뒤

저—기 저 집이라오

「집」 전문

「집」은 여러 면에서 정지용의 「향수」를 닮은 작품이다. 5연으로 구성된 형식적인 면도 그러하거니와 고향의 정서를 시각적, 감각적으로 환기시키는 면도 꼭 닮아 있기 때문이다. 시인이 초기에 펼쳐보였던 작품세계와 비교해보면, 진정 그의 작품인가 의문이 생길 정도로 이질적이다. 하지만 그러한 생소함에도 불구하고 이 작품은 권환이 지금까지 보여주었던 정신 세계에 비춰보면, 충분히 납득할 만한 작품이라고 하겠다.

넓은 벌 동쪽 끝으로
옛이야기 지줄대는 실개천이 휘돌아 나가고,
얼룩백이 황소가
해설피 금빛 게으른 울음을 우는 곳,

--그 곳이 참하 꿈엔들 잊힐리야.

질화로에 재가 식어지면
뷔인 밭에 밤바람 소리 말을 달리고,
엷은 조름에 겨운 늙으신 아버지가
짚벼개를 돋아 고이시는 곳,

--그 곳이 참하 꿈엔들 잊힐리야.

흙에서 자란 내 마음
파아란 하늘 빛이 그립어
함부로 쏜 활살을 찾으러
풀섶 이슬에 함추름 휘적시든 곳,

--그 곳이 참하 꿈엔들 잊힐리야.

전설바다에 춤추는 밤물결 같은
검은 귀밑머리 날리는 어린 누의와
아무러치도 않고 예쁠것도 없는
사철 발벗은 안해가
따가운 햇살을 등에지고 이삭 줏던 곳,

--그 곳이 참하 꿈엔들 잊힐리야.

하늘에는 석근 별
알수도 없는 모래성으로 발을 옮기고,
서리 까마귀 우지짖고 지나가는 초라한 지붕,
흐릿한 불빛에 돌아 앉어 도란 도란 거리는 곳,

--그 곳이 참하 꿈엔들 잊힐리야.

정지용, 「향수」 전문

정지용의 「향수」는 완결된 정서를 갖고 있지만, 형식적인 의장은 파편적으로 구성된 작품이다. 고향의 장면 장면이 마치 영화의 한 장면을 떼어내서 만들어낸 구성을 보이고 있고, 또 이런 구성은 인식의 불완전성이 만들어내는 모자이크 수법의 범주 속에서 이해된다. 권환의 「집」도 정지용이 구사한 영화적 구성이나 모자이크의 수법을 그대로 수용한 듯한 양상을 보인다는 점에서 주목을 끈다.

이 작품의 특색은 정지용의 「향수」와의 동일성에서 찾을 수 있는데, 그 닮은 꼴은 우선 형식적인 의장에서 찾아진다. 「향수」와 마찬가지로 「집」을 구성하고 있는 형식적 특색은 모자이크적 수법에 있다. 총 5연으로 구성되어 있지만, 이 작품은 하나의 작품으로 완결되어 있는, 다시 말해 유기적 통일성을 갖고 있는 경우는 아니다. 마치 영화의 한 장면 장면처럼 고향의 모습이 단편적으로 제시되어 있기 때문이다. 이런 수법의 저변에 깔려 있는 것이 정신의 파편성일 것이다. 유기적 단일성을 가질 수 없는 현대인의 의식이 반영된 결과가 이런 모자이크적 구성의 정신적 기반이기 때문이다.

두 번째는 고향의 정서인데, 감각적이고 내면 깊숙이 스며드는 정서의 폭들이 「집」이나 정지용의 「향수」와 크게 다를 것이 없다. 하지만 그것이 수용되는 방법이랄까 순서는 이 두 시인 사이의 정신사적 행보만큼이나 거리가 먼 것이라 할 수 있다. 정지용이 고향을 시의 방법적 감수성으로 받아들인 것은 근대인의 불안의식이었다[21]. 근대가 순간의 정서로 감각되고, 또 그런 일시성이 인식의 완결을 방해하는 것은 잘 알려진 일이다. 따라서 그런 파편적 사고를 넘기 위해

21 송기한, 『정지용과 그의 세계』, 지식과 교양, 2014 참조.

서 어떤 영원의 감각에 기대게 되고, 이를 적극적으로 수용하게 되는 것인데, 정지용은 그 감각 가운데 하나를 고향의 정서에서 찾은 것이다. 정지용에게 있어 고향의 정서가 파편화된 정서를 완결시키는데 어떤 기여를 했는가 하는 것은 별개의 문제이다. 다시 말해 그 성공 여부를 말하는 것은 중요하지 않다는 것이다. 그 분열된 정서를 완결시키기 위한 수단으로 이 정서를 수용했다는 것에 그 시사적 의의가 있을 따름이다.

정지용의 그러한 행보는 권환의 경우에도 그대로 적용 가능하다. 다만 현실 인식의 방법과 그 변증적 과정에 차이가 있었을 뿐, 수용의 경로와 그것이 주는 정서적 의미는 동일하기 때문이다. 전진하는 사고가 더 이상 나아갈 수 없을 때, 권환이 수용한 것은 정지용과 마찬가지로 영원의 정서였던 것이다. 그것은 일상에의 복귀라는 카프 구성원들의 행보와 동일한 것이었고, 다만 그 미학적 결과는 부르주아 예술의 수용이었던 것이다.

하지만 권환을 부르주아 예술가로 단정하는 것은 그의 시세계를 이해하는 올바른 방식이 아니다. 만약 이런 전제가 가능하다면, 그는 전기시와 후기시 사이에 크나큰 격절이 있는, 이분법적 정신의 소유자라는 이해에 도달하게 된다. 이렇게 되면, 그의 전기시와 후기시를 매개하는 고리가 사라지게 되며, 해방 이후 그가 펼쳐보였던 민족주의 계열의 시세계를 제대로 이해하지 못하는 결과를 가져오게 될 것이다.

전기 시와 후기 시가 뚜렷이 구분되기는 해도, 권환의 정신사에서 이 두 시기 사이에 놓인 단절이 아무런 매개 고리가 없이 분리되어 있는 것은 아니다. 어쩌면 이 매개 고리에 대한 발견과 이해야말로 권환의 시세계를 이해하는 주요 준거틀일 뿐만 아니라 해방 이후의 시세계, 그리고 이후의 행적을 이해하는 요체가 될 것이다.

1930년대 중반 이후 권환 시세계의 중심은 이른바 순수에 있다고 할 것이다. 권환은 이시기 분명 순수시를 창작해내었고, 또 그러한 세계가 권환 시의 주요 주제 가운데 하나로 자리하게 된 것은 엄연한 사실이다. 그렇다면, 이 시기 순수의 정체란 무엇이고, 그것이 권환 시에서 어떤 함의를 갖는가 하는 것이 주요 화두로 떠오르게 된다.

「풍경」이나 「집」등의 작품에서 권환이 펼쳐보였던 작품세계는 이념의 세계와는 거리가 있는 경우였다. 권환은 이 시기에 이르러 이렇듯 전기와 전연 다른 행보를 보이고 있었던 것이다. 특히 이 시기 그의 작품 세계와 더불어 주목을 끄는 작품 가운데 하나가 「倫理」이다. 이미 여러 연구자들이 언급한 것처럼, 1930년대 중반 이후 권환 시의 중심으로 자리한 것이 「倫理」의 정신적 구조이다. 하지만 이 작품이 쓰여지게 된 것은 객관적 상황이 열악했다는 것, 그리하여 그 시적 응전이 이 순수 문학의 세계로 나아갔다는 것이 그 해석의 요지일 뿐 더 이상 진전된 논의는 없다[22]. 현실과의 치열한 대결, 운동으로서의 문학인 카프 문학의 성격상 외부 현실이 주는 강압으로 카프 작가들이 선택할 수밖에 없었던 것이 「윤리」의 세계였을 것이다. 대부분의 카프 작가들 또한 이 행보로부터 자유로운 것이 아니었기 때문이다[23]. 이 상황 논리가 정합성을 갖는 것이라면, 순수로 향한 권환

22 김재홍, 앞의 글 참조.

23 카프 구성원들의 다양한 변신이 이를 증거하는데, 가령 박영희의 전향 선언이 그러하고, 백철의 세태소설론이 그러하다. 그리고 임화의 낭만주의나 민족주의도 이 범주에서 자유로운 경우는 아니다.

의 발걸음은 지극히 옳은 것이었다고 하겠다.

하지만 순수를 이렇게 귀납적으로 이해하는 것이 그 의의의 전부는 아닐 것이다. 그것은 다음과 같은 의문들 때문이다. 가령, 순수란 오로지 세계관의 공백 속에서만 가능한 것인가, 혹은 순수란 불합리한 현실에 대한 외면 내지 외피인가 하는 문제점이 남아 있기에 그러하다. 순수를 맥락 속에서만 이해한다면, 권환의 순수, 「윤리」가 말한 시인의 삶은 상황 논리가 만든 현실추수주의 그 이상도 그 이하도 아닌 것이 된다. 뿐만 아니라 권환의 시세계가 전반기와 후반기 완전히 단절된, 이분법적 세계로 나누어진다는 것은 자연스러운 흐름이 될 것이다. 과연 그러한 것인가.

> 박꽃같이 아름답게 살련다
> 흰 눈[雪]같이 깨끗하게 살련다
> 가을 湖水같이 맑게 살련다
>
> 손톱 발톱 밑에 검은 때 하나 없이
> 갓 탕건에 먼지 훨훨 털어 버리고
> 축대 뜰에 띠끌 살살 쓸어 버리고
> 살련다 박꽃같이 가을 湖水같이
>
> 봄에는 종달새
> 가을에는 귀뚜라미 우는 소리
> 천천히 들어 가며
> 살련다 박꽃같이 가을 湖水같이

비 오며는 참새처럼 노래하고
바람 불며는 토끼처럼 잠자고
달 밝으면 나비처럼 춤추며
살련다 박꽃같이 가을 湖水같이

검은 땅 우에 굿굿이 서
푸른 하늘 처다보며
웃으련다 별과 함께
별과 함께
앞못 물속에 흰 고기 떼 뛰다
뒷산 숩 속에 뭇 새 우누나
살련다 박꽃같이 아름답게, 湖水같이 맑게

「윤리」 전문

작품 「윤리」는 맑고 순수한 세계에 대한 추구이다. 시인은 "박꽃같이 아름답게 살련다" 하고 "흰눈 같이 깨끗하게 살련다"고 한다. 게다가 "가을 湖水같이 맑게 살련다"고 하면서 맑고 순수한 삶을 살고자 거듭거듭 다짐하기에 이르른다. 이 작품에 이르면, 권환은 일상성의 세계에서도, 부르주아적인 모더니스트의 세계로부터도 한발짝 물러서 있다. 하지만 그가 디딘 곳은 복잡한 자본주의적 사적 문화라든가 현실의 예민한 촉수들이 번뜩이는 삶의 현장이 아니다. 시인이 가고자 열망하는 곳은 "가을 호수같이 맑은" 곳이다. 권환의 시세계에서 도대체 이 세계란 무엇이고, 또 치열한 삶의 현장을 버리고 어떻게 이런 이상향 혹은 관념의 공간을 지향하게 되었던 것일까.

일찍이 맑고 순수한 세계 속에서 자신이 갖고 있는 시세계의 의의를 찾고 있었던 시인으로 김영랑의 경우를 들 수 있다. 그는 "돌담에 속삭이는 햇발가치/풀아래 웃음짓는 샘물가치" 맑은 하늘에 자신의 서정을 접맥시켜려 했던 것이다. 그러한 순수를 식민지 부르주아들의 이데올로기적 표현이라고 폄하한 경우도 있었지만[24], 영랑의 순수는 오히려 철저하게 이데올로기적인 것이었다는 사실이다[25]. 영랑의 작품에서는 나(I)와 관련된 단어가 다른 어떤 시인보다 많이 등장한다. 그는 그러한 자아, 곧 서정적 자아를 맑고 순수한 세계에 곧바로 연결시킴으로써 혼탁한 세상으로부터 자신을 지키고자 했다. 따라서 일상에의 복귀라든가 현실에의 관심이 곧바로 친일로 비춰질 수 있는 1930년대 말에 순수의 세계를 지킬 수 있다는 사실만으로도 크나큰 저항의 몸짓이 아닐 수 없을 것이다. 따라서 이때의 순수란 이데올로기적인, 정치적인 의미를 갖는 것이라 할 수 있다. 순수의 영역 속에 있는 것만으로도 일제의 유혹으로부터 벗어날 수 있는 길이기 때문이다.

김영랑의 순수와 권환의 순수는 실상 동전의 앞뒤와 같은 것이라 할 수 있다. 카프 구성원들의 전향이 대부분 위장이었거니와 적극적인 친일의 세계로 나아가지 않았는데, 권환의 경우도 그러했다는 논리적 근거가 여기서 생겨나게 된다. 권환은 일본 제국주의와 일정 정도의 거리를 유지했다. 거리화란 적극적인 친일의 행보로부터 자유

24 김윤식, 「영랑론의 행방」, 『심상』, 1974.12.

25 송기한, 「현실과 순수의 길항관계」, 『한국현대시사탐구』, 다운샘, 2005, pp.107-124.

로운 것이었다. 그러한 거리를 가능케 한 것이 순수가 아니었을까. 마치 영랑이 그러했던 것처럼 말이다.

작품 「윤리」의 시사적 의의는 순수에 있을 것이다. 그것은 과거로의 여행이나 현실로부터 눈을 돌리기 위한 회피의 수단이 아니다. 일상과의 거리 속에서 만들어진 순수인데, 권환은 그러한 세계를 통해서 폭악한 현실을 우회하고자 한 것이다.

「윤리」의 세계가 권환의 행보와 밀접한 관련을 갖는 것이라는 전제에 설 경우, 우리는 한 가지 가설을 갖게 된다. 카프 문학이 계급모순에 바탕을 둔 선전 선동의 문학, 이데올로기의 문학임은 부인하기 어려울 것이다. 하지만 해방 이후 이들의 회고에서 알 수 있는 것처럼, 계급해방이 이루어지면 민족 해방은 당연히 이루어지는 것으로 이들은 이해했다는 점이다. 계급 모순에 대한 인식은 카프 해산기 이전에는 충분히 가능했고, 또 사회적으로도 용인되었다. 그렇기에 이들은 계급 모순에 의한 당파적 결속이나 투쟁만으로도 민족 모순과 겹쳐지는 것으로 이해했다. 하지만 객관적 상황이 열악해지는 상황에서 계급 모순은 더 이상 유효한 것이 아니었다. 이제 남은 것은 민족 모순만이 남게 되었다. 하지만 일제 강점기에 이 모순을 언표화한다는 것은 계급 모순의 담론보다 더더욱 어려운 것이었다. 그렇다고 이 첨예한 사회적 갈등과 역사의 현장을 외면할 수 없는 것이 이들의 운명이었다. 그것이 현실과의 또 다른 대결의식이었는데, 그 중심 담론이 바로 순수였던 것이다.

일상성으로의 복귀가 자연스럽고, 또 모순에 대한 대항담론이 쉽게 발언될 수 있는 상황에서 순수란 그저 현실도피적인 것이란 혐의를 벗어날 수 없을 것이다. 이때 이들이 보증수표로 내세우는 것이 문학은 자율적인 것이고, 사회로부터 일정한 거리를 두고 있다고 강조하는 경우이다. 이럴 때 순수는 현실의 불온성에 대해 용인하는 것이 되고, 따라서 현실 도피라는 혐의로부터 자유롭지 않게 된다.

하지만 그 반대의 경우도 있다. 순수를 올곧게 간직함으로써 불온한 현실과 경계를 짓고, 또 그로부터 자아의 올바른 정체성을 확보할 수 있다면, 이때의 순수란 강력한 정치적인 의미를 갖는 것이라 할 수 있다. 그러한 사례를 김영랑의 순수시에서 살펴보았거니와 권환도 이 세계의 음역 속에 놓여 있는 것이다. 자연과 함께 하고, 맑은 가을 호수와 더불어 깨끗하게 살고 싶은 시인의 마음은 그저 단순히 현실로부터 벗어나기 위한 몸부림이 아니다. 현실을 벗어나긴 하되 그 속악한 현실로부터 자신을 지키고자, 탈출하고자 하는 것이기 때문이다. 「윤리」에서 표명된 '순수'의 내포적 의미는 바로 여기에 있다고 하겠다. 이는 해방 직후의 상황과 곧바로 대응된다는 점에서 주목을 끄는 경우이다.

3. 해방 후의 이념 선택

1945년 8월 해방이 되었다. 해방은 외세로부터의 자유이기도 했지만, 문학자들에게는 새로운 민족문학 건설을 위한 기회가 되기도 했다. 이런 상황 속에서 가장 먼저 조직 재건에 나선 것은 임화였다. 그는 해방 이튿날 조선문학건설본부를 결성하여 해방 직후 문학이 나아갈 방향을 제시하고 흩어졌던 진보 진영의 문학가들을 결속시키는 데에 구심점 역할을 했다. 하지만 임화 중심의 문학운동은 다른 진보적 문학인들을 모두 포용하는 것이 아니었기에 일정한 한계를 갖고 있었다. 한달 뒤 조선프로예술동맹이 건설된 것은 그 단적인 증거가 된다.

해방직후의 상황은 우리 민족의 기대치와는 다른 방향으로 흘러갔다. 민족반역자를 비롯한 친일파의 처리는 그 핵심 문제 가운데 하나였지만 예상은 전혀 반대의 국면으로 흘러가고 있었다. 이 거대한 적이 있으니 이에 대응할 마땅한 힘이 있어야 했다. 이런 상황은 거대한 문학 단체의 출몰을 예고하고 있었는데, 1946년 2월의 전국문학자대회가 그 출발점이 되었다. 이 대회를 계기로 문학가동맹이라는 거대 조직이 생겨나게 되었고, 권환은 이 단체의 서기장이 되었다.

해방 이전의 상황을 고려하면, 권환이 이 조직의 서기장을 맡는 것은 하나도 이상할 것이 없었다. 1930년대 그의 문학은 선전 선동에 바쳐졌고, 그 자장은 카프 문학의 본질이었기 때문이다. 그러나 카프 해산 이후 권환의 행보를 이해하게 되면, 권환에게 문학가동맹의 서기장이라는 직책은 썩 어울리는 것이 아니었다. 게다가 해방 이후 펼쳐 보인 그의 문학 세계에 비추어보면 이런 혐의는 더욱 굳어지게 된다.

권환이 어떤 계기로 진보문학의 중심인 문학가동맹의 서기장이 된 것일까. 몇 가지 가정이 허용된다면, 하나는 임화와의 친분관계에서 찾을 수 있을 것이다. 권환과 임화는 1920년대 후반 일본에서 돌아온 직후 카프 소장파의 일원이 되어 카프의 주도권을 행사하게 된 사이이다. 박영희와 김기진을 비롯한 카프 초기 구성원들이 퇴장한 이후, 카프는 오직 이들의 영향 하에 놓이게 되었는데, 이런 환경 속에서 권환과 임화는 깊은 친분관계를 유지할 수 있었고, 이념적 결속을 다지는 사이가 되었던 것으로 보인다. 그들의 결속 관계는 해방 이후에도 전연 변하지 않았다.

잘 알려진 대로 문학가동맹의 실질적인 주도권을 쥐고 있었던 사람은 임화였다. 그는 박헌영 주도의 조직, 곧 조선공산당의 핵심 구성원이었을 뿐만 아니라 이론가였다. 조선문학건설본부와 조선 프로예맹이 통합하여 문학가동맹으로 새롭게 탄생한 것도 조선공산당의 지시였는데, 이는 곧 임화의 뜻이기도 했을 것이다. 이런 영향력을 가진 임화가 돈독한 친분관계를 유지하던 권환으로 하여금 이 조직의 수장을 맡도록 제의했을 것이고, 권환은 이를 흔쾌히 받아들인 것으로 보인다.

둘째는 권환이 가지고 있는 윤리성이다. 1930년대 후반의 시가 일러주는 것처럼, 권환은 이미 순수를 발견하고 그 세계에 안주한 경우였다. 그리고 그러한 순수의 세계가 결코 도피가 아니라 불온한 현실과의 철저한 거리두기였음은 앞서 지적한 바 있는데, 이런 탈속의 세계가 그로 하여금 세속의 불온성으로부터 자신을 지켜주는 계기가 되었던 것으로 보인다. 그 구체적인 결과는 친일의 혐의로부터 그를 자유롭게 했다는 사실이다. 자신을 지켜줄 수 있다는 것은 해방 직후 윤리성의 보존으로 구현되었을 것이고, 그런 감각이 문학가동맹의 서기장, 한 조직의 수장을 맡는 데 있어서 크나큰 장점으로 작용했던 것으로 보인다.

하지만 문학가동맹 서기장으로서의 권환의 활동은 지극히 제한적인 것이었다. 그런 제약은 몇 가지 상황에서 유추할 수 있는데, 우선 그는 해방 이전에 이미 절대 순수가 내포하는 가치가 무엇인지에 대해 충분히 체득한 터였다. 세속적인 현실에 물들지 않는 방법, 어쩌면 그런 의장이 식민지 말기를 넘어서는 좋은 수단임을 그는 알게 된 것이다. 여기서 그런 일깨움이 그로 하여금 굳이 계급문학이 아니더라도 민족문학의 가치를 실현할 수 있다는 것을 이해하게끔 한 것은 아닐까 하는 것이다.

해방 이후 시인의 행적을 살펴보게 되면, 이런 가설은 충분히 설득력이 있는 것으로 보인다. 권환은 카프 해산 이후 비평 활동을 거의 하지 않았다. 그는 이때 인과론에 의해 지배되는 논리의 세계로부터 거리를 두고 있었던 것이다. 그런데 그런 거리감은 그의 시세계에서도 동일하게 재현되고 있다는 점에서 우리의 주목을 끌게 된다. 권환은 이미 그가 매도해마지 않았던 부르주아 예술에 경도되면서 그의 시세계에서 논리의 세계를 추방시키고 있었던 것이다, 논리가 벗어난 자리를 채운 것이 순수의 세계임은 이미 지적한 바 있다.

그런데 해방 이후 권환의 시에서 논리의 세계는 더 이상 재현되지 않는다. 문학 뿐만 아니라 비평에 있어서도 그의 이름은 거의 보이지 않는 것이다. 논리는 그로부터 이미 멀리 떠나 있었던 것이다. 해방 이후 그가 집중한 분야는 시였지만, 그러나 그러한 작품들이 함의하고 것은 문학가동맹 서기장이라는 직함에 어울리지 않는 내용으로 가득찬 것뿐이었다.

> 十년 전 양주가
> 등에는 괴나리 봇짐
> 두손엔 바가지 들고

북으로 북으로 멀리 간 朴첨지도
어제 滿洲서 돌아왔다
동리 어구에 들자마자 연신
용감한 아라사 병정 이야길 하면서
도수장에 목을 옭혀간 소처름

九州탄광으로 끌려갔던 金春甫도
二年만인 그저께야 돌아왔다
우 아랫이를 부득부늑 갈면서
쫓겨가고 故鄕을 파먹던 모진 야수들은
찾어왔다 故鄕을 잃은 백성들은

夜學校 좁은 강당에선
박수 소리가 요란하게 일어나다
學兵서 돌아온 의 德洙君
角帽를 휘두르며 부르짖는 演說會다
이 넒은 「삼거리」들도 모두
우리들 땅입니다 인젠
齊藤이 논도 鈴木이 밭도 아닙니다

왼들에 구수하게 풍기다
익은 곡식의 향내가

만세소리가 때때로 바람결에 들리다

이마을 저마을서
유달리 맑고 푸른
자유 조선의 가을 하늘이었다

「고향」 전문[26]

이 작품은 해방 직후에 쓰여진 것인데, 고향의 감수성은 해방 이전의 그것과 전연 다른 곳에 놓인다. 해방 이전 권환의 「고향」이나 「집」 등의 고향 시들은 정서의 안정이나 영원의 감각에서 인유된 것들이다. 그런 까닭에 그것은 관념이라는 형이상학을 벗어날 수 없는 것이었다. 하지만 해방 이후의 「고향」은 식민지 시대의 고향 정서와는 전연 다르게 구현된다. 관념이 아니라 현실 속에서 즉자적으로 의미화되고 있기 때문이다.

이 시를 지배하고 있는 것은 귀향모티브이다. 그것은 이향 모티브와 이항대립적 관계에 놓이는데, 해방 이전의 고향 담론이 내포하고 있었던 것은 주로 후자와 관계된 것이었다. 고향과 그로부터의 이향 과정은 자의가 아니라 타의에 의한 것으로, 흔히 유이민과 같은 존재와 밀접한 관련을 맺고 있었다. 이제 상황은 정반대가 되는데, 고향은 이향이 아니라 귀향 속에서 정합성을 갖게 된다.

식민지 시대의 고향이 그러한 것처럼 이 작품에서의 고향도 매우 긍정적으로 의미화된다. 하지만 중요한 것은 그러한 긍정성이 형이상학의 차원이 아니거니와 철저하게 민족 모순의 관계 속에서 의미화되고 있다는 사실이다. 이는 귀향의 과정이 매우 열악한 것으로 그

26 신범순 외, 『해방공간의 문학1-시』, 돌베개, 1988, pp.41-42.

려진, 이용악의 「하나씩의 별」[27]이나 김동리의 「혈거부족」과는 거리가 있는 경우이다. 권환에게 있어 고향은 긍정적인 공간인데, 이런 고향의 정서가 이용악 등의 그것과 비교될 경우 그 긍정성이란 도대체 어떤 의미가 있는 것일까.

이 작품에서 표명된 고향은 제국주의로부터 벗어난 자유의 공간, 해방의 공간이다. 그러니 지금 여기의 실존적 삶이 무엇이든, 혹은 어떤 이해관계가 작동하고 있는 것이든, 게다가 어떤 이데올로기가 산재해 있는 것인가 하는 것 등등은 전연 문제될 것이 없다. 그것은 오직 해방의 공간이라는 점에서 의미가 있는 것인데, 당연하게도 그 반대편에 놓여 있는 것, 곧 대항담론은 일본 제국주의이다. 제국주의로부터 벗어난 공간이기에 고향은 더할 수 없이 아름답고, 이상적인 공간일 수밖에 없는 것이 아닌가. 권환의 그러한 감각은 "이 넓은 『삼거리』 들(野)도 모두/우리들 땅입니다 인젠"이라는 구절 속에 잘 드러나 있거니와 이를 지탱하는 감격의 정서 역시 "齊藤이 논도 鈴木이 밭도 아닙니다"라는 민족주의가 놓여 있는 것이다.

권환이 해방 직후에 응시한 것은 소위 본질에 관한 것이 아니다. 뿐만 아니라 계급 모순이나 이에 바탕을 둔 민족 문학의 수립은 더더욱 아니다. 진보 문학을 대표하는 총 사령관인 문학가동맹 서기장이 인식한 정서는 이렇듯 해방 정국의 현실과는 전연 동떨어져 있는 것이다. 그의 시선에는 "유달리 맑고 푸른 자유 조선의 가을 하늘"만이 들어오고 있었을 뿐, 오장환이 인식한 「병든 서울」의 세계는 전연 도외시되고 있는 것이다. 해방 이후 권환을 사로잡고 있었던

27 위의 책, p.120.

것은 계급의식이 아니라 이렇듯 민족주의적인 것에 그 중심추가 놓여져 있었다.

어서 가거라 가거라,
너이들 갈대로 가거라
동녘 하늘에 太陽이 다 오르기 前에
이 날이 어느듯 다 새기 전에,
가거라 어둠의 나라로
머언 地獄으로!

帝國主義 품안에서 살이찐,
「오야꼬돈부리」에 배가 부른,
「스끼야기」「사시미」에 기름이 끼인,
「마사무네」속에 醉夢을 꾸던 너이들아.

얼사 안고 情死하여라 殉死하여라.
눈을 감은 帝國主義와 함께
풍덩 빠져라.
太平洋의 푸른 물결 속에
日本帝國主義의 愛妾들아,
日本帝國主義의 忠僕들아.

또 어디가 不足하냐,
또 무엇이 所願이냐,

인젠 먹고 싶으냐 「피푸덱기」가,
인젠 먹고 싶으냐 「탕수육」이,
또 누구에게 보내려느냐,
얄미운 그 秋波를.

어서 가거라,
모처럼 깨끗이 닦어논 이 祭壇에
모처럼 봉지봉지 피어나는 이 花園에
굴지말고 늙은 구렁이처럼
뛰지말고 미친 수캐처럼

어서 가거라 가거라,
너이들 갈대로 가거라,
물샐 틈 없이 바위처럼 뭉치려는
우리 民族의 統一을 爲하여
맑은 玉같이 틔끌 없는
우리 나라의 典設을 爲하여
聖스러운 朝鮮을 爲하여

오! 벌서 찬란한 太陽이 떠오른다.
동녁 하늘이 밝어온다
요란히 들리다 참새 짖는 소리
어서 가거라 도깨비들아

무서운 魔鬼들아
어둠의 나라로
머언 地獄으로

「어서 가거라 -民族叛逆者, 親日分子들에게」 전문[28]

「어서 가거라」는 문학가동맹 서기장이라는 거대 직함을 갖고 있던 권환에게 어쩌면 가장 어울리는 작품일지도 모르겠다. 이 작품의 주제는 작품의 부제에서 보듯 민족반역자, 친일분자들에게 주는 경고에 놓여 있기 때문이다. 민족문학 건설을 위해 문학가동맹이 내세운 테제 가운데 하나가 민족반역자, 친일분자의 배격이었는데, 그런 면에서 이 작품은 문학가동맹이 내세운 슬로건에 꼭 들어맞는 작품이라고 하겠다.

그럼에도 일제 강점기 계급 모순에 철저했던 권환의 세계관에 비춰보면, 「어서 가거라」는 어딘가 미흡한 구석이 있어 보인다. 그것은 권환의 작품들이 줄곧 표방했던 선전 선동의 세계와는 너무 큰 거리감이 있기 때문이다.

해방 이후 권환은 열심히 시인의 길을 걸었다. 이미 논리의 세계는 그의 곁에서 떠나간 지 오래되었다. 그렇기에 그는 비평을 포기했고, 그 논리에 기반한 서사적 세계와도 거리를 두었다. 사건과 인물이 절대적 요인 가운데 하나로 자리한 단편서사시라는 장르는 이제 더 이상 그에게 남아 있지 않게 된 것이다. 논리와 서사가 떠난 자리에 센티멘털한 서정의 세계가 들어온 것인데, 이제 이 정서가 만들어

28 위의 책, p.47.

낼 수 있는 것은 감격과 환희라는 감각적 정서뿐이었다.

해방의 감격은 권환에게 그저 격한 정서의 표백을 낳았을 뿐이다. 그리하여 감격과 분노 같은 정서의 과잉이 그의 시를 지배하기 시작한 것인데, 이는 변증적 사실주의가 아니라 낭만적 민족주의의 결과였다. 제국주의는 보이지 않았고, 변증적 통일의 세계 또한 인식되지도 않았다. 임화와의 친분에 의해 맡았던 자리가 이제 그에게는 부담스러운 자리가 된 것인지도 모를 일이었다. 그 인식의 한 끝을 차지하는 작품이 「어서 가거라」와 같은 세계였다.

4. 리얼리즘에서 모더니즘으로

권환은 어느 누구보다도 카프의 정신과 이념, 그리고 조직에 충실한 작가였다. 그를 1930년대 대표적인 프로 문예 작가라고 부르는 것은 이 때문이다. 권환은 임화와 더불어 카프 소장파의 일원이었고, 카프가 당파적으로 결속되는 데 크게 기여한 인물이다. 하지만 굳건한 이념의 소유자였던 그도 카프 해산기의 한파를 비껴가지는 못했다. 현실에 대한 예민한 시선들이 이 시기를 거치면서 현저하게 약화되었기 때문이다.

카프가 해산한 이후 권환이 받아들인 창작방법은 순수 문학 쪽이었다. 그런데 이는 전반기 권환이 보여주었던 행보에 비하면 매우 아이러니컬한 것이 아닐 수 없었다. 그는 이때 작품을 통해서 소위 부르주아 문학에 대해 통렬히 비판한 바가 있었기 때문이다.

1930년대 중반을 전후로 뚜렷이 갈라지는 권환의 작품 세계는 이분법적인 것이고, 또 이 두 시기 사이에 놓인 정신사적 단절에 대해서는 그저 상황논리로 이해되어온 것이 사실이다. 그만큼 두 시기에 놓인 작품의 간극은 너무 넓은 것이었다.

카프 문학이 운동으로서의 문학인 이상, 이를 뒷받침하는 운동이 더 이상 추동력을 상실할 때, 문학이 변해야 하는 것은 당연한 수순일 것이다. 그러나 그것은 어디까지나 상황의 논리일뿐 복잡한 이데올로기나 작가의 정신사적 구조에 대해 너무 단선화시키는 오류를 낳을 수 있다는 점에서 한계가 있는 경우라 하겠다.

전후기가 뚜렷이 구분되는 권환의 시세계는 다른듯 하면서도 한편으로는 동일한 정신사적 기반에 놓여 있다는 것이 필자의 판단이다. 권환의 시가 계급적 기반에서 출발한 것은 틀림없는 사실이지만, 그 저변에 놓여 있는 것이 민족 모순이었다는 점을 반드시 상기해야 할 것이다. 계급 모순이 표면적으로 내세워질 수 없는 시대에, 다시 말해 그 외피가 벗겨질 때, 그 저변에 숨겨져 있던 기반은 언제든 드러날 수밖에 없게 된다.

카프의 해체는 계급 모순의 숨김이고, 논리의 해체이다. 권환의 시에서 논리가 사라질 때, 이념이 사상되고, 이야기성이 무너졌다. 그에게 남은 것은 감성이고, 저변에 숨겨져 있었던 민족성 뿐이었는데, 이런 현실은 권환으로 하여금 감성과 민족주의로 나아가게 하는 계기가 되었다. 그 대응 양식이 바로 순수의 세계였고, 경우에 따라서 부르주아 예술 세계의 수용이었다. 그렇다고 해서 그가 부르주아적 세계관이라든가 소부르주아적 의식을 전면적으로 받아들인 것은 아니다. 만약 그러했다면, 그것은 현실의 불온성을 수용하는 것이 될 것이고, 궁극에는 일상에의 복귀라든가 타협의 포즈로 나아갔을 것이다.

그것이 가져올 결과는 뻔한 것이었다. 곧 일제와의 타협이다.

1930년대 중후반, 전진하던 권환의 시선이 머문 곳은 고향이라는 정서였다. 이는 마치 모더니스트들이 인식의 완결을 위해 수용했던 고향의 정서와 동일한 것이었다. 현실에 대한 치열한 모색이 만들어 낸 양식이 모더니즘과 리얼리즘인데, 그 인식의 방법과 방향은 상이해도 자본주의적 현실에 대한 모색이라는 점에서 이 두 사조는 동일한 사유구조를 갖고 있다고 하겠다. 그리고 그러한 모색을 통해서 어떤 인식적 완결을 위해 매개된 것이 고향의 정서라는 사실도 동일한 경우이다. 리얼리스트적인 모색의 한계가 발견한 것이 고향과 같은 영원성의 정서라면, 모더니스트적인 모색의 한계가 발견한 것이 이런 정서라 할 수 있기 때문이다.

권환의 순수시는 이런 배경하에서 탄생했다. 그는 순수라는 의장을 고전의 세계나 고향의 정서를 통해서 발견했고, 이를 통해 식민지 일상성의 불온성을 초월하고자 했다. 맑고 순수한 세계를 통해서 지사적 풍모를 지키려 했던 영랑의 경우처럼, 권환 또한 순수의 세계를 통해서 현실을 초월하고 민족적 자존심을 지키려 했던 것이다.

1930년대 중반 이후 권환의 이러한 행보가 정합성을 갖는 것은 해방 이후의 행적을 통해서도 이해할 수가 있다. 권환은 문학가동맹 서기장을 맡으면서 필생의 이념이었던 계급성을 문학에 실현시키기 위한 좋은 기회를 얻었지만, 민족 문학을 수립하는 도정에서 이를 결코 내세우지 않았다. 뿐만 아니라 논리가 앞서는 비평활동으로부터도 거리를 두었다. 민족이 우선시되었기에 여타의 것들은 이제 비당파적인 것으로 용납될 수 없었던 것이다. 해방 이후 권환의 시들이 계급 의식보다는 민족 의식에 기반을 두고, 민족반역자나 친일분자의 처단을 지속적으로 외친 것은 여기에 그 원인이 있다고 하겠다. 뿐만 아니라 권환은 열악해지는 해방 정국에서 북한으로 가지도 않았다[29]. 그것은 이념이 싫어서가 아니라 순수만으로도 민족을 지킬 수 있다고 판단했기 때문이다. 그런 면에서 권환은 계급주의자이면서도 민족주의자였다. 그런 중층성이 만들어낸 것이 그의 시세계의 요체라고 할 수 있을 것이다.

29 이런 선택의 이면에는 건강이 중요한 선택의 기준이 되었을 것이다. 그는 폐결핵 중증을 앓고 있었고, 이것이 원인이 되어 전쟁 직후인 1954년 고향 마산에서 생을 마감하게 된다.

한국 근대 리얼리즘 시인 연구

농민 문학의 선구

박아지론

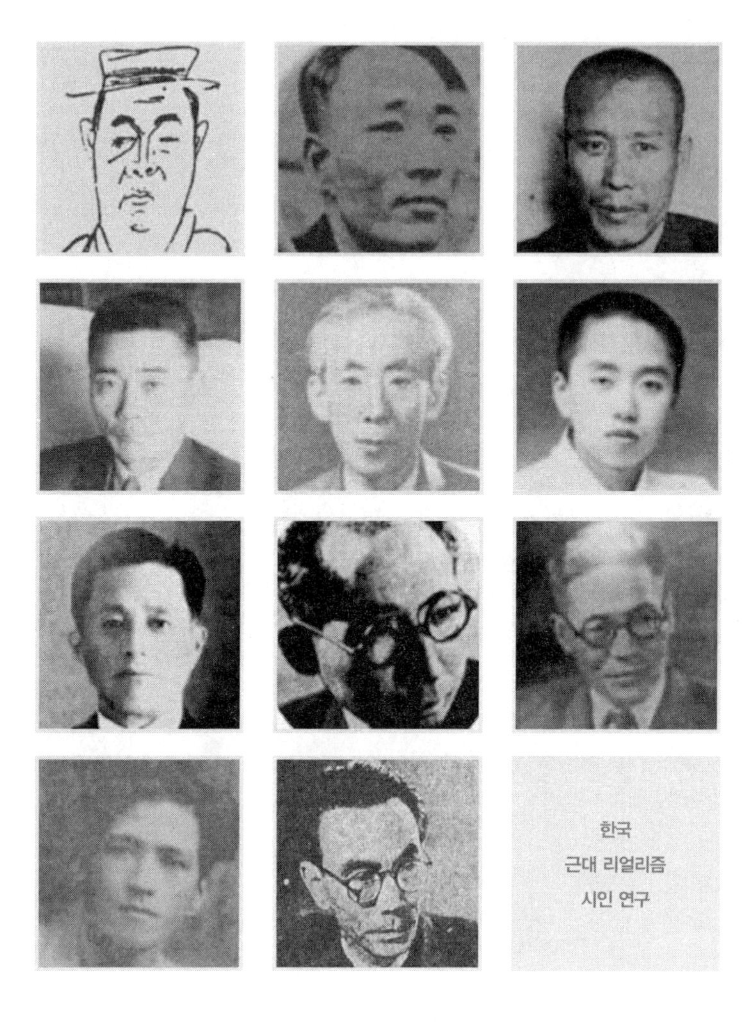

박아지 연보

1905년　함경북도 명천군 출생. 본명 박일(朴一)
1924년　도일하여 동경 동양대학 입학
1927년　카프 가입
1927년　시 「흰나리」를 동인지 『습작시대』에 발표하면서 등단
1937년　서사시 「만향」(풍림) 발표
1946년　시집 『心火』(우리문학사) 간행
1946년　문학가동맹 결성 즈음 월북
1950년　조선작가동맹사에서 근무
1959년　시집 『종다리』 간행
1959년　사망
2015년　박아지 작품선집 『종다리』(글로벌콘텐츠) 간행

1. 전원 문학으로서의 농민 문학

박아지는 1905년 함경북도 명천의 농민 가정에서 출생했다. 그의 성장 과정은 잘 알려져 있지 않으나 이 시기 일부 문인들이 보여주었던 것처럼, 일본 유학을 한 것으로 되어 있다. 1924년 일본 동양 대학에 입학했지만, 학업을 끝내 마치지 못했다고 한다. 귀국 후 1927년 동아일보 신춘문예에 「어머니여」가 당선됨으로써 문단에 나온 바 있다. 카프에는 1927년에 가담함으로써 프로 시인의 길을 걷게 된다.

문단 데뷔와 더불어 카프에 가입한 것에서 알 수 있는 것처럼, 박아지의 행보는 프로 시인들이 걸었던 길과는 어느 정도 거리가 있었다. 그가 등단하기 이전인 1925년에 카프가 결성되었고, 이때부터 소위 계급 문학이라는 것이 본격적으로 형성되기 시작했다. 그러나 이 이전부터 경향문학으로 분류될 수 있는 것들은 꾸준히 생산되고 있었는데, 잘 알려진 대로 자연발생기의 문학, 신경향파 문학의 등장이 이미 이루어지고 있었기 때문이다. 신경향파 문학이란 어떤 지도 이념에 따라 조직적으로 형성된 것이 아니고, 사회구성체의 변화에 따른 필연적인 욕구가 만들어낸 문학적 결과물이었다. 이 과정을 거치고 난 다음 본격적인 목적 문학으로 나아가는 단계가 카프의 행로였는데, 이 시기 대다수 프로 문인들은 이러한 과정을 거치면서 본격적인 프로 문인이 되었다.

그런데 박아지의 경우는 프로 문인들이 흔히 보여주었던 그러한 경로와는 전연 다른 길을 보여주었다. 박아지가 카프에 가입한 것이 1927년이고, 또 본격적으로 문단에 데뷔한 것도 이때부터이다. 그가 프로 시인이라면, 이 시기 그의 작품들에는 프롤레타리아 세계관이 어느 정도 반영되어 있어야만 했다. 하지만 그의 초기 시들에서는 자연발생기 문학의 특징들이 전혀 나타나지 않을 뿐만 아니라 최소한의 가난의식조차 발견하기도 어려웠다. 그리고 그가 등단한 시기는 카프가 제1차 방향전환을 시도한 때이고, 그가 카프에 가입한 시기도 이때이다. 방향전환이란 카프가 자연발생기적인 단계를 넘어서 조직적인 투쟁의 단계로 나아가는 것, 곧 강력한 당파성의 요구와 밀접한 관련이 있는 것이었는데, 박아지의 초기 시들은 신경향파적인 특성 뿐만 아니라 이러한 세계와도 거리를 두고 있었던 것이다.

카프에 가담했음에도 불구하고 이와 거리를 둔 작품을 꾸준히 발표했다는 것은 어떤 의미가 있는 것일까. 이는 두 가지 의미에서 그 설명이 가능할 것인데, 하나는 그가 신인이었다는 사실이다. 신인이 보여주는 특징적 단면 가운데 하나는 작가의식의 미성숙, 그리고 그에 따른 시정신의 부재와 불가분의 관계가 있다. 그가 비록 카프에 가담하기는 했지만, 이 시기에는 이를 감당할 만한 시정신이 제대로 형성되지 않은 것처럼 보인다. 그것이 그로 하여금 카프가 요구하는 것들에 대해서 제대로 담아낼 수 없게 한 것은 아닌가 한다.

그리고 다른 하나는 그의 태생적 배경이다. 박아지는 잘 알려진 대로 함경북도 명천의 농민 가정에서 태어났다. 그의 작가적 이력이 여전히 모호한 상태로 남아있긴 하지만, 그는 근대의 세례를 전혀 받지 못한 환경적 요인을 갖고 있었다. 근대의 제반 환경으로부터 벗어나 있었다는 것은 그가 시대적 흐름에 대해 예민하지 못했다는 것과 비례하는 것이라 할 수 있는데, 실상 그의 전기에서 비교적 뚜렷하게 남아있는 일본 동양대학도 제대로 졸업하지 못하고 중퇴하는 운명을 맞이한 것이다. 뿐만 아니라 경향 문학에 경도되기 시작한 전후로 그에게 사상적 영향을 준 사람이나 집단의 역할도 쉽게 간취되지 않는다. 이는 경향 문인으로서 매우 예외적인 것이 아닐 수 없다. 대개 사상적 변이가 있는 전향의 경우 매개자나 매개 그룹의 존재가 확인되는 법인데, 박아지의 주변에는 이런 사상적 연결고리가 전혀 없었던 것으로 보인다.

결국, 박아지에게는 사상적 영향을 준 직접적 매개자나 집단 같은 것은 표나게 드러나지 않는다. 이를 미뤄 짐작건대, 그에게 어떤 사상적 고리들은 없었던 것으로 보인다. 그러한 요인들이 계급 문학에 대한 그의 감각과, 그의 작가 정신의 형성에 밀접한 영향을 주었을 것으로 보인다. 초기 카프의 시세계와 동떨어진 그의 작품 세계는 이런 맥락에서 이해되어야 할 것이다.

2. 반근대로서의 농민 문학

박아지에 대한 연구는 시인의 이름만큼이나 무척 낯선 경우이고, 그가 탐색했던 농민 문학 만큼이나 예외성을 갖는 것이라 할 수 있다. 그에 대한 언급 역시 매우 드물게 이루어졌는데, 주목할 만한 것으로는 일제 강점기의 안함광[1]이나 해방 직후 임화 정도[2]가 있을 뿐이다. 이후 그의 이름은 남한의 문학사에서 자취를 감추었고, 그가 다시 수면 위에 떠오르기 시작한 것은 1988년 해금 이후이다. 이를

1 안함광, 「농민문학 문제 재론」, 조선일보, 1931.10.21.
2 임화, 「심문을 읽고」, 현대일보, 1946.5.

계기로 그에 대한 연구는 본격적으로 이루어졌는데, 이 시기 월북 문인에 대한 본격적인 탐색을 시도했던 김재홍이 그 대표적인 경우였다[3]. 하지만 이 연구 이후 그에 대한 연구는 계속 수면 아래에 놓여져 있었다.

박아지가 연구의 중심에 자리하지 못한 것은 그 나름의 이유가 있었던 것으로 이해된다. 첫째는 비교적 이른 등단에도 불구하고 그가 발표한 작품 수가 많지 않았다는 점이다. 1927년 등단한 박아지는 이후 시뿐만 아니라 평론[4], 소설[5], 희곡[6], 서사시[7] 등 다양한 장르에서 활동한 바 있다. 하지만 이런 활발한 창작에도 불구하고 그는 어느 한 장르에 집중하지 못하는 한계를 갖고 있었다. 그것이 그로 하여금 그만의 뚜렷한 작가 의식을 형성하는 데 있어서 장애 요소가 되었던 것으로 보인다. 심지어 그의 작가 정신을 보여주었던 서정시도 양적으로 그리 많은 편이 못되었다. 그는 해방 이전 어떠한 시집도 상재하지 못했다. 그가 시집을 처음 낸 것은 해방 직후의 일이기 때문이다[8].

둘째는 카프 문학으로서 농민문학이 갖는 한계 혹은 그것의 역할이다. 농민문학이 하나의 유형화된 양식으로서, 그리고 계급문학의 한 갈래로서 본격적으로 논의되기 시작한 것은 1931년에 이르러서이다[9]. 이때 비로소 카프 문학의 외연 가운데 하나로 농민문학이 처

3 김재홍, 「박아지, 농민시의 개척자」, 『한국문학』, 1989.12.
4 「농민시가론」, 『습작시대』, 1927.2.
5 「눈을 뜰때까지」, 동아일보, 1927.2.
6 「어머니와 딸」, 『조선문학』, 1937.1-3.
7 「만향」, 『풍림』, 1937.
8 『심화』, 우리문학사, 1946.

음 언급되기 시작했는데, 이는 경향 문학의 흐름으로 볼 때, 매우 예외적인 일이 아닐 수 없다. 거칠게 정의하자면, 농민문학은 농촌을 배경으로 한 문학이다. 그런데, 이를 배경으로 한 작품이 1931년에 처음 등장한 것은 아니다. 신경향파 시기에 발표된 대부분의 작품이 실상은 농촌을 배경으로 한 것이기 때문이다. 적어도 공장을 배경으로 한 작품이 본격적으로 등장하기 전까지는 대부분 이런 흐름이었다[10]. 경향 문학의 흐름이 이렇게 농촌을 배경으로 하고 있었음에도 불구하고, 농민 문학은 이처럼 매우 소외되어 있었던 것이다.

카프 문학의 핵심은 당파성과 그 문학적 실현이다. 당파성이란 범박하게 정의하자면, 노동계급의 이념이다. 그것은 공장을 배경으로 하고 있고, 또 그들 구성원의 이념과 행동을 추동한다. 카프 문학에서 노동 계급의 이념이 중요한 것은 이 때문인데, 이에 비하면 농민들의 이상이랄까 그들의 세계를 담아내는 문학은 그 중심에서 비껴나 있었다. 박아지의 농민 문학이 갖는 한계는 거기서 비롯된 것이고, 이는 곧 그의 문학에 대한 본격적인 탐색과 거리를 두게 한 요인으로 작용한 것으로 판단된다.

세 번째는 박아지의 작품 세계가 담아내고 있는 내용적 한계이다. 그의 초기 시들은 익히 알려진대로 경향시와는 상당한 거리를 두고 있는 것들이 대부분이다. 1920년대 후반이나 1930년대 들어 그의 시들은 크게 변모하기 시작하지만, 그가 등단할 무렵의 시들은 카프 문학의 본질과는 무관한 것들이 대부분이었다. 이런 면들 역시 카프 작

9 안함광. 「농민문학에 대한 일고찰」, 조선일보, 1931.8.12.

10 가령, 김남천의 「공우회」라든가 「공장신문」이 그러하고, 이북명의 「암모니아탱크」가 공장을 배경으로 한 대표적인 작품에 해당한다.

가로서 그에게 갖는 관심의 한계를 말해주는 것이 아닐까 한다.

> 한넷날 할아버지로붙어 물려 받은 이선물을
> 우리는 언제나 언제나 닞지않고 귀해합니다.
> 석양알에 유난히빛나는 내 -ㅅ물의흐름과같이
> 우리의피 -ㅅ쏙에 귀한흙냄새가 흐르고있는 이선물을 ……
>
> 장엄한 적막에 잠들고있는 이넓은 벌판우에
> 평화한깃븜과 경건한마음이 떠돌고있는석양이면
> 우리는 호미를엇개에걸고
> 꾸밈없는 오막살이에 도라듭니다.
> 우리에게 다시없이 친근한땅을 잠시떠나서 ……
>
> 할아버지의 땅냄새가 흙냄새와 같이 고요히떠도는듯한땅!
> 안개에쌓여 그윽히울려오는 저므는종소리 ――
> 맑은한울에 가없이 떠도라가는 예조리(雲雀)소리까지도
> 우리농부만이 받을수있는 아름다운 선물입니다.
>
> 「농부의 선물」 전문

이 작품은 박아지의 초기 시인데, 카프 시인의 작품이라고 하기 어려울 정도로 여기서 다루고 있는 세계는 당대의 농촌 현실과 비교할 때 객관적이라고 할 수 없는 경우이다. 이 작품의 중심 소재는 흙이다. 그런데, 그것은 시인의 의식 내부 속으로 깊숙이 편입해 들어온 것일 뿐만 아니라 역사적인 맥락 또한 갖고 있다. 다시 말하면, 자아

와 흙은 완벽한 등가 관계를 이루고 있는 것이다.

농촌을 완상하는 품격이나 이를 숭상하는 정서라는 측면에서 볼 때, 「농부의 선물」은 전통적인 강호가도의 범주에 묶어두어도 전연 이상할 것이 없다고 하겠다. 그것은 이상향이고, 서구적 의미의 전원 세계로 귀속시켜도 무방하기 때문이다. 이런 맥락에서 이 작품은 전통을 계승하고 이를 현재화시켰다는 점에서 그 문학사적 자리 매김이 가능한 것이라 하겠다.

하지만 이 작품은 그것이 생산된 배경을 고려하면, 현실과는 전연 유리된 작품이라는 비판을 피하기 어려울 것이다. 문학이 사회와 갖는 상동성을 넘어서더라도, 일제 강점기라는 시대적 아우라를 떠나서 이 작품을 응시하는 것은 아무 의미가 없기 때문이다. 따라서 사회와 문학의 관계라는 고전적 명제를 염두에 둔다면, 이 작품은 비현실적이라든가 초현실이라는 혐의로부터 자유롭지가 않을 것이다. 이는 박아지 문학이 프로 문학의 범주로부터 벗어난 것이라는[11] 비판과도 무관하지 않다고 하겠다.

그렇다면, 문학과 사회의 연동성이라는 관점에서 볼 때, 비판의 여지가 다분히 내재되어 있는 이 작품에서 어떤 긍정적인 요인을 탐색해내는 것은 전연 불가능한 일인가. 상징이나 비유적 장치 속에 자신의 내포를 은연중에 감추고 있는 시의 장르적 특색에 기대어 보면, 분명 여기에도 어떤 긍정적인 요소 또한 발견해낼 수 있는 것이 아닌가. 농촌이나 전원에 대한 이상향, 그리고 그에 대한 사유의 지속적인 표백이야말로 불온한 사회에 대한 대항 담론으로서의 기능을 갖

11 안함광, 「농민문학 문제 재론」 참조, 그는 박아지의 「우리는 땅파는 사람」을 두고 시대적 환경과 동떨어진 맹인의 노래라고 혹평했다.

고 있는 것은 아닌가. 이 시기 박아지는 「농부의 선물」 외에도 전원에 대한 아름다운 모습을 지속적으로 제시하고 있었는데, 마치 중세 유럽의 목가적 풍경 비슷한 평화로운 모습들을 조선의 현실에서 계속 탐색하고 있었던 것이다. 가령, 「밭갈이준비」[12]라든가 「농부의 시름」[13], 「나가지 안으려나?」[14] 등등의 작품이 그러하다. 이런 작품들은 카프시인으로서의 세계관을 의심할 정도로 모두 전원적 유토피아의 세계를 담아내고 있는 것들이었다.

비록 카프의 세계와는 일정한 거리를 두고 있지만, 그리하여 카프 시인으로서의 세계관을 의심받고 있긴 하지만, 이 시기 박아지의 농촌시들이 의미없는 것이라고 일방적으로 몰아치기에는 무언가 석연치 않은 면들이 있다. 그것이 문학의 기능이거니와 이는 이 시인만이 할 수 있는 문학적 응전 가운데 하나라는 점에서 주목을 요하는 것이라 할 수 있다. 그 가운데 하나가 바로 반근대적 사유이다.

1

우리는 우리의 힘과 정성을다하야 땅을파자
한줌흙이 우리의생명을 축여주는기름의 원천임을닛지마자
이황무디를 개턱하고 여윈땅을살지게하자
그리하야새로운창조와 자유로운생산을 약속하자
이러함이 우리의 생명을 새롭게함이오 힘과사랑과 평화를 비저줌이다

12 『동광』16, 1927.8.
13 『조선지광』, 1927.10.
14 『조선지광』, 1927.10.

2

땅파는사람이나 나무와풀을비는사람이나 소치는아이들이어!

우리는우리의 마음과힘을다하야 땅을파고나무와풀을비고소를치자

그리고 영롱한뎐등빗이 유련히비치는 좀먹어가는저자의살림을부러워말자

곰팽내나는인습이짜내인 호화로운향락의살림을꿈꾸지말자

우리는오즉우리의마음과 자유로창조하고생산하자

그리하야 이찬조와생산가운대 우리의희망을굿게뻐치고

이희망으로 우리의생명을 새롭게하자

우리는 새로운생명을 사랑하고 사랑가운대 평화를찻자

3

돌을쪼는사람이나 나무를깍는사람이나 쇠를뚜드리는 사람들이어!

거리에는 놉고큰 벽돌집이잇고 뎐등이잇고 수도가잇고 공원이잇고 놀애가잇다

뎐차가잇고 자동차가잇고 인력거가잇고 군대가잇고 라팔이잇다

그러나 그것은 우리의생각할바가아니며 꿈꿀바가아니다

그것이 인류의생명을 새롭게 하지못하고 사람의살림에 괴로운종을친다

4

우리의마을에는 놉흔메가잇고 맑은시내가잇고 청초한초가가잇다

농부의 꾸밈업는놀애ㅅ가락이잇고 목동의 맑순한 풀닙피리가잇다

베짜는시악씨의 달거리가잇고 모닥불 피우는 목동들의 퉁소ㅅ소리가잇다

그리고 우거진수풀이잇고 새소리가잇고 나비의춤이잇고 폭포의장단이잇다

우차가잇고 지게가잇고 호미와낫이잇고 도끼와 자귀와곽지가잇다

이리하야 우리살림에 필요한모든것이잇고 예술이잇고 사랑이잇다

5

오――우리의마음이 태양을 사랑함이어머니갓고 대디와 정들미 사랑하는 사람갓거늘

어니 황금과디위와예명와세력을탐하며 부러워하리잇스랴?

6

한울과 땅이어두어 희미할제 목장의족오마한길로 마을에 돌아올때마다

우리의 마음이 평화의 항구에 닷을나리는 배ㅅ사공의 가벼운 마음과갓거늘

안해와 어린아기의 깨끗한령혼, 사랑에넘치는 생명의축복밧겐 다시 무엇이잇스랴?

7

누가만일에——그대들은 무엇을알며 무엇을소유하얏는가?——하고 뭇는다면

우리는——자연과 사랑과 평화를압니다 그리고

새로운 생명과 희망을 가젓슬뿐입니다——고 대답하리라

우리의마음이 무한한 자연의심뎌에서 새로운생명과 희망과 살아과 평화를 차젓슴으로

8

내가말하기를 ……내마음이어! 영원히 흙에서떠나지말라

사람의얼굴을 윤택하게하는 기름과곡식과 모든 것이 흙에서나고

소와말과양이먹는풀이 흙에서나고 새가 놀애하고

깃들이는 수풀과 나비가춤추는꼿이 흙에서 나도다

그리하야 곳업시위대한 자연의예술은 흙에서나고

흙에서사라지고 다시 흙에서 새로워지도다

내마음이어! 흙을껴안고 흙을사랑하고 흙을놀애하라. 그리하야 흙에껴안키라

9

내가말하기를——이날, 이땅에 난시인들이어! 그중에도 젊은詩人들이어! 농촌에돌아오라

복잡하고 추악하고 죄악만흔도회와 찌달리는저자의 살림을버리고

단순하고 아름답고 다사하고 평화한대자연의 무한한 사랑의품에로 돌아오라

폭음과 까소린냄새에 신경이착란된 도회의시인들이어!

지저지는뎐등미테 머리를붓잡고 붓대만을달리지말라

낫과 호미를메고 어두운광야에서 빗을차저 헤매며

부르짓는이백성들을 어찌나하려는가?

아! 이날, 이땅에난젊은시인들이어! 붓대를던지고 농군의항렬압헤 홰ㅅ불을들고나서라 〈1928년을마즈며〉

「農家九曲」 전문[15]

이 작품은 박아지의 농촌 시를 이해하는 데 있어 하나의 계기가 되는 시이다. 여기에는 그가 초기에 왜 농촌을 꼼꼼히 응시하고 이를 의미화했는지에 대한 근거가 제시되어 있기 때문이다. 이 작품은 총 9연으로 된, 비교적 긴 시형식을 갖추고 있는데, 거기에 표명된 주된 내용들은 농촌과 도회의 이항대립이다.

먼저 시인은 농촌을 생명의 원천으로 이해한다. 그렇기에 "우리는 우리의 힘과 정성을 다하야 땅을 파자"고 했다. 그리고 흙은 "우리의

15 중외일보, 1927.12.24.-27.

생명을 축여주는 기름의 원천임을 잊지 말자"고도 했다. 땅을 이렇게 포착해야 하는 이유는 그것이 '새로운 창조'와 '자유로운 생산'을 약속해주는 것이기 때문이며, '우리의 생명을 새롭게 하고', '힘과 사랑과 평화를 빚어'주기 때문이라는 것이다. 이렇듯 그에게 있어 땅은 생명의 근원이며, 힘과 사랑, 평화와 같은 실존적 근원이기도 하다.

이런 기능을 하고 있기에 우리는 "황무지를 개척하고, 여윈 땅을 살지게 해야" 한다는 것이다, 실상 땅에 대한 이런 사유는 신화적 혹은 원형적 맥락 속에 쉽게 편입된 것이기에 전혀 낯선 것은 아니다. 뿐만 아니라 사회라는 외연을 떠나게 되면, 이런 사유는 봉건 시대의 강호 가도의 세계나 서구적 전원 생활과 분리되는 것이 아니다. 문제는 흙에 대한 이러한 애착이 근대성에 편입되는 경우이다. 익히 알려진 바와 같이 근대의 감각들은 파편이나 분열의 감수성 없이는 성립하기 어렵다. 그리고 그 이면에는 영원에 대한 돌이킬 수 없는 상실감이 놓여 있다.

「농가구곡」은 전원에 대한 예찬의 정서를 노래한 시도 아니고 농촌의 이상향을 낭만적으로 노래한 시도 아니다. 그의 농촌 시들은 이 작품에 이르게 되면, 전연 새로운 단계로 나아가게 된다. 다시 말하면, 그의 시들은 이 작품을 계기로 근대의 제반 현상 속으로 빠르게 편입되기 시작한 것이다. 그 하나의 단면으로 제시된 것이 도회의 부정적 편린들이다. 3연에서 말하고자 하는 것들은 모두 근대가 파생한 불온한 단면들이다. 자아는 여기서 문명이 배태시켜온 온갖 불온한 모습들을 열거한 다음, 이에 대해 희망을 사유하거나 꿈꿀 바가 못된다고 단언한다. 이는 "그것이 인류의 생명을 새롭게 하지 못하고 사람의 살림에 괴로운 종을 치기" 때문이라고 한다. 문명이 생산과 무관하다는 것인데, 이런 모습들은 1연에서 제시된 농촌의 생산적 기능과는 뚜렷이 비교되고 있는 것이다.

여기에 이르게 되면, 우리는 다시 일제 강점기에 펼쳐졌던 근대에 대해 묻지 않을 수 없게 된다. 그것은 모더니스트나 혹은 리얼리스트에게 동일하게 던져지는 질문이기도 할 것이다. 근대는 경이로운 것이면서도 다른 한편으로는 불온한 것이기도 하다. 전자의 단면을 제시한 것이 초기 모더니스트들이 보여주었던 형국이라면[16], 후자의 단면들은 주로 리얼리스트들[17]에게서 볼 수 있는 형국이었다. 하지만 이는 응시의 단면에서 오는 차이일 뿐 그 근저를 탐색해 들어가게 되면, 동일한 하나의 지점에서 만나게 된다. 그것은 바로 부정적 단면, 흔히 불온성이라고 불리우는 사유들이다.

그런데 이 부정적 단면들이 리얼리스트들에게는 어떤 매개적 절차에 의해 변용되거나 왜곡되어 나타날 여지는 전혀 없다는 데 그 특징적 단면이 있다. 그것이 생산관계에서 오는 단면이든 혹은 자본주의적 질서에서 오는 단면이든 간에 리얼리스트는 이를 곧바로 표명하면 그만이기 때문이다. 하지만 모더니스트들에게는 리얼리스트들의 그것보다 한 단계 많은 사유의 절차가 뒤따르게 된다. 가령, 이를 긍정의 측면에서 응시할 것인가 혹은 부정의 측면에서 응시할 것인가에 대한 고민의 흔적이 수반될 수 있기 때문이다. 그리고 이런 인식 뒤에는 또다른 인식의 절차가 요구되는 것 또한 당연하다고 하겠다.

16 이런 면들은 문명의 경이를 노래한 초기 정지용의 시나 김기림의 시에서 확인할 수 있다.

17 이는 임화를 비롯한 대다수의 시인들에게서 볼 수 있는 단면들이다.

박아지는 농민 시인이지만 그는 결코 이 범주 속에 자신을 가두지 않았다. 그의 시들은 농촌에 대한 막연한 향수나 그것이 줄 수 있는 전원적 유토피아의 마력 속으로 빠져들지 않았기 때문이다. 비록 카프가 요구하는 계급적 모순 관계가 드러나 있진 않지만, 「농가구곡」은 근대의 부정적 단면들에 대해 예리하게 포착해내고 있었다.

「농가구곡」이 포지하고 있는 시사적 의의는 두 가지 측면에서 그 의의가 있는데, 하나가 반도회적, 곧 모더니즘의 감각이라면, 다른 하나는 계급적 각성이다. 물론 계급적 각성은 반도회적 감수성이 낳은 결과라는 점에서 그 일관성이 있는 것이라 할 수 있다. 「농가구곡」에 나타난 시정신 가운데 주목해서 보아야 할 부분이 반도회성과 그에 따른 계급적 각성의 과정이다. 시인의 행보와 관련해서 이런 면들은 초기에 이 시인이 펼쳐보였던 유토피아적 농촌의 모습과 비교할 때, 매우 의미있는 것이라 할 수 있다. 앞서 언급처럼 박아지는 카프에 늦게 가입했는데, 실상 이런 행보가 그의 사상이라든가 세계관을 형성하는데 결정적인 근거가 되었다라고는 할 수 없을 것이다. 그럼에도 그의 작품 세계는 이전의 카프 시인들이 보여주었던 도정과는 어느 정도 차이가 있었다. 그 가운데 대표적인 것이 바로 신경향파적 성향들을 그의 작품에서 발견할 수 없었다는 점이다. 그럼에도 불구하고 박아지는 이후 다른 어느 시인들보다 더 선구적으로 농촌의 현실에 대해 깊이있게 천착한 시인이었다. 이를 가능케 했던 것은 전적으로 이 시인이 갖고 있었던 세계관의 문제이긴 하겠지만, 그 매개는 아마도 반문명적 태도에 그 일단의 요인이 있었던 것은 아닐까 한다. 다른 말로 하면, 자연발생기적인 신경향파의 비판적 현실 태도를 반도회적 감수성으로 대치했던 것은 아닐까 하는 점이 바로 그러하다.

이는 이 시기 반도회적 감수성이 꼭 자본주의적 현상에 한정되지 않는다는 점에서 그 의의를 찾을 수 있을 것인데, 가령, 1920년대 전후 조선에서의 근대란 일본 제국주의와 분리해서 생각하기 어렵다는 점에서 그러하다. 잘 알려진 대로 근대의 명암을 고스란히 체득하고 있었던 것이 조선의 현실, 이 시기 근대주의자들이 수용할 수밖에 없었던 불가피한 현실이었다. 따라서 「농가구곡」에서 표명되었던 반문명적 사유를 그 자체에만 한정시켜서는 안 된다. 거기에는 외부 현실에 대한 불만이 놓여 있었을 것이고, 그 근저에 놓인, 보이지 않는 힘에 대한 끊임없는 저항의 불길이 타오르고 있었을 것이다. 이런 전제에 설 때에야 비로소 9연의 마지막 행간이 갖는 의미의 실체에 다가설 수 있게 된다.

여기에 이르게 되면, 시인이 지금껏 노래했던 유토피아로서의 농촌의 모습은 더 이상 존재하지 않는다. 지금 농촌의 주체인 농민들은 "낫과 호미를 메고 어두운 광야에서 빛을 찾아 헤매는 존재"로 구현되는 까닭이다. 이를 응시하는 시적 자아의 모습은 매우 안타깝다. 그 애처로운 정서가 "부르짓는 이 백성들을 어지나 하려는가?"와 같은 탄식의 정서로 나타나는 것이다. 그런 다음 이 정서는 곧바로 실천을 요구하는, 행동하는 주체로 거듭 태어나라고 농민들을 추동한다. 이제 농민은 조상이 받은 땅을, 꿀이 흐르는 비옥한 땅이나 생산의 풍요로움을 가져다 주는 땅으로 받아들이지 않는다. 그들은 이제 "농군의 일원이 되어" "농군의 행렬앞에 횃불을 들고 나서는 주체"로, 전위의 주체로 우뚝 태어나게 된다.

3. 계급 모순과 민족 모순으로서의 농촌

「농가구곡」이 발표된 것이 1927년 말이다. 그리고 박아지가 카프에 가입한 것도 이때이다. 뿐만 아니라 그가 시인으로서 등단한 것도 이 무렵이다. 이렇게 본다면, 시인으로서 혹은 카프 일원으로서 그가 보인 행동은 무척 다면적이라 할 수 있다. 물론 이러한 다면성은 행동 차원에서 그치는 것이 아니었다. 앞서 언급한 대로 그는 등단한 무렵부터 농촌 생활에 기반한 작품들을 활발히 발표하고 있었다. 하지만 그의 작품 속에 구현된 세계는 신경향파의 특징인 가난 의식도 아니었고, 그렇다고 방향전환 이후 카프가 추구했던 당파성에 입각한 문학 세계도 아니었다. 농촌 생활의 낭만적 세계나 혹은 목가적 유토피아의 세계를 노래한 것이 박아지의 초기 시의 특색이었던 까닭이다. 하지만 시기를 구분하는 것이 어색할 만큼 얼마 지나지 않아서 그는 이전과는 전연 다른 시세계를 펼쳐보이고 있었다. 그것이 「농가구곡」이었다. 앞서 살펴본 대로 이 작품에는 생산의 근원으로서 흙의 세계가 제시되는가 하면, 반문명 혹은 반도시와 같은 근대적 사유가 제시되기도 했다. 뿐만 아니라 이 시기 카프 시의 주요 임무 가운데 하나인 선전 선동, 곧 아지프로의 단계도 미약하게나마 제시하고 있었다.

1년이라는 짧은 기간에 이렇게 다양한 시적 변신을 할 수 있었던 것은 박아지의 등단 시기와 카프 가입 시기가 거의 동시에 이루어진 탓일 것이다. 그런 맥락에서 「농가구곡」 이전에 발표된 시들은 어쩌면 등단 이전보다 훨씬 앞선 시기에 창작되었을 개연성이 크다고 하겠다. 하지만 중요한 것은 이런 시간적 격차가 아니라 그의 작품 속에 담겨진 시정신의 변화라고 할 수 있다. 「농가구곡」이 나온 이후 곧바로 박아지는 이 시기 농민시의 대표작이라 할 수 있는 「농군행진곡」을 발표하게 된다. 이는 농민시의 새로운 단계를 보여준다는 점에서 그 의의가 큰 작품이라고 하겠다.

第一部

1
일반곡식이 익엇다
국화가 산과들에 피고
단풍이 누리를 물들엿다
풍성한 가을이라
태양이 몹시도 쪼이고
흙냄새가 코를 찌른다
가는바람은 가을향긔를 씻고
끗업는공간에 훨훨나붓긴다

2
석양의 엷은 노을이
고요히 들판을 휩싸돌고
나달물결이 굼실거리며
가을의 행복을 소삭일때
멀니지평선을 바라고 섯는
힘업는 농군의 얼골을보라
스스로지은 여믄곡식이

한끗 다정도 하것만은
압날의 살림을 생각할때
무서운 어둠이 잇슬뿐이다
그러나 농군들은
엇절줄을 몰른다

3
이때는「인테리켄챠」를
배척할때가 아니다
그리고 청년동지들아!
도시에 몰릴때가 아니다

우리는 농촌으로 농촌으로
사면팔방에 허터지자
동지의 획득에 노력하자
투사의 양성에 힘을쓰자

4
엇절줄 몰르는 농군들은
농민강좌에 모혀든다
첫날밤에 다섯사람
다음밤에 열사람
스무사람 마흔사람
농민의떼가 모혀든다

그들은 농군이다
우리의 동지다
새날의 일군이다
××의 투사다

5
농군들은 자긔를 알엇다
뿌르조아의배――ㅅ장을알엇다
그리고 ××을 알엇다
의분에타는 불길이나붓긴다

동지들아 ××긔빨을
놉히 날리어라
행렬을 정제하라
×××를 놉히불르라
진리의 싸홈터에 나아가자

6
청년동지들아
양성한 투사를 모하오라
획득한 동지를 모하오라
우리의 무긔도 단결뿐이다
(以下一聯省略)

第二部

1

동무여! 우리는 농군이다
땅을파고 씨를뿌리고
곡식을것고 쌀을찟는
오오 우리는농군이다

풀을매고 나무를비고
소를치고 양을먹이낟
그러나 이모든 것은
하나도 우리의것이아니다

2

푸르른 생명이 훨훨
피어오르는 넓은벌에
압흐로 압흐로 나아갈때
우리의 압헨 희망이빗나고
우리의 가슴엔 깃븜이 뛰엿다
오오 그러나 그것은 꿈이엇다
거둔곡식과 찌은쌀이
하나도 우리의 손에안들어왓다
우리는 헐벗고 굼주린다
이것이 이사회의썩은제도가

나아준 불행의 하나이다

3

우리의 피땀은 검은흙속에

한방울 한방울식 쥐어박고

거둔 열매가 이것인가?

오오 불행에 우는 동무들아!

헐벗고 굶주려서 울고만잇슬려나?

동무여! 아직도 인종할것인가?

이것을 보고도 참을것인가?

우리는 참을대로 참고

소와 말가티 노력하엿다

그래도 먹을것이업고 입을것이업는

썩은이××를 그냥 둘것인가?

4

오오 크게소리처 외치노니

동무들아! 모히라

펄펄 날리는

××긔빨의 아래로

소리치며 모혀오라

썩어진 이××를

불살러 버리고
밝은 새날을 약속하는
진리의 싸움터에 모혀오라

5
동무여 우리는
신문을못보고 책을못닑는
글자도 몰르는 농군이다
맑스의 경제도 몰르고
×——×의 전술도 몰른다
그러나 동무들아!
우리는 푸로레타리아다
단결의힘으로 ××을약속하는
××의 투사이다
평화의 텬사다

6
동무들아 못보는가?
공장에서 몰려나오는
얼굴 창백한 사람들을 ……
우리의 동지다
손을 잡어라

동지여 압흐로 압흐로 나아가자

××××이 휘날리고
××× 놉히 부르는
진리의 싸홈터로 나아가자
행진곡에 발을마추어

7
우리는 오래동안
썩은도덕에 짓밟히고
호화로운 인습에시달렷다
갑싼문물에 속임을밧고
거짓동정에 어리석엇다

동무들아! 굿세어라
두팔을 뽐내며 나아가자
(一行略)
××의 가면을 박탈하고
××××의 정톄를 폭로하자

8
동지여! 우리는 이리하야
우리를찻고 우리를 살리자
푸로레타리아의 행복을 위하야
참사람의 ×××에 몰려나아가자
(一行略)

새날이 밝는 그때까지
(一行略)
압흐로 압흐로 나아가자

第三部

1
동지여! 우리는
승리하여야 싸움이 끗난다
싸움이 끗나면 우리의 승리다
승리의 긔ㅅ발이 펄펄 날릴때
우리의 생명은세로워지고
우리의 희망은 굿세진다

철쇠에 얽혓든 우리네들은
자유의 동산에 춤추고
새로운 동산에 삶을어들때
자유로운 생산은 비롯한다

2
오오, 동지들아!
항렬을 정제하고
압흐로 압흐로 나아가자
최후의 순각까지 ××보자

꼭 오고야 말것이다
××의참삶을엇는
새날 그날이
꼭 오고야 말것을
오오, 동지들아
깃버하며 ××자!

「農軍行進曲」 전문[18]

이 작품이 발표된 것은 중외일보 1928년 1월이다. 박아지가 시인으로 등단한 이후 정확히 일 년 뒤에 나온 것이다. 이 작품은 내용과 형식에서 모두 카프시가 요구하는 요건을 어느 정도 구비한 것으로 이해된다. 우선 형식적인 측면에서 이 작품은 긴 장시 형식을 취하고 있다. 보다 정확하게 말하면, 카프 시의 고유한 특징 가운데 하나인 단편 서사시의 단면들을 잘 구현하고 있는 것이다. 카프 시가 아지프로적 성향을 갖기 위해서는 인물과 사건의 등장, 그리고 서사적 줄거리가 어느 정도 요구된다. 이는 개념 위주의 문학이 갖는 한계, 곧 주관화의 오류를 피하기 위한 시적 장치이기도 하다. 사건, 인물과 같은 서사적 요소가 개입하다보니 시의 형식이 길어지고, 기왕의 서정시와는 다른 모습을 띠게 되는데, 이런 유형화는 좁은 의미의 서정시의 경계를 넘어서는 것이다.

그리고 두 번째는 내용적 국면이다. 어쩌면 카프 시에서 중요한

18 중외일보, 1927.1.

것은 형식보다는 내용에 있을 것이다. 주관과 객관이 만들어내는 균형감각과, 거기서 빚어지는 사상의 표백이야말로 단편서사시가 요구하는 최적의 조건이기 때문이다. 박아지의 시들은 무언가 급조된 느낌을 주는 것이 사실이다. 뿐만 아니라 등단 이후부터 「농군행진곡」에 이르기까지 사상의 편력이 급격히 이루어진 느낌 또한 지울 수가 없다. 그럼에도 불구하고 그의 사상적 변모와 시의 형식이 여기에까지 이른 것은 카프 시인으로서의 박아지의 위치를 말해준다고 하겠다.

이 작품은 장시 형식을 띠고 있을 뿐만 아니라 이에 조응하는 다양한 내용을 담아내고 있다. 우선 이 작품에서 주목을 끄는 부분은 제1부 4연이다. 여기서의 농부들은 계급 각성 이전의 주체들이다. 이들이 계급 각성에 이르기 위해서는 서사 양식에서 흔히 도입되었던 매개적 인물들이 필요하다[19]. 그런데 그 역할을 대신하고 있는 것이 '농민 강좌'이다. 이 강좌는 무정형의 상태에 놓여 있는 농민들을 선진적인 주체로 거듭 태어나게 한다. 그리고 이들의 존재론적 전환은 한 사람만의 차원에서 그치지 않고, 농민 대다수의 차원에서 이루어지게 되는데, 곧 '내'가 아니라 '우리'들로 집단화되어 존재의 새로운 전이를 이루게 되는 것이다.

제2부에서는 농민들이 현 상황에 대해 봉기할 수밖에 없는 필연적 조건들이 제시되어 있다. 그들은 땅에 대한 주체이면서도 이를 온전히 전유하는 존재는 아니다. 시인의 말처럼, "풀을 매고 나무를 비고/소를 치고 양을 먹인다/그러나 이 모든 것은/하나도 우리의 것이 아

19 이런 면들은 이기영의 홍수에서 박건성 같은 존재이다. 박건성은 농민들로 하여금 선진적인 주체로 태어나기 위해 이들을 각성시키는 매개적 인물에 해당한다.

니"기 때문이다. 이 수탈에는 두 가지 억압 조건이 놓이게 된다. 하나는 지주라는 존재, 다른 하나는 일본 제국주의라는 존재이다. 다시 말해 이런 수탈에는 계급 모순과 민족 모순이 필연적으로 동반될 수밖에 없는 중층적 요건을 갖추게 된다.

이와 함께 「농군행진곡」에서 가장 주목해서 보아야 할 부분이 제2부 6연이다. 이는 농민문학의 주된 목적 가운데 하나가 노농연합이라는 측면에서 그러하다. 먼저 시적 화자는 "공장에서 몰려나오는/얼굴 창백한 사람들"을 "우리의 동지다"라고 한 다음 이들과 "손을 잡자"고 한다. 이른바 혁명을 수행하는 데 있어서 동맹군으로서 노동자와 연대하자는 것인데, 농민 문학이 프롤레타리아문학의 할 갈래인 이상 이같은 연대의식은 지극히 당연한 도정이라 할 수 있다. 프로 문학이 노동자 중심의 세계관과 그에 따른 당파성이 요구된다는 점에서 볼 때, 농민 문학은 주변적인 위치에 놓일 수밖에 없는 것이 사실이다. 문제는 일제 강점기 조선이나 전 세계적인 현실에서 볼 때, 사회 구성원의 대부분이 농민층이라는 점이다. 따라서 계급 모순을 철저하게 자각하는 것도 이들 농민층일 수밖에 없다. 이런 현실에 주목하여 일제 강점기에 대부분의 빈곤층이 농촌에 있다고 한 것은 의미 있는 지적[20]이라 할 수 있을 것이다. 그럼에도 농민층이 변혁 운동의 중심 주체가 되는 것은 아니었다. 이들은 레닌이 지적한 것처럼, 이중적인 성격을 갖고 있었기에 당파성을 실현하는 데 한계가 있었기 때문이다. 농민들은 조그마한 땅이라도 갖고 있는 소소유자적(小所有者的) 성격을 갖고 있었고, 또 군데 군데 여러 마을로 떨어져 있는 고

20 안함광, 앞의 글, 「농민문학에 대한 일고찰」 참조.

립 분산된 성격 역시 갖고 있었던 것이다[21]. 이들이 사회의 주도층이었다고 하더라도 그들만의 특징이라 할 수 있는 이런 이중적 성격 때문에 변혁 운동의 중심이 되기에는 그 한계가 분명히 있었던 것이다. 어떻든 구체적인 계기와 방법은 제시되어 있지 않을망정, 동맹군으로서의 노동자에 대한 인식과, 그리고 이들과 더불어 연대하고자 하는 의지의 표명만으로도 「농군행진곡」은 이 시기 농민 문학이 이룰 수 있는 커다란 성과였다고 하겠다.

「농군행진곡」의 마지막 3부는 전망의 문제를 다루고 있는데, 이는 방향전환을 시도한 카프의 지도 이념을 충실히 반영한 결과로 이해된다. 전위적 주체와 더불어 투쟁하고, 궁극에는 승리할 수 있다는 전망의 제시는 이 시기 카프 문학이 갖고 있었던 공식주의라는 한계로부터 자유로운 것이 아니다. 뿐만 아니라 인물과 사건 등이 구체적인 현실에서 구성되지 않고 관념이나 주관이 우위를 점하고 있는 것도 이 작품이 갖고 있는 한계라고 할 수 있다. 하지만 이런 단점에도 불구하고 미래에 대한 낙관적 전망이 농민층들에 의해 주도되고 있다는 점에서는 그 의의가 있다고 하겠다. 특히 당파적 결속이 노동자들에 비해 허약할 수밖에 없는 농민층을 대상으로 이만한 정도의 결속력을 제시하고, 또 낙관적 미래를 투시할 수 있다는 사실만으로도 카프의 요구에 충실히 응답한 경우라고 할 수 있기 때문이다.

풀마다 새싹이 트고
나무마다 새엄이 돗는다,

21 김윤식, 『한국근대문예비평사』, 일지사, 1982, p.82

산과들엔 온갓꼿치 봉오리지고
온누리는 푸름으로 한빗치다,
모든 새로운생명의 행진곡이
하늘과땅을 들네이는 장엄한봄이다.

아츰빗은 갱상의환희와함께 누리에차고넘친다,
압뜰에서 밧가는농부의 일어 -일어 -소모는소리
나물캐는 마을소녀들의 풀닙피리 그윽한곡조!
봄향긔를싓고나는 가는바람과함께 고고천변뜻업는 나라로 흘너간다,
사랑과 평화와 희망과 행복가온대 참삶을약속하는 농촌의 봄이다.

「농촌의 봄」 전문

이 작품은 1929년 문예공론 창간호에 발표된 것이다. 작품을 읽으면 금방 알 수 있는 것처럼, 농촌 예찬의 시이다. 어쩌면 농촌 예찬의 정서라기보다는 생동감 있는 봄의 전령을 읊고 있는 시라고 해야 할지도 모르겠다. 그만큼 여기에 묘파된 봄과 농촌의 정서는 활력이 넘쳐나고, 낭만적이며, 또한 생산적으로 묘사되어 있다. 마치 전원을 배경으로 봄의 교향악이 울려퍼지듯이 시인이 응시하는 농촌은 낭만적이고 평화롭다.

한편으로는 궁핍한 농촌을 응시하고 이를 토대로 투쟁의 힘을 얻고자 했던 시인에게 어떻게 이런 낭만적 정서가 표출될 수 있는 것인가. 그리고 어떻게 "사랑과 평화와 희망과 행복 가운데 참 삶을 약

속하는 농촌의 봄"이라고 단정지을 수 있는 것인가. 「농군행진곡」을 묘파하면서 농촌의 참담한 삶을 공유했던 시인에게 이런 전환이란 실상 무척 낯설은 것이 아닐 수 없다. 부조리한 농촌의 삶에 대한 인식과 더불어, 카프와 공유했던 그의 세계관은 한갓 유행병과도 같은 허약한 것이었던가.

박아지가 농촌의 삶에 대해 지속적인 천착을 보여준 것은 사실이거니와 그는 어느 한 순간도 이로부터 벗어난 적이 없다. 그래서 그를 두고 농민의 시인으로 부르고 있는 것인데, 이는 불합리한 농촌을 응시한 경우나 혹은 그 반대의 경우를 응시한 경우에나 동일하게 적용되는 것이었다. 그만큼 농촌은 그의 작품 세계에 있어서 지속적인 중심 주제였던 것이다. 그에게 농촌은 생리적인 것이어서 결코 분리될 수 없는 성질의 것이었다. 그러한 사유의 한 단면을 보여주는 시가 「춘궁이제」이다.

1
진달래 꽃이 피고 시내ㅅ가 버들이 푸르렀소
꽃이야 피나마나 버들이야 푸르나 마나
내시름 없을진대 애탈ㅅ일이 있겠소마는
오실때니 오시노라 실비는 보슬보슬
땅이 있어야 갈지를 않소
씨앗이 있어야 심지를 않소.

강남 제비 돌아오고 시내ㅅ가 금짠디 속잎 났소
제비야 오나마나 짠디야 싹 트나 마나

내설음 없을진대 눈물질이 있겠소마는
우실 때니 우시노라 두견새 소리소리
이 땅을 떠나서 어디로 가겠소
이 겨레를 떠나서 어찌나 가겠소.

2
봄 이슬에 돋는 싹은 살찜즉도 하건마는
나 많은 처녀라고 뫼나물 캐러도 못간다니
누구인들 가고 싶으리까마는
굶주려 우는 어린동새들은 어찌나 하리까?

온 누리에 봄이 왔으니
내맘에도 봄이온줄 봄마음이 온줄!
여보서요 버들 피리 불지도 마러요
나물 바구니 차기도 전에 석양이 벌서 겨워가요.

「春窮二題」 전문[22]

박아지의 작품을 논하는 데 있어서 그것이 발표된 시기는 매우 중요하다. 하기사 시인치고 작품의 발표 연대가 중요하지 않은 시인이 없겠지만, 박아지의 경우는 특히 그러하다고 하겠다. 그것은 똑같은 소재를 두고 이를 의미화하는 방식이 매우 다르기도 하고, 또 동일하기도 하기 때문이다. 하지만, 하나의 대상을 두고 서로 상반된 시각

22 『조선문학』, 1936. 6.

을 보였다고 하더라도 궁극에는 그 지향하는 바가 동일하다는 점에서 더욱 그러하다고 하겠다. 앞서 언급대로 시인에게 농촌은 매우 상반되는 반응으로 나타나는 대상이었다. 긍정의 담론이 있는가 하면, 부정의 담론이 있었기 때문이다. 하지만 그것은 결국에는 동일한 정서로 귀결되고 있었다. 바로 땅, 흙의 논리였던 것이다.

이 작품이 발표된 시기는 1936년이다. 이때는 카프가 해산된 이후의 시기였고, 그에 따라 소위 진보적 문학 운동은 더 이상 불가능한 때였다. 대부분의 카프 시인들이 해산기를 전후해서 다양한 문학적 편력을 보여주었는데, 이는 주로 전향의 방식으로 표출되었다. 그리하여 진보 운동을 포기하거나 고향에 돌아가는 등 나름의 진로들이 모색되고 있었다. 이런 흐름에 비추어볼 때, 「춘궁이제」 역시 전향의 연장선에서 살펴볼 수 있는 작품이라 할 수 있다. 그 단적인 보기가 바로 이향에 대한 인식이다. 여기서 고향을 떠난다는 것은 대략 두 가지 국면에서 의미가 있는 것인데, 하나는 궁핍화된 현실과 관련된 것이고, 다른 하나는 전향에 따른 최소한의 반응과 대응된다는 점이다. 그런데 여기서는 이 두 가지 요소를 분리하기 어려운 경우이다.

우선 이 작품은 박아지의 다른 농촌시와 마찬가지로 봄에 대한 낭만적 정서에서 출발한다. 하지만 이런 활기찬 봄의 모습과 달리 현실은 그 반대로 구현된다. 시적 화자에게는 일구어야할 땅이 존재하지 않고, 또 그 땅을 경작할 씨앗 역시 부재하는 까닭이다. 이런 궁핍한 현실들은 2연에 이르게 되면, 시대적 아우라로 마주하면서 전혀 다른 시상으로 전이하게 된다. 이 부분에서도 봄은 활기찬 모습으로 제시되기는 하지만, 곧바로 현실에 대한 궁핍상이라든가 이에 대한 자아의 좌절의식으로 전환된다. "이 땅을 떠나서 어디로 가겠소"라든가 "이 겨레를 떠나서 어찌나 가겠소"가 그 본보기들이다. 현실에 대한 이러한 인식은 매우 일반화된 것이긴 하지만, 이 시기 카프 작가들에게 이는 매우 중요한 보편적 사유라는 점에서 주목을 요하는 것이라 하겠다.

카프가 기반으로 하고 있던 것은 계급 모순이었다. 아직까지는 노동자 계급이 제대로 성숙하지 않았지만, 어떻든 지배계급과 피지배계급이라는 이항대립이 만들어내는 계급 모순이 카프의 기본 모순이었던 것이다. 하지만 이런 모순은 매우 관념적이라는 혐의를 벗을 수 없는 것인데, 그것은 일제 강점기라는, 민족 모순의 단계를 애써 외면하고 있었기 때문이다. 하지만 이런 관념들은 카프가 해산되면서 비로소 현실 속으로 새롭게 틈입해들어오기 시작한다. 기본 모순으로서의 계급 모순이 숨은 자리에 민족 모순이 수면 위로 떠오르기 시작한 것이다. 이런 전이는 흔히 국경에 대한 새로운 환기로 이어졌는데, 임화에게는 현해탄이[23], 이찬에게는 얄루강이[24] 있었던 것이다. 국경에 대한 환기야말로 민족의 현존을 일깨우기 위한 좋은 매개가 되었고, 그것은 전적으로 계급 모순이 숨은 자리에서 자라난 인식의 새로운 전이였다.

계급 모순이 민족 모순으로 치환되는 도정이 박아지의 경우에도 예외는 아니었다. 「춘궁이제」에서 그가 표명한 "이 겨레를 떠나서

23 계급 모순에 기초한 임화의 시들은 카프 해산 이후 일본과 조선의 국경, 곧 현해탄을 응시하게 된다. 임화의 시 「현해탄」이 그러하다. 그리고 여기서 만들어지는 의식이 곧 민족 모순에 대한 다대한 자각이다.

24 국경으로서의 현해탄이 있었다면, 그것은 어디까지나 남쪽의 경우였다. 그러나 똑같은 논리가 북에서도 가능한데, 그 정서적 인식과 표현이 바로 얄루강(압록강)이었다. 이를 국경의 은유로 제시한 것이 바로 이찬이었다. 그의 시 「눈내리는 보성의 밤」은 이를 대표한다.

어찌나 가겠소"가 바로 그러하다. 이제 그 앞에 민족이라는 과제가, 민족 모순이라는 분명한 현실이 다가온 것이다. 그런데 박아지에게는 이런 모순의 저변을 굳건히 떠받치고 있는 것이 있었는데, 바로 '땅'의 논리가 그러하다. 그는 여기서 '이 땅'을 떠나지 못한다고 했는데, 그에게 땅이란 두 가지 의미를 내포하는 것이라 하겠다. 하나는 겨레가 거주하는 땅, 곧 국토이고, 다른 하나는 그가 늘 애착의 정서로 내포하고 있었던 땅, 농민이 주재하는 땅이다. 하지만 이 두 가지 함의는 구분되는 것이면서도 상호 포괄하는 것이기도 한 것이다. 그것은 어느 하나가 부재한 상황에서 다른 것이 성립할 수 없다는 점에서 그러하다.

4. 흙의 유토피아와 새로운 민족 문학 건설

1945년 민족의 염원이었던 해방이 드디어 도래하였다. 해방은 누구에게나 새로운 국가 건설에 참여할 수 있다는 기대를 주기에 충분한 것이었다. 그리하여 진보적인 문학에 종사했던 사람들이나 혹은 그렇지 않은 사람들에게 있어서나 희망과 기대를 주기에 충분한 것이었다. 이는 박아지의 경우에도 마찬가지였는데, 그는 해방을 맞이해서 곧바로 프로예맹에 가입했다. 익히 알려진 대로 이 단체는 문학의 이데올로기성을 강력히 내세운 집단이었는데, 이러한 면은 어느 정도의 타협이 내재된 임화 중심의 조선문학건설본부와는 구별되는 것이었다.

해방 직후 박아지의 이념 선택과 민족 문학 건설은 그가 어떤 문학

단체에 가입했는가에 따라서 결정될 성질의 것이었다. 물론 이러한 면들은 다른 문인들에게도 동일하게 적용될 수 있는 것이어서 박아지에게만 예외성이 인정되는 것은 아니라고 하겠다. 어떻든 그가 선택한 것은 타협적 성향이 아니라 이데올로기의 순수성을 지키는 쪽이었다. 하지만 해방 정국이 이념을 자유롭게 선택할 수 있도록 보장하지는 않았다. 여러 가지 탄압의 도정과 그 투쟁의 도정에서 알 수 있는 것처럼, 이념 선택과 그에 따른 민족 문학 건설은 쉬운 상황이 아니었다. 그 일단의 단면을 이 시기 그의 대표작 가운데 하나인 「심화」에서 확인할 수 있다.

벗아! 그대의 맑은 눈에
이슬이 맺혀 방울방울
그 무슨 서름인가야

그대의 고운 눈썹
수심이 어리어 깊고 깊어
그 무슨 시름인가야

그대의 꽉 다문 입
말 없이도 내 가슴 울리네
진정이 얽히인 탓이겠지야

소박한 나의 글발은
그대를 위로할 줄 모르네

아! 이 붓을 꺾어 버릴까야

눈물이길래 가슴에 스며들고
수심으로 해 소리 없이 노래하네
소리 없는 노래는 시가 아닌가야

「心火」 전문

제목 그대로 이 작품의 소재는 '마음 속의 불'이다. 마음을 가라앉혀 줄 정돈된 어떤 것이 없기에 마음 속에 불길이 활활 타오르는 것이 아니었겠는가. 이렇듯 해방 직후 박아지의 정서는 불안한 것이었고, 또 이를 안정시켜 줄 어떠한 매개항도 갖지 못한 상태였다. 이런 것이 계기가 되어 그의 이념 선택은 심각한 도전을 맞게 되었다.

어떻든 해방은 박아지에게 낯선 것이었지만 그러한 환경에도 불구하고, 이 시기 그의 시정신을 일관되게 관류하는 것이 있었다. 앞서 언급한 대로 바로 '땅의 논리'이다. 하지만 그에게 땅은 프롤레타리아들이 당하기만 하는 억압의 공간은 아니었다. 물론 이런 정서가 전혀 없었던 것은 아니다. 그렇지 않으면 그는 카프 시인으로서, 혹은 농민 작가로서의 존재성을 인정받을 수 없었을 것이다. 만약 그가 도시의 반대로서의 농촌 문학, 혹은 목가적 낙원으로서의 농촌 문학을 노래한 시인이라면, 그가 진보 문인도 될 수 없었을 것이고, 카프의 문학적 세계를 구현한 시인도 될 수 없었을 것이다. 그는 안함광의 지적처럼[25], 현실의 제반 모순 관계를 사상한 채, 목가적 관념의

25 안함광, 앞의 글, 「농민 문학 재론」 참조.

세계속에 함몰된 낙관적 시인이라는 혐의로부터 자유롭지 않았을 것이다. 이와 관련하여 이 시기의 그의 사유의 한 단면을 보여주는 시가 「칩복」이다.

붓을 꺽기고 호미를 잡어
오늘이 있기를 기다리며 기다리며
어둠속에서 빛을 차즈려
묵묵히 다만 묵묵히
忍苦와 땀으로 아로삭인 十年

아아! 기다리든 오늘의 감격!
산과 내와 풀과 나무와 새와 버레가
모 - 다 새로운듯 반기고 다정하여
벼이삭과 나물싹이 이다지도 신비로운순간.

이 하늘이 한고작 높고
이 이 당이 가지록 넓고
그리고 太陽이 이러케고 아름답고
이○○가 이다지도 위대한줄이야
아아! 동무들아
이순간 같이 벅차게 늣겨본적이 있는가.

흥분한 얼골에 눈물이 어리우고
쥐여진 주먹이 가늘게 떨리여

심장이 터지도록 외치고 십흔 충동
아아! 동무들아
우리에게는 또한번 끈어야할 쇠사슬이 남엇고나

太陽을 못보든 어둠속 우리들의 會話가
빛을 반기며 땅우에 솟는다
동무들아
○○○ 뛰는가슴을 가만~ 달래이며
힘차고 묵직한 깃발을 大地가 울리도록 ○○○○○

「蟄伏」 전문

박아지에게 있어 농촌은 죽은 감각으로 내재하고 있었다. 경우에 따라 농촌은 활기찬 모습으로 구현되고 있긴 하지만 전반적인 사유는 무딘 상태를 유지하고 있었다. 비록 추체험의 형태로 활기찬 모습을 유지하고 있다고 하더라도 농촌은 자아의 의식 밖에 유리된 대상이었을 뿐이다. 그러니 그러한 자연이 아무리 생기 발랄하다고 하더라도 그것은 객관적 자연일뿐 자아의 의식으로 편입되어 들어오는 것이 아니었다.

그런 자연의 모습이랄까 농촌의 모습은 해방을 맞이하여 이제 전연 다른 모습으로 다가온다. “산과 내와 풀과 나무와 새와 벌레가/모-다 새로운 듯 반기고 다정한” 모습으로 다가올 뿐만 아니라 경우에 따라서는 ‘신비로운 순간’이라는 황홀감까지 가져다주기까지 한다. 이런 조응은 물론 해방이 가져다 준 선물이겠지만 어떻든 이제 자연은 죽어있는 감각이 아니라 살아있는 감각으로 자아 속으로 편입해

들어오는 것이다.

실상 대지가 이렇게 활기차게 살아난다는 감각이란 무엇을 말하는 것일까. 박아지가 일제 강점기에 지속적으로 묘사했던 활기찬 농촌의 모습이란 어떤 함의를 갖는 것일까. 그는 등단 시기부터 비현실적일 정도로 농촌의 아름다운 모습에 대해 열심히 묘사하고 이를 시의 중심 주제로 올려놓았다. 농촌에 대한 이러한 집착은 경우에 따라서는 현실과 괴리되는 환상으로 비춰질 수도 있고, 그 본질이 무엇인지에 대해서 무지한 존재로까지 비춰지기도 했다. 그러는 한편으로 부정적인 농촌에 대해 예리하게 묘파하기도 했지만, 그는 다시 농촌의 아름다움에 대해서 계속 탐색하고 이를 작품화하는 일을 게을리하지 않았다. 이를 두고 세계관이 철저하지 못한 탓으로 돌리기도 하고, 또 카프가 추구하는 당파성에 대해서 적절히 이해하지 못한 결과로 풀이하기도 했다. 그런데 그의 이러한 모습들은 해방직후라고 해서 크게 달라진 것은 아니었다. 가령, 해방 직후에 발표된 「봄」의 경우가 그러하다.

수수깡 울타리에
낮 닭의 우름도 기인데,
푸르러 가는 들 에서,
송아지는 「엄매 -」
어디선지
풀잎 피리 고요하다.

시내 언덕에 추욱축 늘어진

수양버들, 하늘거리고
금짠디 벌판
뾰루퉁한 멈들레 꽃
봉오리, 봉오리
마을 소녀들의 나물바구니 한가하다.

밭 가는 젊은이,
씨 뿌리는 아낙네,
올 봄 따라
어이 그리 명랑한지

해방과 자유 근로와 창조
아! 빠근한 희망의 봄이여

「봄」 전문

그는 이 시기 이런 유형의 작품을 쓰는가 하면, 투쟁을 독려하는 「그날의 데모」를 상재하기도 했다. 도대체 이런 세계관의 낙차는 어디에서 오는 것일까. 하지만 이는 박아지에게 전연 새로운 모습이 아니다. 이렇게 대조되는 세계관은 일제 강점기에도 꾸준히 보여주었던 까닭이다. 하지만 박아지의 시세계를 꼼꼼히 들여다보면, 이는 결코 상반된 세계관이나 불철저한 사상의 허약성에서 오는 것이 아니었다. 어쩌면 노동 현실이나 땅에 대한 일관된 세계관을 보지했다고 보는 것이 옳다고 하겠다.

박아지에게 땅은 단순히 농부가 경작하는 것에만 한정되는 것이 아니었다. 그에게 땅이란 곧 국가나 민족을 지칭하는 것이었다. 그는 카프에 가담하기 전부터 농촌을 배경으로 한 시를 상재했다. 그런데 이들 시들은 자연발생기의 경향시에서 흔히 볼 수 있는, 계층 갈등을 담고 있는 것이 아니었다. 그저 목가적 전원 생활의 아름다움이나 낭만적 농촌의 한가로움 정도였다. 하지만 그의 시들을 이런 주제의식으로만 묶어둘 경우, 그의 시가 담고 있는 내포들에 대해서 쉽게 간과하는 오류를 범하게 된다.

박아지는 일제 강점기 조선의 땅을 죽어있는 것, 다시 말해 불활성의 공간으로 사유했다. 죽어있는 것이 부활하기 위해서는 감각이 깨어나야 하고, 또 저마다의 고유한 기능을 해야한다. 그가 응시했던 조선의 현실이란 그런 죽음의 상태였던 것이다. 그래서 그는 역으로 농촌의 활기찬 모습이라든가 봄이라는 신화성에 기대어 생명력의 부활을 노래하고자 했던 것이다. 그러한 모습들은 해방 직후에도 그대로 구현되는데, 「봄」이 바로 그러하다. 여기에 묘사된 농촌이란 죽어있는 것이 아니다. 모든 것이 깨어나 있고, 활기찬 상태이다. 해방이란 죽어있는 감각에 부활의 에네지를 심어주었다. 그러니 모든 것이 깨어나 그 나름의 활기찬 생명력을 발휘하고 있는 것이 아닌가. 이렇게 본다면, 박아지에게 땅은 곧 민족이었고, 국토였다고 하겠다. 일제 강점기는 땅의 감각을 무디게 했고, 궁극에는 죽음에 이르게 만들었다. 그래서 박아지는 그 무뎌진 땅을 일깨우고, 죽어있는 감각을 부활시키려 했다. 생명력이 있는 감각의 부활과 활기찬 농촌에 대한 묘파가 단순히 자연이라는 물리적 차원에서 한정되는 것이 아니었던 것이다.

5. 농민 문학의 의의

박아지는 일제 강점기 보기 드문 농민 시인 가운데 하나이다. 물론 이 시인 이외에도 농촌을 배경으로 한 문인들은 많이 있었다. 신경향파 시기의 대부분의 카프 작가들이 농촌을 배경으로 작품 활동을 한 까닭이다. 이는 사회 구성체가 농업에 기반을 두고 있었다는 사실과 밀접한 관련이 있다. 일제 강점기의 구성원 대부분이 농민이었다는 것도 이런 사회 구성과 무관하지 않다고 하겠다. 따라서 사회적 필연적 욕구를 반영할 수밖에 없는 문학에 농촌이 반영되고 이들의 생활상이 투영되는 것은 자연스러운 일이라고 하겠다.

박아지는 등단과 더불어 카프에 가입한 시인이다. 그렇기에 그는 다른 카프 작가들에게서 흔히 볼 수 있는 일반화된 도정들과는 거리가 먼 행보를 보여주었다. 가령, 평화로운 농촌이 작품의 배경이 되는가 하면, 그 반대의 경우도 동일하게 나타나는 것이다. 일관되지 못한 이런 농촌상을 두고 세계관의 혼돈으로 설명할 수도 있고, 작가 정신의 부재로도 설명할 수 있을 것이다. 하지만 이것은 어디까지나 표면적인 것일 뿐 그의 작품 세계의 저변을 살펴보게 되면, 이는 일면적인 해석임을 알 수 있게 된다.

박아지 시의 핵심 소재는 땅이다. 그는 이 땅을 배경으로 펼쳐지는 농촌 문화에 대해 천착해들어갔는데, 이런 행보는 해방 직후에도 그대로 유지된다. 이는 소재 차원에서 뿐만 아니라 주제 영역에서도 일관되게 표명된다. 그리고 그가 담아낸 농촌의 모습들은 전원적 이상세계나 낭만적 농촌의 모습이 피폐된 농촌의 모습과 교차해서 등장한다. 이는 작가 의식의 변모라는 측면에서도 매우 낯선 것이고, 또

세계관이라는 측면에서도 이해하기 어려운 것이라 할 수 있다. 어떻게 해서 하나의 대상을 두고 서로 상반되는 시적 해석이 나올 수 있는 것인가 하는 문제인데, 실상 그의 세계는 이런 변화에도 불구하고 일관된 것이라는 사실이다. 그가 응시한 농촌의 부정성 뒤에는 이를 초월하고자 하는 욕망이 내재해 있었던 것이고, 농촌의 긍정성에는 그렇지 못한 현실에 대한 희망이 내재하고 있었던 것이다.

그는 불온한 농촌의 현실을 계급 투쟁이라는 수단을 통해서 초월하려고도 했고, 그 반대의 경우, 즉 그렇지 못한 현실에 대해서는 안티 담론의 차원에서 묘파하고자 했던 것이다. 그는 일제 강점기의 농촌을 감각이 무딘 현실로 이해하는가 하면, 생명성이 사라진 어둠의 공간으로 인식하기도 했다. 그래서 그는 생명력이 넘치는 공간을 희망했는바, 그것을 감각의 부활을 통해서 이루고자 했다. 봄의 활기찬 모습이라든가 생명력이 넘치는 농촌의 모습이야말로 그가 희구했던 것들의 진정한 부활이었던 것이다. 그는 해방 직후에도 이러한 기조를 계속 유지해 왔는데, 한편으로는 민족 문학의 건설을 외치면서도 다른 한편으로는 생명력이 넘치는 건강한 농촌에 대해서도 지속적인 관심을 표명했던 것이다. 건강한 땅의 부활이야말로 진정한 민족의 해방, 민중의 해방으로 이해한 것이다. 그에게 있어 땅은 곧 조국이나 민족과 등가관계를 이루는 것이었다. 박아지의 농민 문학이 갖는 의의는 흙과 민족 사이에서 형성되는 이런 등가관계에 있었던 것이다.

근대를 향해하는 프로시인

박팔양론

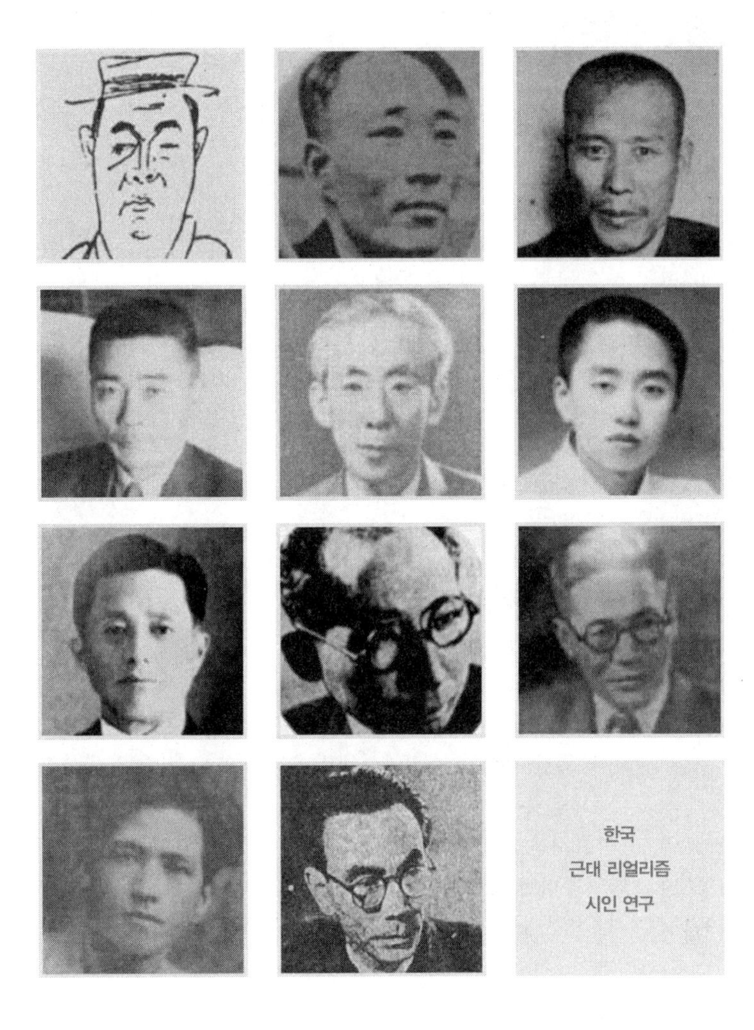

박팔양 연보

1905년　경기도 수원 출생, 호는 麗水
1920년　배재고보 졸업
1923년　시 「신의 酒」가 동아일보 신춘문예 공모에 당선하여 문단활동을 시작함
1924년　조선일보 기자
1925년　서울청년회의 일원으로 카프 가담
1928년　중외일보 기자
1934년　구인회 회원
1937년　만선일보 학예부장
1940년　시집 『麗水詩抄』(박문서관) 간행
1946년　조선문학가동맹 참여
1947년　『박팔양시집』(문화전선사) 간행
이후 북한으로 감. 이후 『황해의 노래』(1958), 『박팔양시선집』(1959) 등을 간행
1958년　『리찬시선집』 간행
1966년　반당종파로 숙청됨
1991년　시선집 『태양을 등진 거리』(미래사) 간행

1. 생애와 문학적 모색

박팔양은 1905년 경기도 수원에서 출생했고, 여수(麗水) 혹은 금여수(金麗水)라는 필명으로 문학활동을 했다. 해방 이전인 1940년 박문서관에서 『여수시초(麗水詩抄)』를 상재한 바 있고, 해방이 되어서는 『박팔양시집』을 1947년 문화전선사에서 발간했다. 오랜 시력에 비하면 그의 시집은 무척 소박한 것이었는데, 이런 소박함은 북한에 체류하면서 더 많은 시집을 간행하면서 어느 정도 벌충하게 된다.

박팔양이 처음 문단에 나온 것은 1923년이다. 동아일보 신춘 문예란에 작품 「신의 주」가 당선함으로써 문인의 길로 들어선 것으로 알려져 있다. 하지만 그 당선자의 이름이 박승만(朴勝萬)으로 되어 있고, 해방 이전 유일한 시집이었던 『여수시초(麗水詩抄)』에도 이 작품이 실리지 않은 것으로 보아 박팔양의 것으로 단정하기에는 쉽지 않아 보인다.

여기서 「신의 주」가 박팔양의 데뷔작이냐 아니냐 보다 더 중요한 것은 이 시기의 그의 사회 활동이다. 잘 알려진 대로 박팔양은 좌익 단체인 '서울청년회'의 일원이었고, 이를 기반으로 KAPF의 일원이 되었다. KAPF의 구성원이 되었다는 것은 사회 문제에 대해서 남다른 관심을 가졌다는 것이고, 또 이를 기반으로 현실 정향적인 문학 활동을 전개했다는 것이다. 여러 갈래로 뻗어나가는 박팔양의 시세계를 놓고 볼 때, 그를 어쩔 수 없는 프로 시인으로 볼 수 있는 근거도 여기서 마련된다.

박팔양은 사회의 제반 현상 뿐만 아니라 문학에도 많은 관심을 갖고 있었고, 그러한 관심이 어느 한 곳에 머물러 있지 않았던 특이한 이력을 가진 시인이다. 우선 그를 현실 정향적인 시인으로 만든 것은 프로문학의 경우이다. 그 자신이 서울청년회의 일원이었다는 것도 그러하거니와 배재고보 재학시 그는 동기생으로 김기진과 박영희를 만나게 된다[1]. 이들이 초기 카프의 맹원이었으니 박팔양이 이들의 영향으로부터 자유롭지 않았음은 당연한 이치일 것이다. 하지만 그의 문학적 호기심은 여기서 머물지 않고 계속 확대된다. 그것이 1930년대 모더니스트들과의 색다른 만남이다. 그는 배재고보 졸업 후 경성법학전문학교에 입학하게 되고, 여기서 정지용 등을 만나 『요람』이라는 등사판 문예지를 만들게 되는데, 이 사조와 관계하는 최초의 동기는 여기서 비롯된 것으로 보인다[2]. 정지용은 이 시기 대표적인 모더니스트였는데, 박팔양이 이런 정지용의 영향으로부터 비껴갈 수는 없었을 것이다.

박팔양 시의 특색을 한마디로 수렴하자면, 다양성이라고 할 수 있다. 『여수시초(麗水詩抄)』를 읽어보면 대번에 알 수 있는 것이지만, 그의 시세계는 결코 하나의 결절점으로 수렴되지 않는다. 인간의 욕망이 다양한 것처럼, 이에 기반한 그의 문학적 유산 또한 이와 정비례하고 있었던 것이다. 이는 그의 커다란 문학적 자산이거니와 그만의 고유성이라고 할 수 있을 것이다. 지금까지 박팔양의 시세계를 연구한 사람들 역시 이 점을 부정하지 않는다. 시인 스스로도 이 점에 대해서 굳이 부인하지 않았다. 해방 이전 유일한 시집이었던 『여수시초(麗水詩抄)』에서도 이 점이 잘 드러나 있는데, 그는 이 시집의 소제목

1 김팔봉, 『김팔봉문학전집』, 문학과지성사, 1988, p.525.

2 박팔양, 「요람시대의 추억」, 『중앙』 32, 1936.7.

을 모두 7가지로 분류해 놓고 있는 것이다. 근작, 자연과 생명, 도회, 사색, 애상, 청춘과 사랑, 구작이 그러한데, 근작과 구작이라는 시기 구분을 표시하는 작품을 제외하고라도 다섯 가지의 소주제로 분류되고 있다. 자연과 생명이나 청춘과 사랑을 나누게 되면, 그 하위 분류는 더 늘어나게 된다. 게다가 그는 여기서 소위 경향파 계열에 속하는 시들은 거의 포함시키지 않고 있는데, 만약 이 계열의 작품을 수용하게 되면, 그가 노래한 주제 영역들은 더욱 늘어나게 된다.[3]

하나의 시집에서 소재나 주제가 이렇게 많이 표명되는 것은 어떤 이유에서이든 결코 예사로운 경우가 아니다. 어떻게 하나의 시인에게서 혹은 한 시집에서 이런 다양한 주제의식이랄까 시의식이 드러나는 것일까. 이를 이해하기 위해서는 우선, 그의 기질적 특성을 들어야 할 것이다. 박팔양은 당대 어떤 시인보다도 문학에 대한 관심이 컸던 것으로 이해된다. 하기사 서정 시인치고 문학에 대한 열정 없이 시를 생산해 낼 수 없는 것이긴 하지만, 그의 경우는 그 정도가 매우 심한 경우라 할 수 있다. 그는 유행에 민감했고, 그 사조가 지향하는 것들에 대해 무척 예민한 반응을 보여주었다. 그것이 그의 작품의 주제들을 다양하게 만들었고 그 정신적 지향점과 세계관에 있어서 대척점에 있었던 사조까지 아무런 여과장치 없이 무조건 수용하는 결과를 가져오게 한 것으로 보인다.

박팔양이 시대 정신에 얼마나 예민하게 반응했나 하는 것은『여수시초(麗水詩抄)』가 잘 말해준다. 앞서 언급대로 이 시집은 다양한 주제를 담고 있는데, 이 시집이 나온 시기는 1940년대이다. 이때는 잘 알

3 『여수시초』, 박문서관, 1940.

려진 대로 중일전쟁이 정점에 달하고 있던 시기이고 태평양 전쟁이 예고되는 시점이기도 하다. 말하자면 소위 객관적 정세가 무척 열악했던 시기였기에 검열과 탄압이 다른 어떤 시기보다 심화되던 때였다. 시기가 그러하니 현실과 맞서는 작품을 시집 속에 담는 것은 대단한 용기가 필요한 일이었을 것이다. 하지만, 그가 적어도 한때의 프로시인이었다면, 이런 경향의 작품들을 모두 제외하고 작품집을 낸다는 것은 특별한 의도 없이는 불가능한 일이 아니었을까 생각된다. 이들 작품들이 당연히 수록되어야 했던 것인데, 그렇지 못한 것은 그 자신이 유행에 민감한 탓이 아니었을까 하는 것이다.

박팔양은 작품 생활의 초기부터 시단에 주조로 떠오른 사조들에 대해 민감했다. 다다이스트가 유행하면 그것을 수용했고, 카프 문학 의 경우에도 예외가 아니었다. 그러다가 카프 퇴조기와 맞물려 새롭게 수면 위로 떠오르던 순문학의 흐름에도 그는 재빠르게 반응했다. 1934년 탈이데올로기와 도회적 감수성을 내세운 〈구인회〉에 가입한 것이 그 단적인 사례이다. 〈구인회〉가 처음 만들어진 것은 1933년이지만, 어떻든 그는 한발 늦게라도 1934년에 이 집단에 합류했던 것이다.

박팔양의 문학적 변신은 이것이 모두가 아니다. 1940년 『여수시초(麗水詩抄)』를 상재함으로써 자신의 존재성을 알린 그는 해방을 맞이하여 새로운 변신을 시도하게 된다. 해방 직후 그는 〈문학가동맹〉에 가입하면서 다시 좌파 문인이 되는 것이다. 물론 이 단체에 가입한다고 해서 이들 문인들을 한 가지 성향으로 분류하는 것은 약간의 무리가 있긴 하다. 임화 등이 내세운 민족문학 건설에 동조하게 되면, 친일파와 민족반역자가 아니라면, 이 집단과 함께 할 수 있는 것이기 때문이다. 하지만, 문학가동맹 구성원들이 보인 공통의 행동이 있는 것은 사실이다. 궁극적으로는 이념적 동일성이 있었다는 점인데, 그러한 성향이 이들로 하여금 북쪽이라는 이념적 선택을 하게 만든다. 박팔양 역시 이들과 동일한 행보를 보였다. 북쪽을 선택하게 된 것인데[4], 이곳에서 그는 비로소 자신의 역할을 찾은 듯 문학에 적극적인 이념을 표백 하게 된다.

박팔양의 문학과 행동은 다채롭다. 자신 앞에 다가온 상황에 대해 그는 무지개처럼 다양한 욕망을 드러낸다. 어느 하나로 수렴되지 않고, 다양한 갈래로 발산하는 욕망의 빛들은 그로 하여금 제도권 문학인 혹은 갈등하는 문인으로 비춰지게끔 만들었다. 그 연장선에서 그의 시를 해석하는 틀이랄까 기준도 어느 한 가지에서 그치는 것이 아니었다. 그의 시를 분기별로 나열하거나 파편적, 분산적으로 제시하는 것이 대부분이었기 때문이다. 이는 그의 시정신을 일별할 수 있는 어떤 끈이랄까 고리를 전혀 갖지 못하는 것이었다. 이런 한계를 딛고 좀더 나아간 연구가 전혀 없는 것도 아니다. 하지만 이 연구 역시 문단사적 흐름에 따라 그의 시를 나열하고, 이에 대응 양상에 따라 변화하는 시세계를 제시하는 정도에서 그치고 있다[5].

박팔양은 유행에 대해 예민하게 반응했던 시인이었다. 그런 기질적 특성이 만들어낸 그의 작품들 역시 유행으로부터 자유로운 것이

4 박팔양의 북한에 있게 된 것에 대해서는 또 다른 이견이 있는 것이 사실이다. 박팔양이 북에 스스로 갔다기 보다는 상황적으로 선택되었다는 견해이다. 잘 알려진 대로 박팔양은 1930년대 후반에 만주국에 근거를 둔 만선일보의 간도 지사장에 발령받아 만주로 떠나게 된다. 그는 여기서 해방을 맞이하게 되고 따라서 자연스럽게 평양으로의 단순히 공간이동을 했다는 견해이다(홍신선, 「서정성 혹은 정신의 순환축」, 『태양을 등진거리』, 미래사, 1991, p.139). 이럴 경우 그의 사상 선택은 필연적인 것이 아니라 외부로부터 던져진, 수동적인 것이 된다.

5 김용직, 「제도권의식과 계급문학」, 『한국현대시사』, 한국문연, 1996.

아니었다. 그의 기질과 그의 시세계를 이해하는 기왕의 연구 역시 이에 주목해왔다. 이런 이해 방식이 전혀 잘못된 것도 아니고, 실제로 그의 시들은 그런 맥락에서 자유롭지 못한 것이 사실이었다. 그럼에도 이런 이해에서 그친다면, 그는 단지 유행을 멋으로 생각하거나 병적인 감수성 정도로 받아들인 시인으로 남아있게 된다. 그 이하도 그 이상도 아닌 유행에 민감했던 시인이었을 뿐이라는 단선적인 평가만이 그에게 남겨져 있게 되는 것이다.

한 시인의 정신사적 구조나 흐름은 파편적이지 않을뿐더러 게다가 단선적인 것도 아니다. 만약 박팔양을 기왕의 이해대로 그 문학적 경계를 한정시키게 되면, 이런 전제랄까 명제는 잘못된 것이 될 것이다. 박팔양 역시 복잡한 정신사적 구조와 여러 다양한 이데올로기를 가진 시인이라는 점은 분명히 수용되어야 한다. 뿐만 아니라 그의 사고 구조 역시 결코 단선적이지 않다. 그는 많지 않은 경우이긴 하지만, 적극적인 경향시도 생산해내었고, 그 대척점에 놓인 모더니즘 경향의 시도 생산해내었다. 그저 단순히 창작한 것이 아니라 세련된 기법과 실험적인 형식들, 그리고 현대인의 감수성을 예리하게 포착한 내용 등이 담긴 시들도 제법 많이 창작해낸 것이다.

박팔양은 경향파 시인 그룹에서도, 그리고 모더니즘 시인 그룹에서도 외면 당해 왔다. 그런 회피가 그의 작품을 올바르게 자리매김하는 데 있어서 일정한 한계로 기능했다. 뿐만 아니라 인생과 자연을 이야기한 시들뿐만 아니라 오늘날 생태시의 선구쯤으로 이해될 수 있을 만한 서정시들도 그의 근대적 의식을 담보했던 시들만큼이나 외면을 받아온 것이다. 박팔양은 어느 하나의 사조에도 철저하지 못했는바, 그런 한계가 그의 작품에 대한 평가를 올바르게 하지 못하는 결과를 가져오게 만들었다.

박팔양 문학은 다양성과 그에 따른 시정신의 부재 속에서 국외자의 처지에서 연구되었다. 뿐만 아니라 다양성이라는 한계로 말미암아 하나의 시정신을 통어하는 준거틀이랄까 그 일관성의 기준도 마련되지 못했다. 유행에 예민하긴 했지만, 그는 근대성들이 주는 미세한 것들에 대해서 언제나 즉자적인 반응을 해왔다. 물론 그런 반응이 파편적이고 분산적인 것처럼 보이긴 했지만, 그 나름의 일관성을 유지하고 있다는 것이 필자의 판단이다. 근대성에 예민했던 그의 기질적 특성과 그에 대응하는 방법, 그리고 이를 향한 일관된 시정신의 흐름을 이해하는 것이 이 글의 주요 목적이다.

2. 새로운 현실과 그 응전으로서의 시의식

박팔양이 문단에 등단한 시기는 이른바 문예 홍수 시대였다. 뿐만 아니라 그러한 흐름을 타고 다양한 문예 사조 역시 유입되었다. 이는 일제 통치 정책의 변화에 따른 당연한 결과이긴 하지만, 그동안 억눌려왔던 우리 내부의 문화적 욕망과 그 역동적 반발감이 가세한 탓이기도 하다. 많은 논란에도 불구하고 박팔양이 본격적으로 문인의 길에 들어선 것은 1920년대 초반이었던 듯하다. 1923년 「신의 주」가 그의 작품인지 아닌지의 여부를 떠나서 그의 작품 활동은 이를 전후하여 시작되고 있었기 때문이다. 그는 이 시기 여수(麗水)라는 필명 이외에도 김니콜라이라는 또 다른 필명을 갖고 있었다. 이름에서도 그러하거니와 작품의 성향으로 볼 때, 박팔양이 외래사조라든가 근대적 감수성에 대해서 예민하게 반응했던 것은 틀림없는 사실이라고 할 수 있을 것이다.

1920년대 전후로 밀려오기 시작한 세기말 사조 이외에도 이 시기를 풍미한 대표적인 문예 흐름은 모더니즘과 리얼리즘이었다. 특히 모더니즘은 근대적인 시형식을 모색하고 있었던 당대의 문단에 신선한 충격을 준 것이었다. 이 사조의 지류 가운데 하나인 다다이즘의 유행이 이를 잘 대변해주는 것인데, 실상 다다이즘은 토대를 갖춘 반영론적 힘에 의해 시도된 것이 아니었다. 이 사조의 발흥은 전통적인 것에 대한 안티의식이 크게 작용한 결과이기 때문이다. 따라서 다다이즘이 왜 이 시기에 필요했던 것인가. 그리고 그것이 함유하는 형이상학적 토대가 무엇인가에 대한 천착은 전혀 이루어지지 못한 채 수용되어 왔다. 이 시기 대부분의 시인들이 이 사조에 매료되었던 것도 이 사조가 갖고 있었던 신기성이랄까 참신성의 감각 때문이었다.

문단의 흐름에 예민했던 박팔양이 이 사조를 외면하는 것은 쉽지 않은 일이었다. 그리하여 여타의 시인처럼 그도 이 사조를 수용하여 그것이 요구하는 의장들에 기반한 작품들을 생산하기에 이르른다. 이를 대표하는 작품 가운데 하나가 「輪轉機와 사층집」이다.

A

xx! xx! xx!

윤전기가 소리를 지른다

PM, 7 -8, PM, 8 -9.

ABC, XYZ.

부호를 보려무나

한 시간에 십만 장씩 박아라!

B

音響! 音響! 音響!

여보! 工場監督!

당신의 목쉰 소리는

xx! XX ! ! 에 지질려 눌려

죽었소이다

흥! 발동기의 뜨거운 몸뚱이가

목을 놓고 울면 무엇하나

피가 나야 한다 심장이 터져야 한다

C

벽돌 4층집 높다란 집이다

시커먼 旗란 놈이

지붕에서 춤을 춘다

옛다 받아라! 증오의 화살

네 집 뒤에는 윤전기가

죽어넘어져, 신음한다

D

XX! ◇◇! ○○!

DADA, ROCOCO (오식도 좋다)

비행기, 피뢰침, X광선

문명병, 말초신경병

무의미다! 무의미다!

이 글은 부득요령에 의미가 없다

나는 2=3을 믿는다

E

곤죽, 뒤죽, 박죽

인생은 두루뭉수리란 놈이다

벽돌 4층 直線이 斜線이오

과로와 더위로 데어죽은 윤전기의

거대한 시체에

구더기 구더기가 끓는다

F

십만 장! 십만 장!

부호는 돌아간다

A—B=C三D

그리고 1—2—3—4로

공장감독의 얼굴이 붉다

별안간 벽돌 4층이 무너진다

인생은 영원히 「XYZ」이냐

—이상비평사절—

(高따따, 方따따, 崔따따, 죽었는지 살았는지 寂寂無聞이다)

「輪轉機와 사층집」 전문

다다의 핵심은 통사의 해체와 의미의 파괴에 있다. 그리고 이를 통한 정신의 해방이 다다의 최종 목적이 된다. 유기적 정신이 만들어낸 의미론적 국면을 해체하는 것이 계몽의 정신과 이를 통해 만들어진 합리적 세계를 무너뜨리는데 가장 효과적인 국면이었기 때문이다. 다다의 방법과 정신을 받아들인 이 시기 시인들이 그 정신이 요구하는 본질에 대해서는 무지했을 가능성이 크다. 다다적 글쓰기에 종사했던 시인들이 이 방법적 의장에 대해서 쉽게 포기한 사실이 이를 증거하기 때문이다[6].

「輪轉機와 사충집」은 다다의 정신과 기법이 잘 드러나 있는 시이다. 기호와 숫자를 언어와 혼용함으로써 전통적인 통사론을 해체하고 있고, 또 이를 기반으로 다다의 핵심 의장 가운데 하나인 무의미의 정신을 실현하고 있기 때문이다. 뿐만 아니라 글자의 크기를 달리하여 시각적 효과를 가져오는가 하면, 장면의 파편적 구성을 통해서 전체적인 유기성을 해체하기도 한다. 이는 결국 논리의 거부이고, 합리적 사고 체계에 대한 절대적인 반항이다. 다다는 합리성의 세계와 비합리성의 세계가 등가관계에 놓일 수 있다고 긍정함으로써 근대의 이성이 쌓아놓은 인과 관계를 부정한다.

다다의 도입은 근대시를 만들어가는 도정에서 신기루와 같은 것이었다. 전통과 근대의 길항관계에서 무언가 새로운 것을 찾고, 또 이를 도입하는 것이 이 시기 문인들의 최대 과제였는데, 파격적인 실

6 박팔양은 「輪轉機와 사충집」을 쓴 이후로 이런 경향의 시를 쓰지 않았고, 초기에 다다의 기법을 수용한 임화 역시 이런 경향의 시를 거의 창작하지 않았다. 이는 「파충류 동물」을 쓴 정지용의 경우도 예외가 아니다. 물론 예외가 없는 것은 아니다. 다다의 정신과 방법을 양적으로 그리고 지속적으로 많이 수용한 경우로 고한용(高漢容)이 있기 때문이다.

험의식을 자랑하는 다다의 수법은 이들에게 신선한 충격을 주었기 때문이다. 다시 말해 그것에 대한 올바른 수용과 시적 응용이야말로 근대시를 완성해가는 정도로 이해한 것이다. 그러니 그것이 내포하는 의미나 본질에 대해서는 굳이 천착할 필요가 없었던 것이다. 이른바 피상적인 수준의 접근만으로도 그들의 목적을 달성한다고 믿었는데, 이야말로 이들의 한계라 할 수 있다.

박팔양이 다다의 수법을 받아들인 것도 기왕의 문단적 흐름으로부터 벗어난 것이 아니었다. 그는 이런 문단적 흐름에다가 그 자신만의 고유한 문학관이 추가됨으로서 다다를 비롯한 신사조에 더욱 적극성을 보였던 것으로 보인다. 그는 예술을 정의하는 데 있어 "직감과 인상을 거기서 얻어지는 감정을 미로 승화하는 양식"[7]으로 이해했는데, 직감과 인상이란 근대 예술이 강조하는 개인적 차원의 서정적 감수성이다. 이는 전통의 집단적 감수성을 부정하고, 개인적 음역을 강조하는 근대 예술의 가장 특징적 단면이라 할 수 있는데, 이런 감수성을 체득하기 위해서는 현실에 대한 미세한 응시없이는 불가능하다. 물론 이런 개인성에 대한 강조가 훗날 카프가 요구하는 집단의식과 괴리를 일으키게 되는 주요 요인 가운데 하나가 되긴 하지만, 어떻든 박팔양은 전통적인 예술 양식을 부정하고 근대가 요구하는 제반 예술 양식에 대해 투철한 자의식을 보여주었다. 그런 세밀한 관찰이나 그로부터 얻어진 정서의 반응이 그의 예술의 본류를 이루고 있었던 것이다. 이는 그의 예술이 어느 하나의 지점에 머물거나 한 가지 고정된 의식 속에 빠지는 것을 경계하는 자신만의 독특한 예

7 박팔양, 「구월의 시단」, 중외일보, 1929.10.9.-16.

술관에서 나온 것이었다고 하겠다.

문단적 요구와 개인의 기질적 특성이 결부되면서 박팔양의 문학적 양식들은 다양한 국면에서 형성되기 시작했다. 그는 여러 국면에서 근대를 응시했고, 또 거기서 얻어지는 감수성들에 대해 미로 승화시킬 양식들에 대해 끊임없이 사유하게 된다. 「윤전기와 사층집」에서 표출된 다다이즘은 그러한 도정 속에서 나온 이념적 표백이었다.

그런데, 초기 박팔양이 관심을 가졌던 것은 이런 모더니즘에 국한된 것은 아니었다. 그 가운데 하나가 리얼리즘의 영역이었다. 실상 리얼리즘과 모더니즘은 동일한 인식 기반을 하고 있어도 그 지향점에서는 판이하게 다른 경우이다. 자아를 고립 속에 가두는가, 그렇지 않은 광야의 넓은 지대로 끌고나가서 미래의 어떤 지대로 향하게 하는가에 따라서 이 두 사조는 극명하게 갈라지기 때문이다.

먼저 다다이즘에의 경도에서 보여주었던 것처럼, 박팔양이 리얼리즘에 관심을 보였던 것 역시 유행에 예민했던 그의 기질에서 찾아야 할 것으로 보인다. 그가 먼저 관심을 보였던 지대는 잘 알려진 대로 다다로 대표되는 모더니즘의 영역이었지만, 그 순차적인 시간질서를 묻기에도 너무나 짧은 시간에 그는 다시 리얼리즘에 경도되고 있었던 것이다. 이런 존재의 전이랄까 세계관이 순식간에 뒤바뀌는 혼효현상을 두고 여러 가능성을 이야기할 수 있겠지만, 무엇보다 현실을 응시하는 그의 세계관이 굳게 자리하고 있지 않다는 데서 그 일단의 원인을 찾을 수가 있을 것이다. 그는 모색의 주체였지 정립된 세계관을 갖고 있었던 변혁의 주체는 아니었던 까닭이다. 게다가 근대가 무엇인지 그리고 거기에 편입되어 항진하는 주체가 어떤 자아가 되어야 하는지에 대해서 그는 뚜렷한 자리정립이 서 있지 않았다.

그는 단지 모색하는 자아였고, 다가오는 현실에서 얻어지는 감수성에 대해 반응하고 이를 어떻게 미로 승화시킬 것인가에 대해서만 탐색하고 있었던 터였다.

모더니즘과 리얼리즘은 자본주의 현실에 대응하는 주요 대응양식이면서 그 둘 사이의 교호관계는 많은 철학적 사유를 요구하는 것이었다. 둘 사이에 놓인 거리는 넓고 큰 것이면서 경우에 따라서는 쉽게 넘나들 수 있는 인식적 기반을 갖고 있기 때문이다. 그러니 이 두 사조는 근대성의 제반 양식들 속에 편입시킬 수 있고, 여기서 그 사유들이 어떻게 작동하는가를 이해하는 것이 가능한 사조이다. 이런 맥락에서 볼 때, 그의 변신을 두고 예기치 못한 것이라든가 세계관의 혼돈이 가져온 불가피한 결론이라고 단정하는 것은 잘못된 판단이라고 할 수 있을 것이다.

박팔양이 리얼리즘에 관심을 갖게 된 것 역시 문단적 흐름과 그의 기질, 그리고 자본주의라는 동일한 인식적 기반을 갖고 있는 모더니즘과의 관계에서 찾아야 할 것으로 보인다. 문단적 흐름이나 기질은 앞서 지적한 바 있거니와 여기서는 자본주의라는 토양 속에서 자라난 리얼리즘과 모더니즘의 관계를 살펴볼 필요가 있다. 이 두 사조는 자본주의에 대한 인식적 반응이고, 발생론적 토양을 함께 공유한다. 자본주의적 현실을, 생산관계에 방점을 둘 것인가, 개인의 사적 반응에 방점을 둘 것인가는 이를 인식하는 주체가 결정할 문제이긴 하지만, 어떻든 이 두 사조는 근대에 반응하는 두 가지 양식이라는 점에서 그 공통성이 있는 경우이다. 따라서 근대에 편입된 주체가 이들 사조에 대해 반응하는 것은 자연스러운 일이거니와 어느 한편에 치우는 것도, 그리고 그 양쪽에 모두 걸리는 것도 가능하다고 하겠다.

박팔양이 비록 다다로 대표되는 모더니즘을 받아들였다고 해서 리얼리즘을 거부해야만 할 필연적 이유는 없을 것이다. 게다가 시인의 세계관이나 시정신이 확고히 자리하지 않은 경우는 더욱 그러하다고 하겠다. 리얼리즘은 자아 외부에 있는 외계인이 아니라 지금 여기의 자아 속에 자연스럽게 침투할 수 있는 필연적 요건을 갖고 있다. 특히 유행에 민감하고 모색하는 자아라면 더더욱 이런 탐색은 가능하지 않겠는가.

내가 이 도성에 태어난 후
무엇이 나를 기쁘게 하였더뇨?
아무것도 없으되
오직 흐르는 시냇물 소리가 있을 뿐이로다.

내가 홀로 방안에 누워
모든 것을 생각하고 눈물 흘릴 때
누가 나를 위로하여 주었느뇨?
오직 흐르는 시냇물이 있을 뿐이로다.

보아라 나는 일개 赤手의 청년
어떻게 내가 기운날 수 있겠는가?
하지만 시냇물이 흐르며 나에게 속살대기를
「일어나라, 일어나라, 지금이 어느 때이뇨?」

아아 참으로 지금이 어느 때이뇨?

새벽이뇨, 황혼이뇨, 암야이뇨?
이 백성들은 아직도 피곤한 잠을 자는데
이 마을에는 오직 시냇물 소리가 있을 뿐이로다.

무슨 소리뇨, 무에라 하는 소리뇨?
언제부터 흐르는지도 모르는 이 작은 시내여,
아침이나 저녁이나 밤중이나
우리에게 무슨 말을 부탁하느뇨?

내가 이 도성에 태어난 후,
햇수로 이십년 달수로 두달,
그간에 나는 아무 한 일이 없도다.
오직 시냇물가에서 울었을 뿐이로다.

그러나 울기만 하면 무엇이 되느뇨?
슬픈 노래 하는 시인이 무슨 소용이뇨?
광명한 아침해가 비추일 때에
우리는 밖으로 나아가야 할 사람이 아니뇨?

「일어나라, 일어나라, 누워만 있느냐?」
지금도 문밖에서 시냇물이 재촉하는데
나는 아직도 방안에 드러누워
한숨 쉬이고 생각할 뿐이로다.

「시냇물 소리를 들으면서」 전문

이 작품은 1925년 10월 『조선문단』에 실린 시이다. 팔봉의 「백수의 탄식」에 비견할 수 있을 만큼 지식인의 자의식이 예리하게 포착된 작품이다. 하지만 탄식의 정서에서는 동일한 감각을 갖고 있긴 하지만, 그 각성의 과정은 사뭇 다르다. 팔봉의 경우 그가 가야 할 곳과 해야 할 목표가 분명히 제시되어 있는 데 비하여, 이 작품에는 그것이 모호하게 처리되어 있기 때문이다. 뿐만 아니라 「백수의 탄식」에는 소박한 정도의 계급의식이 묻어나 있는 반면에 「시냇물 소리를 들으면서」에서는 그 의식을 포착해내기가 쉽지 않다.

그럼에도 이 작품은 신경향파 시기의 '자아비판'의 주제와 거리가 있는 경우는 아니다. 우선, 이 작품은 대상과 자아의 관계 속에서 그 의식의 변이가 일어난다. 현재의 나를 일깨우는 것은 '시냇물 소리'인데, 앞으로 나아갈 자아의 방향을 각성시켜주는 것 역시 '시냇물 소리'이다. 이 소리는 자아를 각성케 하는 매개이긴 하지만, 그러나 그 속에는 어떠한 계급의식이 없다는 점에서 「백수의 탄식」과 비교된다.

어떻든 이 작품이 시사하는 바는 자명한데, 현실에 대한 직시와 그에 따른 자아의 행동 반경이 어느 정도 제시되고 있다는 점, 그리고 그 추동하는 요인이 시대적 상황임도 함께 제시하고 있다는 점에서 그 고유성이 인정된다. 이러한 면들이 암시적으로 제시되고 있긴 하지만, 박팔양이 카프에 가담한 시기가 이때이기 때문에, 이어지는 작품들에서 선진적인 자아, 노동의식으로 점철된 계급 각성의 과정이 드러날 수 있음은 충분히 짐작할 수 있는 일일 것이다.

3. 경향시로의 전변

좌파조직 서울청년회의 일원이었던 박팔양은 1926년 카프에 가입하고 그 구성원 가운데 하나로 자리한다. 그런데 중요한 것은 그가 카프에 가입한 시기이다. 잘 알려진 대로 카프가 결성된 것은 1925년이다. 박팔양은 이보다 한해 늦은 1926년에 가입했는데 이런 시간차가 말해주는 것은 무엇일까. 이런 편차는 일견 사소해 보이는 것 같으면서도 실상 그의 시의식을 설명하는데 있어서 주요 단서가 된다고 하겠다. 후술할 예정이지만, 박팔양은 카프가 제1차 방향전환을 시도한 이후 탈퇴한 뒤 문단과 거리를 두게 되는데, 이후 그가 새롭게 문단과 관계맺는 것은 〈구인회〉에서였다. 〈구인회〉가 결성된 것이 1933년인데, 박팔양은 이때에도 이들 그룹에 바로 합류한 것이 아니고, 1년이 지난 뒤인 1934년에 이들과 어울리게 된다. 시간의 편차를 두고 〈구인회〉에 가입한 것은 그 나름의 이유가 있었을 것이다. 그 무엇인지 정확히 알 수 없지만 그가 펼쳐보인 문학적 행보에 비춰보게 되면, 이는 어느 정도 계산된 행동이 아니었나 생각된다.

박팔양은 유행에 민감한 시인이라고 했다. 그러니 그는 지금 현재 유행하고 있는 사조들에 대해 외면하지 못하고, 이를 자신의 작품에 적극적으로 받아들여 왔다. 그런데 그 수용의 시간들은 언제나 한 박자 늦었다. 이는 유행에 민감하긴 하되 그 유행에 대해 어떤 확신이 없었다는 뜻과도 같은 것이 된다. 가령, 어느 하나의 사조에 대해서도 자기화하기 어려운 기질이 이런 시간의 편차를 낳지 않았나 하는 것이다. 그렇다고 그의 이런 지연된 사유나 행동 반경이 그의 문학세계에서 어긋난 것이라든가 주변적인 것이었다고 생각하는 것은 잘

못된 판단이 아닐 수 없다. 어떤 사조나 이념에 대해 확신이 없긴 하지만, 그렇다고 해서 이를 회피하거나 우회한 적은 없었기 때문이다. 이런 생리적 기질과 확고하지 못한 세계관이 낳은 문학적 한계가 박팔양 문학의 본질이었던 것이다.

카프에 가입했던 박팔양은 그 조직이 요구하는 것들에 대해 그 나름의 노력을 기울인 듯 보인다. 이 시기를 전후하여 그는 신경향파적인 경향의 시를 비롯하여 목적의식기에 걸맞은 작품들을 많이 생산해내었기 때문이다.

1. 돌다리
시냇물 흐르는 이 동리에
휘우듬한 돌다리 위로
보랏빛 하늘 같은 희망을 안고 아침에 나아가
피로와 환멸을 등에 지고 저녁에 돌아왔네.

삶에 지친 몸, 힘없는 걸음.
돌다리에 신소리가 차게 들리네.
기운차게 이 다리 위 달릴 날 생각하면서
가난한 동리 좁은 골목으로 들어가노니.

2. 묵묵한 얼굴
하루일에 시달린 나의 몸을 이끌어
밤 늦어 고요한 나의 잠자리로 옮길 때
칠십년 「삶」의 굽이굽이 험한 길,

잠드신 아버지 얼굴에 주름살이 많구나.

내 이 도성에 장성한 사나이 되어
세상일에 성내기와 울기를 배웠을 때,
천하에 약한 자 되지 말라고
가르치신 이 누구인고, 저 묵묵하신 얼굴

3. 바닷물과 사공
가난을 탄식하는 소리 듣기 싫어
뛰어나왔네, 아스팔트 깔린 광장으로
아카시아 가로수 밑에서 동무를 만나
손 잡고 웃으니 근심이 없고나.

내가 가진 것이라고는 아무것도 없네,
하되, 나도 굴욕에 살지 않는 사나이는 사나이
오너라! 모든 박해, 굽이치는 바닷물같이
내 겁 없는 사공처럼 팔을 뽐내이련다.

4. 조을던 파수병
온실 속 화초같이 자라난 나의 사람 위하여
들바람의 차고 매움 피하려 하였네.
허나, 조을던 파수병 놀라 깨듯이
우리 길이 그 길뿐임을 또다시 생각하였네.

5. 소각

악몽같이 괴로운 나의 옛 기억!

오오 불살라다오, 그대 손으로

내 이제 새사람 되었으니

새 일터가 내 앞에 있을 뿐이로다.

「묵상시편」 전문

이 작품은 1928년 3월 『조선지광』에 실린 시이다. 이보다 3년 앞서 발표된 「시냇물 소리를 들으면서」의 연장선에 놓여 있는 시인데, 하지만 이 두 작품 사이에 놓인 간극이랄까 의식의 차이는 확연히 다른 경우이다. 우선 이 두 작품은 지식인의 자아비판이나 전위적인 자아가 되기 위한 일련의 다짐이 표명되어 있다는 점에서 공통점을 보이고 있다. 이러한 면들은 2연의 '묵묵한 얼굴' 편의 아버지의 가르침 속에서 드러나 있는데, 아버지는 시인의 의식 전환의 매개 역할을 한다. 새로운 전위의 주체가 되기 위해선 어떤 매개가 필요한데, 이를 담당하고 있는 것이 아버지였던 셈이다.

하지만 이 작품이 「시냇물 소리를 들으면서」와 구별되는 것은 가난의식에서 찾을 수 있다. 가령, 1연의 "가난한 동리 좁은 골목으로 들어가노니"라든가 3연의 "가난을 탄식하는 소리 듣기 싫어"가 그러하다. 게다가 "내가 가진 것이라고는 아무것도 없네"라는 표현 역시 그 연장선에 놓여 있다. 가난의식을 드러냈다는 점, 그리고 새로운 전위의 주체가 되고자 다짐하는 차원에서 보면, 이는 분명 신경향파적인 성향과는 차별되는 경우이다. "아카시아 가로수 밑에서 동무를 만나/손 잡고 웃으니 근심이 없고나"라든가 "우리 길이 그 길뿐임을 또다시 생각하였네"라는 데에 이르게 되면, 시적 주체의 다짐이 결코 개인적 차원의 것을 넘어서고 있음을 알 수 있다. 이는 곧 목적의식기를 맞이한 카프 문학이 요구했던 조합 투쟁의 한 단면과 분리하기 어려운 것이라 하겠다.

> 오후 여섯시—,
>
> 동대문 안 OO공장에서 나는 「뛰—」 소리가 하루일에 피로한 서울의 저녁 하늘 우로 퍼질 때,
>
> 철창문이 열렸다. ××××××OO공장 정문인 철창 무거운 듯이 소리도 없이 열렸다. 덕순이! 덕순이! 나의 눈은 무수히 몰려나오는 남녀 직공 틈에서 나의 누이 동생을 찾고 있다 덕순이는 우리 단 두 남매 살림의 大藏大臣이다.
>
> 나는 밤낮 놀고만 먹는다 나는 비록 내 누이동생에게 對해 살망정 그것이 미안하지 않을 수 없다 해서 오늘은 생전 처음으로 덕순이를 맞으려고 신경쇠약 제3기에 있는 나의 몸을 이끌어 이 공장 문 앞까지 왔다.
>
> 공장 정문에서 신체검사가 시작되었다. 직공들은 모×××××이란 말이냐? 정문 양편에서 주머니 뒤짐을 한다 감추운.....! 담배! ....검사원들의 눈알이 붉다 그들의 손은 남직공의 조끼 속과 바지 우를 더듬고 또 여직공의 저고리 위와 치마 근처를 더듬는다 그들의 손이 가는 곳에 만질 데와 못 만질

데가 없다

내 누이 동생은 올해 열아홉 살이다 시집도 가지 않은—가지 않았다는 것보다도 가지 못한 장성한 처녀다 그러나 우리 남매 살림을 위해서 ××을 보지 못하며 날마다 苦役을 한다 아아 스물두 살 된 이 덩치 큰 사내 자식의 가슴이 아프고나

덕순이가 나오지 않는다! 웬일일까? 나는 潮水와 같이 밀려 나오는 직공들을 본다 우울, 우울, 우울 그리고 피로, 피로, 피로, 그들의 얼굴이 말하고 있다 여직공 하나가 검사원 앞에 와서 「자—할 대로 하시오」하는 듯이 팔을 벌리면서 하복부를 쑥 내어민다 검사원은 마땅히 그럴 일이라는 듯이 그의 전신을 뒤진다 만진다 더듬는다 그의 ×이 ××××지 들어간 것은 물론이다 나의 얼굴에 ×가 올라온다 아아 나의 누이동생은 올해 열아홉 살이다 그는 부끄러워하는 수줍은 계집아이다 ××공장 정문 앞에서 수없이 계속되는 人××××여! 나는 오지 아니할 곳을 공연히 왔고나

집으로 돌아가면서 옆에서 덕순이가 나에게 묻는다

「오빠도 그이가 내××지고 만지는 것을 보셨수?」

나는 대답하지 않았다 나는 공연히 서러웠다

내 누이동생의 쓸쓸하고 의미도 없는 미소가 그의 얼굴에 떠오를 때 거리에는 음악회로 가는 ....의 계집아이들이 ××과 같이 떼를 지어 지나갔다

「오후 여섯시의 콘트」 전문

이 작품은 「데모」와 더불어 박팔양이 보여준 경향시의 정점을 보여주는 시이다. 그것은 형식적인 면에서나 내용적인 면 모두에서 그러한데, 우선 형식적인 면에서 이 작품은 단편서사시의 양식을 취하고 있다. 사건과 인물이 등장하는 이야기가 담겨있고, 긴 형식을 취하고 있는 등 이 시기 단편서사시가 요구하는 조건들을 충실히 갖추고 있는 것이다. 뿐만 아니라 그 내용 또한 극심한 가난의식이나 지식인의 자아비판과 같은, 신경향파적인 주제를 담고 있는 것이 아니다. 그것은 곧 노동 현장인데, 이는 목적의식기의 카프 문학이 요구하는 조건과 일치하고 있는 것이다.

이 작품은 근로하는 여성과 그 곁에 있는 오빠가 그 주인공으로 되어 있고, 서술 주체, 곧 시적 자아는 남성인 오빠로 되어 있다. 이런 면들은 이 시기 대부분의 단편서사시들의 주인공이나 화자가 여성으로 되어 있는 점과는 무척 상이한 경우라 할 수 있다.

이 작품은 이렇게 구성된다. 작품 화자이자 주인공인 오빠는 직업이 없고, 여동생의 월급만으로 살아가고 있다. 하루는 근로하는 동생을 만나기 위해 그녀가 일하는 동대문 근처의 공장에 방문하게 된다. 그러나 여기서 오빠가 목격한 것은 온갖 비인간적 대우와 성희롱적인 대우를 받고 있는 동생과 여직공들이다. 이는 곧 수치의 정서와 분리하기 어려운 것인데, 오빠의 부끄러움와 이를 아무렇지도 않게 넘어가는 여동생의 대비 속에서 이 장면은 더욱 비극적인 것이 된다.

이 작품이 계급의식이라는 목적의식기의 요구에 들어맞는 것은 마지막 세 행에서이다. "거리에는 음악회로 가는 부르주아의 계집"이 오버랩되면서 근로하는 동생의 처지가 더욱 비극적인 것으로 전화되고 있는 것이다. 여성을 통한 억압과, 그들 사이에 내재된 빈부의 격차라는 이런 계급 의식이야말로 이 시기 카프 시인들이 즐겨 사용하는 수법이었다[8]. 어떻든 프롤레타리아와 부르주아 사이에 놓인 간극은 넓고도 큰 것이었고, 그 간극이 만들어낸 거리만큼이나 이들 사이에 놓인 계급적 정서는 그 폭이 깊은 것이었다.

목적의식기에 접어든 카프의 요구에 박팔양의 시들은 어느 정도 부응했다. 그의 시들이 대부분 가난의식이나 지식인의 자아비판 같은 신경향파적인 특성을 보이고 있긴 하지만, 이 시기에 이르러서는 그러한 색채로부터 어느 정도 벗어나 있었기 때문이다. 그 대표적인 사례가 「오후 여섯시의 콘트」를 비롯해서 「데모」와 같은 시들이다. 이 외에도 그의 시들이 자연발생기적인 경향시와 다른 면을 보여주는 것은 이른바 민중적 연대의식에서 찾을 수 있다. 미래에 대한 희망과 승리에 대한 확신이 없다면, 이런 의식은 가능하지 않았을 것이다.

이 나라 거리가 왜 이리 쓸쓸하냐
젊은이 죽어 초상 치르고 난 집 같고나
이 나라에는 사람이 하나도 없느냐
오오 젊은 사나이도 없느냐

이 나라 사람은 왜 모두 힘들이 없느냐
두더지 땅 파고 들엎드린 것 같고나
이제는 좀 거리로 나오라, 이 딱한 사람아

8 여성 화자나 여성 인물들이 갖고 있는 계급적 편차는 임화라든가 박세영, 그리고 권환 등에서 단골로 등장하는 소재 가운데 하나였다.

네 활개 쩍 피고 종로로 튀어나와
「나도 한몫 살아보겠다」 소리지르지 못하는가

백두산상에 빛나는 저 해를 보라
끓는고나 타는고나 열정 덩어리로구나
이 나라 젊은이 가슴에도 피가 들거든
해가 가진 熱情을 함빡 빼앗자고
활을 메어 한 눈 지긋하고 저 해를 겨누라

주린 배 부여잡고 부르는 콧소리, 듣기 싫다
뭇매 맞은 강아지 담 밑에 신음소리 같고나
오막살이 좁은 방에 징징대이지 말고
나오너라, 머리를 동이고 거리로 나오너라

「거리로 나와 해를 겨누라」 전문

이 작품은 1925년 4월 『생장』에 실린 시이다. 카프 결성 전후에 실린 작품이긴 하지만 목적의식기에 카프가 요구했던 수준에서 벗어나지 않는 경우이다. 독법에 따라서는 민족주의적 성향이 전혀 없는 것도 아니지만, 이 시기 그가 보여주었던 성향에 비추어보았을 때, 경향시의 음역으로부터 자유로운 것이 아니다. 특히 가난 의식과 "머리를 동이고 거리로 나오너라"와 같은 연대의식에 기대게 되면, 이런 함의는 더욱 설득력을 갖는다고 하겠다.

뿐만 아니라 이 작품의 특색은 이른바 전망의 세계에서 찾을 수 있다. 신경향파 문학과 목적의식기 문학을 구분짓는 중요한 기준 가운데 하나는 이 의식의 표명여부이다. 미래가 원리적으로 닫혀있는 것이 신경향파 문학이다. 반면 목적의식기 이후 카프 문학의 특색은 이런 폐쇄회로로부터 벗어나게 된다. 이 작품은 그러한 의식을 '해'로 표현했다. '해'는 이 작품에서 두 가지 내포를 갖는데, 하나는 현실의 목표이고 다른 하나는 도달해야 할 목표이다. 카프시가 이런 정도의 상징성을 내포시킬 수 있다는 것만으로도 그 문학성을 효과적으로 달성한 사례라고 할 수 있을 것이다.

하지만 박팔양의 경향시는 양적으로나 질적으로 여기서 더 나아가지 못하는 한계에 부딪히게 된다. 현실에 대해 반응하는 그의 예민한 의식들은 더 이상 이 세계에 머무르지 못하게끔 만들었다. 그에 대한 비판은 곧바로 카프 조직 내부에서 나왔다. 이 시기 시문학 분야에서 가장 전위적인 의식을 보여준 시인이 권환인데, 그는 박팔양의 시들에 대해 이렇게 평가하고 있다.

> 우리 프로시인에서 가장 많은 시편을 제작하였고 또 프로시인으로서 부르시단에까지 많은 총애를 받은 박팔양씨의 시를 보면 우리는 도저히 프로시라고 명칭을 붙이기 어려웠다.[9]

박팔양에 대한 권환의 비판은 여기서 그치지 않고 한걸음 더 나아가게 되는데, "소위 인도주의의 시라고 이름붙이기에도 정도가 없었다"라고까지 한다. 이는 계급 의식 뿐만 아니라 인간성을 옹호하는 휴머니즘도 없다는 뜻으로 이해되는데, 권환이 박팔양의 시를 이렇

9 권환, 「시평과 평론」, 『대조』 4, 1930.6.

게까지 폄하하는 것이 전혀 근거가 없는 것은 아니다. 그러한 판단은 이 시기 박팔양의 시들이 보여준 몇 가지 특색 때문에 그러한데, 하나는 프로시의 양적 문제이다. 앞서 언급한 대로 박팔양은 신경향파적인 시들을 제법 많이 생산해내었다. 하지만 자연발생기적인 신경향파 문학이 카프 문학의 본류는 아니었다. 두 번째는 그의 경향시들이 노동현장과는 거리를 두고 있었다는 점이다. 「오후 여섯시의 콘트」를 제외하고는 노동 현장을 다룬 작품이 거의 없는 것이 그러한데, 이는 다른 카프 시인들과 비교해도 무척 예외적인 경우가 아닐 수 없다. 그리고 세 번째는 이 시기 박팔양이 보여준 문학적 행보이다. 프로작가로서의 임무와 그 창작적 행위에 대한 권환의 평가는 어쩌면 이 부분과 밀접한 관련이 있을 것으로 보이는데, 박팔양이 이 시기에 창작한 작품은 프로시의 경우로 한정되지 않았다. 1928년 7월에 박팔양은 『조선지광』에 모두 다섯 편의 작품을 발표했는데, 이 가운데 모더니즘 경향의 작품이 무려 4편이나 된다[10]. 「데모」만이 리얼리즘 경향의 작품일 뿐 모두 모더니즘적 경향을 갖고 있었던 것이다. 잘 알려진 대로 박팔양이 모더니즘 그룹인 〈구인회〉에 가입한 것이 1934년이다. 보통 시의식이 변모하는 시점에서 작품이 생산되는 사례에 비추어보아도 이런 경향의 작품을 이보다 훨씬 앞선 시기에 발표한다는 것은 예외적인 일이 아닐 수 없다.

따라서 박팔양의 작품을 두고 "프로시다운 면모가 없다"라고 한 권환의 비판은 일견 타당한 것이라 할 수 있다. 권환이 문제삼았던 것은 그의 프로시가 아니라 하나로 수렴되지 못한 그의 세계관이었

10 이 경향을 대표하는 작품이 다음 5편이다. 「도시정취」, 「인천항」, 「태양을 등진 거리에서」, 「새로운 도시」 등이 그것이다.

을 것이다. 그는 프로시를 쓰되 거기에 완전히 몰입하지 않았다. 카프 문학에 편입되어 있음에도 불구하고 그의 시세계는 다른 곳을 지향하고 있었던 것이다. 이처럼, 그는 어디에도 깊숙이 편입되지 못하는 사상적 한계를 보여주고 있었던 것이다.

4. 산책자와 모더니즘 시로의 전회

박팔양의 시세계를 탐색한 연구자들이 중점을 두고 연구한 것이 리얼리즘의 영역이었다. 이 사조에서 중요시 하는 것이 세계관이고, 조직이고, 당파성이다. 이런 요인들은 비제도권의 영역에 놓이는 것이고, 반부르주아적인 것이다. 박팔양은 카프라는 조직 속에서 프로시인이라는 직함을 얻었음에도 불구하고 전적으로 이 세계에 몰입하지 않았다. 그래서 그를 두고 제도권의 갈등이라든가 온전치 못한 세계관의 한계를 갖고 있는 시인이라고 이해했던 것이다[11]. 박팔양의 시세계를 꼼꼼히 읽게 되면, 이들의 평가가 전연 잘못된 것이라고는 할 수 없을 것이다.

그런 다음, 이들 연구자들은 박팔양의 시들이 〈구인회〉 가입 전후에 현저한 변화를 보인다고 이해한다. 그의 시세계를 이해한 경우라면, 이 또한 크게 잘못된 경우는 아니다. 그는 이 시기를 전후로, 아니 카프를 탈퇴한 이후 현실 속에서 걸러지는 리얼리즘 경향의 시로부터 멀리 벗어나 있었기 때문이다.

11 김용직, 앞의 글 참조.

하지만 박팔양의 시세계가 〈구인회〉 가입 전후로 현저하게 모더니즘적 경향으로 경도된 것은 아니다. 그는 처음부터 모더니즘적 성향을 갖고 있었던 시인이다. 카프 시인이 되기 이전에 그는 이미 다다와 같은 모더니즘에 관심을 갖고 있었고, 실제로 이에 기반한 작품을 써왔기 때문이다[12]. 이후 박팔양은 카프에 가담하면서도 모더니즘 성향의 시를 포기하지 않았다. 물론 모더니즘에 대한 공백이 전혀 없었던 것은 아니다. 그 시기를 굳이 지적하자면, 카프 가입 전후 약 일년 전후가 아닌가 한다. 그는 이때 모더니즘 성향의 작품들을 거의 쓰지 않았기 때문이다. 하지만 그 잠간의 공백이 지나고나서부터 그는 다시 모더니즘 문학에 대해 관심을 보이기 시작했다. 뿐만 아니라 그는 근대성에 편입되어가는 의식의 변화를 담은 시뿐만 아니라 민족모순에 입각한 시를 쓰는가 하면, 전통적인 서정시에도 관심을 갖기 시작했다. "직감과 인상을 거기서 얻어지는 감정을 미로 승화하는 양식"[13]을 자신의 문학관으로 굳건히 믿고 있었던 그가 전통적인 의미의 서정시를 외면하지 못하는 것은 당연한 이치라고 할 수 있을 것이다.

하나로 수렴되지 못하는 그의 시정신을 산만한 세계관의 소유자라고 부정적으로 보아야만 할 것인가. 아니면 새로운 근대 정신을 향한 부단한 항해자라고 좀더 적극적인 긍정성을 부여해야 할 것인가. 그런데 이 두 가지 방향에 대해 그 나름의 평가를 내리는 데 있어서 전혀 주저할 것은 없다고 하겠다. 그것이 그의 시의 한계이자 또 장

12 「輪轉機와 사층집」이 그러하다.

13 박팔양, 앞의 글, 「구월의 시단」, 중외일보, 1929.10.9.-16 참조.

점이기 때문이다. 다시 말하면 그는 당시 유행하는 문학적 사조들에 대해 대단히 민감하기도 했고, 시대의 음역에 대해서도 충실히 응답하고자 했다. 그러한 그의 기질적 단면을 보여주는 것이 다음의 작품이다.

검푸른 여름밤 하늘 우에
총총히 빛나는 별들을 보고
나는 자연과 인생에 대하여
깊이깊이 생각하여본 일이 있었노라.
그러나 그것은 진실로 나에게 있어
한 개의 「영원한 수수께끼」이었노라.

비 오는 밤 외로운 방안에 앉아
시름도 없는 낙숫물 소리를 들으면서
나는 또다시 깊은 생각에 잠기었노라
그러나 어찌하랴, 그것은 역시
「영원한 수수께끼이었던 것을.

그 어느 날에 이르러
나는 「과학이다!」하고 소리쳤노라.
진실로 책상을 치며 소리쳤노라.
「이것을, 이같이 과학이 있는 것을
나는 헛되이 고생하였노라」—고.

나는 한숨을 그치고,
휘파람을 불었노라, 그러나!
나의 앞에 있는 자연과 인생은
미지수 그대로 남아 있는 것을—,

나는 또다시 소리쳤노라.
「오직 과학 발전의 힘으로!」
쓸쓸한 반향이 고독에 잠긴
나의 방에 일었었노라
그러나 나의 앞에 있는 자연과 인생은
커다란 신비 그대로 남아 있는 것을—,

그후에 이르러 나는 비로소
너무나 큰 「한 개의 신비」인 것을 알았노라.
지극히 작은 벌레 하나,
지극히 작은 풀잎 하나,
지극히 작은 돌멩이 하나,
그리고 지극히 작은 씨앗 한 알 속에
숨어 있는 커다란 신비를 보았노라.

나는 그때에 비로소 고요한 목소리로
언덕을 노래하였노라.
시내를 노래하였노라.
비를, 바람을, 새들을, 꽃들을,

바다를, 나무를, 숲들을,
커다란 신비의 가지가지 모양을 노래하였노라.

이제 뜰 앞에 귀뚜라미 우는 시절,
나는 작은 귀뚜라미 벗을 삼아
그와 함께 노래하리라
유구한 자연을, 또는 짧은 인생을—,

「여름밤 하늘 우에」 전문

박팔양은 자신이 선보인 『여수 시초』에 각각의 작품들에 대해 창작 연대를 일일이 제시하고 있는 바, 이 작품을 쓴 시기를 소화6년(1931)으로 기록하고 있다. 이 시기는 잘 알려진 대로 만주 사변이 일어난 때이다. 제국주의를 향한 일제의 발걸음이 강화되고 있었던 시기인데, 문화적 측면 역시 이런 분위기로부터 자유롭지 못했다. 카프 성원들에 대한 검거 열풍이 있었고, 이에 따라 진보적인 운동은 크나큰 타격을 입게 된 것도 이때이다. 박팔양이 카프에 대해 거리를 두기 시작한 것도 이 즈음이고 결국 그는 이 조직을 탈퇴하기에 이르른다.

박팔양이 카프를 탈퇴한 데에는 이런 외부 요인이 크게 작용했지만, 그의 생리적 기질 또한 일정 정도 영향을 끼쳤던 것으로 보인다. 그가 늘상 보여준 행보대로 하나의 사조, 하나의 집단에 꾸준히 머무를 수 없는 방랑기질이랄까 유행병적인 멋의 추구가 여기서도 그대로 재현되고 있었기 때문이다. 뿐만 아니라 여기에 감정과 사상의 지속적인 탐색과 거기서 솟구친 정서들에 대해 미의 의미를 추구해 왔던 그의 문학관 역시 일정 정도 작용했던 것으로 보인다. 개인적 정서들에 대해 미의식으로 착색하는 행위야말로 내용 위주의 카프 문학과는 거리가 있는 것이기 때문이다.

여러 가지 사회적 상황과 개인의 기질이 덧붙여진 그의 문학적 행보는 이전과는 전연 다른 국면을 보여주기 시작한다. 짧은 시간에 리얼리즘적 경향의 시를 쓰는가 하면, 이로부터 곧바로 탈퇴하고 그 대척점에 서있는 모더니즘 양식으로 현저하게 기울고 있었기 때문이다. 그런데 주목할 것은 모더니즘이나 서정시로의 지향이 그가 카프의 구성원이었을 때도 그대로 나타나고 있다는 점이다. 이는 무언가 채워지지 않은 욕망의 그림자가 끊임없이 그의 사유 속에서 작동하고 있었다는 사실을 말해주는 것이 아닐 수 없다. 그 일단의 정서를 드러내보인 작품이 바로 「여름밤 하늘 우에」가 아닌가 한다.

이 작품이 함의하는 것은 우선 제목에서 나타나 있다. '여름밤 하늘 우에'란 표현 자체가 사유의 고뇌가 만들어낸 결과이기 때문이다. 서정적 자아는 현재 자신의 위치에 대해 정확한 정체성을 파악하지 못하고 있다. 뿐만 아니라 앞으로 나아갈 방향이 어떤 것인지에 대해서도 뚜렷이 정해놓은 것이 없다. 이럴 때 대부분의 서정 시인들이 선택할 수 있는 것은 떠돌이 정서와 나그네 의식일 것이다. 이는 사유보다 행위가 전제되는 것인데, 박팔양의 경우는 그 반대의 경우에 놓인다. 그는 나그네와 같은 떠돌이가 아니라 현재의 지점에서 자아 정체성을 찾으며 그 나아갈 방향을 모색하고 있었기 때문이다. 행위가 사라진 지대에서 서정적 자아가 할 수 있는 일이란 저멀리 하늘을 응시하는 것이고, 거기서 빛나는 별의 지시를 받고자 하는, 이른바 주술의 세계 속으로 스며들어가는 일이 아닌가 한다. 그러니 고개를 들고 하늘을 보는 것이 아니겠는가.

하지만 시인의 그러한 사색이 곧바로 어떤 해결점을 가져다주는 것은 아니었다. "깊이깊이 생각하여보았지만" "그러나 그것은 진실로 나에게 있어/한개의 영원한 수수께끼"와도 같은 것이었기 때문이다. 이런 관점에서 이해하게 되면, 시인이 고민하고 있는 것, 현재의 그가 이해하고자 하는 것이 어떤 것이었던가를 어느 정도 알게 된다. 그것은 자연과 인생에 관한 문제였던 것이다. 그런데 이에 이르게 되면, 현재의 서정적 자아가 시도해온 서정의 모색들, 가령, 다다이즘이나 리얼이즘의 영역이 모두 이와 불가분하게 연결된 것임을 이해하게 된다. 자연과 인생에 대한 끝없는 질문은 서정적 자아에게 있어 모색하는 주체가 되기 한 것이다.

그러한 모색 끝에 서정적 자아가 도달한 결론은 3연에 나와 있는 것처럼, "과학이다"하는 발견 혹은 깨달음의 정서에 이르게 된다. 그는 비로소 과학 속에서 자연과 인생의 해법을 구하고 있는 것처럼 보인다. 하지만 그러한 인식에도 불구하고 의문은 여전히 해소되지 않는다. 그리하여 그 사유의 끝을 한번 더 더듬어 들어가게 되는데, 그 결론 역시 과학이라는 개념적 차원에서 한걸음 더 나아간 "과학 발전의 힘"이라는 구체성이다.

박팔양이 자연과 인생에 대한 형이상학적 물음들을 '과학'이나 '과학발전의 힘'에 기댄 것은 어떤 면에서는 수긍이 가는 측면이 있다. 근대 초기 과학에 의한 계몽과 그에 대한 믿음이 근대성의 주요한 국면 가운데 하나로 자리했기 때문이다. 인과론이 주는 합리성은 과학적 사고없이는 불가능한데, 그는 적어도 이런 과학이 주는 합리성에 대해 긍정의 시선을 보내고 있었던 것이다. 과학에 대한 그의 이러한 긍정적 시선은 이 시기 김기림이 보였던 과학에 대한 시선과 동일선상에 놓이는 것이 아닐 수 없다. 김기림 역시 과학이나 계몽이 주는 효과에 대해 긍정적 시선을 보내고 있었기 때문이다[14].

그러나 과학이 주는 이런 긍정적 힘이나 영향에도 불구하고 시인은 여기서 안주하지 못한다. 그 앞에는 "자연과 인생은 커다란 신비를 간직한 채" 여전히 그 모호성을 드러내고 있었기 때문이다. 박팔양이 보여준 인생과 자연에 대한 시적 표백은 영원을 상실한 근대인의 불가피한 초상이라는 점에서 어느 정도 그 긍정성이 담보되는 경우이다. 근대인은 스스로 조율해나가는 과정으로서의 주체라는 숙명으로부터 자유로울 수 없는 까닭이다. 중요한 것은 박팔양이 지금까지 탐색해온 사유들은 모두 인생과 자연이라는 수수께끼를 풀고자 했던 고뇌의 산물이라는 점이다. 다다나 모더니즘, 그리고 리얼리즘은 근대 과학 문명과 자본주의를 그 인식적 기반으로 하고 있다. 따라서 그가 모더니즘과 리얼리즘의 영역을 자유롭게 넘나들었다고 해서 그의 세계관이 갖는 허약성을 굳이 문제 삼지 않아도 될 것으로 보인다. 그것은 어디까지나 근대적 주체로 정립되는 과정에서 필연적으로 발생할 수밖에 없는 도정들이었기 때문이다. 그는 근대라는 현실에서 다만 사유하는 주체였을 뿐이다. 그 사유의 과정이 만들어낸 것이 방황하는 자아, 리얼리즘과 모더니즘의 경계에서 줄타기 하는 자아를 발견했을 따름이다.

그렇다면, 박팔양은 모색의 도정에서 그가 원했던 결론을 얻은 것일까. 「여름밤 하늘 우에」를 보면, 그 모색하는 주체가 원한 극점에 다다른 것처럼 보인다. 과학이라든가 과학의 발전을 절대적으로 수

14 이 시기 김기림은 과학을 비극성보다는 긍정성, 곧 명랑성의 관점에서 이해하고 있었다. 김기림, 「현대시의 표정」, 『김기림전집2』, 심설당, 1988, p.87.

용했지만, 서정적 자아는 거기서 어떤 자아충족을 경험하지 못한 터였다. 그런데, 시인의 표현을 빌리면, "그후에 이르러 나는 비로소 너무나 큰 한 개의 신비인 것을 알았노라"라고 감히 선언하기에 이르는 것이다. 가령, "지극히 작은 벌레 하나,/지극히 작은 풀잎 하나,/지극히 작은 돌멩이 하나,/그리고 지극히 작은 씨앗 한 알 속에/숨어 있는 커다란 신비를 보았노라"라고 하고 있는 것이다. 이는 지금까지 모색해온 서정적 자아가 내린 사유의 구경적 지점이 아닐 수 없다. 그는 과학이라는 혹은 그것의 발전이라는, 그리하여 그 이념적 결정체인 인과론이나 계몽이 아니라 그 반대편에 놓인 자연에 이렇듯 기투하고 있는 것이다. 이른바 생태론적 자연사상으로의 회귀이다.

시인이 도달한 「여름밤 하늘 우에」는 시인이 근대를 향한 여정의 정점이라 해도 과언이 아니다. 분열적 사고가 아니라 통합적 사유에, 그리고 인식의 완결에 도달하고 있기 때문이다. 실상 이 시기 이런 여정을 보인 대표적인 시인들은 박팔양 말고도 제법 존재한다. 「백록담」의 세계에 도달한 정지용의 경우가 그러하고[15] 인생과 자연에 대한 크나큰 고민을 한 이상화의 경우가 그러하다[16]. 하지만 시기적으로 보면 박팔양이 매우 앞선 자리에 놓인다. 그만큼 생태학적 상상력에 근접한 그의 인생시들은 선구자적인 특성이 있었던 것이다.

박팔양의 시세계가 이 단계에까지 다다른 것이라면, 그의 사유의 여정은 더 이상 진행되는 것이 불가한 일인가. 다시 말해 근대에 새

15 정지용이 「백록담」에서 보여준 통합의 세계가 그러하다. 개체가 아니라 계통만이 존재하는 세계가 바로 「백록담」의 세계인 것이다.

16 송기한, 「우주동일체로서의 상화 시의 자장」, 『한국시의 근대성과 반근대성』, 지식과 교양, 2012.

로운 여행은 정지되어야 하는 것이 아닌가. 통합적 세계가 갖고 있는 형이상학적 의미를 체득했으니 그의 시들은 더 이상 새로운 세계를 찾아 떠나는 여행은 필요하지 않은 것이 아닌가. 하지만 박팔양의 행보는 여기서 멈추지 않는다. 앞서 언급대로 이 작품이 발표된 시기는 1931년 전후이다. 그는 이 이후에도 왕성한 창작활동을 할 뿐만 아니라 1934년에는 새로운 창작집단인 〈구인회〉에 가입하기도 하는 것이다. 이런 현상은 적어도 그에게 시정신이 완결되지 못한 것임을 고백하는 단적인 사례가 될 것이다. 물론 그가 끊임없이 탐색한 시정신이 정점에 이르렀다고 하더라도 시 정신에 대한 탐색이 정지되는 것은 아니다. 그러나 이를 전면적으로 수용한다고 하더라도 그의 파격적인 변신은 기왕의 그러한 도정과는 거리가 있는 경우이다.

새로운 시정신의 탐색과 전혀 이질적인 문학 세계로의 변신이라는 현실을 두고 볼 때, 박팔양의 시정신은 아직 완결되지 못한 것으로 이해된다. 그것에 이른 원인이 무엇인가를 묻는 것은 박팔양 문학세계의 본질을 묻는 것이거니와 그의 기질적 특색을 다시 한번 확인하는 일이 될 것이다.

「여름밤 하늘 우에」에 나타난 박팔양의 시정신은 그의 단정적인 고백에도 불구하고 완결되지 못한 것이다. 그는 이 작품에서 지금까지 자신이 걸어온 도정과 사유의 표백을 긴 시형식을 통해서 고백하고 있다. 그 결과 그가 내린 결론은 자연 속에 내재된 신비의 세계에 대한 발견이었다. 하지만 이 경이적인 발견은 피상적인 것이었다는 점에서 그 한계가 있는 경우이다. 서정적 자아는 신비스런 자연의 세계를 발견하고 그것을 노래하고자 했지만, 그것은 시인 자신의 정서 속에 녹아들어가지 못하고 저멀리 떨어져 있게 된다. 그러한 자연을 자아는 그저 발견했을 뿐이고 응시했을 뿐이다. 그런 다음, 그는 그 신비한 세계에 도취되어 노래하고 있을 뿐이다. "유구한 자연을, 또는 짧은 인생"을 읊고 있는 것인데, 이 구절에서 알 수 있듯이 자연과 인간은 그 시간적 거리로 완벽하게 분리되고 있다. 이는 자연과 인간이 완전히 분리된, 소월의 대표작 「산유화」의 세계와 하나도 다를 것이 없다[17]. 뿐만 아니라 정지용이 인식했던 자연과 자연, 그리고 자연과 인간의 완전히 합일되었던 「백록담」의 세계와도 비견되는 것이 아닐 수 없으며, 꽃의 개화과정에서 자연에 완전히 몰입된, 조지훈의 「화체개현」과도 현격한 거리가 있는 것이라 할 수 있다.

> 실눈을 뜨고 벽에 기대인다. 아무것도 생각할 수가 없다.
> 짧은 여름밤은 촛불 한 자루도 못다 녹인 채 사라지기 때문에 섬돌 우에 문득 석류꽃이 터진다.
> 꽃망울 속에 새로운 우주가 열리는 波動! 아 여기 太古적 바다의 소리 없는 물보래가 꽃잎을 적신다.
> 방안 하나 가득 석류꽃이 물들어온다. 내가 석류꽃 속으로 들어가 앉는다. 아무것도 생각할 수가 없다.
>
> 조지훈, 「화체개현」 전문

이 시를 지배하는 정서는 자연과 인간의 완전한 합일이다. 꽃이 피는 과정에서 인간적인 것들은 모두 꽃에 몰입된다. 아니 꽃이라는

17 이는 「산유화」에서 소월 시가 갖는 자연과 자아의 거리와 비슷한 경우이다. 김동리는 소월 시의 한이 이 거리에서 비롯되었다고 보고 있다. 김동리, 「청산과의 거리」, 『문학과 인간』, 1952.

대상이라기보다는 이로 표상되는 자연과의 완전한 합일의 과정일 것이다. 자연과 인간이 하나로 완벽히 합쳐지는 이 순간이야말로 영원으로부터 분리된 인간이 다시 영원을 회복하는, 근대 이전의 인간이 되는 것이다.

자연을 발견하되, 박팔양은 그 자연으로 완전히 몰입되지 않았다. 그렇기에 자연과 인간은 여전히 원리적으로 분리된 채, 정서적 거리를 유지하고 있는 것이다. 어떻든 근대를 항해하는 과정에서 박팔양이 발견한 자연은 비록 분리되어 있는 것이긴 하나 일견 의미있는 것이었고, 그 나름의 정합적 가치를 갖고 있는 것이었다. 하지만 그는 자연 속에 완전히 몰입되지 못하고, 국외자 내지는 방관자의 위치에서 있었던 것이다. 이런 절대적 거리가 만들어낸 서정적 한계가 그를 또 다른 세계로 나아가게끔 하는 동인으로 작용하게 만들었다. 여기에다가 그의 기질적 특성이었던 유행병적 멋이 가미되었음은 물론이다.

박팔양은 근대를 항해하는 선장이었고, 그 본질을 이해하고자 했던 탐구자였다. 그가 처음 수용한 다다이즘이나 리얼리즘도 그 연장선에 놓이는 것이었다. 뿐만 아니라 리얼리즘의 시세계에 몰입한 이후에도 그는 모더니즘적 경향의 시를 계속 생산해내었다. 리얼리즘의 관점에서 이해하게 되면, 이는 세계관의 혼돈이고, 소시민 의식의 절대적인 발현일 것이다. 이렇게 부채살처럼 펴져있는 욕망의 물결 때문에 그는 권환의 비판을 받게 되는데[18], 시인의 저간의 행보를 이해하게 되면, 이런 평가가 전연 잘못된 것이라고는 할 수 없을 것

18 권환, 앞의 글 참조.

이다.

박팔양이 모더니즘 경향의 시를 쓰기 시작한 것은 1933년 전후이지만, 그 이전에도 꾸준히 이런 경향의 시가 있어 왔다. 그 대표적인 작품 가운데 하나가 「태양을 등진 거리에서」이다. 그의 연보에 의하면 이 작품이 발표된 연대는 1928년 7월의 『조선지광』으로 되어 있다. 이때는 그가 카프에 가담해 있던 때이고, 또 이에 기반한 리얼리즘적 경향의 시를 생산해내고 있었던 시기이다. 그럼에도 근대에 대한 항해자 혹은 탐색자 의식은 이 작품에서도 그대로 드러난다.

나는 오늘도
단 하나밖에 없는 나의 단벌 「루바시카」를 입고
황혼의 거리 위로 걸어간다.
굵은 줄로 매인 나의 허리띠가
퍽도 우악스러워 보이는지
「불독」 독일종 강아지가
나를 보며 쫓아오며 짖는다.
「짖어다오 ! 짖어다오 !」
내 가슴의 피가 너 짖는 소리에
조금이라도 더 뛰놀 것이다.

나는 또 걷는다.
다 떨어진 병정구두를 끌고
태양을 등진 이 거리 위를
휘파람을 불며 걸어간다.

내가 쓸쓸한 가을 하늘을 치어다보고
말없이 휘파람만 불고 가는 것은
이 도성의 황혼이
몹시도 적적한 까닭이라.

그러하되 몇 시간 후에
우리가 친구들로 더불어 모여앉아
기나긴 가을밤을 우리 일의 토론으로 밝힐 것을 생각하메
나의 가슴은 젊은 피로 인하여 두근거린다.
「나는 젊은 사나이다!」
하고 주먹이 쥐어진다.

조락의 가을이 오동나무 잎에
쓸쓸한 바람을 불어보낸다.
「오오! 옛 도시 서울의 적요한 저녁 거리여!」
그러나 이는
감상적 시인의 글투!
우리는 센티멘탈하게 울지 않기로 작정한 사람이다.

그렇기는 하나 역시 우리 눈에도
시멘트로 깔린 인도 위에
소리 없이 지는 버드나무 낙엽이 보인다.
울기 잘하는 우리 친구가 보았던들
그는 부르짖었으리라,

「오오! 낯 모르는 사람 발밑에 짓밟힌
이 거리의 낙엽이여!」 하고—
그러나 지금은 이 고장 시인들이 넋이 빠져
붓대를 던지고 앉았으니
울 사람도 없다. 노래할 사람도 없다.
(아아, 나는 모른다.)
이 땅이 피로한 잠에 깊이 잠겨 있음이라.

나는 고개를 숙이고 생각한다.
그저 걸어가자
설움과 희망이 뒤범벅된
알지 못하게 뻐근한 이 가슴을 안고
가는 데까지 가보자고……
숭례문—가을의 숭례문이여,
그대는 무엇을 묵묵히 생각만 하고 있느뇨?

「태양을 등진 거리에서」 전문

작품이 나온 시기가 그러하듯 이 작품 속에 내재된 의식 또한 복합적인 것이 이 시의 특색이다. 가령, 모더니즘적인 요소와 리얼리즘적인 요소, 보다 정확하게는 시대적 배경이 짙은 음영으로 동시에 드러나 있는 것이다.

먼저 모더니즘적 요소로 언급할 수 있는 것이 엑조티시즘적 경향이다. '루바시카'를 비롯해서 '불독', '시멘트', '센티멘탈' 등등의 용어가 그러한데, 새로운 시어가 근대시를 담보해줄 수 있다는, 이 시기 시인들이 보여주었던 외국어에 대한 강박증이 이 작품에서도 그대로 드러나고 있는 것이다. 시대의 음영이 반영된 담론들 역시 이와 비슷한 수준에서 드러나고 있는데, 가령, '태양을 등진 거리'라든가 "나의 가슴은 젊은 피로 인하여 두근거린다"라든가 혹은 "우리는 센티멘탈하게 울지 않기로 작정한 사람이다" 등등이 그러하다. 뿐만 아니라 "이 땅이 피로한 잠에 깊이 잠겨 있음이라"든가 혹은 "숭례문 -그대는 무엇을 묵묵히 생각만 하고 있느뇨?" 등의 담론 역시 그 연장선에 놓여 있는 경우이다.

이런 혼돈은 물론 그의 세계관이 온전히 정립되지 않은 결과일 것이고, 근대를 이해하는 도정, 이를 항해해나가는 주체로서의 고민의 흔적일 것이다. 그런데 여기서 그의 시의식과 관련하여 주목해야 할 것이 '탐색하는 주체'로서의 서정적 자아의 모습이 더욱 강력히 제시되고 있다는 사실이다. 그는 이를 "나는 오늘도 단 하나밖에 없는 나의 단벌 「루바시카」를 입고 황혼의 거리 위로 걸어간다"고 했는데, 이는 근대를 항해하는 '산책자'의 행보와 비견될 수 있다는 점에서 주목을 요하는 경우라 할 수 있다.

'산책자'는 도시의 탄생과 밀접한 관련을 맺고 있다. 거대한 도시의 탄생과 이를 활보하는, 익명성을 가진 거대한 사람들의 물결은 주체와 세계와의 동화감을 단절시키게 되는데, 이를 감내해야 하는 주체가 바로 산책자이다. 그리하여 그러한 단절을 뛰어넘기 위해서 주체는 방랑자가 되어 사물에 대해 탐색하게 된다. 이른바 고현학(考現學)을 정립하기 위한 순례의 길을 떠나게 되는 것이다.

산책자의 등장과 그것이 펼쳐보이는 탐색의 행보를 이해하게 되면, 박팔양의 시의식이 어디를 향하고 있는지 어느 정도 이해하게 된다. 그가 관심을 갖고 있었던 것은 근대였고, 그것이 파생시킨, 그 알 수 없는 대상들에 대해서 지속적인 탐색을 하고자했던 것이다.

도회는 강렬한 음향과 색채의 세계,
나는 그것을 얼마나 사랑하는지 모른다.
불규칙한 직선의 나열, 곡선의 배회,
아아 표현화의 그림 같은 도회의 기분이여!

가로에는 군악대의 행렬이 있다.
둥, 둥, 두리둥둥, 북소리와 북소리의 전투,
제금과 날라리의 괴로운 음향은
바람에 퍼덕거리는 기 밑에서 亂調로 교차된다.

보아라, 저 사층 벽돌집 밑에는
사흘 굶은 路傍의 음악가가 4현금을 턱에 걸고
깡깡, 꺙꺙, 목 찢어지는 소리를 한다.
그의 주위에는 된놈, 안된놈, 모두 모여섰다.

전차가 그 거대한 몸을
평행선의 궤도 우로 달릴 때,
차 안에 앉은 수리학자 아인슈타인의 제자는
평행선의 궤도가 무한의 종국에 가서 교차될 것을
몹시 근심하고 앉아 있다.

직선과 사선, 반원과 타원의 선과 선,
도회의 건물들은 아래에서 위로, 불규칙하게 발전한다.
6층 꼭대기 방에 앉은 타이피스트는
가냘픈 손으로 턱을 고이고 한숨 쉬이고 있다.

文明機關의 總神經이 이곳에 집중되어
오오! 현대문명이 이곳에 있어,
경찰서, 사법대서소, 재판소, 감옥소, 교수대,
학교, 교회, 회사, 은행, 사교구락부, 정거장,
실험실, 연구소, 운동장, 극장, 음모단의 소굴,
아아 정신이 얼떨떨하다.

아침에는 수없는 사람의 무리가 머리를 동이고
일터로! 일터로! 밥먹을 자리로
저녁에는 맥이 풀려 몰려나오는 사람의 무리가
위안을 구하려, 향락장으로 향락장으로!
연극장과 도박장과 유곽과 기생집은
한 집도 빼놓지 않고 만원이다.

기생이 인력거 우에 높이 앉아
값비싼 담배를 피우면서 연회장으로 달릴 때,
순사는 다 떨어진 양복에 헬메트를 쓰고
네거리에서 STOP과 GO를 부른다.

거미새끼들같이 모였다 헤어지는
상, 중, 하층의 각 생활군을 향하여.

어떻든 이 도회란 곳은
철학자가 昏倒하고 상인이 만세 부르는 좋은 곳이다.
그 복잡한 기분과 기분의 교류는
어느 놈이 감히 나서서 정리하지를 못한다.
마치 그는 위대한 탁류의 흐름과 같다.

그러나 비 오는 저녁의 고요한 거리에는
비스듬한 長明燈이 높은 전신주 밑에서 조을고,
환락을 구하는 친구들이 모두 방안에 들었을 때
거리에는 아스팔트 인도 우에 가느다란 비가 나린다.
외로워서 외로워서 우는 것같이
그것은 히스테리 환자, 눈물 흘리는 것 같아서
짜굿하고 가슴 빠근한 엷은 비애를 느끼게 한다.
그것은 역시 사랑할 도회의 일순간이 아니오

「도회정조」 전문

『여수시초』에 기록된 이 작품의 제작연대는 대정 15년, 곧 1926년이다. 박팔양의 시세계에서 비교적 이른 시기의 작품이라 할 수 있는데, 이 작품의 주제는 제목에서 드러나 있는 바와 같이 '도회에서 얻은 감수성'이다. 서정적 자아는 도회를 배회하면서 그것에 내재된 속성이 무엇인지 지속적인 질문을 던지며, 탐색해 들어간다. 하지만 그가 탐구하고 이를 자기정립하기에는 그것에 내재된 것들이 대단히 복잡한 국면을 갖고 있다. 아니 하나의 의식으로 통어하기 어려울 정도로 거기에는 모든 것들이 복합된 채 자아 앞에 우뚝 서 있는 형국이 되어버린다. "문명기관이 총신경이 이곳에 집중되어 있는" 까닭이다. 모든 현대 문명은 이곳 도시에 있기에 그것을 자아가 파악하기에는 불가능하다.

자아가 느끼는 혼돈과 그 불가해한 도시의 모습들을 이해하게 되면, 그는 영락없는 '산책자'의 형국을 지니고 있다. 주체와 대상 사이의 일체화 내지는 동조화가 무너졌기에 주체가 감각하는 모든 대상들은 실상 불가해한 사물이 되는 것이다. 이런 현실 앞에 놓인 자아가 절망하는 것은 당연하거니와 이로부터 벗어나기 위해서는 자기 침체 혹은 절망의 과정이 필요하다[19]. 이때 그러한 절망은 몇 가지로 드러나게 되는데, 하나는 망연자실한 방관자가 되는 것이고, 다른 하나는 의식의 파편자가 되는 것이다.

산책자의 구현과 그것의 의미를 이해하게 되면, 또다시 박팔양 문학이 갖고 있는 한계랄까 다양성에 대해 의문을 갖게 된다. 앞서 언급한 대로 이 작품이 나온 것은 1926년이다. 이때는 그가 경향파의 시를 쓰기도 했거니와 카프에 가담한 이후이기도 했다. 카프란 당파성이 그 저변에 깔려 있는 것이고, 또 그 조직이 요구하는 창작의 지침이랄까 방향들을 받아들여야 한다. 만약 그러하지 않다면, 작가는 그 조직을 떠나야 한다. 그럼에도 그는 카프에 가담한 뒤로도 그 반대되는 경향의 작품들에 대해서 계속 관심을 가져왔고, 또 작품활동

19 최혜실, 『한국 근대 문학의 몇가지 주제』, 소명출판, 2002, p.37.

을 해온 것이다. 게다가 「도회정조」와 같은 모더니즘의 정수에 해당하는 작품들도 창작해내고 있는 것이다.

실상 이런 넘나들기를 논리적으로 설명하는 것은 쉽지 않아 보인다. 그렇다고 문학이 상상력의 영역에 놓이는 것이기에 그 경계를 자유로이 오갈 수 있는 것이라고 변명하는 것도 전혀 설득력이 없어 보인다. 흔히 이야기되어 온 것처럼 이데올로기에서 타협이라는 것, 그리고 그 중용이라는 것은 결코 가능한 사유가 아니기 때문이다.

그렇다면, 박팔양이 이렇게 자유분방하게 서로 대척적인 사조나 시세계를 오간 이유는 무엇일까? 이를 위한 적절한 해답은 많은 여지를 주지 않는다. 만약 그 여지를 넓히게 되면, 그것은 문학의 본질을 넘어서는 초문학적인 것이 되기 때문이다. 이런 범위를 넘지 않는 것에서 박팔양을 위한 변명이란 비교적 단순하게 진단될 수 있을 것이다. 앞서 언급대로 그는 근대 속에 편입된 근대인이었고, 그 불가해한 근대성을 이해하기 위한 항해자였다는 것이다. 박팔양은 끊임없이 사고하는 주체였고, 과정 속에 놓인 주체였다. 그렇기에 근대를 향한 발걸음은 인식적 완결이 이루어지기까지 계속 진행될 수밖에 없었던 것이다. 실상 이런 항해자에게 리얼리즘 문학이나 모더니즘 문학이란 경계는 크게 다가오지 않았을 개연성이 크다. 박팔양이 한편으로는 모더니즘 경향의 시를 쓰면서 다른 한편으로는 리얼리즘 경향의 시를 썼던 것은 이와 밀접한 관련이 있을 것이다.

박팔양은 거리의 산보자. 곧 '산책자'의 행보를 보여주었다. 그는 이를 바탕으로 고현학을 세우고자 했고, 그 구경을 향해 또다시 거리를 활보하게 되었던 것이다. 하지만 산책자의 의식이 그러하듯 그에게 뚜렷이 감각되는 것은 없었다. 「도회정조」가 말해주는 것은 그런 사실의 확증이었다. "아아 정신이 얼떨떨하였다"는 그러한 사유의 단적인 표백이 아닐 수 없다.

도회,
밤 도회는 수상한 거리의 숙녀인가?
그는 나를 蠱惑의 뒷골목으로
교태로 손짓하며 말없이 부른다.

거리 우의 풍경은 표현파의 그림,
붉고 푸른 채색등, 네온싸인,
사람의 물결 속으로 헤엄치는 나의 젊은 마음은
지금 크나큰 기쁨 속에 잠겨 있다.

쉬일 사이 없이 흐르는 도회의 奔流 속으로
내가 여름밤의 조그마한 날벌레와 같이
뛰어들 제, 헤엄칠 제, 약진할 제,
아름다운 환상은 나의 앞에서
끊임없이 명멸하고 있다.

그러나 이윽고 나는 나의 피로한 마음 우에
소리도 없이 고요히 나리는 회색의 눈(雪)을 본다.
아아 잿빛 환멸 속의 나의 외로운 마음아.
페이브먼트 우엔 가을의 낙엽이 떨어진다.

이것은 1930년대의 겨울
늦은 가을 어느 밤거리의 점경.
기쁨과 슬픔이 교착되는 네거리에는
사람의 물결이 쉬임없이 흐르고 있다.

「점경」 전문[20]

도회 풍경을 읊은 이 시가 발표된 것은 1933년이다. 도회를 향한 혹은 근대를 향한 산책자의 행보는 「도회정조」의 세계와 비교할 때, 전연 달라진 것이 없다. 5년이라는 시간의 편차가 있음에도 불구하고 도회를 응시하는 방관자의 자세는 전혀 변한 것이 없는 것이다.

1928년의 자아와 1933년의 자아는 모두 서울의 거리를 활보하지만, 분열된 자아를 완성시켜줄 만한 매개를 발견하지 못한 탓이다. 그는 여전히 도회로부터 혹은 대중으로부터 떨어져 나와 그 혼자만의 세계에 갇혀 있다. 환경과 자아의 화해할 수 없는 거리감이 이 작품에서도 그대로 나타나고 있기 때문이다.

1928년과 1933년 사이에 놓인 박팔양의 정신 세계는 이렇듯 변화가 거부된 채 동일한 것으로 구현되고 있었다. 그는 근대에 대한 앎의 과정이 완성되지 못한 채 여전히 미완성의 형태로 남아있었던 것이다. 도회는 끊임없이 명멸하는 시간 속에 놓여 있었지만, 이를 응시하는 자아는 도회의 그러한 변화를 이해하지 못하고 있었다. 도회는 서정적 자아를 여전히 "얼떨떨하게 만들" 뿐만 아니라 경우에 따라서는 "아름다운 환상"으로만 남아 있는 것이다. 도회는 여전히 알

20 『중앙』, 1933.11,

수 없는 미정형의 지대였던 것이다.

1. 스스로 생각건대
스스로 생각건대 나는 한 개의 放浪兒,
고향을 잃어버린 나의 유랑의 마음은,
거리등불 깜박이는 도회의 한밤에
지향없는 걸음을 동서로 걷고 있나니.

2. 가로등은
가로등은 나와 사귀인 지 오래인 친구
비 오는 밤에는 그의 눈에도 눈물이 흐른다.
실의의 사람들이 많은 이 곳 이 거리에 서서,
그는 비 오는 밤이면 언제든지 눈물 흘리고 있다.

3. 지나다가
지나다가 거리에서 본 곳마단 풍경은
병들은 문명의 조그마한 그림일러라.
날라리 북소리는 오히려 슬프게 들리고
재주 파는 계집아이 말 옆에 울고 섰나니.

4. 오고가는 행인들도
오고가는 행인들도 말없이 묵묵하고
지나가는 「개」조차 조심스레 걷는 거리.
이 거리를 겁 없이 달리던 젊은 그대의 모양을

지금은 거리에서 볼 수 없다.

5. 청계천 냇가에

청계천 냇가에 고요한 어둠이 오면

언덕 우의 초가집 들창에는 불이 켜진다.

흐르는 물소리조차 애처로운 밤인데

그대는 지금쯤 누구로 더불어 있느뇨.

「近吟數題」 전문

모더니즘은 일차적으로 기법의 문학이다. 그것은 다른 말로 하면 형식 위주의 문학을 말하는 것인데, 이를 대표하는 것이 실험성의 발현이다. 실험이란 전통적인 것을 거부하고 새로운 단계로 나아가는 전위 의식이 전제될 수밖에 없는데, 문제는 이런 실험의식이 독자의 관심을 끌어들인다거나 언어의 유희 차원에서 그쳐서는 안 된다는 사실이다. 그것은 근대인의 분열된 자의식이 결합된 형식 이전의 중요한 내포가 그 저변에 깔려 있어야 한다는 것이다.

우리 시사에서 모더니즘의 기법으로 흔히 거론되어 온 것 가운데 하나가 모자이크 기법이다. 이 기법이 시에 표명될 수 있었던 것은 파편화된 근대인의 의식이 반영된 결과이기에 가능했다. 1920년말부터 1930년대까지 이 기법은 모더니즘의 대표적인 것으로 흔히 수용되어 왔는데, 초기 모더니스트였던 정지용이나 김기림의 경우가 그러했고, 이상 또한 그러했다. 통사적 기술이나 이미지가 아니라 해사적(解辭的)인 기술이나 이미지 역시 이 기법의 주요 의장으로 받아들여져 온 것이다.

모더니즘의 수법과 관련하여 주목을 요하는 작품이 「近吟數題」이다. 우선 이 수법이 무엇보다 중요한 것은 그 독특한 서사적 기법과 해사적 이미지에서 찾을 수 있을 것이다. 우선, 이 작품은 박태원의 일련의 소설들, 특히 「소설가 구보씨의 일일」과 무척 닮아 있다. 이 작품의 지배적 요소는 무엇보다 우연의 기법에서 찾을 수 있는데, 이것이 「소설가 구보씨의 일일」의 지배소이다.

어머니는

아들이 책 방에서 나와 마루 끝에 놓인 구두를 신고, 기둥 못에 걸린 단장을 떼어 들고, 그리고 문간으로 향해 나가는 소릴 들었다.

"어디, 가니?"

대답은 들리지 않았다.

중문 앞까지 나간 아들은, 혹은, 자기의 한 말을 듣지 못하였는지도 모른다. 또는, 아들의 대답 소리가 자기의 귀에까지 이르지 못하였는지도 모른다. 그 둘 중의 하나라고 생각한 어머니는 이번에는 중문 밖에까지 들릴 목소리를 내었다. (중략)

아들은

그러나, 돌아와, 채 어머니가 뭐라고 말할 수 있기 전에, 입때 안 주무셨어요. 어서 주무세요. 그리고 자리옷으로 갈아입고는 책상 앞에 앉아, 원고지를 펴 놓는다.

> 그런 때 옆에서 무슨 말이든 하면, 아들은 언제든 불쾌한 표정을 지었다. 그것은 어머니의 마음을 아프게 한다. 그래, 어머니는 가까스로, 늦었으니 어서 자거라, 그걸랑 낼 쓰구. (하략)[21]

인용된 것은 『소설가 구보씨의 일일』 가운데 도입 부분이다. 주어를 독립시킨다든가 시작 부분을 분리하고 또 글자 크기를 크게 한 것은 이 작품의 서사 구조가 기존의 방식과 다른 것임을 알리기 위한 시각적 효과이다. 그리고 거기서 시작하는 장면이나 이야기가 모두 우연히 이루어진 것을 알리는 공간적 효과를 가져오기도 한다. 이렇듯 소설가 구보가 대학노트를 끼고 집에서 나와 서울 시내를 행보하는 것은 모두 우연의 수법에 의한 것이다. 우연이 필연의 상대적인 자리에 놓여 있는 것은 잘 알려진 일이거니와 그것은 논리의 세계, 필연적 인과관계와는 상대적인 것이다. 모더니즘의 정신적 구조가 파편적인 것임을 일러주는 좋은 수단 역시 이 우연의 기법에서 나온다. 소설가 구보는 자신의 눈에 우연적, 순간적으로 들어온 이미지들에 대해 반응하고, 그 속에 내포된 의미들을 추적해 들어간다. 하지만 그것이 어떻게 작가의 시선에 포착되었는가. 그리고 그것이 전후 어떤 서사적 맥락과 연결되어 있는가 하는 것은 중요하지 않다. 지금 여기 나의 시선에 들어온, 아니 우연적으로 들어온 대상이 중요할 뿐이고, 다만 그것을 이해하고자 하면 그뿐이다.

「近哈數題」는 박태원의 그러한 기법을 그대로 받아들인 듯한 인상

21 박태원, 『소설가 구보씨의 일일』, 문학과 지성사, 2007, pp.88-91.

을 준다. 이 시기 박팔양이 〈구인회〉 그룹과 교우했고, 그 구성원을 대표하는 인물 가운데 하나가 박태원임을 감안하면, 이들의 문학적 교류는 분명 있었을 것이다. 박팔양은 그러한 친분과 더불어 근대를 이해하고자 했던 자신의 욕망이 자연스럽게 발동되면서 「近吟數題」를 창작했던 것으로 보인다. 이 작품의 구성은 「소설가 구보씨의 일일」과 마찬가지로 우연의 기법과 이를 가능케 한 서사적 요소로 구성되어 있다. 하지만 우연에 의해 지배되는 서사성들, 특히 그동안 관습적으로 받아들여져 왔던, 인과론에 지배되던 서사성은 아무런 의미를 갖지 못하게 된다. 게다가 「소설가 구보씨의 일일」의 형식적 요건 또한 이 작품과 유사하게 닮아 있다. 작품의 소제목을 본문의 내용에서 그대로 차용하는 수법이야말로 「近吟數題」가 「소설가 구보씨의 일일」과 동전의 앞뒤처럼 닮아 있는 것이다.

이렇듯 「近吟數題」의 가장 특징적인 수법은 우연이다. 그 우연을 완성시키고 있는 것이 서정적 자아인데, 실상 이 자아는 서사적 요건으로부터 자유로운 자아가 아니다. 구보가 대학노트를 끼고 집을 나온 것처럼, 이 서정적 자아 역시 '한개의 방랑아'가 되어 유랑하듯 거리로 나서고 있기 때문이다. 그런 다음 자아가 우연히 만난 것들에 대해 감정이입하거나 그와 동일한 정서적 공감대를 보이기도 하고, 경우에 따라서는 이에 적당한 거리감을 유지하기도 한다.

그리고 이 서정적 자아의 특성은 박팔양이 지금껏 즐겨 사용했던 이미지 가운데 하나인 산책자의 모습 역시 그대로 재현시키고 있다. 그는 구보가 그러했던 것처럼, 우연히 다가오는 물상들에 대해 호기심을 갖거나 이해하기 어려운 근대적 물상들에 대해 탐색하는 자세를 굳게 유지하고 있기 때문이다.

박팔양이 시도했던 시속의 우연 기법은 매우 참신한 것이 아닐 수 없다. 이 시기에 대부분의 모더니스트들이 펼쳐보였던 의장 역시 이와 분리하기 어려운 것이지만, 박팔양이 「근영수제」에서 보여준 수법은 매우 참신한 것이었다. 이 시기 모더니스트들이 보여주었던 실험의식들은 대부분 이미지와 이미지의 우연적 결합, 그리고 거기서 파생되는 시적 긴장의 정도만을 주목해 온 것이 사실이다. 근대인의 파편화된 의식을 담아내는 데 있어서 이런 우연적인 이미지의 결합만으로도 그 시적 성공을 보증하는 경우였기 때문이다. 그런데 박팔양이 시도했던 우연의 기법은 단어와 단어 사이에 형성되는 비유관계를 해체하는 데서 그치지 않고, 이를 서사성으로까지 확대시키고 있다. 이 서사적 자아가 시도하는 우연의 기법이라는 점이 이전의 모더니스트들과 다른 경우였다. 물론 이는 정지용의 「향수」에서 보이는 영화적 기법의 연장선에 놓이는 것일 수도 있긴 하지만 그것은 정서의 파편화일 뿐, 근대 속에 편입된, 불가해한 대상들을 본질에서부터 육박해 들어가고자 하는 산책자의 모습은 아니었던 것이다.

「近吟數題」의 자아는 서사적 자아이다. 흔히 시에서 요구되는 서정적 자아의 모습과는 거리가 있는 것이다. 그는 구보와 마찬가지로 근대라는 숙명을 가슴에 안고 거리로 나서고 있는 것이다. 이런 면은 우리 시사에서 매우 예외적인 것이 아닐 수 없다. 이는 시와 소설이 만나는 상호텍스트로 이해할 수도 있고, 경계를 무화시키는 포스트모던의 한 단면으로 이해할 수도 있을 것이다. 하지만 박팔양의 경우에 있어서 이런 서사양식과 그 파편적 구현이 어떤 새로운 기반에서 갑자기 솟구쳐 나온 것이 아니라는 사실이다. 물론 그가 교유했던 〈구인회〉 그룹에게서 받은 영향이 있겠지만, 그보다 중요한 것은 그가 이미 카프 계열의 이야기 시, 다시 말해 단편 서사시를 이미 수용한 시인이었다는 사실과 밀접한 연관이 있는 경우라 하겠다. 단편 서사시는 발전하는 주체가 주인공이고, 이를 통해 변증적 합일로 나아가는 양식이다. 이 또한 근대성의 새로운 국면일 것이다. 그런데 박팔양은 그러한 근대성의 국면을 서사성이 가미된 모더니즘에서도 탐색하고자 했고, 그 양식적 산물이 「近吟數題」였던 것이다.

「近吟數題」의 자아는 완결된 자아가 아니다. 욕망에 채색되어 있지만 이를 채울 수 없는 결핍된 존재이다. 그것이 곧 산책자였던 것인데, 산책자란 대상과 자아가 합일할 수 없는 거리가 단절된 상태로 놓여 있다. 단편서사시의 자아는 「近吟數題」에 이르러 발전하는 주체라는 성격을 잃고, 우연에 의해 지배되는 파편적 주체가 된다. 단편 서사시에서 표명되었던 자연스러운 인과관계가 깨지면서 파편화된 모습 내지는 흔적으로 제시되고 있는 것이다. 그 파편 속에서 시적 자아의 인식이 형성되고, 또 그 지대에서 자신의 정체성, 혹은 근대라는 불가해한 현실에 대해 계속 고뇌의 표현을 할 수 있었던 것이다. 「近吟數題」에 산문적 이야기성의 도입과, 이를 통한 우연의 기법을 서정시 속에서 구현했다는 점에서 매우 특이한 경우였다고 하겠다. 이런 특이성이야말로 1930년대 박팔양이 보여주었던 모더니즘의 또다른 국면이었다고 할 수 있고, 그것이야말로 우리 문학사에서 모더니즘의 수준을 한단계 높여주는 주요 의장이었다는 사실이다.

5. 근대의 항해자로서의 의의와 한계

박팔양의 문학은 단선적인 경향을 거부했다는 데 그 일차적인 특성이 있다. 그는 다다이즘 경향의 시를 쓰기도 했고, 리얼리즘 경향의 시를 쓰기도 했다. 뿐만 아니라 그가 쓴 작품에는 전통적인 의미의 서정시도 있었고, 모더니즘 류의 시도 있었다. 그런데 그의 문학적인 다채로움은 이런 양식적인 특성에만 있는 것은 아니었다. 양식의 다양성뿐만 아니라 그에 조응하는 내용 또한 다른 시인들에 비해 훨씬 많은 편이었다.

박팔양의 문학적 변신은 우선 그의 기질적 특성에서 찾아야 할 것으로 보인다. 그는 이 시기 다른 어느 누구보다도 유행하는 문예 사조에 예민하게 반응했다. 그보다 몇 년 앞서 유행했던 세기말적인 사조를 제외하면, 그가 문학 활동을 하던 시기에 등장했던 제반 모든 사조들에 대해 그는 적극적으로 반응했다. 그만큼 그는 근대성의 여러 현상들에 대한 관심이 많았던 것이다.

시인이란, 아니 작가라면 의식의 변화가 반드시 전제되어 있기 마련이다. 마치 인과론적 관계에서 작동되는 서사적 흐름처럼 작가의 경우도 이런 변신은 있기 마련이다. 물론 그렇지 않은 예외적인 경우도 있을 것이다. 하지만 그것은 어디까지나 예외성일 뿐 보편적인 경우는 아니라 할 수 있다. 그런데 박팔양의 문학 세계는 서사적 인과관계와 전연 무관한 흐름을 보여주었다. 그의 문학 세계는 동시다발적이었고, 또 그러한 모색의 과정이 어느 하나의 것으로 수렴되는 과정을 보여주지 못했다.

이렇게 수렴되지 못한, 그의 현란한 문학적 변신은 그의 정립된 세계관의 부재와 밀접한 관련이 있었다. 그것이 혼돈으로 일관된 그의 문학적 흐름의 두 번째 원인이 될 것이다. 변증적 발전이 부재한 세계관으로도 리얼리즘적 경향의 작품이 창작될 수 있다는 것도 예외적인 일이 아닐 수 없는데, 그의 경우에는 이런 예외성들이 자연스럽게 인정되고 있는 것이다.

그럼에도 불구하고, 박팔양의 문학이 갖고 있는 긍정성은 인정되어야 할 것이다. 그는 근대를 항해하는 자였고, 영원으로부터 일탈된, 불구화된 영혼의 안식을 위해 끊임없는 모색을 해왔다는 사실이다. 이는 분명 그의 문학에서만 이해할 수 장점이 아닐 수 없는데, 그는 과정으로서의 주체, 모색의 주체였던 것이다.

박팔양은 근대를 향해하는 조타수였다. 하지만 그에게 근대의 본질은 쉽게 감각되지 않았고, 그 의식의 저변에 쉽게 침투해 들어오지도 않았다. 무언가 감각될 수 있을 듯하면서도 그 미지의 것이 뚜렷한 형상으로 다가오지 않은 것이다. 그것이 그에게는 해소되지 않은 갈증이었고, 이를 해소하기 위해 그는 계속 항해의 키를 잡고 있었던 것이다.

그 도정에서 그나마 박팔양이 이루어 놓은 문학적 의의는 아마도 모더니즘의 정신적 세계와 그 문학적 기법에서 찾아야 할 것으로 보인다. 근대의 항해자답게 그는 그 여정의 끝에서 도시에서의 산책자를 자처하게 된다. 그의 표현대로 그는 루바쉬카를 입고 오늘도 집을 나서서 서울의 거리를 헤매게 된다. 산책자란 세계와 자아 사이에 놓인 간극이고, 그 화해할 수 없는 거리감을 느끼는 존재이다. 그 부조화에 의해서 자아는 절망하게 되고, 그 결핍을 메우기 위해 계속 항행하는 것이다. 그는 이 시기 다른 어떤 시인보다도 이 부분에서 탁월한 수준을 보여주었다. 그리고 그 의식의 조응과 맞물린 시적 의장이야말로 그만이 갖는 득의의 영역이었다. 특히 박태원의 기법에서 영향받은 듯한 해사적 서사성은 그를 시인 박태원으로 불리워도 어색하지 않을 만큼 탁월한 것이었다. 인과적 원인관계가 아니라 파편적, 분산적 이미지의 제시, 그리고 그에 조응하는 산책자의 행보야말로 박팔양의 시에서만 찾을 수 있는 것이었기 때문이다.

카프가 해체되고, 외부 현실이 열악해진 이후 박팔양은 어떠한 문학적 행보도 보여주지 않았다. 작품도 그러하거니와 비평활동도 거의 하지 않은 것으로 알려져 있다. 다만 해방 이후 문학가 동맹에 가입하여 활동한 것으로 되어 있고, 이후 북한에 정착하여 그곳에서 뚜렷한 문학적 업적을 남긴 것으로 알려져 있다. 그의 그러한 문학적 변신은 해방 이전 그가 펼쳐보였던 현란한 움직임에 의해서 설명할 수도 있을 것인데, 그것은 곧 유행에 민감한 그의 기질적 특성 가운데 하나로 치부하는 것이다. 하지만 해방 직후 새로운 현실, 즉자적으로 다가오는 이념 선택이란 이제 기질적 호기심으로 이해하는 것은 무리가 있어 보인다. 그보다는 오히려 근대를 향해하는 자아가 모색의 끝에서 얻은 형이상학적 결단에서 찾아야 보다 설득력이 있을 것이다. 그의 행보는 해방 이전 여타의 모더니스트들이 보여주었던 행보의 연장선에서 이해되어야 하는 것이다. 그럴 경우 해방 이후 보여주었던 그의 문학적 선택이 비로소 정합성을 가질 수 있기 때문이다.

한국 근대 리얼리즘 시인 연구

계급과 민족의 사이

임화론

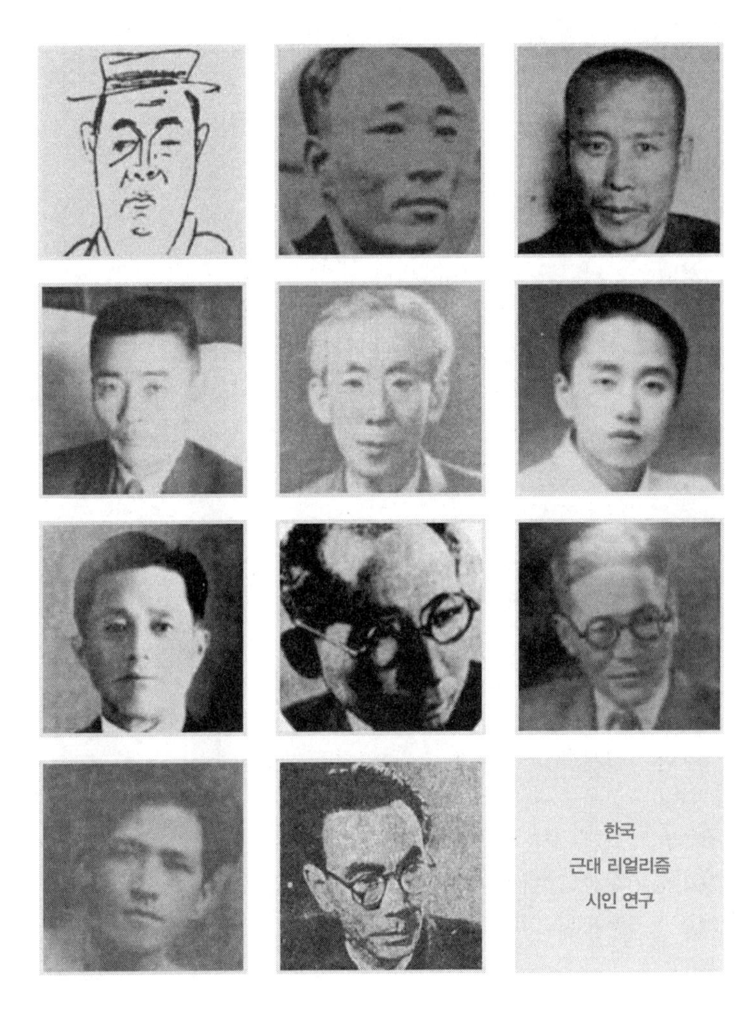

임화 연보

1908년 서울 출생. 본명 임인식(林仁植)

1921년 보성중학 입학

1927년 임화라는 필명을 사용하기 시작. 카프 가입

1928년 〈유랑〉, 〈혼가〉 등의 영화에 배우로 출연

1929년 문예운동의 볼셰비키화를 제창하고 카프의 이론적 주도권 장악

1931년 일본에서 귀국하고 이귀례와 결혼. 카프의 서기장에 피선

1935년 카프 해산. 지하련과 재혼

1938년 첫시집 『현해탄』(동광당서점) 간행

1940년 평론집 『문학의 논리』(학예사) 간행

1945년 해방과 동시에 조선문학건설본부를 조직

1946년 문학가동맹 결성

1947년 시집 『찬가』 간행. 월북

1951년 전선시집 『너 어느 곳에 있느냐』 간행

1953년 미제 스파이라는 혐의로 사형

1988년 시집 『현해탄』 간행(풀빛)

1991년 시선집 『다시 네거리에서』(미래사) 간행

2009년 전 8권 임화전집 간행(소명출판사)

1. 임화 시를 향한 탐색의 지점

임화는 1908년 서울 낙산에서 출생했다. 실상 어느 작가가 어디에서 태어났는가 하는 사실은 크게 문제되지 않지만, 임화에게 이는 무척 중요했던 것으로 이해된다. 그가 작가가 된 이후 서울은 그의 문학의 출발이자 종결점이었기 때문이다. 그 공간이 그의 고향인 서울이었고, 정확하게는 '종로 네거리'였다.

임화는 이광수와 더불어 이 시기 고아의식을 대표하는 작가였다. 일찍이 김윤식은 그러한 임화를 '아비 없는 존재'로 규정하고, 그의 일생을 그 부재한 아비 찾기에 몰두한 작가라고 이해한 바 있다[1]. 물론 임화가 찾은 아비가 물리적인 존재일 수도 있지만, 그 너머의 세계에 있는 존재임은 당연하다고 하겠다. 어떻든 아비의 부재와 거기서 오는 공백을 메우고자 한 것이 임화의 문학적 일대기이며, 이를 향한 여정은 그가 생을 마감하기 직전까지 계속 진행되었던 것으로 보인다.

임화를 이야기하는 데 있어 아비가 부재하는 상황이란, 그의 시의식이랄까 시정신을 탐색하는데 있어서도 시사점을 준다. 그의 시를 꼼꼼히 읽어보면 대번에 알 수 있는 일이긴 하지만, 그가 쏟아부은 시정신들이란 늘 새로운 것에 대한 목마름으로 충만되어 있었기 때문이다. 그에게 시정신에 대한 가열찬 탐색은 계급이나 민족의 현실에서 오는 모순의 감각이었음은 잘 알려져 있거니와 그 모순에 대한 인식과 개선을 향한 열정은 어느 한순간의 경우에도 결코 포기 되지

1 김윤식, 『임화연구』, 문학사상사, 1989.

않았다.

그는 새로움에 대해 늘 목말라 있었다. 그리고 그 갈증들이 주로 이념적인 것에 경사되어 있음은 부정할 수 없는 것이었다. 그럼에도 그의 시의식들은 결코 어느 하나의 정서에 머물러 있지 않았다. 이는 분명 시인으로서의 임화를 규정하는 정체성이거니와 그의 또다른 사유의 표백이었던 비평의 세계와도 다른 영역이었다. 논리를 기반으로 하는 산문의 영역과 달리 시는 감성을 정서로 하는 비논리의 영역에 속한다. 따라서 새로운 현실과 마주하는 시정신은 작품을 창작하는데 있어 어느 하나의 일관된 정서로 표명하게끔 하는 것이 매우 어려운 일이 될 수도 있다. 그런데 그러한 난점을 뛰어넘게 하는 것이 서정시에서 상징이나 은유와 같은 시적 의장의 구사이다. 개념 지시의 세계를 강조하는 리얼리즘의 시에서 은유와 같은 의장이 가벼이 취급될 수도 있지만, 시는 어디까지나 감성의 영역에 있는 것이고, 또 직관을 우선시하는 특성을 갖고 있다. 따라서 현실에 응전하는 민첩성이 다른 어느 장르보다 뛰어난 것이 서정시의 장점이라 할 수 있을 것이다.

임화는 서정시가 갖는 그러한 특성들에 대해 깊은 이해를 갖고 있었던 것으로 보인다. 하지만 기왕의 연구자들은 임화시가 갖는 그러한 다양성에 대해 크게 주목하지 못한 듯하다. 특히 1930년대 중반 카프 해산기 이후 시의 전략적 소재로 등장하기 시작한 자연과 바다와 같은 의미에 대해서는 거의 주목하지 않은 것이다. 임화에 대한 연구들이 주로 당파성과 그 실현 정도에 주로 초점을 맞춘 것도 이 때문이라 할 수 있다. 앞서 언급대로 김윤식은 그러한 임화의 모습을 "가출아의 반항"이라는 관점에서 그의 시의식에 내재한 일관성에 주목한 바 있지만, 임화의 정신세계가 지향하는 최후의 여정이 무엇일까하는 것, 곧 계급주의자로서 당연히 가야하는 도정으로만 이해한 바 있다. 다시 말해 그의 시들이 오직 당파성의 획득에 있었다고 함으로써 시를 너무 기계적으로 해석한 것이다[2]. 그 연장선에서 임화의 시를 "낭만적 열정"에 기반한 것에 두고, 그 열정의 행로들이 만들어내는 성채들이 곧 임화 시의 근간을 만들어냈다고 이해하는 견해도 있었다.[3] 그러나 이 관점도 "가출아의 반항"이라는 연장선에서 한걸음 더 나아간 것이라고 보기는 어려운 것이다. 반항과 열정은 모두 부재의식을 정서적 기반으로 하고 있기 때문이다. 이 외에도 세계관의 변화와 시의식을 탐색한 연구도[4] 있고, 임화 시에 드러나는 기법이나 의장 등 형식적 관점에서 살펴본 것도 있지만[5], 이는 어디까지나 수사적 차원의 문제일 뿐, 임화 시의 본질이나 전반적인 구조가 어떤 일관성을 갖고 있는 것인지 제대로 포착해내지 못했다고 할 수 있다. 한편 임화시를 전반적으로 연구한 것도 있지만, 그 정신사적 구조를 하나의 계선으로 일관되게 해석하지 못한 한계가 있었다.[6] 최근에는 임화 시가 마주하는 현실과 그 응전에 따라 다양하게 전개되는 시정신에 대해 검토한 논문도 있었다[7].

2 위의 책.

3 이승원, 「임화시의 낭만적 열정」, 『20세기 한국시인론』, 국학자료원, 1997.

4 김용직, 『임화문학연구』, 세계사, 1991.

5 특히 임화의 시에 드러나는 타자지향적 수법이나 대화적 기법 등에 주목한 연구들이 여기에 속한다. 가령, 정효구, 「임화 단편서사시에 나타난 방법적 특성」(한국현대시인론, 시와시학사, 1995), 송기한의 「임화 단편서사시의 대화적 담론구조」(『한국현대시사탐구, 다운샘, 2005) 등이 그러하다.

6 김재홍, 「낭만파 프로시인, 임화」, 『카프시인비평』, 서울대 출판부, 1990.
김정훈, 『임화 시 연구』, 국학자료원, 2001.

이들 연구들은 임화가 끊임없는 자기모색을 해왔고, 이를 자신의 작품에 계속 표명해 왔다는 것이다. 그리고 그가 추구했던 시정신이 어디로 나아갔는가, 곧 계급문학의 종착역인 당파성의 실현 여부에 주안점을 두고 있었다. 이런 해석들은 임화가 계급주의자였기 때문에 어느 정도 부합하는 면들이 있다고 하겠다. 하지만 카프 해산 이후 본격적으로 등장하기 시작하는 자연에 관한 소재들과, 그 소재들이 그의 세계관과 어떤 연관성을 갖고 있는가 하는 점에서는 제대로 연구된 바가 없다. 이들 소재를 바탕으로 한 임화의 시들이 상당부분을 차지하고 있다는 점에서 보면, 이 작품들을 결코 소홀히 할 수 없다는 결론에 이르게 된다.

2. 임화 시의 뿌리

임화의 데뷔작은 1924년 12월 8일자 동아일보에 발표된 「연주대」로 알려져 있다. 이 시점에 그는 같은 신문에 「해녀가」를 비롯해서, 「낙수」, 「소녀가」, 「실연 1,2」를 계속 발표한다. 이런 사실을 미루어볼 때, 그의 본격적인 문학활동은 1924년 전후에 시작되었음을 알 수 있다. 그러나 신인 시절 대부분의 문인이 그러하듯 임화의 이 시기의 작품들에서 어떤 뚜렷한 문학적 경향을 볼 수 있는 것은 아니었다. 이후 그는 「밤비」[8]라는 민요를 쓰기도 했고, 「향수」[9]라는 정형시도

7 송기한, 「임화 시의 변모 양상-계급모순에서 민족모순으로」, 『인문과학논문집』 54, 대전대, 2017.2.

8 매일신보, 1926.9.12.

썼다. 뿐만 아니라 당시에 유행하던 7,5조에 바탕을 두고 있는 「연주대」를 발표하기도 했다. 심지어는 김억에 의해 시도되었던 격조시도 발표하고 있었는데, 앞서 안급한 「향수」가 바로 그러하다.

근심도 먼지라면
바람에 나불리듯
북풍에 휘몰리어
다날아 가고지고
알뜰한 님께서나
이곁에 계셨던들
이가슴 덮고눌러
고요히 지켰을걸
객창의 외로운몸
쓸쓸히 뒹구노니
아무리 생각해도
언제나 돌아갈까

「향수」 부분

이 작품은 7,7조라해도 무방할 만큼 글자 수를 7자로 정확하게 맞추고 있다. 김억의 격조시형이 문단의 주조 현상이라고까지는 할 수 없지만, 이 시기 유행하던 정형시형들에 대해서 임화가 어느 정도 관심을 갖고 있었던 것으로 보인다. 새로운 시형식과 시정신에 대한 임

9 매일신보, 1926.12.9.

화의 문학적 열정은 여기서 그치지 않고 확대되는데, 당시에 유행처럼 번진 모더니즘에 대한 관심이 바로 그러하다. 그가 모더니즘 형식, 보다 정확하게는 다다이즘에 기반한 「지구와 박테리아」[10]를 창작한 것은 익히 알려진 바 있는데, 이런 사실로 미뤄보면, 임화의 새 것에 대한 열정이 어느 정도인지 알 수 있거니와 또한 그의 시정신의 기반 가운데 하나인 부재에 대한 충만의 욕구가 어느 정도인지를 알 수 있는 예증들이라 하겠다.

한 시인의 작품 세계에서 다양한 형식과 내용이 시도되고 있다는 것은 문학에 대한 열정일 수도 있고, 임화만의 고유한 시정신이 아직 완성되지 않은 것에서 온 것일 수도 있다. 뿐만 아니라 방황하는 시정신에 놓여 있는 신인에게서 흔히 볼 수 있는, 유행에 대한 예민한 감수성일 수도 있을 것이다. 그런데 중요한 것은 임화의 이러한 시경향들이 모두 이 시기 문단에서 유행하고 있었던 것이라는 사실이다. 김억이나 소월에 의해 주도되었던 것이 민요의 부흥이었고 또 민요시의 창작이었다. 7,5조의 형식 또한 이때 이들에 의해 주도되고 있었는데, 민요적 형식과 내용이 1920년대의 문화부흥 현상과 분리하기 어려운 것인 만큼 임화의 시에서 드러나는 이러한 특색들도 이 시기의 유행과 관련있는 것이라 하겠다. 그만큼 임화의 시창작 행위도 문단의 중심으로부터 벗어나지 못하고 있었으며, 그러한 영향관계가 그의 작품세계를 형성하는 데 있어서 매우 중요한 기제로 작용하고 있었음을 알 수 있는 것이었다. 이런 도정들은 한 시인으로 올곧게 서기 위한 모색이라는 사실을 인정하지 않을 수 없을 것이다.

10 『조선지광』, 1928.8.

새로운 시형식과 시정신에 대한 임화의 모색은 당시의 문단에서 펼쳐졌던 운동과 비례하는 것이었다. 익히 알려진 대로 1920년대는 새로운 시형, 보다 정확하게는 자유시형에 대한 모색의 시기였다. 그러한 열정의 표현이 민요시라든가 산문시형 등으로 나타난 것인데, 여러 시형에 대한 임화 나름의 노력도 그 연장선에서 이해될 수 있는 것들이었다. 유행이면서도 유행이지 않은 주조화의 현상, 그것이 1920년대 문단의 현실이었기 때문이다. 임화의 초기 시에 대한 이해는 이런 맥락에서 보아야 비로소 그 본질에 다가갈 수 있는 것이 아닐까 한다.

그러나 이러한 모색에도 불구하고 임화의 길은 어느 정도 정해져 있었던 것으로 보인다. 부재에 대한 갈증과 그 채움에 대한 욕구가 그의 길이었던 바, 그것은 곧 현실주의자였던 임화의 의식과 정확히 맞물리는 것이었기 때문이다. 여기서 주목하고자 하는 것은 이러한 다양성 속에서 그가 일관되게 사유했던 것, 그 시의식의 원형을 이해하는 데 있다고 하겠다. 초기 시가 갖는 의의가 중요한 것은 이 때문인데, 초기 시들은 시정신이 열매맺기 전의 덜익은 과일이 아니라 미래의 익은 과일을 위한 씨앗이라는 점에서 그 의의가 있는 것이라 하겠다. 이와 관련하여 임화의 초기의 시 가운데 주목을 요하는 작품이 바로 「혁토」이다.

> 뭇 사람놈들의 잇삿에 올라
> 이미 낡은 지가 오래인 시뻘건 나토일지라도
> 그것은 조상의 해골을 파묻어 가지고
> 대대로 물려나려왔던 거룩한 땅이며

한없이 거칠어진 부지일망정
여기는 가장 신성한 숨소리 벌덕이며
이 땅의 젊은 사람들에게 끊임없이
귀 넘겨 속삭여주는 우리의 움이어라
분명코 그것은 무엇이라 중얼대는 것이다
침묵한 무언중에서 쉬일 새 없도록
그러나－그것을 짐작이나마 할 사람은
오직 못나고 어리석으며
말 한마디도 변변히 못 내는 백랍 같은 입 가지고 구지레한
백포를 두른 그리운 나의 나라의
비척어리는 사람의 무리가 있을 따름이다
오오! 그러나
비록 그렇게 못생기고 빈충맞인 친구일지라도
그것은 나의 동국인이요 피와 고기를 나눈 혁토의 낡은 주인이며 - -
나의 조선의 민중인 것이다

「혁토」 전문

시의 제목이 혁토(赫土)인데, 이것의 의미는 붉은 흙이다. 그런 색채적 이미지가 주는 함의는 엘리어트의 「황무지」를 연상케 한다. 「황무지」가 근대에 편입된 사유의 한계를 색채적 이미지로 표명한 작품이라면, 인용시 역시 그 연장선에 놓여 있기 때문이다. 똑같이 쓸모없는 땅, 불임의 땅이라는 의미를 갖고 있는 것인데, 그럼에도 그것이 내포하는 형이상학적인 의미는 사뭇 다르다. 「황무지」가 근대에

노출된 인간들의 절망적인 모습을 담고 있다면, 임화의 작품은 민족적인 것과 연결되어 있다는 점에서 구분된다. 어떻든 이 작품은 임화의 초기 시에 있어서, 아니 임화의 전편에 있어서 중요한 주제 가운데 하나인 민족의식과 밀접히 결합되어 있다는 점이다.

이 작품은 생산이라는 모성성과 전통이라는 민족성으로부터 자유롭지 않은데, 이러한 면들은 실상 소월의 「무덤」과 분리하기 어려운 것이다. '무덤'이 민족적인 것과 연결되어 있는 것임은 자명한데, 소월은 이를 "옛 조상들의 기록을 묻어둔 그곳!"이라고 했다[11]. 주인 없는 조국이란 곧 '무덤'에 불과하다는 것인데, 이런 사유는 실상 임화에게도 동일하게 다가오는 것이었다. 임화 역시 혁토(赫土), 곧 조선의 땅을 "조상의 해골을 파묻어 가지고/대대로 물려나려왔던 거룩한 땅"이라고 인식하고 있기 때문이다. 하지만 그것은 죽어 있고, 생산성을 상실한 불임의 공간이다. 그러니 "한없이 거칠어진 부지(腐地)"라고 이해하고 있는 것이 아닌가. 하지만 땅에 대한 부활의 의지만큼은 소월의 그것과 동일한 차원에 놓이는 것이라 할 수 있다. 소월이 죽은 자의 공간에 '돌무더기를 들썩이는' '혼'의 부활을 통해서 새로운 생산성을 기대한 것처럼, 임화 역시 소월의 그러한 의식과 비슷한 행보를 보여준다. '혁토'는 '부토'로서 한정되는 것이 아니라 "가장 신성한 숨소리 벌덕이며/이 땅의 젊은 사람들에게 끊임없이/귀 넘겨 속삭여주는 우리의 움"과 같은 모성적 생산성으로 기대되고 있는 까닭이다.

11 「무덤」을 읽으면 대번에 알 수 있는 것처럼, 소월은 '무덤'을 단순히 죽은 자의 공간으로만 이해하지 않았다. 그는 그것을 민족이나 조국으로 그 외연을 확장했을 뿐만 아니라 그것의 부활이야말로 진정한 독립이나 해방으로 이해했다.

초기의 개인적인 서정에 머물고 있던 임화의 초기 시들은 「혁토」를 계기로 새로운 단계를 맞이하게 된다. 하나는 그의 정서들이 민족적인 것들과 연결되어 있는 것인데, 임화에게 이러한 국면들은 그 의의가 아무리 강조되어도 지나치지 않을 것이다. 왜냐하면 그의 시들은 흔히 계급적인 것에만 한정되는 것으로 이해되어 왔기 때문이다. 물론 계급이나 민족적인 것이 모순이라는 기반 위에서 정립되는 것인 만큼 그것이 계급적인 것이든 혹은 민족적인 것이든 어느 특정 국면으로 편중되어 이해할 필요는 없을 것이다. 하지만 임화 시들이 당파성의 실현 여부에만 한정되어 검토되었다는 사실을 감안하면, 민족적인 것에 대한 사유로 이해하는 것만으로도 그 가치가 충분히 있는 것이라 하겠다. 둘째는 '개인'이 아니라 '우리'의 관점에서 그의 시들이 생산되고 있다는 사실이다. 이는 물론 모순과 관련된 민족의식이나 계급의식과 분리하기 어려운 것인데, 그럼에도 '우리'라는 공유 지대 속에 그의 의식이 놓인다는 것이야말로 임화의 새로운 단계를 말해주는 것이 아닐 수 없다.[12] 그것은 그가 본격적인 카프 시를 쓰기 시작하면서 주된 시의 의장으로 사용한 배역시의 기본 토양이 되기 때문이다. 서정적 자아와 타자, 그리고 사건의 등장이야말로 단편서사시의 고유한 영역이며, 그러한 특징적 단면들은 '우리'라는 공유된 터전에서만 가능한 의식이라 할 수 있을 것이다.

임화는 계급 시로 나아가기 이전 다양한 형태의 시를 생산해내었다. 그것은 형태 뿐만 아니라 내용적인 측면에서도 그러했고, 시의

12 담론이 자아지향이 아니라 타자지향적인 특성을 가질 때, 그것은 개인적인 경험보다는 우리들의 경험에 호소하고, 또 공통의 감각을 제공해준다. 바흐찐, 『마르크스주의와 언어철학』(송기한 역), 한겨레, 1988, p.12.

의장에서도 여러 기능적 단면들을 보여주었다. 이런 다양성은 임화 자신의 생리적인 측면에서 기인하는 것이기도 했고, 또 당대 문단이 보여주었던 여러 흐름에서도 그 원인을 찾을 수 있을 것이다. 중요한 것은 이런 다양한 시도들이 일회성이나 취미의 차원이 아니었다는 사실이다. 그는 현실을 뚜렷하게 응시하고 있었고, 이를 통해서 자신이 나아가야할 방향이 무엇인지, 또 시인으로서 가져야할 정신적 가치에 대해 고민하고 있었다는 사실이다. 이는 곧 결핍을 생리적으로 가지고 있을 수밖에 없던, 개인적 혹은 사회적 여건이 만들어낸 결과라고 할 수 있을 것이다.

3. 우리들의 경험과 계급의식

임화가 카프에 가입한 것은 1926년 말로 추정된다.[13] 그의 시들은 처음부터 계급적 성향을 갖고 있었던 것은 아닌데, 그것이 앞장에서 언급한 이른바 다양한 형식으로 표출되고 있었던 모색기의 작품들이었다. 하지만 1927년에 들어서면서 임화의 시들은 서서히 계급적 양상으로 바뀌기 시작한다. 이른바 카프의 제1차방향전환기에 맞물려 그의 시들은 뚜렷이 계급적 성향을 드러내기 시작하고 있었는데, 가령 무정부 노동자라는 이유로 사형당한 작코 반제티의 죽음을 애도

13 카프에 가입하는 것이 어떤 문서에 의해 이루어진 것이 아닌 이상, 이 단체에서 활동하던 시기를 카프의 가입으로 보이는 것이 통례이다. 임화라는 필명으로 작품 활동을 하기 시작한 것 또한 1926년 후반이다. 그의 초기시들은 1926년 후반과 1927년 전반기에 걸쳐 집중적으로 나타나기 시작하는데, 이러한 그의 초기시들이 모두 계급 의식에 기반을 두고 있는 것은 아니었다.

한 「담 -1927」과 「젊은 순라의 편지」와 같은 작품들이다. 이에 이르면 그의 시들은 이제 본격적으로 경향시의 모습을 띠게 된다. 전자의 경우가 단지 애도시의 성향을 갖는 것이라면 후자의 경우는 노동자의 세계, 곧 당파성을 다룬 것이라는 점에서 차이나긴 하지만, 어떻든 이를 계기로 임화는 본격적으로 프로 시인의 면모를 보이게 된다.

이런 전환에 즈음하여 임화 시들은 두 가지 국면에서 뚜렷한 변화가 있었는데, 하나는 개인적 서정에 대한 포기이고, 다른 하나는 배역시의 적극적인 활용이다. 전자가 개인의 정서를 기반으로 한, 서정시 고유의 영역임은 잘 알려진 일인데, 이런 개인성이야말로 프로시와는 뚜렷한 거리를 두고 요소들이라 할 수 있다. 다시 말하면, 이때 임화의 시들은 개인의 영역이라든가 개인의 체험과는 거리를 두기 시작하는데, 이런 특성이야말로 임화 시의 가장 중요한 변모 가운데 하나라 할 수 있을 것이다. 나의 경험 뿐만 아니라 우리의 경험이 겹쳐지는 것인데, 이야말로 '우리들의 정서'라는 프로 시의 근본 특성과 맞물리는 것이었다. 그리고 다른 하나는 배역시의 등장이다. 잘 알려진 대로 서정시는 개인의 정서가 회감하는 형식, 그러니까 일인칭 서정적 자아에 의해 제어되는 장르이다. 서정시에서 인격적 독립성을 유지하는 인물이라든가 서정의 정서로부터 벗어나는 사건의 등장이 어려운 것은 이런 장르적 특성 때문이다. 하지만 이 시기 임화의 시들은 인물과 사건, 서사적 줄거리 등이 등장하기 시작한다. 카이저는 이런 형태의 시를 제3의 목소리가 존재하는 배역시(Rollengedichte)로 설명한 바 있다[14]. 이 장르의 특징적 단면은 서정 주관의 통제로부터 자

14 카이저, 『언어예술작품론』, 대방출판사, 1984, p.296.

유로울 수 있다는 것이고, 그럼으로써 서정시가 주관에 함몰될 수 있는 위험으로부터 어느 정도 거리를 둘 수 있다는 특징이 있다. 따라서 객관의 제시와 서정적 일체감을 환기할 수 있는 경향시가 일반적 공감대의 환기와 대중적 동일성을 획득하기 위해서는 이 장르만큼 좋은 형식도 없을 것이다. 이 시기 임화의 대부분의 시들이 이런 형식을 취하고 있는 것은 모두 이것이 갖고 있는 장르적 특징 때문이다.

> 네가 지금 간다면, 어디를 간단 말이냐?/그러면 내 사랑하는 젊은 동무,/너, 내 사랑하는 오직 하나뿐인 누이동생 순이,/너의 사랑하는 그 귀중한 사내,/근로하는 모든 여자의 연인……/그 청년인 용감한 사내가 어디서 온단 말이냐?//눈바람 찬 불쌍한 도시 종로 복판에 순이야!/너와 나는 지나간 꽃 피는 봄에 사랑하는 한 어머니를/눈물 나는 가난 속에서 여의었지!/그리하여 너는 이 믿지 못할 얼굴 하얀 오빠를 염려하고,/오빠는 가냘픈 너를 근심하는,/서글프고 가난한 그 날 속에서도,/순이야, 너는 마음을 맡길 믿음성 있는 이곳 청년을 가졌었고,/내 사랑하는 동무는……/청년의 연인 근로하는 여자 너를 가졌었다.//겨울날 찬 눈보라가 유리창에 우는 아픈 그 시절,/기계 소리에 말려 흩어지는 우리들의 참새 너희들의 콧노래와/언 눈길을 걷는 발자국 소리와 더불어 가슴 속으로 스며드는/청년과 너의 따뜻한 귓속 다정한 웃음으로/우리들의 청춘은 참말로 꽃다웠다고,/언 밤이 주림보다도 쓰리게/가난한 청춘을 울리는 날,/어머니가 되어 우리를 따뜻한 품속에서 안아주던 것은/오직 하나 거리에서 만나 거리에서 헤어지

며,/골목 뒤에서 중얼대고 일터에서 충성되던/꺼질 줄 모르는 청춘의 정열 그것이었다./비할 데 없는 괴로운 가운데서도/얼마나 큰 즐거움이 우리의 머리 위에 빛났더냐?//그러나 이 가장 귀중한 너 나의 사이에서/한 청년은 대체 어디로 갔느냐?/어찌 된 일이냐?/순이야, 이것은……/너도 잘 알고 나도 잘 아는 멀쩡한 사실이 아니냐?/보아라! 어느 누가 참말로 도적놈이냐?/이 눈물 나는 가난한 젊은 날이 가진/불쌍한 즐거움을 노리는 마음하고,/그 조그만, 참말로 풍선보다 엷은 숨을 안 깨치려는 간지런 마음하고,/말하여 보아라, 이곳에 가득 찬 고마운 젊은이들아!//순이야, 누이야!/근로하는 청년, 용감한 사내의 연인아!/생각해 보아라, 오늘은 네 귀중한 청년인 용감한 사내가/젊은 날을 부지런한 일에 보내던 그 여윈 손가락으로/지금은 굳은 벽돌담에다 달력을 그리겠구나!/또 이거 봐라, 어서./이 사내도 네 커다란 오빠를……/남은 것이라고는 때 묻은 넥타이 하나뿐이 아니냐!/오오, 눈보라는 "트럭"처럼 길거리를 휘몰아간다.//자 좋다, 바로 종로 네거리가 예 아니냐!/어서 너와 나는 번개처럼 두 순을 잡고,/내일을 위하여 저 골목으로 들어가자,/네 사내를 위하여,/또 근로하는 모든 여자의 연인을 위하여……//이것이 너와 나의 행복 된 청춘이 아니냐?//

「네거리의 순이」 전문

이 작품은 「우리 오빠와 화로」와 더불어 초기 임화 시를 대표한다. 그것은 작품의 주인공이 오빠와 누이 동생이라는 점, 그들이 근로하는 주체들이라는 점, 그리고 유적 연대의식에 묶여있다는 점, 미래에의 전망 제시 등등에서 그러하다. 이런 구도로 짜여진 작품들은 「우리 오빠와 화로」를 비롯해서 임화 시의 기본 틀이라는 점에서 이 시기 임화 단편 서사시의 원형이라고 해도 무방한 경우이다.

우선, 이 작품에서 전개되는 사건은 매우 구체적이다. 그것은 현실 너머의 세계가 주는 관념성을 극복하는 좋은 수단이 되는데, 어쩌면 이런 구체성이야말로 팔봉이 임화의 시를 '단편서사시의 전형'으로 규정한 근거들이었을 것이다. 그것은 선언이 주는 관념성을 초월하는 곳에 위치하고 있는데, 실상 이런 면들은 개인성에 바탕을 둔 순수 서정, 곧 주관의 세계와 하등 다를 것이 없을 것이다. 비록 계급의식을 기반으로 하고 있는 시라 하더라도 그것이 관념적인 한계에 갇히게 되면, 프로시로서 갖는 의의가 반감될 수밖에 없을 것이다. 목적의식기를 경과하면서 생산된 대부분의 시들이 '관념 편향적인 시'라든가 '뼈다귀의 시'라는 혐의를 벗지 못한 것도 이와 밀접한 관련이 있을 것이다.

이런 구체성과 더불어 「네거리 순이」에서 관심있게 보아야 할 부분이 바로 '종로 네거리'이다. 임화에게 있어서 '네거리' 계열의 시들은 그 시사하는 바가 무척 큰데, 그것이 곧 계급의식과 불가분의 관계에 놓여 있기 때문일 것이다. 계급의식에 바탕을 둔 투쟁은 밀실에서도 가능한 것이지만, 그 시각적, 상징적 효과를 고려하면 거리만큼 대중들에게, 그리고 동료들에게 호소하는 효과가 크지 않은 것이 사실이다.

인용시에서 지금 서정적 자아와 순이 역시 '종로 네거리' 위에 있다. 거기서 이들은 동지적 연대 의식을 확인하고 "번개처럼 두 손을 잡고,/내일을 위하여 저 골목으로 들어가자"고 외친다. 이들에게 '거리'는 투쟁의 공간이고, '골목'은 투쟁의 지속을 위한 도피의 공간이 된다. 이들이 이렇게 명암의 공간을 오가는 것은 오직 "네 사내를 위하여", "또 근로하는 모든 여자의 연인을 위해서"이다. 즉 대중투쟁이라는 절대 선을 위한 행위인 것이다. 그리고 그러한 일체화된 행위만이 "너와 나의 행복된 청춘이라는 것"이다.

이렇듯 '종로'는 역사적 공간으로서만 존재하는 것이 아니라 생생한 힘이 살아있는 역동적인 공간으로 거듭 태어나게 된다. "너와 내가 번개처럼 두 손을 잡고/내일을 위하여 저 골목으로 들어가는", 새로운 도약을 위한 실천의 공간이기 때문이다[15].

목적의식기 임화 시의 핵심은 유대의식에 있다. 이는 마르크시즘의 핵심 기제 가운데 하나인데, 우선 이 의식은 크게 두 가지 국면에서 그 의미가 있다. 하나가 독자라는 대중과의 유대의식이라면, 다른 하나는 투쟁하는 주체들의 그것이다. 임화의 시들은 독자 대중과의 동일한 경험 지대를 바탕으로 한다. 그것이 정서적 공감대를 가져오고 그 일체화된 정서를 통해서 독자들은 서정적 자아와 사상적 공유지대를 형성하게 된다. 그것이 가능했던 것은 그러한 경험들이 '나'의 경험이 아니라 '우리들'의 경험 속에 놓여 있었기에 가능했다. '우리들의 경험'이란 누구에게나 가능한 경험이다. 개별적이고 특수한 것이 아니라 누구나 공유할 수 있는 것, 그것이 '우리들의 경험'의 근본 요체이다. 이 경험을 함께 공유함으로써 서정적 자아와 독자는 동일한 지대로 이동하게 된다.

15 송기한, 앞의 논문 참조.

그리고 다른 하나는 유적 연대 의식이다. 이 또한 임화 시의 특색인데, 그의 시들은 근로하는 주체들이라면, 그것이 이성이든 혹은 이국의 사람이든 구분하지 않는다. 그러한 사례를 보여주는 단적인 예가 바로 「우산받은 요코하마의 부두」이다.

> 항구의 계집애야! 이국의 계집애야!/도크를 뛰어오지 말아라 도크는 비에 젖었고/내 가슴은 떠나가는 서러움과 내어쫓기는 분함에 불이 타는데/오오 사랑하는 항구 요꼬하마의 계집애야!/도크를 뛰어오지 말아라 난간은 비에 젖어 왔다//「그나마도 천기가 좋은 날이었더라면?……」/아니다 아니다 그것은 소용없는 너만의 불쌍한 말이다/너의 나라는 비가 와서 이 도크가 떠나가거나/불쌍한 네가 울고 울어서 좁다란 목이 미어지거나/이국의 반역 청년인 나를 머물게 두지 않으리라/불쌍한 항구의 계집애야 울지도 말아라//추방이란 표를 등에다 지고 크나큰 이 부두를 나오는 너의 사나이도 모르지 않는다/내가 지금 이 길로 돌아가면/용감한 사나이들의 웃음과 알지 못할 정열 속에서 그날마다를 보내던 조그만 그 집이/인제는 구둣발이 들어나간 흙자국밖에는 아무것도 너를 맞을 것이 없는 것을/나는 누구보다도 잘 알고 생각하고 있다//그러나 항구의 계집애야! 너는 모르지 않으리라/지금은 〈새장 속〉에 자는 그 사람들이 다 너의 나라의 사랑 속에 살았던 것도 아니었으며/귀여운 너의 마음속에 살았던 것도 아니었었다//그렇지만/나는 너를 위하고 너는 나를 위하여/그리고 그 사람들은 너를 위하고 너는 그 사람들을 위하여/어째서 목숨을 맹세

하였으며/어째서 눈 오는 밤을 몇 번이나 거리에 새웠던가//거기에는 아무 까닭도 없었으며/우리는 아무 인연도 없었다/더구나 너는 이국의 계집애 나는 식민지의 사나이/그러나 오직 한 가지 이유는/너와 나 우리들은 한낱 근로하는 형제이었던 때문이다//그리하여 우리는 다만 한 일을 위하여/두 개 다른 나라의 목숨이 한 가지 밥을 먹었던 것이며/너와 나는 사랑에 살아왔던 것이다//오오 사랑하는 요꼬하마의 계집애야/비는 바다 위에 내리며 물결은 바람에 이는데/나는 지금 이 땅에 남은 것을 다 두고/나의 어머니 아버지 나라로 돌아가려고/태평양 바다 위에 떠서 있다/바다에는 긴 날개의 갈매기도 오늘은 볼 수가 없으며/내 가슴에 날던 요꼬하마의 너도 오늘로 없어진다//그러나 요꼬하마의 새야/너는 쓸쓸하여서는 아니 된다 바람이 불지를 않느냐/하나뿐인 너의 종이 우산이 부서지면 어쩌느냐/어서 들어가거라/인제는 너의 게다 소리도 빗소리 파도 소리에 묻혀 사라졌다/가보아라 가보아라/나야 쫓기어 나가지만은 그 젊은 용감한 녀석들은/땀에 젖은 옷을 입고 쇠창살 밑에 앉아 있지를 않을 게며/네가 있는 공장엔 어머니 누나가 그리워 우는 북륙의 유년공이 있지 않느냐/너는 그 녀석들의 옷을 빨아야 하고/너는 그 어린것들을 네 가슴에 안아 주어야 하지를 않겠느냐/가요야! 가요야! 너는 들어가야 한다/벌써 사이렌은 세 번이나 울고/검정 옷은 내 손을 몇 번이나 잡아다녔다/인제는 가야 한다 너도 가야 하고 나도 가야 한다//이국의 계집애야!/눈물은 흘리지 말아라/거리를 흘러가는 데모 속에 내가 없고 그 녀석들이 빠졌다고/섭

섭해 하지도 말아라/네가 공장을 나왔을 때 전주 뒤에 기다리던 내가 없다고/거기엔 또다시 젊은 노동자들의 물결로 네 마음을 굳세게 할 것이 있을 것이며/사랑에 주린 유년공들의 손이 너를 기다릴 것이다//그리고 다시 젊은 사람들의 연설은/근로하는 사람들의 머리에 불같이 쏟아질 것이다//들어가거라! 어서 들어가거라/비는 도크에 내리고 바람은 데크에 부딪친다/우산이 부서질라/오늘 쫓겨나는 이국의 청년을 보내 주던 그 우산으로 내일은 내일은 나오는 그 녀석들을 맞으러/게다 소리 높게 경빈가도를 걸어야 하지 않겠느냐//오오 그러면 사랑하는 항구의 어린 동무야/너는 그냥 나를 떠나 보내는 서러움/사랑하는 사나이를 이별하는 작은 생각에 주저앉을 네가 아니다/네 사랑하는 나는 이 땅에서 쫓겨나지를 않는가/그 녀석들은 그것도 모르고 같이 있지를 않는가 이 생각으로 이 분한 사실로/비둘기 같은 네 가슴을 발갛게 물들여라/그리하여 하얀 네 살이 뜨거워서 못 견딜 때/그것을 그대로 그 얼굴에다 그 대가리에다 마음껏 메다쳐버리어라//그러면 그때면 지금은 가는 나도 벌써 부산 동경을 거쳐 동무와 같이 요꼬하마를 왔을 때다//그리하여 오랫동안 서럽던 생각 분한 생각에/피곤한 네 귀여운 머리를/내 가슴에 파묻고 울어도 보아라 웃어도 보아라/항구의 나의 계집애야!/그만 도크를 뛰어오지 말아라//비는 연한 네 등에 내리고 바람의 네 우산에 불고 있다//

「우산받은 요코하마의 부두」 전문

나카노 시게하루의 「비내리는 品川驛」과 맞대응으로 쓰여졌다고 알려진 이 작품은 계급모순에 대한 임화의 사유를 잘 대변해준다. 작품의 내용은 이러하다. 여기에는 일본에서 사상운동을 하다가 쫓겨나 조선으로 되돌아가는 청년과, 그와 작별하는 이국 노동자 여성의 안타까운 이별이 제시되어 있다. 「우리 오빠와 화로」나 「네거리 순이」 등에서 드러난 인물구성과 상황구성이 거의 동일한 형태로 나타나고 있는데, 여성과 노동자, 그리고 근로하는 집단 전체가 시의 배역으로 등장하고 있는 것이다.

그런데 「우리 오빠와 화로」와 특별히 구별되는 점은 지금 이곳이 노동현장이 아니라 현해탄 너머의 일본 내지라는 사실이다. 이는 "만국의 노동자여 단결하라" 국제적인 감각과 분리하기 어려운 것인데, 여기서 주목되는 것은 그러한 감각보다 거기에 스며들어 있는 임화의 자의식이다. 김윤식은 이 작품이 나카노의 「비내리는 品川驛」과 대비될 수 있다고 했는데, 나카노는 이 작품의 내용대로 조선의 노동자를, 그들 혁명에 있어 최소한의 수단으로 파악했다고 한다.[16] 말하자면, 마르크스의 원론에 해당하는 노동자들의 연대 의식이나 국제적인 연결과 같은 것은 관심이 없다는 뜻인데, 실상 이런 면들은 작품 속에 고스란히 드러나 있다.

> 오오!
> 조선의 산아이요 계집아인 그대들
> 머리끗 뼈끗까지 꿋꿋한 동무

16 김윤식, 『임화』, 한길사, 2008, p.103.

일본 푸로레타리아-트의 압짭이요 뒷군
가거든 그 딱딱하고 두터운 번질번질한 얼음장을 투딜여 깨쳐라
오래동안 갇혔던 물로 분방한 홍수를 지여라
그리고 또다시 해협을 건너뛰여 닥쳐 오너라[17]

나카노는 조선의 노동자를 "일본 푸로레타리아트의 앞잡이요 뒷군"이라고 했는데, 이는 일본 프로작가들이 보여주고 있는, 조선인에 대한 인식을 뚜렷이 보여준 것이라고 이해했다.[18] 이른바 민족적 에고이즘이 일본 프로작가의 숨겨진 의식이며 그것은 조선의 프로작가들에게 없는 것이라 했다. 그런 다음 이를 이해하지 못한 임화를 두고 코민테른의 유치한 신자라고 평가하기도 했다. 물론 조선과 일본 사이에 놓인 현해탄의 절벽을 이해하지 못한 임화의 순수성이 있을 수도 있을 것이다. 뿐만 아니라 이데올로기 저변에 놓여 있는 다양성을 무시한 채 오직 혁명만을 자신의 사상적 과제로 내세웠던 임화의 단순한 면을 탓한 것일 수도 있을 것이다. 그러나 이는 계급 이전에 민족이 놓여 있었다는 것이고, 그것이 나카노와 임화의 차이이고, 또 이 시기 계급자들이 갖고 있었던 근본 한계라 할 수 있을 것이다.

어떻든 이런 감각이야말로 이 시기 임화가 가졌던 계급의식의 장점이자 한계였다. 이 작품을 쓸 무렵 임화에게 있어서 민족에 대한

17 나카노 시게하루, 「비내리는 品川驛」, 『무산자』, 1928.5.
18 김윤식, 위의 책.

사랑이나 현해탄이 주는 거리감은 실상 아무런 의미가 없었다. 이때의 그에게 필요했던 것은 전위적인 계급투쟁이었고, 이를 줄기차게 추동함으로써 민족의 장벽은 쉽게 뛰어넘을 수 있는 것이라는 믿음뿐이었다. 또한 그 계급 모순에 대한 초월이 민족 모순의 해법과도 연결될 수 있을 것이라고 판단했을 수도 있다. 이런 전제가 성립한다면, 현해탄이 갈라놓은 조선과 일본, 뿐만 아니라 조선노동자와 일본노동자의 차이점을 인식하는 것은 한갓 사치에 불과했을 것이다. 그렇지 않다면 민족적 차별과 모순이 분명히 존재하고 있는 현실에서 프롤레타리아 국제주의를 주장하는 것은 불가능하기 때문이다.

카프를 이끈 주체로서 임화가 보여준 계급의식은 정론적인 것이었다. 그는 카프의 당파성을 위해서 많은 논객과 이론 투쟁을 전개해왔다. 그런 그였기에 나카노 시게하루와 같은 숨은 의도를 갖는 것은 불가능한 일이었는지 모를 일이다. 어쩌면 당파성 정립을 위한 논의의 과정에서 그의 작품들은 자유롭지 않은 상황을 맞이했을 수도 있다. 그렇기에 그에게 민족적 에고이즘과 같은 사유를 갖는 것은 관념적인 것에 불과했을 것이다. 그것은 역으로 이 시기 일본인만이 가질 수 있는 또다른 우월감이지 않았을까 한다. 그런 자의식이 있었기에 임화의 시를 두고 민족적 구분이라는 비과학적 사유를 가졌던 것은 아닐까. 어떻든 「우산받은 요코하마의 부두」는 임화가 이 시기 펼쳐보일 수 있는 최고의 사유였고, 또 그 표명이었다고 할 수 있을 것이다.

4. 후일담의 문학과 자연의 의미

많은 가능성에도 불구하고 카프를 위시한 진보주의 문학은 더 이상 나아갈 길을 멈추고 해산하게 된다. 잘 알려진 대로 카프가 해산된 것은 1935년이다. 점점 강성해지는 제국주의는 이에 반대되는 사상적 흐름에 대해 용납하지 않게 되었던 바, 그것은 진보 단체였던 카프를 해산시키는 결과를 낳았다. 이른바 전향의 시대가 도래한 것이다. 전향이란 자신이 가졌던 사상을 버리는 것으로 그 핵심은 사회주의 노선의 포기였다. 그리고 그것은 곧바로 현실에 대한 문학적 응전 역시 더 이상 나아갈 수 없게 만들었다. 현실이 떠난 자리에 남는 것은 정신의 공백이라든가 사유의 여백 뿐이었다. 하지만 그 공간은 너무 큰 것이어서 어떻게든 다시 채워넣어야할 욕구가 필연적으로 일어나는 자명한 일이었다. 이 시기 많은 작가들에게서 후일담이라는 문학 조류가 생겨난 것은 이와 밀접한 관련이 있다고 하겠다.

후일담 문학의 핵심은 어떤 식으로든 현실과의 끈을 놓지 않겠다는 의지의 표현이라 할 수 있다. 그렇기에 자아는 현실과 닿을 수 있는 연결 고리를 찾고자 했다. 그것이 한편으로는 귀향이라는 형식을 낳았고[19], 거기서 현실과 대결하는 양상을 펼쳐보였다. 다른 한편으로는 지나온 과거에 대한 그리움의 정서를 표백하는 경우이다. 물론 이 때의 정서란 센티멘탈이나 단순한 회고와 같은 퇴행의 정서가 아님은 자명할 것이다. 임화 역시 이러한 문단적 조류에서 비껴가는 것이 아니었다. 그 역시 후일담 문학이라는 흐름 속에 자아를 노출시

19 이의 대표적인 사례가 소설가 한설야이다. 그는 귀향을 통해서 전향의 대표적인 사례를 보여준 작가이다.

키기 시작했는데, 그 방향은 크게 두 가지 갈래였다. 하나가 투쟁 현장에 대한 그리움이라면, 다른 하나는 자아 세우기였다.

> 지금도 거리는
> 수많은 사람들을 맞고 보내며,
> 전차도 자동차도
> 이루 어디를 가고 어디서 오는지.
> 심히 분주하다.
>
> 네거리 복판에 문명의 신식기계가
> 붉고 푸른 예전 깃발 대신에
> 이리저리 고개를 돌린다.
> 스톱 - 注意 - 고 -
> 사람, 차, 동물이 똑 기예(教練) 배우듯 한다.
> 거리엔 이것밖에 변함이 없는가?
>
> 낯선 건물들이 보신각을 저 위에서 굽어본다.
> 옛날의 점잖은 간판들은 다 어디로 갔는지?
> 그다지도 몹시 바람은 거리를 씻어갔는가?
> 붉고 푸른 '네온'이 지렁이처럼,
> 지붕 위 벽돌담에 가고 있구나.
>
> 오오, 그리운 내 고향의 거리여! 여기는 종로 네거리,
> 나는 왔다, 멀리 낙산(駱山) 밑 오막살이를 나와 오직

네가 네가 보고 싶은 마음에……

넓은 길이여, 단정한 집들이여!

높은 하늘 그 밑을 오고가는 허구한 내 행인들이여!

다 잘 있었는가?

오, 나는 이 가슴 그득 찬 반가움을 어찌 다 내토를 할가?

나는 손을 들어 몇 번을 인사했고 모든 것에서 웃어 보였다.

번화로운 거리여! 내 고향의 종로여!

웬일인가? 너는 죽었는가, 모르는 사람에게 팔렸는가?

그렇지 않으면 다 잊었는가?

나를! 일찍이 뛰는 가슴으로 너를 노래하던 사내를,

그리고 네 가슴이 메어지도록 이 길을 흘러간 청년들의 거센 물결을,

그때 내 불쌍한 순이는 이곳에 엎더져 울었었다.

그리운 거리여! 그 뒤로는 누구 하나 네 위에서

청년을 빼앗긴 원한에 울지도 않고,

낯익은 행인은 하나도 지나지 않던가?

오늘밤에도 예전같이 네 섬돌 위엔 인생의 비극이 잠자겠지!

내일 그들은 네 바닥 위에 티끌을 주우며 ……

그리고 갈 곳도 일할 곳도 모르는 무거운 발들이

고개를 숙이고 타바타박 네 위를 걷겠지.

그러나 너는 이제 모두를 잊고,

단지 피로와 슬픔과 검은 절망만을 그들에게 안겨 보내지는 설마 않으리라.

비록 잠잠하고 희미하나마 내일에의 커다란 노래를
그들은 가만히 듣고 멀리 문밖으로 돌아가겠지.

간판이 죽 매어달렸던 낯익은 저 이계(二階)
지금은 신문사의 흰 기(旗)가 죽지를 늘인 너른 마당에,
장꾼같이 웅성대며, 확 불처럼 흩어지던 네 옛 친구들도
아마 대부분은 멀리 가버렸을지도 모를 것이다.
그리고 순이의 어린 딸이 죽어간 것처럼 쓰러져갔을지도 모를 것이다.
허나, 일찍이 우리가 안 몇 사람의 위대한 청년들과 같이.
진실로 용감한 영웅의 단熱한 발자국이 네 위에 끊인적이 있었는가?
나는 이들 모든 새 세대의 얼굴을 하나도 모른다.
그러나 "정말 건재하라! 그대들의 쓰린 앞길에 광영이 있으라" 고.
원컨대 거리여! 그들 모두에게 전하여다오!
잘 있거라! 고향의 거리여!
그리고 그들 청년들에게 은혜로우라,
지금 돌아가 내 다시 일어나지를 못한 채 죽어가도
불쌍한 도시! 종로 네거리여! 사랑하는 내 순이야!
나는 뉘우침도 부탁도 아무것도 유언장 위에 적지 않으리라.

「다시 네거리에서」 전문

지금 시적 자아가 서 있는 곳은 '종로 네거리'이다. 하지만 그 거리는 예전 가두투쟁을 하던 곳이 아니다. 이곳을 채우고 있는 것은 근로하는 사람들이나 싸움의 주체들이 아닌 까닭이다. "문명의 신식 기계가/붉고 푸른 예전 깃발 대신에/이리 저리 고개를 돌리는" 곳으로 전화되어 있을 뿐이다. 어두운 벽을 허물고자 외치던 '함성'과 '깃발'은 온데 간데 없고, 근대의 첨예한 문명이 이 자리를 채우고 있는 것이다.

앞서 언급대로, 이 작품의 핵심 공간은 종로이다. 임화에게 종로란 개인의 생리적 경험이 녹아있는 곳이 아니다. 그것은 근로하는 주체들이 모여있던 역사적 공간이고, 그들의 꿈이 실현될 수 있는 이상적인 공간이었다. 지금 임화가 그리워하는 것은 그런 역사적 공간으로의 종로이다. 그러나 지금의 종로에는 그러한 실천성이 담보되는 것들이 어느 하나 존재하지 않고 있다. 그러니 그는 그곳에서 과거의 회상에 젖어 나아갈 방향을 정하지 못하고 헤매이고 있는 것이다.

실상 임화의 이러한 모습은 근대주의자들이 흔히 보여주었던 소외의 정서와 어느 정도 관련이 있다는 점에서 주목을 요하는 경우이다. 일찍이 근대 도시의 암울한 면에 주목한 것은 보들레르였거니와 우리 문단에서 이를 가장 적확하게 보여준 것은 박태원이었다[20]. 「다시 네거리에서」에서 드러나는 자아의 행보 역시 박태원이 묘파했던 '산책자'의 모습과 일견 닮아 있는 것이다. 하지만 그 탐색의 방향이랄까 정도는 박태원의 그것과 사뭇 다른 경우이다. 박태원은 현대성을 이해하고자 한 고현학(考現學)에 중점을 두었다면, 임화는 당파성

20 박태원은 이를 '산책자'의 행보를 통해서 외부 현실과 떨어진, 고립된 근대적 자아의 모습을 그려내었다.

에 대한 복고의 정서에 중점을 두고 있는 것이다.

카프 해산 이후 임화의 시들은 몇가지 특징적 단면을 노정하면서 변모하는데, 그 중 하나가 배역시의 퇴장이다. 그의 작품들에서 인물이나 사건, 서사적 구조들은 사라지고 오직 일인칭 자아로 통어되는 담론 체계들만이 등장한다. 하지만 이런 변화들이 사상적 직접성을 드러내기 위한 장치로 기능하는 것도 아니다. 만약 그렇다면, 그의 시들은 다른 카프 시인들이 펼쳐보였던 1930년대 초반에 유행했던 개념 위주의 시세계로 돌아가는 것이 된다. 이 작품에서 임화는 사상의 직접적인 표출은 하지 않는다. 다만 지나온 세월에 대한 그리움만이 이 전편을 감싸고 있을 뿐이다.

그리고 다른 하나는 이 작품에는 미약하게나마 모더니즘의 의장이 드러나고 있다는 점이다. 실상 모더니즘이나 리얼리즘이 자본주의를 그 발생적 토대로 하고 있다는 점에서 보면, 이런 의장의 표현들이 전연 이상한 일은 아니다. 단지 세계관의 차이에 의해서 그 응전의 방식이 다를 뿐 그것들이 기반하는 인식성은 동일한 것이기 때문이다. 임화는 여기서 다시 초기 시에서 드러내 보였던 모더니즘의 수법을 소환하고 있다. 가령, "붉고 푸른 '네온'이 지렁이처럼,/지붕 위 벽돌담에 기고 있다"와 같은 표현이 그러한데, 이 또한 이 시기 김광균 등에 의해 시도된 주조적 담론 가운데 하나인 이미지즘의 수법을 그대로 수용하고 있는 것이다.

임화는 카프 해산 이후 이렇듯 수법이나 정서적 측면에서 이전과는 상이한 국면을 드러내고 있었다. 이런 회고의 정서와 의장들이 시사하는 바는 매우 뚜렷한 것인데, 그것은 이 시기 다른 작가들이 보여주었던 후일담 문학의 연장선에 있다는 사실이다. 이는 임화가 전향은 했으되 어느 한순간도 자신의 진보적 이념을 포기하지 않았음을 보여주는 단적인 증거가 된다고 할 수 있을 것이다.

카프 해산 이후 임화 시의 변화 가운데 다른 특징적인 단면은 소재의 차원에서 확인할 수 있다. 카프가 해산했으니 이에 가담한 작가에게서 어떤 이념적 요소를 간취해내기 매우 어려운 것은 당연한 것이라 할 수 있다. 앞서 언급대로 임화의 시들도 1930년대 중반을 거치면서 많은 변모를 보여주기 시작한다. 그것이 회고의 정서와 같은 후일담 문학의 형식으로 드러난 바 있거니와 또 하나 주목해야 할 것이 바로 바다와 같은 '자연'을 바탕으로 한 소재이다. 현실이 떠난 자리이기에 자연이라는 소재가 등장하는 것은 자연스러운 일이지만, 문제는 그러한 소재가 갖고 있는 함의랄까 정서의 표백일 것이다.

임화의 시에서 자연을 소재로 한 작품들이란 매우 낯설정도로 이 소재는 그의 시에 어울리지 않는 것처럼 보인다. 카프 해산 이후 현실이 추방된 자리에서 현실 이외의 소재들이 작품의 중심으로 들어오는 것은 자연스러운 일임에도 그러한 혐의를 지울 수 없는 것이 사실이다. 이 시기 임화가 상재한 시집이 『현해탄』[21]이다. 바다를 자연의 범주 속에 편입시키게 되면, 이 시집의 제목 역시 바다가 된다. 그만큼 바다와 같은 자연의 소재들이 이 시기 그의 시세계의 중심으로 자리하게 되는 것이다.

장하게
날뛰는 것을 위하여,

21 동광당서점, 1938.

찬가를 부르자.

바다여
너의 조용한 달밤을랑,
무덤 길에 선
노인들의 추억 속으로,
고시란히 선사하고,
푸른 비석 위에
어루만지듯,
미풍을 즐기게 하자.

파도여!
유쾌하지 않은가!
하늘은 금시로,
돌멩이를 굴린
살얼음판처럼
빠개질 듯하고,
장때 같은 빗줄기가
야 - - -
두 발을 구르며,
동동걸음을 치고,
나는 번개 불에
놀라 날치는
고기 뱃바닥의

비늘을 세고

바다야!
너의
가슴에는
사상이 들었느냐

시인의 입에
마이크 대신
재갈리 물려질 때,
노래하는 열정이
침묵 가운데
최후를 의탁할 때,

바다야!
너는 몸부림치는
육체의 곡조를
반주해라.

「바다의 찬가」 전문

제목 그대로 인용시는 '바다'를 찬양하기 위해서 쓴 작품이다. 그러한 의도는 1연에 잘 나타나 있는데, "장하게/날뛰는 것을 위하여,/찬가를 부르자"라고 하고 있는 것이다. 하지만 계급주의자였던 임화가 한가하게 자연을 예찬하고 있을 정도로 그 자의식이 철저하지 못한 것은 아니었다. 임화가 이 작품을 쓰게 된 근본 의도랄까 동기는 이 작품의 5연에 드러나 있다는 점에서 그러하다. 그는 여기서 "시인의 입에/마이크 대신/재갈이 물려질 때,/노래하는 열정이/침묵 가운데/최후를 의탁할 때" '바다'를 떠 올린다고 했다. 이를 통해서 알 수 있는 것이 임화의 의도이다. 하나는 '재갈이 물린 상태'로서의 자아인데, 이는 곧 이 시기의 객관적 현실이다. 그것은 곧 카프의 해산과 불가분의 관계에 놓이는 것으로, 이럴 때 시인이 응시한 곳은 현실 너머의 세계인데, 그것이 곧 바다이다.

이 시기 바다를 비롯한 자연물은 자아의 외부에 존재하는 선험적인 것이 아니다. 자연은 시인의 정서와 교묘히 결합됨으로써, 시인의 자의식을 드러내는 매개로 기능하고 있는 것이다. 이런 단면들은 「다시 네거리에서」라는 작품에서 회상했던 '종로'의 그것과 등가관계에 놓이는 것이라 할 수 있다. 이와 더불어 임화 시 가운데 또다시 주목해야 할 것이 「세월」이다.

> 시퍼렇게 흘러내리는 노들강,
>
> 나뭇가지를 후려꺾는 눈보라와 함께
> 얼어붙어 삼동 긴 겨울에 그것은
> 살결 센 손등처럼 몇 번 터지고 갈라지며,
> 또 그 위에 밀물이 넘쳐
> 얼음은 두 자 석 자 두터워졌다.
>
> 봄!

부드러운 바람결 옷깃으로 기어들 제,
얼음판은 풀리고 녹아서,
돈짝 구들장 같은 조각이 되어 황해바다로 흘러간다.

이렇게 때는 흐르고 흘러서, 넓은 산 모서리를 스쳐내리고,
굳은 바위를 깎아,
천리 길 노들강의 하상을 깔아놓았나니,
세월이여! 흐르는 영원의 것이여!
모든 것을 쌓아올리고, 모든 것을 허물어내리는,
오오 흐르는 시간이여, 과거이고 미래인 것이여!
우리들은 이 붉은 산을, 시커먼 바위를,
그리고 흐르는 세월을, 닥쳐오는 미래를,
존엄보다도 그것을 사랑한다.

「세월」 부분

카프해산기 그의 대표작 가운데 하나인 「세월」인데, 이 작품 역시 투쟁 전선에 임하는 계급주의자의 면모와는 무관하다. 이러한 단면들은 단편서사시를 창작해내었던 시기와 현격히 다른데, 무엇보다도 시의 형식적 국면이 이전과는 크게 차이가 난다는 점이다. 단편서사시가 타자지향적 수법을 주로 사용했다면, 이 시기부터는 본격적으로 자아지향적인 단면을 드러내고 있다. 주관의 통일은 있으되 그것이 제시의 방법이 아니라 서정적 자아에 의해 통어되는 구조로 시가 만들어지고 있는 까닭이다. 그것은 곧 배역시의 소멸을 말하는데, 이런 창작태도의 변신은 계급 모순에 대한 인식의 후퇴와 밀접한 관

련이 있다는 사실이다. 카프 시의 성립근거는 이데올로기의 확립과 그것의 대중적 전파에 놓여 있었다. 타자지향적인 이념의 확립과 그 확산이 카프시의 특성이었지만, 객관적 상황이 점점 열악해지고 진보의 깃발이 우뚝 서지 못할 때, 카프시가 취할 수 있는 운신의 폭도 현저히 축소될 수밖에 없었다.

미래에 대한 전망과 과거로 회귀할 길이 닫혀있을 때, 시적 자아가 선택할 수 있는 것이란 어느 정도 한계가 있었을 것이다. 「세월」이 내포하는 의미가 중요한 것은 이 작품이 이런 상황 속에서 만들어졌다는 것인데, 임화가 이 작품에서 현재의 상황에 대해 일차적인 비유로 내세운 것이 자연의 은유화이다. 그리고 이를 뒷받침하는 것이 서정시인들이 흔히 구사하는 상상력이라는 의장이다. "시퍼렇게 흘러가는 노들강"이라는 표현이야말로 닫힌 역사의 질곡을 뚫고 나아가는 거대한 물결처럼 인식되었을 것이다. 그리고 그러한 자연의 흐름을 직시하고 이를 자아화하고자 했던 것이 어쩌면 임화의 솔직한 심정이었을 것이다. 이를 가능케 했던 것이 바로 상상력이라는 의장이다. 그리고 그러한 흐름을 배가시켜주는 매개체 역시 '봄'이라는 자연의 소재이다. 이 또한 임화가 이시기 즐겨 사용하는 자연이거니와 그는 이를 통해서 자아를 철저히 외화시키고 있다. 봄이 함의하는 신화적 의미가 소생이며, 생명의 근원일진데, 그러한 역동성이야말로 '노들강의 거침없는 흐름'과 동일한 차원으로 수용되었을 것이다.

카프 해산 이후 임화는 자연을 물리적인 차원으로 은유화하지 않았다. 뿐만 아니라 모더니스트들이 흔히 인식했던 인식의 통일성과 같은 사유로 받아들이지도 않았다. 하기사 자아를 곧추 세운 리얼리스트에게 인식의 완결성과 같은 문제는 어불성설이었을 것이다. 임화의 자의식은 자본주의 문화에 의해 분열이나 파편화된 적이 없었던 까닭이다. 만약 그러하다면 그는 진정 현실주의자라는 혐의를 가질 수 없었을 것이다. 그는 자연을 파편화된 자아를 치유하기 위한 역사 철학적 맥락, 곧 근대적 의미로 수용한 것이 아니라 흔들리는 자아를 곧추 세우기 위한 은유적 장치로 수용했다. 그의 후기 시에서 자연이 갖는 의미는 이런 맥락에서 이해해야 할 것이다.

5. 현해탄과 민족의 발견

앞서 언급대로 1930년대 후반에 들어서면서 임화의 시선들은 현실로부터 멀어지게 된다. 하지만 그러한 거리화가 모순에 대한 인식의 후퇴를 의미하는 것은 아니었다. 그는 이 시기 대부분의 카프 문인들의 경우처럼 소위 후일담 문학이라는 것을 표명하지만, 그렇다고 해서 그런 시선의 축소가 모순에 대한 결여로 연결되는 것은 아니었다. '종로 네거리'로 표현되는 갈등의 장으로부터 멀어지긴 했어도 그의 시선에는 늘 그러한 장들이 어른거렸다. 그 이데올로기적 표현이 '네거리에 대한 그리움'과 자연에 기댄 자아의 다짐들이었다.

자연에 대한 임화의 관심은 그의 정신사적 행보에서 볼 때, 예외적인 사항이긴 하지만, 그렇다고 해서 전연 엉뚱한 것도 아니었다. 그러한 관심으로부터 임화는 그 나름만의 독특한 모순 인식을 할 수 있었기 때문이다. 그리하여 그 연장선에서 다시 한번 주목의 대상이 되는 것이 바로 바다에 대한 새로운 인식이었다.

근대 이전에 이 땅의 시인들, 아니 문인들이 주로 관심을 갖고 있었던 것은 대륙지향적인 것이 대부분을 차지하고 있었다. 그것은 두 가지 이유에서 그 설명이 가능한 경우인데, 하나는 정치적인 주종관계에 따른 대륙에 대한 관심이었다. 이는 성리학적 질서에 의한 조공의 문화로부터 자유롭지 않은 것임이 증명된 것인데, 이 행위의 저변에는 분명 저열한 민족적 자의식이 깔려있었음이 분명할 것이다. 그리고 다른 하나는 대륙이 갖는 상징성인데, 실상 지난 과거의 대륙이란 곧 근대적인 것, 선진적인 것과 구분되지 않는 것이었다. 그것은 연암 박지원의 『열하일기』가 증거이거니와 실용주의를 표방했던 이 시기 대부분의 실학자에게서 발견되는 사항이기도 했다.

하지만 20세기 초에 접어들면서 근대의 주체는 바뀌기 시작했다. 이제 대륙 중심이 아니라 해양 중심으로 바뀌기 시작했는데, 그 단초적인 증거가 바로 바다에 대한 관심이었다. 이에 대한 관심의 표명은 육당 최남선에 의해 처음 시도되었고[22], 일제 강점기를 거치면서 이러한 인식은 더욱 굳어지게 되었다. 그리고 그것은 임화의 관심과 그의 시를 이끌어가는 중심 매개로 자리하게 된다. 임화에게 '바다'란 계급모순의 쇠퇴와 함께 다가온 것이긴 하지만, 그렇다고 그 가치가 평가절하되는 것은 아니었다. 어쩌면 계급 모순이 갖는 한계를 벌충해줄 수 있는 대안으로 모색되었다고 보는 것이 옳은 것인지도 모르겠다. 그러한 사유의 일단을 잘 보여주는 작품이 「해협의 로맨티시즘」이다.

22 1908년 11월에 육당이 창간한 종합 잡지 『소년』이 '바다' 특집으로 되어 있는데, 이는 시대 인식과 관련하여 매우 중요한 의의를 갖는 것이었다.

바다는 잘 육착한 몸을 뒤척인다.
해협 밑 잠자리는 꽤 거친 모양이다.

맑게 갠 새파란 하늘
높다란 해가 어느새 한낮의 카브를 꺾는다.
물새가 멀리 날아가는 곳,
부산 부두는 벌서 아득한 고향의 포구인가!

그의 발밑,
하늘보다도 푸른 바다,
태양이 기름처럼 풀려,
뱃전을 치고 뒤로 흘러가니,
옷깃이 머리칼처럼 바람에 흩날린다.

아마 그는
일본 열도(列島)의 긴 그림자를 바라보는 게다.
흰 얼굴에는 분명히
가슴의 '로맨티시즘'이 물결치고 있다.

예술, 학문, 움직일 수 없는 진리……
그의 꿈꾸는 사상이 높다랗게 굽이치는 동경(東京),
모든 것을 배워 모든 것을 익혀,
다시 이 바다 물결 위에 올랐을 때,
나는 슬픈 고향의 한 밤,

홰보다도 밝게 타는 별이 되리라.
청년의 가슴은 바다보다 더 설레었다.

바람 잔 바다,
무더운 삼복의 고요한 대낮,
이천오백 돈(噸)의 큰 기선이
앞으로 앞으로 내닫는 갑판 위,
흰 난간 가에 벗어젖힌 가슴,
벌건 살결에 부딪치는 바람은 얼마나 시원한가!

그를 둘러 산 모든 것,
고깃배들을 피하면서 내뿜는 고동 소리도,
희망의 항구로 들어가는 군호 같다.
내려앉았다 떴다 넘노니는 물새를 따라,
그의 눈은 몹시 한가로울 제
뱃머리가 삑! 오른편으로 틀어졌다.

훤히 트이는 수평선은 희망처럼 넓구나!
오오! 점점이 널린 검은 그림자,
그것은 벌써 나의 섬들인가?
물새들이 놀라 흩어지고 물결이 높다.
해협의 한낮은 꿈 같이 허물어졌다.

몽롱한 연기,

희고 빛나는 은빛 날개,
우뢰 같은 음향,
바다의 왕자가 호랑이처럼 다가오는 그 앞을,
기웃거리며 지내는 흰 배는 정말 토끼 같다.

'반사이!' '반사이!' '다이닛……'
이등 캐빈이 떠나갈 듯한 아우성은,
감격인가? 협위인가?
깃발이 '마스트' 높이 기어 올라갈 제,
청년의 가슴에는 굵은 돌이 내려앉았다.

어떠한 불덩이가,
과연 층계를 내려가는 그의 머리보다도
더 뜨거웠을까?
어머니를 부르는, 어린애를 부르는,
남도 사투리,
오오! 왜 그것은 눈물을 자아내는가?

정말로 무서운 것이……
불붙는 신념보다도 무서운 것이……
청년! 오오, 자랑스러운 이름아!
적이 클수록 승리도 크구나.

삼등 선실 밑

동그란 유리창을 내다보고 내다보고,
손가락을 입으로 깨물을 때,
깊은 바다의 검푸른 물결이 왈칵
해일처럼 그의 가슴에 넘쳤다.

오오, 해협의 낭만주의여!

「해협의 로맨티시즘」 전문

임화가 「해협의 로맨티시즘」에서 응시한 현해탄의 모습은 두 가지인데, 하나는 계몽이 도입되는 통로이고, 다른 하나는 민족의 현실에 대한 인식이다. 시적 자아는 현해탄을 오가는 선상 위에서 "일본 열도의 긴 그림자를 바라보며", "가슴의 로맨티시즘이 물결치고" 있음을 느끼게 된다. 시적 자아가 감각하는 로맨티시즘이란 계몽으로서의 그것, 곧 진보에 대한 낭만적 열정일 것이다. 그 구체적인 결실이 다음 연에 나타나 있는데, "예술, 학문 움직일 수 없는 진리 - - -/그의 꿈꾸는 사상이 높다랗게 굽이치는 동경/모든 것을 배워 모든 것을 익혀,/다시 이 바다 물결 위에 올랐을 때,/나는 슬픈 고향의 한 밤,/홰보다도 밝게 타는 별이 되리라./청년의 가슴은 바다보다 더 설"레는 자아를 발견함으로써 '바다'에 대한 정체성이 무엇인지 확인하게 된다. 여기에 이르게 되면 현해탄은 임화의 구체적인 사유를 읽어낼 수 있는바, 그는 근대화된 일본을 막연히 동경하는, 소위 현해탄 콤플렉스라고 하는 것과는 전혀 상관없는 의식을 갖는다고 하겠다[23].

23 현해탄 콤플렉스는 일제 강점기 근대화와 독립이라는 두 과제 앞에서 지식이 처한 모순을 일컫는 말이다. 그러한 감각을 임화는 「현해탄」에서 잘 드러냄으로써 이

다른 하나는 민족에 대한 발견이다. 임화는 이 바다를 통해서 그가 생각했던 계몽주의가 무엇인지를 대략 알게 된다. 그에게 계몽의식으로 무장된 근대 초기의 계층들처럼, 상승하는 부르주아지의 의식만 있었다면, 그는 계급의식과는 거리를 두었을 것이다. 뿐만 아니라 계몽이 나아갈 길을 상실했을 때, 흔히 빠지게 되는 천박한 영웅주의에 갇히지도 않았을 것이다[24]. 이것의 궁극적 모습이 전향이었고, 친일에의 길이었음은 역사가 증명하는 것인데, 어떻든 임화에게는 현해탄 콤플렉스도 없었고, 계급주의자라는 틀에 갇혀 민족의 현실에 대해 외면하지도 않았다. 오히려 바다를 새롭게 사유하면서, 그에게 국경이라는 문제가 예민하게 다가왔고, 그 의식의 끝에 민족에 대한 애정이 놓여있었다고 하겠다[25].

실상 임화의 작품에서 예외적으로 취급되었던 『현해탄』의 시가들은 초기시와 밀접히 대응되고 있다는 점에서 그 시의 본류가 무엇인지를 극명하게 보여주는 것이라 하겠다. 그것이 초기시인 「혁토」에 대한 부활이다. 임화는 일찍이 이 작품에서 조선에 대한, 그리고 민족에 대한 정서를 올곧이 드러낸 바 있다. 하지만 계급 우선주의가 자신의 의식의 전면을 장식하면서 민족의식은 수면 아래로 가라앉게 되었다. 그러던 것이 카프 해산 이후, 계급의식이 사라진 다음 이 민족은 다시 부활하기 시작했다. 민족에 대한 따듯한 시선과 열악한 현실에 대한 분노, 제국주의에 대한 적개심 등이 여기서 드러나기 시

의식이 갖고 있는 상징성을 담보하고 있는 경우이다.

24 이런 의식을 보여주는 대표적인 사례가 바로 이광수이다. 그는 과학적 근거나 논리적 세계를 벗어난 영웅주의를 찬양함으로써 일본 제국주의를 영웅시하는 오류를 범하게 된다.

25 송기한, 앞의 논문 참조.

작한 것이다.

그러한 의식은 일본과 조선이 극명하게 대비되는 이 시의 후반부에 잘 나타나 있다. 여기서 일본과 조선은 위계질서상의 수직의 관계로 구현되고, 그러한 위계를 통해서 양 민족 사이에 놓인 처지랄까 상황이 직설적으로 나타나게 된다. "'반사이!' '반사이!' '다이닛' - - - -/이등 캐빈이 떠나갈 듯한 아우성은,/감격인가? 협위인가?"라고 한 다음 "깃발이 '마스트' 높이 기어올라갈 제,/청년의 가슴에는 굵은 돌이 내려앉았다"고 함으로써 일본에 대한 시적 자아의 정서가 어떤 것인지를 표명하고 있는 것이다. 욱일승천기를 높이 날리고 일본천황폐하 만세를 외치는 제국주의자들의 기세등등한 모습이야말로 식민지 조선의 청년인 임화에게는 "굵은 돌로 내려앉는" 억압으로 다가왔을 뿐이다. 제국주의자와 곧바로 맞서는 임화의 의식은 저항의 '불덩이'였고, 그것은 다른 어떤 것보다도 뜨거워진 상태이다. 그리하여 그 정서가 다음과 같이 드러나는 것은 매우 자연스러운 것이라 하겠다. "어머니를 부르는, 어린애를 부르는,/남도 사투리,/오오! 왜 그것은 눈물을 자아내는가?"라는 민족에 대한 애틋한 회한이 바로 그러하다. 이런 정서는 민족에 대한 사랑 없이는 성립할 수 없다는 점에서 이 시기 임화의 민족애, 혹은 민족 모순이 어떠한 것인지를 잘 알게 해준다.

> 이 바다 물결은/예부터 높다.//그렇지만 우리 청년들은/두려움보다 용기가 앞섰다,/산불이/어린 사슴들을/거친 들로 내몰은 게다.//대마도를 지나면/한가닥 수평선 밖엔 티끌 한 점 안 보인다./이곳에 태평양 바다 거센 물결과/남진(南進)해온

대륙의 북풍이 마주친다.//몬푸랑보다 더 높은 파도,/비와 바람과 안개와 구름과 번개와,/아세아(亞細亞)의 하늘엔 별빛마저 흐리고,/가끔 반도엔 붉은 신호등이 내어 걸린다.//아무러기로 청년들이/평안이나 행복을 구하여,/이 바다 험한 물결 위에 올랐겠는가?//첫번 항로에 담배를 배우고,/둘쨋번 항로에 연애를 배우고,/그 다음 항로에 돈맛을 익힌 것은,/하나도 우리 청년이 아니었다.//청년들은 늘/희망을 안고 건너가,/결의를 가지고 돌아왔다./그들은 느티나무 아래 전설과,/그윽한 시골 냇가 자장가 속에,/장다리 오르듯 자라났다.//그러나 인제/낯선 물과 바람과 빗발에/흰 얼굴은 찌들고,/무거운 임무는/곧은 잔등을 농군처럼 굽혔다./나는 이 바다 위/꽃잎처럼 흩어진/몇 사람의 가여운 이름을 안다.//어떤 사람은 건너간 채 돌아오지 않았다./어떤 사람은 돌아오자 죽어 갔다./어떤 사람은 영영 생사도 모른다./어떤 사람은 아픈 패배(敗北)에 울었다./—그 중엔 희망과 결의와 자랑을 욕되게도 내어 판 이가 있다면, 나는 그것을 지금 기억코 싶지는 않다.//오로지/바다보다도 모진/대륙의 삭풍 가운데/한결같이 사내다웁던/모든 청년들의 명예와 더불어/이 바다를 노래하고 싶다.//비록 청춘의 즐거움과 희망을/모두 다 땅 속 깊이 파묻는/비통한 매장의 날일지라도,/한번 현해탄은 청년들의 눈앞에,/검은 상장(喪帳)을 내린 일은 없었다.//오늘도 또한 나 젊은 청년들은/부지런한 아이들처럼/끊임없이 이 바다를 건너가고, 돌아오고,/내일도 또한/현해탄은 청년들의 해협이리라.//영원히 현해탄은 우리들의 해협이다.//삼등 선실 밑 깊은 속/찌든 침상에도 어머니들 눈물이 배었고,/흐린 불빛에도 아버지들 한숨이 어리었다./어버이를 잃은 어린아이들의/아프고 쓰린 울음에/대체 어떤 죄가 있었는가?/나는 울음소리를 무찌른/외방말을 역력히 기억하고 있다.//오오! 현해탄은, 현해탄은,/우리들의 운명과 더불어/영구히 잊을 수 없는 바다이다.//청년들아!/그대들은 조약돌보다 가볍게/현해(玄海)의 물결을 걷어 찼다./그러나 관문해협 저쪽/이른 봄바람은/과연 반도의 북풍보다 따사로웠는가?/정다운 부산 부두 위/대륙의 물결은,/정녕 현해탄보다도 얕았는가?//오오! 어느 날/먼먼 앞의 어느 날,/우리들의 괴로운 역사와 더불어/그대들의 불행한 생애와 숨은 이름이/커다랗게 기록될 것을 나는 안다./1890년대(年代)의/1920년대(年代)의/1930년대(年代)의/1940년대(年代)의/19××년대(年代)의/…………/모든 것이 과거로 돌아간/폐허의 거칠고 큰 비석 위/새벽별이 그대들의 이름을 비출 때,/현해탄의 물결은/우리들이 어려서/고기떼를 쫓던 실내[川]처럼/그대들의 일생을/아름다운 전설 가운데 속삭이리라.//그러나 우리는 아직도/이 바다 높은 물결 위에 있다.//

「현해탄」 전문

이 작품은 임화의 의식을 탐색하는 데 있어서 매우 중요한 것이다. 그것은 그가 이 작품을 시집의 제목으로 내세운 것에서도 알 수 있는데, 실상 임화가 이 작품에서 말하고자 한 것도 민족에 대한 애정이었다. 임화는 지금 현해탄을 오가는 선상위에 있고, 그 배는 그 바다의 위에 놓여 있다.

그런데 지금 임화가 응시한 바다는 지금껏 그가 보았던 바다의 의미와는 거리가 있다. 특히 근대에 편입된 바다, 긍정적인 것으로의 바다의 의미는 상당히 퇴색되어 있다. 그것은 "첫 번 항로에 담배를 배우고,/둘째 번 항로에 연애를 배우고,/그 다음 항로에 돈맛을 익힌 것은./하나도 우리 청년이 아니었다"라는 부분에서 확인할 수 있다. 바다는 그저 겉멋으로서의 그것이 아니라 어떤 새로운 다짐을 위한 매개로 기능하고 있었던 것이다. 그런 사유가 있었기에 그것은 '희망'과 '결의'라는 메시지를 전달할 수 있었던 것이다.

하지만 임화는 여기서 또한번 민족 모순의 현장을 목격하게 되고, 이 의식을 강화하는 계기가 된다. 이는 임화가 현해탄을 단지 그리워하고 동경한 것과는 거리가 멀었다는 의미가 된다. 그 일단은 다음과 같은 표현에서 확인할 수 있다. 임화를 비롯한 조선의 청년들이 관부연락선에 올라탄 것은 '산불'의 강요 때문이라고 한다. 그것이 "어린 사슴을 거친 들로 내몰았다"는 것인데, 그 주체가 일본 제국주의임은 당연할 것이다. 이 시기의 이런 시적 표현이야말로 민족모순에 대한 의식없이는 그 설명이 불가능한 경우이다. 다음 연의 표현 또한 그 연장선에 놓여 있다. 그는 여기서 식민지 조선의 어두운 현실을 발견하면서(삼등선실밑 깊은 속/찌든 침상에도 어머니들 눈물이 배었고/흐린 불빛에도 아버지들 한숨이 어리었다./어버이를 잃은 어린 아이들의/아프고 쓰린 울음에/대체 어떤 죄가 있었는가?/), 현실에 대한 새로운 인식성을 만들어나가고자 했다. 바로 민족모순에 대한 철저한 인식이 바로 그러하다.

임화는 이를 통해서 새로운 역사를 만들고자 했고, 새로운 인식의 주체가 되고자 했다. 이로써 현해탄은 임화에 의해 역사의 새로운 공간, 주체적 공간으로 거듭 태어나게 되는 것인데, 그가 "우리는 아직도 이 바다 높은 물결 위에 있다"라고 한 것은 이와 밀접한 관련이 있다고 하겠다. 임화에게 현해탄은 과거형이 아니라 현재 진행형이며 또 미래를 향한 열정의 공간이었던 것이다. 이렇듯 현해탄은 좌절과 가능성의 이중적 공간이었던 것이다.

6. 서정시의 여정과 그 끝자락

임화의 시들은 여러 가능성을 열어두고 이를 열정으로 채워나갔다. 그는 초기부터 정신의 공백을 느끼고 이를 벌충하면서 자신의 시를 생산해온 것이다. 모든 시인들이 그러한 것처럼 임화에게도 이는 모색기에 해당했는데, 하지만 그러한 여정이 이후의 시세계와 전연 분리되는 것은 아니라는 점에서 주목을 요한다. 그 모색의 결과가 이후 시정신을 결정하는 중심 매개가 되었는데, 그 가운데 하나가 민족애의 발견, 곧 민족 모순에 대한 것이었다. 임화는 계급 모순에 투철했고, 이를 바탕으로 시정신을 구축해나간 시인이지만, 그것이 일관되게 구현되어 있었던 것은 아니다. 그렇다고 그의 세계관이 철저하지 못한 것이라고 폄하해서도 안 될 일이다. 그는 현실을 발견하고 이를 감성의 영역으로 충실히 채워나가고자 했을 뿐이다. 정서란 하나의 결과를 추종하지 않는다. 그러니 과정이나 결과 또한 얼마든지 달라질 수 있는 것이다. 하나의 벽이 사라지면, 또다른 벽이 다가오는 것이 당연한 이치일 것인데, 그는 계급이 사라진 자리에 민족을 채워넣은 것도 정서의 가변성이 가져온 결과 때문이라고 할 수 있다.

뿐만 아니라 임화는 사유의 탐색 과정에서 바다를 비롯한 자연을, 새로운 시정신이 나아갈 은유적 장치로 만들어나갔다. 자연의 은유화는 자신의 세계관을 곧게 세우려했던 의지의 표명이었거니와 이러한 단면들은 이 시기 다른 시인들이 즐겨 사유했던 자연의 의미와는 상당한 거리가 있었다. 그는 파편화된 사유의 공백을 메우기 위해 자연이라는 매개를 수용하지 않은 것이다. 그 결과 그는 후일담 문학이라는 새로운 환경 속에서 민족을 발견하고, 여기서 발생한 모순을 계급 모순에 대치했던 것이다.

임화는 틀림없는 계급주의자였지만, 그것은 어디까지나 논리의 영역에서 그러했다. 정서를 기반으로 하는 시의 영역이 논리의 세계와 다른 것은 분명하다. 그는 시의 영역에서 자신의 이념을 표출하는데 상당히 유연했다. 그런 자세가 한편으로는 계급에 대한 이해를, 다른 한편으로는 민족에 대한 이해를 가져오게 했다. 그리고 그 매개항으로 작용했던 것이 바다를 비롯한 자연이었다. 1930년대 후반에 많이 등장하는 자연의 소재들은 이런 의미에서 그 시사적 의의가 있는 것이라 할 수 있다. 그 자연은 인식을 통일하기 위한 모더니스트의 그것이 아니라 자아를 올곧게 세우기 위한 자의식의 표현이었다. 그리고 임화는 이를 바탕으로 민족에 대한 에고이즘을 만들어낼 수 있었다.

한국 근대 리얼리즘 시인 연구

북방 정서와 혁명적 열정

이찬론

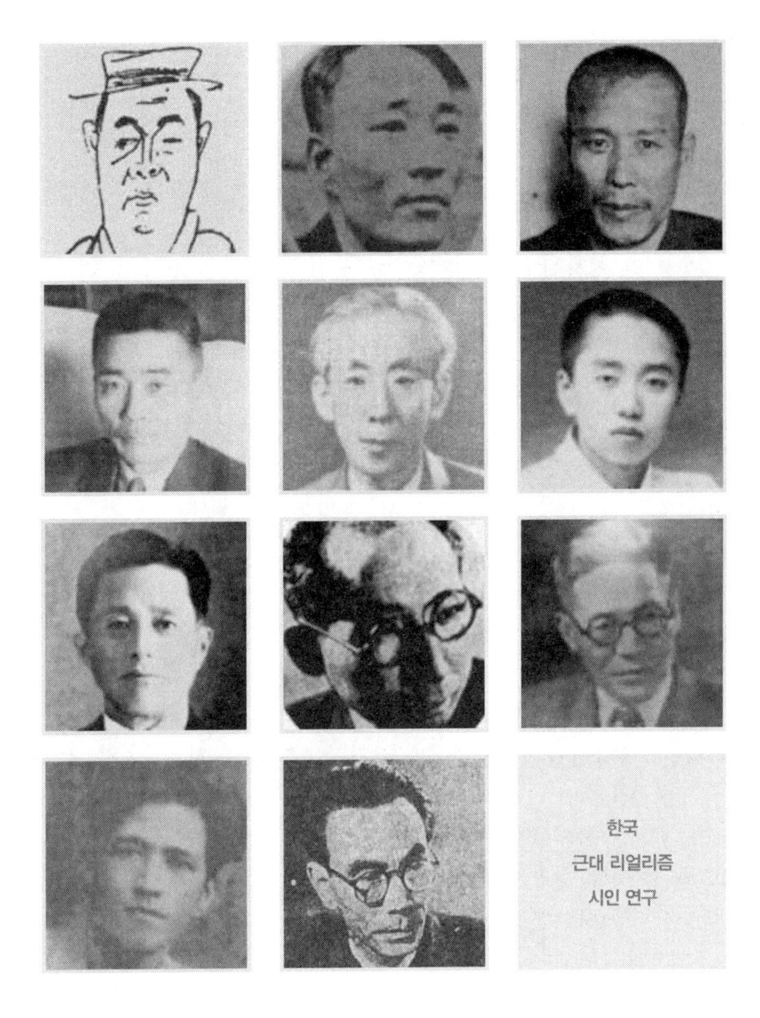

이찬 연보

1910년 함경남도 북청 출생
1924년 경성 제2고보 입학
1927년 시 「나팔」이 조선일보 학생문예 공모에 당선하여 문단활동을 시작함
1929년 도일하여 와세다대학 노문과 입합, 〈무산자사〉와 관계를 맺으며 임화 등과 만남
1931년 연희전문 입학. 이해 5월 동경으로 건너가 『동지사』 편집위원으로 참여
1932년 카프중앙위원으로 선출. '별나라사건'으로 신고송 등과 체포되어 투옥됨
1934년 만기 석방되어 고향인 북청으로 돌아옴
1937년 시집 『待望』(중앙서관) 간행
1938년 시집 『焚香』(한성도서주식회사) 간행
1940년 시집 『茫洋』(박문서관) 간행
1945년 해방과 동시에 조선프롤레타리아예술가동맹에 참여하나 곧 고향인 북청으로 감
1946년 북조선문학예술총동맹 서기장에 피선됨. 시집 『화원』 등을 간행
1958년 『리찬시선집』 간행
1974년 사망, 평양 애국열사릉에 묻힘
2003년 『이찬시전집』 간행(소명출판사)

1. 원상 회복에 대한 그리움 정서

이찬은 함경북도 북청 출신이다. 태어난 해가 1910년 1월이니 한일합방이 되기 직전이다. 출생과 합방 연도가 동일한 이 기묘한 일치야말로 이찬의 운명과 그의 시세계가 어느 정도 일관성을 갖고 있는 것인지도 모르겠다. 그러한 일관성은 그의 시들에서 표출되는 정서와 불가분의 관계에 놓여 있는 것인데, 그는 이 시기 다른 어느 시인보다도 민족에 대한 자각의 정도가 깊은 시인었다. 게다가 그는 조선 반도 북단의 북청 출신이다. 고향이 국경 주변이라는 사실 또한 그의 시세계와 밀접한 관련을 맺고 있다는 점에서 주목을 요하는 경우이다.

이찬의 문단 등단은 1928년 『신시단』 8월에 「봄은 간다」를 통해서 이루어진 것으로 알려져 있다[1]. 하지만 최근의 조사에 의하면, 그는 이미 학생 시절에[2] 「나팔」을 발표함으로써 문인의 길로 들어섰다고 한다[3]. 어떻든 그의 등단은 1927년 전후인데, 실상 그를 카프 작가로 한정할 경우 그가 문인의 길로 들어선 시기는 매우 늦은 편이라 할 수 있다. 이는 이 시기 다른 카프 시인들의 경우와 비교해도 상당히 뒤처진 편이었는데, 이런 시간적 격차는 그의 시세계를 다른 카프 작가의 것과 구별시키는 지점이 되기도 했다. 1928년은 시기적으로 경향문학이 이미 자연발생기인 신경향파 단계를 벗어난 때이고, 제1차 방향전환이 시도될 만큼 강력한 당파성이 요구되는 시기였기 때

1 권영민, 『한국근대문인대사전』, 아세아문화사, 1990, p.959.

2 조선일보, 1927년 11월 27일.

3 이동순, 박승희편, 『이찬 시 전집』, 소명출판, 2003.

문이다. 따라서 그의 시세계에서 신경향파적인 요소를 찾아내는 것은 쉽지 않은 일이거니와 그는 곧바로 목적의식기가 요구하는 경향의 작품들을 발표하기 시작했다.

이찬이 경향파 문인이 된 것은 정확히 일본 유학 이후의 일이다. 그가 일본 유학을 떠난 것은 1929년, 그의 나이 29세 때이다. 이찬은 일본으로 유학을 떠나기 이전에 여러 지면에 다양한 작품들을 발표한 바 있긴 하지만, 그 시정신은 대부분 회고의 정서를 읊은 것이거나 서정의 진폭이 크게 울려나는 것들이었다. 그러나 이런 센티멘털한 시정신은 일본 유학 생활을 거치면서 크게 변모하게 된다. 잘 알려진 대로 그는 유학시절에 〈무산자사〉와 깊은 관련을 맺고 있었을 뿐만 아니라 카프의 중심 멤버였던 임화를 이곳에서 만나게 된다[4]. 〈무산자사〉를 통한 조직에 대한 이해, 그리고 여기서 임화와의 만남은 이찬의 세계관에 커다란 영향을 미치게 되고, 이후 그의 시들은 이전과는 다른 모습을 보이게 된다. 결국 그는 이 시기에 「일꾼의 노래」를 비롯한 경향시를 지속적으로 발표함으로써 경향파 시인의 중심으로 자리하게 된다.

하지만 이찬의 일본 유학 생활은 오래 지속되지 못했다. 어떤 이유에서인지 몰라도 도일한지 일 년이 채 되지 않은 1930년 2월 말 귀국했기 때문이다. 하지만 그는 곧바로 5월에 또 다시 일본 유학길에 오르게 된다. 이때 그가 유학 생활중에 한 문예활동이 『동지사』의 편집위원 일이다. 지속되지 못한 일본 유학 생활이지만 이찬은 이런 경험을 통해서 계급의식에 거듭 눈을 뜨게 된다.

4 윤여탁외, 『한국리얼리즘 시인론』, 태학사, 1990, p.91.

이찬은 1932년 5월 일본에서 완전히 귀국하게 되고, 이후 카프의 중앙위원으로 선출됨으로써 본격적으로 계급 시인이 된다. 하지만 얼마 후 '별나라 사건'으로 검거되어 2년 가까운 복역생활을 하게 된다. 복역 생활은 이찬에게 매우 특별한 경험으로 다가오게 된다. 늦은 등단과 활발했던 창작 활동은 피검으로 중단을 맞이하게 되지만, 카프 시인으로 할 수 있는 중심 역할 중의 하나인 실천으로서의 시인이라는 새로운 레테르를 얻을 수 있었기 때문이다. 말하자면 그는 운동으로서의 문학 뿐만 아니라 실천으로서의 문학을 함께 경험한 몇 안 되는 카프 시인이었던 것이다[5].

그는 카프 작가로서의 길을 충실히, 그리고 꾸준히 걸어온 시인 가운데 하나이다. 그는 이 시기 카프가 요구하는 임무에 충실히 복무했을 뿐만 아니라 그에 걸맞은 시정신을 모범적으로 보여주었기 때문이다. 하지만 이찬의 작품들은 자신의 초기시부터 계급적 성향을 드러내지는 않았다.

북쪽 나라—눈바람 불어치는 거치른 벌판에
외로이 모여 선 산향나무의
남국을 그리우는 쓰린 마음을
뉘라서 알아주리!
두견 우는 비애의 호젓한 미지를
초생달의 엷은 빛만
입을 씻고 흘러라

5 이는 이 시기 감옥 경험을 바탕으로 소설 「물」을 발표한 김남천의 행위와 비견되는 경우이다.

말갛고—노랗고—또—하얗고—빨간—

채색의 풀꽃이 무르녹던 화원도

눈 나리기 전 그 옛날의 환상이어니

지금은 어둔 컴컴한 빛속에 파뭇쳤어라

그렇다고 그대여! 내 마음은 막지 말어라

이 몸은 열두번 죽어 두더지가 되어서라도

손발톱이 다 닳도록 눈벌판을 헤매여서

기어히 이러진 화원을 찾아보고야 말려노라

「잃어진 화원」 전문

이 작품은 「봄은 간다」와 더불어 1928년에 발표된 작품이다[6]. 그의 등단이 1927년이니 거의 초기시에 해당하는 작품이라 해도 무방한 경우이다. 우수의 정서가 깊이 배어 있는 이 작품은 이찬의 시세계와 사뭇 다른 경향을 갖고 있다. 하지만 한 시인의 초기 시들이 이후 시 세계를 이끌어가는 지배소라는 점에서 이찬의 「잃어진 화원」이 갖는 의미는 아무리 강조해도 지나치지 않을 것이다. 모든 작가에게 비슷한 것이긴 하지만 등단작이나 초기 시는 외따로 존재하는 독립적인 것이 아니기 때문이다.

이 작품의 배경 중 하나는 이찬 시의 주류적 특색 가운데 하나인 북국 정서이다. 이는 시사적 흐름에서도 그 의미가 매우 큰 경우인데, 잘 알려진 대로 일제 강점기 우리 시사의 줄기는 크게 두 흐름 속에 형성되어 왔다. 하나가 바다로 향하는 흐름이었다면, 다른 하나

6 『신시단』, 1928, 8.

는 대륙으로 향하는 흐름이었다. 한국 근대 문학이 제국주의 문학으로부터 자유롭지 않은 이상, 전자의 경우는 늘상 주목의 대상이 되어왔다. 이를 대표하는 것이 현해탄 콤플렉스로 대표되는 정신적 고뇌의 표상이었다[7]. 이는 새로움을 향한 열정과 근대를 향한 기대가 만들어낸 의식의 편향과 무관하지 않은 경우이다. 하지만 후자의 경우는 크게 주목의 대상이 되지 못했다. 이는 대륙지향성이 이미 한갓 지나간 시절의 유물 정도로 인식되었기 때문이다. 그것은 어쩌면 봉건적 유산과 그 한계가 낳은 불가피한 결과였을 것이다.

그리고 다른 하나는 이 북국 이미지가 주는 상징성이다. 그것은 겨울이나 눈의 이미지에서 파생되는 바, 실상 일제 강점기에 이러한 이미지에 기대는 것만으로도 사회적 파장이 큰 경우였다. 겨울이 주는 신화적 의미만큼 이 시기 조선의 현실을 잘 대변해주는 것도 없었을 것이기 때문이다. 이를 긍정하고 자연스럽게 수용한다면, 이찬은 초기시부터 민족적 자각과 그 경계에 대한 사유를 뚜렷히 표방한 시인이라고 하겠다.

세 번째는 일종의 낙원의식이다. 이 의식은 이 시기 통상 두 가지 이상의 의미로 이해된다. 하나는 존재론적인 것인데, 실상 이는 보편의 감수성 속에 제어되는 것이다. 적어도 세계내 속에 던져진 인간, 의식과 무의식의 이분법을 적극적으로 수용하는 인간이라면 이런 감수성으로부터 자유로운 경우는 없기 때문이다. 그리고 다른 하나는 북국 이미지와의 상관성이다. 북국이 신화성과 불가분의 관계에 놓여 있는 것이라면, 낙원은 거기에 갇혀있는 죽음의 실체와도

7 근대로 표상되는, 제국주의 일본에 대한 동경의 편린이 드러나는 임화의 작품은 잘 알려진대로 「해협의 로맨티시즘」이다.

같은 것이다. 그것이 곧 잃어버린 낙원일 것이고, 또 이 향수야말로 이 작품의 주제일 것이다.

이런 여러 다층적 의미에도 불구하고 여기서 가장 주목의 대상이 되는 것은 낙원의식의 상실이다. 시인에게 그 잃어버린 낙원에 대한 회복의지는 매우 가열차다. 시적 자아는 상실한 낙원을 다시 원상으로 복원하기 위해서 자신에게 주어진 모든 것을 바치려 한다. 가령, "이 몸은 열두번 죽어 두더지가 되어서라도/손발톱이 다 닳도록 눈벌판을 헤매여서/기어히 이러진 화원을 찾아보고야 말려노라"고 다짐하는 것이다. 낙원은 동토로 뒤덮여 있기에, 다시 말하면, 어떤 불가역적 힘의 논리에 의해 갇혀 있기에 시적 자아는 그 밑을 파헤쳐 들어가고자 한다. 그것은 굳건히 얼어붙은 땅을 공략하는 것보다 훨씬 수월하다고 보기 때문이다. 이는 현실의 한계를 돌파하는 일종의 전략이고, 또 적극적인 시정신의 행방일 것이다. 그에 대한 가열찬 의지야말로 이찬 시의 출발점이 될 것이다.

2. 경향시로 향하는 여정

이찬이 카프와 공식적인 관계를 맺은 것은 1932년 카프 중앙 위원이 되면서부터이다. 이후 『문학 건설』 창간에 적극 참여 했다가 1932년 '별나라 사건'으로 신고송과 함께 감옥에 갇히는 신세가 된다.[8] 이런 일련의 전기적 사실에서 알 수 있는 것처럼, 이찬이 카프에 가

8 윤여탁, 앞의 논문, p.91.

담한 시기는 상당히 늦은 편이다. 또 이 시기는 1931년 만주 사변 이후 소위 객관적 정세가 악화되어 가던 때이다. 그는 이렇게 카프와는 늦게 그 인연을 맺었다. 카프는 이때 이미 제1, 2차 방황전환을 한 이후 유물변증법적 창작방법이 갖고 있었던, '공식주의'라는 범주에 갇혀 있었던 시기였다. 카프는 이 공식주의를 벗어나기 위해서 사회주의 리얼리즘이라는 새로운 창작방법을 수용하고 있었다. 이찬이 카프 맹원이 되던 시기는 이렇듯 카프가 많은 변신을 시도하고 있었던 때였는데, 이런 문단적 경향은 그의 작품 세계에도 일정 부분 반영되어 나타난다. 그의 시들이 주로 관념 위주의 시들로부터 자유로웠던 것은 이와 무관하지 않다.

관념지향적 창작 방법의 한계를 넘어선 카프의 시들이 1920년대 후반 개념 위주의 시로 나아갔고, 또 이에 바탕을 둔 선전 선동에 충실한 시를 생산해내었던 것은 잘 알려진 일이다. 하지만 그것은 시의 맛을 떨어뜨리는 것이었고, 독자로 하여금 카프 시로부터 멀어지는 계기가 되기도 했다. 그리하여 그에 대한 개선 방향으로 단편서사시가 제시되었다. 그것은 일상의 현실과 재미있는 요소들을 개입시키기 위한 대중화의 한 방법으로 고안 기획되었다. 하지만 이찬의 시들은 이미 이런 시단의 논쟁의 과정을 벗어난 상태에 놓여 있었다. 이는 곧 그의 시들이 당시의 분위기를 자유롭게 반영하면서 자신만이 포지하고 있었던 시의식을 자연스럽게 펼칠 수 있었던 계기가 되었다.

일꾼이여! 나아오라!
공장에서, 학교에서, 저자에서, 포구에서—
그대들이 작일의 전야에 패배한 피투성의 기록과

쌀쌀한 계집에게 채임받은 연연의 쓰라림이
오늘엔 동전 한푼의 값이 없나니 씀이 없나니
햇빛 못보는 음울한 토굴 속에서
광명의 새 세기를 찾으려거든
허물어진 그대들의 화원에 새로운 봄을 맞이하려거든
사벨을 펜을 뿔곽을 곡괭이를 가지고서
이곳으로 그대들의 일터로 줄달음질하야 나아오랴!
그러나 미적지근한 일꾼이거든
차라리 나오지 말라!
백에 하나라도 천에 단 하나라도
이글이글 타오르는 태양같은 힘찬 열정과
하늘 땅마저 무너져도 무서움 없는 굳센 용력을 가지고서 나오라!
그러고 일꾼이여!
그대는 주린 배를 허리띠로 졸라매고서라도
사랑스런 아내의 입술을 물리쳐버리고서라도
동으로 천리 북으로 삼천리 하염없이 쏘아다니며 뜻같은 동무를 찾아서—
그들과 손을 잡고 일하라! 밤낮을 헤아림 없이 죽을 힘을 다하여 일하라!
만일 불행히도 그대가 중도에서 거꾸러지더라도
백사장에 물든 그대의 새빨간 피가
가두(街頭)에 남은 그대의 거치른 발자취가
울고만 있는 어리석은 무리들의 가슴을 터지게 하리니

그리고 그대의 뒤를 따라 일어나게 하리니
그때—오래인 날 그대들의 눈앞에 자랑하든 무리
윽살리든 무리 너덜대든 무리 모두 꼬리를 감추고서
미구에 어둠을 뚫고 광명의 세찬 북소리 요란히 들려오리니……

「일꾼의 노래」 전문

이 작품은 이찬이 카프의 중앙위원이 되기 전, 보다 정확하게는 〈무산자사〉와 관계를 맺은 직후에 발표된 시이다[9]. 이 작품을 지배하는 기조는 관념투의 어조와 이에 기반한 낙관적 전망의 세계이다. 이찬은 카프 작가로서 그 출발이 상당히 늦은 경우라고 했다. 그렇기에 그의 작품에는 '가난'을 기조로 하는 신경향파적인 특색이 잘 드러나 있지 않을뿐더러 단편서사시에서 요구하는 인물이나 사건 등 서사성의 구성도 상당히 미약한 편이었다. 인물과 사건은 등장하되 그것이 작가의 시야로부터 거리화된 것이 아니라 작가의 어조 속에서 통일되어 나타나는 것이 대부분이었던 것이다. 이런 유형의 시들에서 볼 수 있는 특징적 단면이란 인용시에서 보듯 선언이나 주장을 여과없이 펼쳐보이는 경우이다. 이런 시들이 관념 위주의 시라는 혐의를 벗어날 수 없는 것인데, 이는 카프 시에서 가장 경계했던 경향 가운데 하나였다.

어떻든 이 시기 이찬의 시들은 당파성이 엄격히 요구되었던, 카프 문학이 갖고 있던 한계로부터 벗어나지 못했다. 그럼에도 「일꾼의

9 『학지광』, 1934.4.

노래」는 이찬의 시세계에서 몇 가지 긍정적인 요소를 갖고 있다. 첫째는 인용시가 「동모여」와 함께 이찬의 작품 세계에서 최초의 경향시에 해당한다는 점이다. 이찬은 「잃어진 화원」에서는 낭만적 이상향을 노래한 바 있고, 「봄은 간다」에서는 서정적 자아의 빈약한 자의식을 자연환경에 기대어 초월하고자 했다. 하지만 이들 작품에서는 카프 작가로서의 면모를 담지할 수 있는 특징적 단면들은 발견할 수 없었다. 그러던 것이 「동모여」나 「일꾼의 노래」에 이르러서는 근로하는 노동자들의 세계를 다룬 시들을 생산해내기 시작했던 것이다.

두 번째는 이 작품이 담고 있는 주제 의식이다. 이 작품의 중심요소랄까 기제는 이른바 전망의 세계에서 찾을 수 있다. 문면에 드러나 있는 바와 같이 이 작품은 미래에의 밝은 전망에 기대고 있다. 현장의 단순한 모사나 그로부터 얻어지는 분노랄까 적개심의 정서가 아니라 이 작품은 처음부터 작가의 세계관에 의해 압도되고 있는 형국으로 구성된 작품이다. 이런 낙관적 전망이야말로 이 시기 본격적으로 등장하기 시작한 사회주의 리얼리즘의 영향일 것이다. 따라서 카프의 퇴조에 따른 좌절의식과는 거리가 있는 작품이라 할 수 있다.[10]

「일꾼의 노래」는 문학성 여부를 떠나 이찬이 리얼리즘의 세계관을 담보하기 시작한 시기의 첫 번째 작품이라는 점에서 그 시사적 의의가 있는 경우이다. 그는 이 작품을 계기로 본격적으로 현장의 모순에 대한 올곧은 인식과, 미래에의 밝은 전망을 확보하게 된다.

10 김용직, 『한국현대시사』, 한국문연, 1996, p.608.

가구야 말려느냐
순아
너는 참 정말 가구야 말려느냐

산기로 삼백리 물길로 육십리
저 낯선 마을 낯선 거리 실뽑는 공장으로
가구야 가구야 말려느냐

응—가난한 네 집을 위해서거든
가난한 네 집 살림을 위해서거든
칠순에 풍나 누은 네 아버지와
육순에두 품팔이하는 네 어머니를 위해서거든

내 아무리 이리두 서러운들
내 아무리 이리두 안타까운들
오 어찌 너를 막을 수 있겠니 걷잡을 수 있겠니

내 만일에 고용살이하는 신세가 아니었든들
고용살이로 삼사 명 식솔을 기르는 신세가 아니었든들

허드라두 허드라두
네가 가려는 그 곳이
네가 가려는 그 공장이
그의 말같이 그 모집원의 말같이

"일 헐하구 돈 많이 나고 대우야 아주 좋구——" 하다 하면야 했으면야

순아 그런 데가 단 하나인들
지금의 이(略) 어느 곳에 있다구 하디(五行略)

그렇다 하루 이틀 지나는 동안
한달 두달 지나는 동안
네 가슴에 네 가슴 속에
봄동산의 새움같이 솟아오를
불평과 불만

오 그때 너는
눈물짓기 일삼지 말구
한숨짓기 일삼지 말구
(五行略)
너희들의 힘을 힘을 써다우(略)

그래야 참으로 내 사랑이다
그래야 참으로 내 순이다

오오 샛별같은 네 눈초리
붉은 네 볼——조그만 네 손길
일후 일후 만나두 다시 볼 수 없겠구나 찾아볼 수 없겠구나

오 오 가구야 말려느냐
순아 순아
너는 너는 참 정말 가구야 말려느냐

「가구야 말려느냐」 전문

이 작품은 발표 연대로 보아 '별나라 사건'으로 피검 되기 직전에 쓰여진 시이다[11]. 초기작에 비하면, 인용시는 몇 가지 의장에서 진척된 면을 보인다. 우선, 카프시의 주류로 자리한 단편 서사시의 특징적 단면이 드러나고 있다는 점이다. 이 작품의 주인공은 '순'이다. 그는 산골 출신이지만 가정의 생계를 위해서 공장의 노동자로 기꺼이 변신하게 된다. "저 낯선 마을 낯선 거리 실뽑는 공장으로" 가고야 마는 것이다. 여기서 알 수 있는 것처럼 이 작품을 이끄는 주요 요소는 인물이며, 노동자로 변신하는 사건이 그 배경으로 자리하고 있다. 이런 면들은 「일꾼의 노래」에서 드러난 주관의 우위 현상이 어느 정도 사라졌다는 점에서 그 의미가 있다. 인물과 사건이 등장하고 그들 속에 편입된 의식이 독자의 몫으로 자연스럽게 다가오고 있는 것이다. 이는 관념 위주의 문학이 가져올 수 있는 서정시의 한계를 극복해주는 의장이라 할 수 있다. 현장 감각에 충실한 이런 류의 시들은 카프가 엄격히 요구했던 '목적의식성'을 투쟁 현장의 슬로건으로부터 벗어나게 할 수 있었다는 점에서 그 의미를 찾을 수 있다[12].

11 조선일보, 1932.5.6.
12 신범순, 『한국 현대시사의 매듭과 혼』, 민지사, 1992, p.203.

둘째는 주인공의 변신과정이다. 근대 산업 사회가 요구하는 신분의 변화는 경제적인 요인에 의해 결정된다. 가령, 중세의 신분 계급이 경제 계급으로 새롭게 재편되는 과정에서 인간의 운명이 정해지는 것인데, 여기에서 주인공은 농촌에서 산업사회로 편입되는 과정에서 이루어지는 신분의 분해과정이 사실적으로 묘사되어 있다. 다시 말해 농민에서 노동자로의 하층 분해가 그것이다. 그러나 농민의 자연스런 분해 과정이 필연적인 것임에도 불구하고 이 작품에서는 그러한 도정이 매우 센티멘털한 과정으로 처리되고 있다. 이는 분명 이 작품이 갖는 한계인데, 하지만 그 반대편의 시각에서 바라보게 되면, 이러한 과정이 전연 부정적인 것이라고는 할 수 없을 것이다. 익히 알려진 대로 카프 문학의 가장 큰 목적 가운데 하나는 아지 프로에 있고, 또 대중화에 있다. 여러 명이 모여서 움직이는 동지적 결합이야말로 카프 문학의 존재 의의이기 때문이다. 그러기 위해서는 아지 프로의 도정에 정서적 공감대가 올곧게 형성되어야 한다. 그래야만 비로소 대중에게 동화라는 매혹으로 자리할 수 있기 때문이다. 게다가 이들의 정서 속에 놓여 있는 것은 계급 의식적인 것에만 한정되는 것도 아니다. 일제 강점기라는 또 다른 모순 관계가 이들의 정서 속에 내재해 있었기 때문이다. 그럴 경우 대중의 공감대를 가져오는 것은 최저 수준의 인간적 조건일 것이다. 이런 조건을 충족시켜주는 것이야말로 「가구야 말라느냐」에서의 여주인공 '순'이의 처지일 것이다. 독자는 그가 처한 상황 속에 함께 맞물려 가면서 하나의 동일체로 거듭 승화하게 된다. 그런 유기적 동일체로의 변신이야말로 아지 프로의 구경적 목적일 것이다.

지구야 말다니!

지구야 말다니!

우리들의 요구를 들어줄 때까지는

요구의 전부를 들어줄 때까지는

×기까지 ××자구

……의 한사람까지 ××자구

그렇게두 맹서하구 일어났든 우리들이 아니었느냐

그렇게두 약속하구 일어났든 우리들이 아니었느냐

오 · 일어나서 보름을 하루같이

주림과 이 된추위를 무릅쓰면서

공장……으루 · 가두××루

이 악물구 ××온 우리들이 아니었느냐

철없는 아들 자식 · 딸년들까지

짚신짝 · 광주리를 행상시키며

××온 ××온 우리들이 아니었느냐

그! ××한 ××의 ××에두

말누 그 ××한 ××의 ××에두

털끝만치두 굽절지 않구서

꿈속의 단 한때두 굽절지 않구서

그런데 · 그런데 우리가 지구야 말다니!

오 · 오오—

녀석들 땜에

그 녀×들 땜에

탁……부!

××자!

그 녀×들 땜에

지구야 · 지구야 말었구나!

참—

우리두 어리석었다 미련하였다

왜 타……부 그 녀×들을 믿구 · 일을 맽기구

왜 ××자 그…석들을 그냥 두었든가!

그저 두었든가!

지금 · 우리들은 이리두 원통해 해두

지금 · 우리들은 이리두 통분해 해두

녀×들은 그 ×석들

그×으루 우리들의 ××을 ×라먹은 그 ×으루

어디서 좋아라 · 즐거워라 너덜대구 있을게로구나

응……

으응—

허드라두 허두라두

기우 이리 된 바에
기우 이리 되구야만 바에
언제까지나 이렇게만 하구 있을게 아니다
언제까지나 이렇게 생각하구만 있을게 아니다
우리들의 가슴 끓는 ×가 식지 않구
우리들에게 또 젊은 앞날이 있지를 않느냐
자! 동무들!
먼저 내쫓아버리자꾸나 쫓아내버리자꾸나
타××부 그 ×석들을 내쫓아내버리자꾸나
××자 그 ×석들을 쫓아내버리자꾸나

그리구 ××하자꾸나!
더구나 굳세히 열곱 스물곱 굳세히
××하자꾸나!
두번 다시 ××나기 위하야
××나서 기어이 이기기 위하야
오오 · 지구야만 이…의 ××을 하기 위하야……

「지구야 말다니」 전문

이 작품은 목적의식기에 생산된 이찬의 대표시 가운데 하나이다. 대표시라고 하긴 했지만, 몇 안 되는 이 시기 그의 시 가운데 노동의 현장을 다룬 작품이라는 점에서 그 의미가 있다. 이 작품의 배경은 파업투쟁이다. 그런데 그 결과는 제목에서 드러난 바와 같이 패배한 경우이다. "지구야 말다니"라는 비극적 영탄의 정조가 이를 잘 말해

준다. 파업의 시작은 먼저 모든 노동 현장이 그러하듯 대동 단결에서 시작되었다. 그렇기에 승리 또한 보장되는 것처럼 보였다. 하지만 파업의 과정에서 일탈자가 생겨났다. 관리자들의 설득에 넘어간 자들이 생겨난 것이다. 성공하는 듯 보였던 파업이 실패한 것은 이 배반자들 때문이었다. 그러니 보다 나은 미래라든가 새로운 투쟁 전선을 위해서는 부르주아 층보다 먼저 이들에 대한 당파적 정리가 필요했다. 다시 말하면, 비당파적 요소들을 먼저 제거한 다음에야 비로소 새로운 투쟁의 대오가 만들어질 수 있다는 것이다.

완전한 단일체, 당파적 결속으로 묶이기 위해서는 비당파적 요인들은 정리되어야 한다. 카프가 여러 방식의 논쟁을 통해서 당파성을 하나로 모으고자 했던 것은 모두 이와 밀접한 관련이 있다. 당파적으로 결속되지 않고서는 투쟁의 전선을 하나로 결집시킬 수 없었기 때문이다. 카프 조직이 그러했던 것처럼, 이 작품의 전개 양상 또한 그 연장선에 놓여 있다. 온전한 승리를 전취하기 위해서는 하나의 통일체, 곧 당파성으로 결속되어야 함을 이 작품은 시사하고 있는 것이다.

당파성을 향한 가열찬 투쟁을 외치던 이찬의 시들은 여기서 더 이상 나아가지 못한다. 점점 열악해지는 객관적 상황과, 카프에 대한 지속적인 탄압으로 말미암아 그의 시정신은 커다란 도전을 받았기 때문이다. 그리고 그로 하여금 경향시인으로 남게 하지 못한 결정적 계기는 검거에 따른 투옥이었다. 이제 그는 새로운 시정신으로 나아가야 할 또 다른 선택지를 찾아야 할 때가 되었다.

3. 북방의식-얄루강 콤플렉스

이찬의 경향시들은 여러 가지 한계를 갖고 있었는데, 그 중에 하나가 늦은 등단에 따른 시작 활동의 제약이고, 다른 하나는 그럼으로써 카프에 늦게 가입한 사실이다. 그의 시들은 이 시기 다른 카프 작가의 작품들과 달리 경향시의 변모 과정에 적확하게 대응되지 않았다. 가령, 이찬에게는 자연발생기인 신경향파적인 작품이 없었고, 또 목적의식기의 당파적인 작품이 상당히 적었던 것이다.

반면 그의 시들은 이 시기 다른 카프 시인들의 작품에서 볼 수 없었던 요인들도 드러나고 있었다. 그 가운데 하나가 감옥 체험과 관련된 시들이었다. 그는 김남천과 더불어 실형을 선고 받고 감옥에 갇힌 몇 안 되는 카프 작가들 가운데 하나이다. 김남천은 그러한 경험을 작품 「물」을 통해서 발표한 바 있다. 이 작품은 임화에 의해 작가적 실천이 아니라 생물학적 경험에 의한 것이라는 낮은 평가를 받긴했지만[13], 카프 작가로서 할 수 있는, 문학적 실천과 작가적 실천을 동시에 수행한 경우였다. 산문 양식에서 김남천이 있었다면, 율문 양식에서는 이찬이 있었다. 그는 '별나라 사건'으로 피검된 뒤, 실형을 선고 받고 약 2년간의 감옥생활을 하게 된다. 이 때의 경험을 바탕으로 쓴 시가 「귀향」, 「면회」, 「만기」 등등이다.

마치 맘 다해 사랑하는 님
삼사년 머언 타향 있다 그의 돌아오는 날과도 같은

13 임화, 「6월 중의 창작」, 조선일보, 1933.7.18.

오늘이여 오늘 만기(滿期)날이여
(중략)
이 생각 저 생각이 마치 선잠이나 깨인 듯이
내 가슴 속에 머리 쳐들고 아우성들 친다

눈은 점점 더 말뚱해만 지고 - - -
머리는 점점 더 해맑아만 오고 - - -

아 저 북행 막찬가
우렁차게 울려오는 기적 소리 - - -

이젠 몇 시간 밖에 안남았구나
오오 오늘 천구백삼십사년 구월 사일이야

「만기」 부분

이 작품을 지배하는 정서는 일종의 해방감이다. 가족과 친구와의 새로운 해후 정도라든가 한동안 갇혀 있었던 자아가 맛볼 수 있는 정서적 카타르시스가 이 작품의 지배소이다. 「물」을 폄하했던 임화가 이 작품에 대한 비평을 했다고 가정하면, 아마도 비슷한 평가가 내려졌을 개연성이 크다. 하지만 이찬은 이 작품 외에 다른 글에서 감옥 체험을 특별히 의미화시킨 적도 없고, 또 그것을 계급 투쟁의 연장선에서 응시한 적도 없다. 그는 단지 감옥으로부터의 벗어남이라는 서정적 황홀을 자신의 정서 속에 스펙프럼화했을 뿐이다.

어떻든 이찬은 감옥에서 풀려난 후 자신의 고향인 북청으로 되돌아오게 된다. 그의 귀향은 반강제적인 계기에 의해 이루어진 것이긴 하지만, 이 시기 카프 작가들이 보여준 행위와 비교할 때 그 의미가 있는 것이라 할 수 있다. 잘 알려진 것처럼, 카프는 두 차례의 검거로 그 활동이 상당히 위축되어 있었다. 카프 맹원 대부분이 피검되어 재판을 받거나 투옥되면서 나아갈 동력을 잃은 상태였다. 여기에 만주사변을 비롯한 제국주의의 지나친 우편향적인 정책들은 더 이상 진보적인 문학 활동을 자유롭게 해나갈 수 없는 상황으로 몰아넣었다. 그런 객관적 상황들이 카프를 해산하게끔 했고, 그 구성원들은 전향이라는 새로운 현실 앞에 놓이게 되었다. 그리고 그 실천적 행위 가운데 하나가 귀향이었다.

귀향은 전망이 부재한 상황에서 카프 구성원이 선택할 수 있는 행위 가운데 하나였고, 이찬의 귀향 또한 그 연장선에 놓여 있는 것이었다. 그런데 중요한 것은 카프 구성원들에게 귀향이 단지 수구초심의 생물학적 반응이 아니라는 사실이다. 그것이 곧 일상에의 복귀라는 새로운 현실과의 마주함이다. 이런 도정을 가장 잘 보여준 사례는 익히 알려진 대로 한설야이다[14]. 그는 이 시기 일련의 작품들을 통해서 현실을 추체험할 수 없는 카프 작가들의 고뇌를 여과없이 보여주었다. 아무리 사소한 일상이라도 참견이라는 형식을 통해서 그들이 가지고 있었던 현실에의 관심, 현실에의 참여와 같은, 현실과의 끈끈한 관계를 놓을 수 없었던 것이다.

카프 작가들의 귀향, 그리고 일상의 복귀가 하나의 정식화된 도정이라는 전제가 성립할 경우, 시인으로서의 이찬, 카프 작가로서의

14 그는 이 시기 귀향과 관련한 작품을 어느 카프 시인보다 많이 써 내었다. 그를 두고 귀향의 작가라고 부르는 것은 이와 무관하지 않다.

이찬이 펼쳐보인 귀향의 의미란 무엇일까. 이찬은 약 2년간의 복역 생활을 마치고 고향에 돌아오게 된다. 그는 생계를 위해 관납 상회와 북청문화주식회사, 양조장 등에서 일을 했다.[15] 그러는 한편으로 그동안 발표한 작품들을 중심으로 시집 출판을 준비했다. 이런 준비과정을 거쳐 3년 뒤 그의 첫 시집 『대망』이 중앙서관에서 나오게 된다. 귀향과 관련하여 이 시기 이찬의 정신 세계를 잘 보여주는 작품이 「후치령」이다.

> 차는 지금 허덕이며 올라간다 연해 이저리 몸을 저으며
>
> 아아(峨峨)한 준령(峻嶺)을 굽이돌아
> 우로 발판 넓이 비탈지고 쬐악돌 깔린 길을
>
> 외론 가도 가도 늘어선 이깔
> 장! 세차게 뻗어 아득히 창공을 찌르는 용자(勇姿)여!
>
> 그 기슭에 우거진 황철 · 짜잭이……
> 거기 군데 군데 몇 포기씩 피어 흐느적이는 이름모를 꽃들아 연자줏빛 초록빛 티끌 모르는 청초한 자태 사랑스럽기도 하다
>
> 우로는 갈수록 깊어지는 골째기 낮아지는 군소 산맥

15 이찬 전집, p.599.

골짜기를 꾸을렁 꾸을렁 기어가는 한줄기 백사 같은 계류(溪流)의 흐름이여

오르락 나리락한 산맥의 기복(起伏)들은 마치 격랑(激浪) · 연파(漣派)……

사위는 적적!!

우는 벌레 · 지저귀는 새소리도 드물다

이십 분 · 삼십 분……

얼마를 왔느뇨

또 얼마를 가야느뇨

아아 여기가 후치령(厚峙嶺)

해발로 오천 척

이수로 오십 리

아 후치령 후치령!

감개가 무량타 후치령!

묻노니 너는 그 어느 해 어느 날 어느 때부터

몇천 · 몇만의 고향 산천 이별에 눈물 젖은 보따리를

저 멀리 얄누 넘어 호지(胡地) 광막한 북만주벌로 마저 보내었느뇨

오 허구헌 세월 기나긴 동안

게서도 발 못붙이고 밀려오는 한숨어린 무거운 발길을
또 몇백 · 몇천이나 의지 거처 없는 이, 삼지사방으로 맞아
들이었느뇨

오호 앞으로도 몇천 · 몇만을……
앞으로도 몇백 · 몇천을…

너는 말이 없다
너는 대답이 없다

오 후치령!
너 한 개 비장한 이 땅 역사의 묵묵한 반려(伴侶)여
그러나 너는 알고 있으리라
네 네 손을 들어 흔들며 가슴 아픈 그 송영(送迎)에 영결(永訣)
을 지을 날이 언제일 것을

슬프다 우매한 인간! 그도 저도 정처 알 바 없거니
오 이 여인(旅人)의 가슴은 날콩 볶듯
후득이고 스르르 뜨거워지는 눈두덩을 금할 길 없구나

오오 후치령! 후치령!

차는 여태 허덕이며 올라간다
연해 이저리 몸을 저으며

아직도 아아(峨峨)한 준령을 굽이 돌아 우로 우로
발판 넓이 비탈지고 꾀악돌 깔린 길을……

「후치령(厚峙嶺) — 북관천리주간(北關千里周看) 시(詩) 중(中) 기일(其一)」 전문

후치령은 함경남도 북청군 이곡면과 함경남도 풍산군 안산면 사이에 있는 계곡이다. 출옥한 후 고향으로 향하던 이찬이 가장 먼저 대면했을 공간으로 추정되는 곳이 이 '후치령'이다. 따라서 이 공간은 그가 귀향의 과정에서 첫 번째 마주한 곳이고, 또 이후 그의 시세계의 방향을 일러주는 거멀못이 된다는 점에서 중요한 곳이라 할 수 있다. 다시 말하면, 후치령은 단순히 지리적 공간이라는 의미를 넘어서 이찬의 정신 세계를 대변해주는 객관적 상관물이라는 점에서 그 의미가 있는 것이라 할 수 있다.

카프 작가들에게 귀향이란 진보 문학이 더 이상 나아갈 수 없는 자리에서 이루진 것이라 했다. 그러한 도정은 이찬이라고 해서 예외가 아니다. 그는 만기 형기를 마치고 여타의 카프 문인들처럼 고향으로 돌아오게 된다. 그 도정에서 그가 처음 마주한 공간이 '후치령'이었다. 귀향의 과정에서 처음 마주친 '후치령'은 시인에게 정서적 공감대를 유지해주는 공간이면서 반가움의 대상이 아닐 수 없었다. 그러한 정서의 표백들은 이 작품의 2연과 3연에 잘 나타나 있는데, "세차게 뻗어 아득히 창공을 찌르는 용자"라는 감정이입이 그러하고, "아연자줏빛 초록빛 티끌 모르는 청초한 자태 사랑스럽기도 하다"라는 예찬의 정서가 또한 그러하다. 그에게 '후치령'은 고향의 은유였다. 그렇기에 그것은 이렇듯 정감어린 대상으로 편입되고 나타날 수 있

었던 것이다.

하지만 이런 동일성의 정서들은 작품의 중반부를 거치면서 전연 다른 것으로 전화하게 된다. “고향 산천 이별에 눈물 젖은 보따리를/저 멀리 얄누 넘어 호지(胡地) 광막한 북만주벌로 마저 보내었느뇨”라든가 “한숨어린 무거운 발길을/또 몇백·몇천이나 의지 거처 없는 이, 삼지 사방으로 맞이들이었느뇨”로 의미의 변이를 이루게 되는 것이다. 이제 후치령은 자아에게 동일성의 대상이나 예찬의 정서로 더 이상 남아 있지 않게 된다. 그것은 단순히 물리적 대상이 아니라 집단의 정서 속에 깊숙이 스며들어 의미화되기 시작하는 것이다. 그 정서의 편입이 끊임없이 물결처럼 오고가는 유이민들의 군상으로 전이되어 나타나게 되는데, 실상 이러한 전화는 카프 작가들에게 있어서 또 다른 유형화의 가능성을 제시해준다는 점에서 그 의미가 큰 경우이다. 이는 곧 민족에 대한 새로운 발견이나 그 의미화와 불가분의 관계에 놓이는 것이기 때문이다.

카프 문학의 기본이 되는 이념적 좌표는 계급 모순이다. 카프 문학이 노동 계급성과 당파성에 기대고 있는 것이기에 이 모순이 기본이 되는 것은 매우 당연한 것이다. 하지만 일제 강점기란 계급 모순과 그에 따른 해방의 정서가 우선시되는 상황은 아니었다. 바로 민족 모순이라는 것이 계급 모순에 앞서 있는 형국이었기 때문이다. 물론 카프 작가들이 현재의 피압박 상황을 타개하게 되면, 다시 말해 계급 모순이 해소되게 되면 민족 모순은 부수적으로 해결되는 것으로 이해해온 것은 사실이다. 그러니 굳이 그 당연한 민족 모순에 대한 인식을 표명하지 않은 것일 수도 있다. 게다가 일제 강점기의 검열의 문제 또한 이 모순을 표면적으로 내세우지 못하게 하는 이유가 되기도 했을 것이다. 그것은 송영의 작품 「인도 병사」를 보면 대번에 알 수 있는 일인데, 이 작품은 외국의 현실, 곧 이민족의 민족 모순을 형상화한 작품임에도 불구하고 작품의 상당 부분이 복자처리 되어 있었다. 이는 민족 모순의 문제가 일제 강점기에 얼마나 금단의 영역이었는지를 잘 보여주는 대목이라 할 수 있을 것이다.

카프 문학 속에 내재된 모순 관계는 계급 모순과 민족 모순이 혼재된 것이었다. 그리고 그 전편에 놓여 있었던 것은 계급 모순이었다. 이제 그것은 표면적으로나마 더 이상 내세울 수가 없었다. 카프가 해산한 뒤에 귀향이라든가 그 뒤에 펼쳐진 일상에의 복귀는 이제 새로운 도전 앞에 놓여 있었던 것이다.

계급이 사라진 자리에 과연 무엇이 놓여야 할 것인가. 서사 양식에서 두더지를 잡아야 하는 일상이 있어야 한다면, 그리고 철도건널목 사고에 대한 항의라도 해야 한다면[16], 그와 비견되는 행위랄까 인식의 전환이 서정 양식에서는 어떠한 것에 대응될 수 있는 것일까. 그것은 숨겨진 것의 드러남, 의식의 저변에 가려진 흔적의 드러남이 되어야 하는 것이 아닐까. 장막 속에 가려져 있던 것들이 새로운 통로를 찾아야 할 때, 그 숨겨진 것들은 어떤 포오즈를 취해야 하는 것일까. 그 포오즈란 전연 새로운 어떤 것이 될 수 없음은 자명한 일일 것인데, 민족 모순에 대한 자각은 이런 여과 과정 속에서 비로소 수면 위에 떠오르는 것이 아닐까. 일제의 냉혹한 감시의 눈빛이 넘쳐나는 현실에서 민족 모순에 대한 인식이 가능한 것일까.

16 그 대표적인 것이 앞서 말한 한설야의 일련의 작품들이다. 「귀향」이라든가 「후미끼리」 등등이 그러하다.

하지만 서정 양식은 얼마든지 그 감시의 눈빛을 피해갈 수 있는 장르이다. 바로 상징이나 은유와 같은 은폐된 의장 속에 그 의식의 희미한 단초를 드러낼 수 있기 때문이다. 귀향의 과정에서 이찬이 발견한 것은 '민족' 혹은 그에 기반한 '정체성'이었다. 보다 정확하게는 뿌리뽑힌 자들의 삶, 곧 유이민들의 세계이다. 계급 모순 속에 가려진 민족 모순이 비로소 수면 위로 떠오르기 시작한 것이다. 그의 귀향이 의미있는 것은 이 때문이라 할 수 있는데, 민족에 대한 이러한 발견은 이 시기 임화의 경우에서도 발견할 수 있다는 점에서 주목을 요하는 경우이다[17]. 카프가 해산된 이후 임화가 응시한 곳은 현해탄이다. 근대주의자였던 그가 항상 관심을 갖고 있었던 것은 바다였는데, 그곳은 근대로 나아가는 통로이기도 했지만, 역으로 조선민족을 억압하는 또 다른 기제가 되기도 했다. 이런 면에서 현해탄은 또 다른 의미의 국경이었고, 북방과 대비되는 남방의 현실이었다. 따라서 국경으로서의 현해탄은 매우 예민한 것이었다. 그 현장에서 임화가 발견한 것은 피폐화된 조선인의 현실이었다. 눈물과 땀에 젖은 관부연락선 삼등 객실에 놓인 조선인들의 암울한 현실이야말로 임화에게는 민족 모순의 새로운 현장이었던 것이다[18]. 민족의 암울한 현실이 임화에게 '현해탄'이었다면, 이찬에게는 '후치령'을 포함한 북방의 국경이었던 것이다.

17 송기한, 『현대문학의 정신사』, 「임화 시의 변모 양상」, 박문사, 2018, pp.77-97.

18 이는 임화의 대표작 「현해탄」의 한 구절인데, 그가 여기서 포착하고 있는 것은 민족의 문제였다. 그는 이를 계기로 계급 모순보다는 민족 모순의 정서로 현저하게 옮아오게 된다.

십일월 하순

끊이락 이으락 분분한 백설 속에
얄누장 팔백리 얼음이 맺어
인마의 통행도 금명(今明)에 다가왔다

도도한 물결소리
유장한 뗏노래와 함께 씻은 듯 사라지고
대륙의 침울한 하늘 밑에 강변은 적적(寂寂)
때로 북만의 거센 나희 성난 듯 놀랜 듯 휩쓸어칠 뿐
오 적적한 강안(江岸)에 즐비한 포대(砲臺)여
누구니 어리석게 손을 꼽아 그것을 헤이려는 자

내일의 그 수는 오늘의 수와 같지 않나니
실로 요소 · 요소에 늘어가는 철조망과 아울러
일대의 경비진은 삼엄에 채질한다

연변(沿邊)의 농가 점점(點點)한 오막사리엔
수심 겨운 아낙네들의 수군거림 높아가고
가가호호 보채는 어린이 타일러 가로대
'그러믄 ○○당이 온단다'

여저기 몇개의 조그만 도시엔
오가는 행인들의 그림자도 드물고

다못 늘어가는 호상(豪商)들의 비장한 이삿짐과
원래(遠來)한 응원대의 매서운 자욱소리 뿐

이러구로 해가 기울어
연렴(延廉) · 태백(太伯)의 준령을 넘어 어둠이 깃들면
별없는 대지엔 경비등이 장사(長蛇)를 그리고
호궁소리도 못듣는 외로운 여창(旅窓)이
몇번이나 쏘는 듯한 수하(誰何) 소리에 소스라쳐 경련한다

오호 진통을 앞둔 시악씨 맘같이
얄누장안(岸) 팔백리 불안한 지역이여

「결빙기(結氷期)—소묘 얄누장안(岸)」 전문

인용시는 이찬의 북방 정서를 대표하는 작품 가운데 하나인데, 작품의 부제가 '소묘 얄누장안(岸)'으로 되어 있다. 곧 압록강 변의 풍경이라는 뜻이다. 국경은 예민한 곳인데, 이는 국가와 국가가 맞닿아 있는 지대이기 때문이다. 이곳의 정서와 국경 너머의 저곳 정서는 사뭇 다를 수밖에 없고, 또 그런 차이가 만들어내는 것이 긴장감과 같은 예민한 감수성이다. 전쟁이 없는 평화의 시간이라면, 국경은 그저 호기심 차원을 넘지 못할 것이다. 전쟁이 진행중이라면, 그것은 생존의 문제와 불가분하게 연결된 것이라는 점에서 차이가 있다.

이찬이 응시한 것은 전쟁의 지대이고, 또 그것은 현재진행형이다. 그러니 국경은 호기심의 차원, 저 너머의 지대를 상상하는 낭만의 지대로 다가오지 않는다. 아주 예민하고 공포스러운 곳이기도 하다.

이를 상징하는 말이 "끊이락 이으락 분분한 백설"이다.

일찍이 국경을 동토의 계절, 죽음이라는 신화적 의미로 사유한 시인은 파인 김동환이었다. 그는 「눈이 내리느니」에서 눈 속에 소멸되어 가는 길, 다시 말해 조선으로 들어가는 길을 묘파해낸 바 있다.[19] 그는 이 시기 어느 누구보다도 민족 모순에 대해 깊이 인식한 시인이다. 그는 그러한 국경을 눈 쌓인 공간으로 묘사함으로써 민족이 처한 현실을 상징적으로 표현해내었다.

이 시기 국경에 대한 자각은 자각 그 자체로 한정되지 않는다는 점에서 우리의 주목을 끌게 된다. 여기에는 두 가지 의미가 내포된다. 하나는 국경을 통한 민족 의식의 자각이다. 국경은 하나의 민족과 다른 민족을 구분시켜주는 최소한의 구분점이 된다. 국경 너머의 세계와 그 반대의 지대는 민족에 대한 자각 없이는 성립하기 어려운 것이다. 이는 잃어버린 나라, 정체성을 상실한 민족에게 제시될 수 있는 최대의 각성일 것이다. 국경이 있다는 것, 그것은 바로 조선이라는 영토, 조선이라는 국토에 대한 반증의 결과이다.

그리고 다른 하나는 조선의 부활인데, 이는 압록강이 갖는 상징적 의미와 밀접히 결부된 것이다. 조선이 남쪽으로는 현해탄에 의해서, 북쪽으로는 압록강에 의해서 경계지워지고 있음은 잘 알려진 일이다. 개화기 이후 소위 근대주의자들이 응시의 시선을 돌린 곳은 '바다'였다. '바다'로 향하는 시선은 그동안 대륙지향적이었던 전통적 시선과는 전연 다른 지대에 놓이는 것이었다. '바다'야말로 근대 국가로의 길, 근대로 향하는 잣대로 수용되어 왔기 때문이다. 그것이

19 『금성』, 1924.

낳은 사유의 편린 가운데 하나가 현해탄 콤플렉스였거니와 이것은 일제 강점기 내내 근대주의자들의 정신 속에 내재해 있었다. 하지만 우리에게는 이런 '바다' 지향성 이외에도 대륙지향성이라는 전통적인 사유 또한 여전히 그 역동적 힘을 갖고 있었다. 그것은 일단의 문학에서 제시된 간도 체험이었다. 하지만 이 체험이 우리에게 주었던 것은 봉건적 틀에서 자유롭지 않은 경우가 대부분이었다. 가령, 주요섭의 「인력거꾼」이나 최서해의 문학에서 알 수 있는 것처럼, 소작인과 지주라는 이분법을 묘사하는 데 급급했고, 그것이 주는 효과라는 것이 대부분 봉건적 틀 속에서 갇혀 있는 것이었다. 근대로서의 '바다'와 봉건으로서의 '대륙'이라는 이분법은 이렇게 형성되었다. 물론 이것이 신경향파 시기의 문학적 주제가 되었음은 부인하기 어려울 것이다.

하지만 1930년대 후반 이후 대륙은 이제 전통적 의미의 봉건 사상으로부터 벗어나 새로운 인식적 기반을 마련하게 된다. 그것은 봉건적 질서 속에서 작동되는 지주와 소작인의 관계가 아니라 민족이라는 정체성의 새로운 정립과 밀접하게 연결되기 시작한 것이었다. 그 가운데 하나가 바로 민족에 대한 새로운 발견이었다. 따라서 이런 도정을 통해서 의미화된 민족의 의미는 저항성의 의미가 내포된 것이라는 점에서 주목을 요한다.

이제 대륙지향성의 시사적 의미들은 이 시기 새롭게 탄생하기 시작한다. 조선반도와 대륙의 경계에 놓인 것이 압록강이다. 압록강은 사대를 위한 굴종의 강이 아니고, 민족의 새로운 정체성을 확보하기 위한 긍정적 공간으로 새롭게 태어나는 것이다. 굴종이라는 부정과 탄생이라는 긍정이 새롭게 만나는 자리, 그것이 바로 얄루강, 곧 압록강이었던 것이다. 이 이중성이야말로 압록강의 정체성이었던 것이고, 그러한 정서가 만들어낸 것이 바로 얄루강 콤플렉스이다.

얄루강 변은 불안한 지대로 인식되고 묘사된다. 이찬의 표현대로 "진통을 앞둔 시악씨 맘같이/얄누장안 팔백리 불안한 지역"인 것이다. 왜 불안한 것인가. 그것은 바로 민족성이 깨어나는 자리이기 때문이다. 언제든 "OO당이 올 수 있는" 지역이다. 그러니 불안한 것이 아닌가. 여기서 OO당을 두고 부정적 음역으로 이해한 경우가 있지만[20], 그렇다고 굳이 이렇게 이해할 필요는 없다. 그것이 독립군이든 마적이든 상관없는 까닭이다. 독립군이라면 환호의 정서를, 마적이라면 경계의 정서가 지배할 것이다. 어떻든 경계와 예민한 자의식들은 잠재되어 있는 민족의 정서를 일깨우는 근거임은 틀림없을 것이다.

시월 중순이언만
함박눈이 펴억 펵……
보성의 밤은 한치 두치 적설 속에 깊어간다

깊어가는 밤거리엔 '수하' 소리 잦아가고

압록강 굽이치는 물결 귓가에 옮긴 듯 우렁차다

강안(江岸)엔 착잡(錯雜)한 경비등 · 경비등
그 빛에 섬섬(閃閃)하는 삼엄한 총검

20 김용직, 앞의 책, p.629.

포대는 산비랑에 숨죽은 듯 엎드리고
그 기슭에 나룻배 몇척 언제 나의 도강을 정비고 있나

오호 북만의 십오 도구(道溝) 말없는 산천이여
어서 크나큰 네 비밀의 문을 열어라

여기 오다가다 깃들인 설움 많은 한 사나이
맘껏 침통한 역사의 한 순간을 울어나 볼까 하노니

「눈나리는 보성(堡城)의 밤」 전문

이찬시의 특성 가운데 하나가 북국 정서라 할 때[21], 인용시만큼 그러한 특색을 잘 보여주는 작품도 없을 것이다. 시대적 함의를 담고 있는 함박눈이 있는가 하면, 길어가는 밤거리에 들리는 '수하(誰何)' 소리도 있다. 뿐만 아니라 강 주변에 경비를 서는 삼엄한 총검의 빛도 있고, 포대도 있다. 수하라든가 총검, 포대를 통해서 보성이라는 지역이 국경임을 알 수 있게 한다. 뿐만 아니라 강안(江岸)이라는 표현에서 알 수 있는 것처럼, 이 시기 이찬의 시들이 만들어지고 있는 얄루강가이기도 하다.

하지만 불안과 경계로 점철된 얄루강은 더 이상 비굴의 정서가 녹아있는 지역이 아니다. 뿐만 아니라 뿌리뽑힌 자들이 수동적으로 쫓

21 이동순은 이찬시의 중심 경향 가운데 하나를 북국정서로 인식했다. 그리고 이 정서는 대략 세가지로 유형화된다고 보았는데, 북방의 원색 이미지, 북방의 비극적 미감, 북방의 끈질긴 민중성 등으로 분류해 내었다.

겨가기만 하던 부정의 공간도 아니다. 이제 이곳은 민족성이 깨어나고 조선적인 것이 부활하는 긍정의 지대로 새롭게 태어난다. 이를 표명하는 구절이 "어서 크나큰 네 비밀의 문을 열어라"이다. 그렇다면, 이찬이 의욕적으로 표명한 '비밀의 문'이란 무엇인가. 이를 두고 몇 가지 관점이 있어 왔다. 이 시기 잠잠했던 독립군이 등장했고 그들이 비로소 북만의 어둠을 뚫고 국내로 들어오리라는 것과, 그와 반대되는 해석이 그러하다. 다시 말해 전자의 경우가 너무 과장된 해석이라는 것이다. 실제로 이찬은 해방 이후 북에서 이 작품에 대해 현실적 맥락에 맞게 개작을 한 바 있다. 맨 마지막 구절이 그러한데 북에서는 "들어 목메던 그 빛, 그 소리로 한껏 즐거워 보려노니."[22]로 바꾼 것이다. 어느 특정 시인이 작품의 완성도를 높이기 위해서 개작하는 경우는 종종 있어 왔다. 작품의 완성도 뿐만 아니라 시인의 세계관이나 사회적 분위기에 맞추기 위해서 시도되는 개작의 경우도 있다. 몇몇 연구자들은 이찬의 개작이 후대의 상황에 맞게 개작한 것이라는 점에서 그 의도를 긍정적으로 보지 않고 있다.[23]

개작이 작품의 완성도나 세계관에 맞게 고쳐질 수 있다는 점에서 이찬의 의도는 어느 정도 수긍이 가는 측면이 있다. 그러나 중요한 것은 개작이 아니라 처음 그 작품을 썼을 때의 의도랄까 시정신이다. 이찬은 어떻든 이 시기 파천황에 가까운 '비밀의 문', 곧 조선을 해방하는 독립군의 행위를 염두에 두고 이 작품을 썼을 수도 있다. 초기에 활발했던 독립운동이 1930년대 들어서 숨고르기에 들어간 것은

22 전집, p.529.

23 김용직, 앞의 논문.

잘 알려진 일인데, 독립운동을 이끌었던 세력들이 이 시기 와해되거나 해외로 망명하면서 더 이상 한만 국경지대에서 독립운동은 불가능한 것으로 인식되었다. 이런 상황 속에서 한 개 빛을 던져준 것이 있었다. 바로 김일성 중심의 항일 빨치산 운동이 그러하다. 그들이 행한 전투가 보천보전투였다. 이 운동은 여러 모로 중요한 것이었다. 하나는 그것이 국내를 배경으로 했다는 것과 다른 하나는 잠들어있는 독립운동이 부활하는 계기를 마련했다는 점이다. 따라서 이러한 소식이 국내로 전파되었다는 사실만으로도 민족 모순이라든가 정체성을 확보하는 주요한 계기가 되었음은 분명했을 것이다.

이찬의 「눈나리는 보성의 밤」에는 여전히 활동하고 있었던 독립군들에 대한 기대치가 반영되었을 것으로 보인다. 그럼에도 이찬은 그들의 활동에도 불구하고 그 성공 여부를 장담하기는 어려웠을 것이다. 그러한 정서가 표현된 것이 마지막 두행이다. "여기 오다가다 깃들인 설움 많은 한 사나이/맘껏 침통한 역사의 한 순간을 울어나 볼까 하노라"라는 정서가 그것이다. 하지만 이 정서조차도 어쩌면 사치에 불과한 것인지도 모르겠다. 잠들어있는 민족혼을 일깨우고, 독립국가에 대한 꿈을 일깨워주는 것만으로도 충분했을 것이다. 모든 것이 얼어붙은 불임의 땅에 그 조그만 온기라도 주어질 수 있다면, 이때의 독립운동은 그 자체만으로도 충분히 의미있는 것이었기 때문이다. 새로운 꽃이 피어나기 위한 작은 밀알만이라도 제시될 수 있다면 그 자체로 필요충분을 갖춘 것이 아닌가. 동토를 녹일 그 작은 불씨만을 뿌리고 살리는 것만으로도 이 시기 북만의 항일투쟁은 그 의의가 큰 것이었다는 점에서 그러하다.

4. 현실이 추방된, 모더니즘 감각의 후기 시들

1937년 시집 『대망』 이후 이찬의 시들은 크게 변모하기 시작한다. 일 년 뒤에 시집 『분향』이 간행되고, 2년 뒤인 1940년 시집 『망양』이 박문서관에서 출간되었다. 첫시집 이후 길지 않은 시간에 두 시집이 나왔지만 첫시집과 이후 시집들 사이의 시세계는 커다란 격차를 갖고 있었다. 이런 편차에는 여러 원인이 있을 수 있지만, 대략 다음과 같은 이유들을 들 수 있을 것이다. 이찬의 첫시집은 잘 알려진 대로 『대망』이다. 하지만 여기에 실린 시들은 시집이 나온 1937년 전후에 쓰여진 것이 아니라 그가 등단한 이후 발표된 시들과 그때까지의 작품을 모아 놓은 것이다. 따라서 대부분의 시정신은 카프 구성원으로서 활동하던 시절에 발표된 시와 카프 해산 직후에 나온 시들이라 할 수 있다. 그렇기에 거기에 담겨진 시정신들은 모두 카프의 권역에서 크게 벗어나는 것이 아니었다.

하지만 『대망』이후의 시들은 대부분 1937년 전후에 창작된 시들이다. 1937년은 시기적으로 이전과는 매우 다른 때이다. 일본의 중국침략이 본격적으로 시도되었기 때문이다. 그러니 소위 객관적 정세라는 것이 무척 악화된 시기였고, 그 결과 진보주의 문학은 더 이상 설자리를 잃고 있었다. 물론 그러한 징후들은 이미 카프가 해산되던 1935년 전후에 노정되고 있었다. 이찬의 시집 『분향』 이후의 시세계가 이전과 현저히 다른 것은 모두 이런 시대적 배경이 그 저변에 깔려 있었기 때문이다. 결국 현실 세계로부터 멀어지기 시작한 이찬의 후기 시들은 이런 시대적 배경과 밀접한 관련이 있었던 것으로 보인다.

지금까지 섬세한 검토가 이루어지지 못한 이찬의 후기 시들, 곧 『분향』과 『망양』을 지배하는 정조는 모더니즘 감각에 의존한 것으로 알려져 있다. 실제로 이 시기 그의 시들은 근대 초기에 볼 수 있었던 시어의 엑조티시즘적 경향이라든가 자본주의 문화에서 볼 수 있는 사적 자의식으로 점철되어 있다. 이는 거칠게 말하면 리얼리스트에서 모더니스트로의 전화 정도로 일반화할 수 있을 것인데, 시대의 분위기나 문예 사조의 일반적 국면에서 볼 때, 이런 변신은 어느 정도 예견된 것이었다고 할 수 있다. 어찌 보면 이런 시의식의 변화는 강요된 것이었다는 점에서 그 특징이 있는 경우이다. 이 시기 이찬의 시들은 대부분이 현실이 추방되어 있다. 앞서 언급한 대로 카프 작가로서 전형기에 그가 할 수 있었던 최대치가 국경에 대한 인식과 민족의 발견이었다. 그것은 곧 일상에의 복귀라는 카프 작가들의 유형화된 맥락과 깊은 관련이 있는 것들이었다. 하지만 이제 객관적 상황은 그러한 일상화된 복귀마저 허락될 수 없는 상황으로 내몰리고 있었다. 말하자면 현실은 가능한 한 최대한도로 시에서 추방되어야 했다. 그럴 경우 남는 것은 형식에 대한 집착이라는 기교주의와, 현실과의 고리를 최대한 배제하는 자기 고립의 정서뿐일 것이다.

휘장 나린 메인 · 스트
봄비 다한히 네온에 흐늑이고

덩달아 눈물짓는 페이브멘트 위에
나의 걸음은 바쁘지 않다

눌러쓴 소프트에 빗방울 뭉친들
이로하여 내 이마 더 무거울 이 없고

추켜 세운 우와 에리
용히 마르잖아 걱정일 아침도 없음이 아니야

뚫어진 구두창이야 젖어들든 말든
그 어드메 이를 염려할 아담한 방이 있는 것도 아니고

나는 도리어 이런 시각조차
강아지 한마리 아는 척 않는 것이 서러웁단다

그 어느 추녀 밑에도 내 세월처럼 웅쿠린 거렁패는 없어
이밤 순사네는 무슨 일로 빛나는 복무를 마치랴

열(熱)한 환소(歡笑) 넘나는 카페 · 비너스 앞
분재의 파초잎처럼 나는 향수에 젖어보면 무얼 하느냐

부르려무나 아 그 어디 성종(聖鐘)이라도 나를 부르려무나
나는 그만 아아무 하느님이라도 믿어버리고 싶단다

휘장 나린 메인 · 스트
봄비 다한히 네온에 흐늑이고

덩달아 눈물짓는 페이브멘트 위에
나의 걸음은 바쁘지 않다

「휘장 나린 메인·스트」 전문

이 작품의 특징적 단면은 모더니즘의 감각이다. 과연 이찬의 작품인가 의심이 갈 정도로 그의 본연의 작품 세계와는 거리가 있다. 우선 이 작품에서 가장 주목해서 보아야 할 부분이 현실에 대한 추방 감각이다. 자아와 사회적 환경이 끈끈히 결합되어 있던 현실의 끈들은 산산히 부서져 있다. 현실과 분리된 자아에게 남겨진 것은 방황하는 자아의 모습뿐이다. 그런데 중요한 것은 이것이 모더니스트 시인들에게 흔히 볼 수 있었던 산책자의 행보와 뚜렷이 닮아 있다는 사실이다.

이 작품의 배경은 비가 내린 오후, 혹은 저녁이다. 그는 이런 상황을 "덩달아 눈물짓는 페이브멘트 위"라고 표현했다. 그런데 거기서 시적 자아가 선택할 수 있는 여지는 거의 없다. "나의 걸음이 바쁘지 않다"라는 것이 바로 그러한데, 걸음이 빠르지 않다는 것이야말로 무목적적인 근대화된 자아의 일상적 모습이 아닐까 한다. 하지만 이 작품에서 산책자로 자임한 자아의 모습은 모더니즘 일반에서 흔히 볼 수 있는, 그러한 적극적 탐색자는 아니다. 말하자면 고현학(考現學)을 수행하고 있는 자아는 아닌 것이다. 가령 근대를 응시하고 그 본질에 육박하고자 하는 치열한 자의식은 표출되지 않고 있는 것이다. 이런 무력화된 자아의 모습은 1930년대라는 후반기의 현실을 떠나서는 이해할 수 없는 모습이라고 할 수 있다.

그리고 이 작품의 또 다른 특징적 단면은 시어의 엑조티시즘적 경향이다. 이 작품을 읽어보면 마치 1920년 중반기 정지용의 작품을 연상케 할 정도이다[24]. 외래어 남용과 그것이 곧 근대시의 한 특징적 단면이라는 강박 관념이 이 작품에서 드러나고 있기 때문이다. 현실주의가 사라진 자리에서 이찬은 이렇듯 시의 형식적 국면이라든가 현대적 국면에 세심한 신경을 쓰고 있었던 것이다.

역사도 권력도 문명도 부귀도
연엄(筵嚴) 수천리 준령으로 격(隔)하야
일찍 인류의 연면한 가슴 속에
한 개 연정도 불러본 적 없는 북방이여

원시
원시 그대로의 울울(鬱鬱)한 수렴
잉—잉
나희(北風)는 사철 수림을 휩쓸고

산새도 흥미잃은 진잿빛 하늘 밑
만목일도(滿目一圖) 높고 낮은 산정이여 좁고 넓은 영복(嶺腹)
이여
산정마다 영복마다 깎어 붙인 화전 · 화전 · 화전
화전가에 옹기종기 거리 없는 촌 · 촌……

24 가령, 정지용의 「카페 프란스」가 그러하다.

봄 · 여름
보낼 곳 없는 시악시의 애달픈 하소연이 장강(長江)을 흘러
칠백리 압록강 흐르고 흘러
이름없는 연변(沿邊) 계곡
애꿎은 물방아만 목매게 울리고

추구월(秋九月) 한그루 야국(野菊)인들 어느 동산에 찾으리
기인 긴 겨울 겨울은 눈으로 밝고 눈으로만 어둡고
북한(北寒) 영하 삼십여도
찾는 이 없는 차—단 밤 밤 꿈길도 아련한 등빛과 함께 창틈에 얼어……

오호 창세의 정적이여 생의 고뇌여
그러나 말없는 산천을 흐르는 세월이여
여기 선발(選拔)된 주민이 삼만삼천여!

감자 · 조 · 귀리 · 각양의 잡곡 조석(朝夕)도
그 어느 위대한 절미정책(絕米政策)의 공적임을 들은 바 없고
근로(勤勞) · 검의(儉衣)의 국민적 미풍도
그 어느 현명한 두뇌의 하루아침 장광설도 요구한 적 없고

때로 그들께 머언 먼 고향의 창연한 향수를 되씹는 습성은 있다 해도
아직 한번 그 계보를 잃어진 조상 속에 파뒤져 찾는 흥미도

제것으로한 적 없나니

지순한 것이여 지량한 것이여
최상의 인민이여
정히 행복은 여기 있어 가(可)하고
정히 행복이란 여기 있을 것

허기에 오늘도
큰 봇짐 적은 봇짐 들고 안고 지고 이고
다시 오북(奧北) 천리 이방(異邦) 호지(胡地)로
지나친 행복에 지쳐 떠나는 걸음들이 자못 수다타

「북방도(北方圖)」 전문

1930년대 전후 이찬 시의 가장 큰 특징 가운데 하나가 북방 의식이었다. 그리고 이와 결부된 민족 의식 역시 이찬 시의 커다란 축이었다. 북방에 대한 예리한 응시와 거기서 의미화된 시의 음역들은 1930년대 후반에도 이찬 시의 큰 줄기 가운데 하나로 자리한 것이다.

하지만 이런 북방의식은 시집 『대망』에 이르러서는 전연 다르게 의미화된다. 북방은 있되 그것은 더 이상 예민한 지대로 자리하지 않는 것이다. 뿐만 아니라 이와 결부된 민족 모순 또한 그 감각이 무뎌지고 있다. 이는 이 시기 모더니즘 감각이 부활하기 시작한 이찬의 시세계에 있어서 크나큰 변화라는 점에서 주목을 요하는 경우이다.

익히 알려진 대로 모더니즘은 두 가지 갈래를 갖고 있다. 하나가 영미계 모더니즘이라면 다른 하나는 프랑스계의 아방가르드이다. 일찍이 우리 시사에 들어온 모더니즘은 대개 전자의 경우였다. 초기 모더니스트였던 정지용이나 김기림 등이 그러했다. 반면 아방가르드 계열의 모더니즘을 수용한 쪽은 이상을 비롯한 『3·4문학』 동인들이었다. 물론 이 계열의 작품들이 이 시기가 처음은 아니었다. 1920년대 초기 임화를 비롯한 몇몇 사람들이 도입했던 다다이즘도 있었기 때문이다. 하지만 한국 시사에서 주로 받아들인 것은 영미계의 모더니즘이었다. 이 사조의 특징적 단면은 일종의 종말의식과 거기서 빚어지는 구조체 모형에 대한 추구였다. 곧 분열 의식의 노정과 이를 딛고 새로운 구원의 세계를 찾아나서는 것이 이 사조의 특징 가운데 하나였던 것이다. 그리고 그 마지막 지향점이 대개의 경우 자연을 비롯한 영원의 세계였다. 우리 시사에서 이런 면을 가장 잘 보여준 시인은 잘 알려진 대로 정지용이었다. 그는 분열 의식의 노정과 그 인식적 완결을 위한 끊임없는 노력 끝에 '백록담'이라는 전일의 세계를 발견한 것이다.

모더니즘이 보여준 이러한 행보에 비춰볼 때, 이찬은 영미계의 모더니즘에 가까운 시인이었다고 하겠다. 그러한 도정을 인용시 「북방도」에서 확인할 수 있는데, 그가 여기서 탐색했던 것은 일종의 원시세계와 가까운 것이었기 때문이다. 앞서 언급대로 민족 의식이라든가 국경에서의 대결 의식, 곧 그 예민한 감수성은 더 이상 그의 시에서 드러나지 않고 있는데, 이는 그의 시들이 모더니즘의 정신 세계로 접어들었다는 것을 일러주는 좋은 사례였다고 하겠다. 이런 면들은 「그리운 지역」이라는 다음의 시에서도 잘 드러나 있다.

내 마음 울울할 땐
휘파람 불며 불며 더듬어 가고 싶다
멀리 적도의 중심 열대의 그 나라로

바람도 잠자는 오렌지빛 하늘밑
늘어진 야자수 조으는 그늘 속에
가림없는 알몸뚱일 거림낌없이 내던지고
빠나나 · 코코아 · 올리브 · 파인애플의 훈훈한 향기에 쌓여
그윽한 무아의 꿈을 맺어보고 싶다

아 퍼플색 황색이 창백한 달밤을 가져오면
다한한 슬라이 · 기—타 미끄러지는 음율에 젖어
깜둥이 계집아이의 뜨거운 혓바닥을 핥으며
자지러지는 포옹과 미칠듯한 춤으로
맘껏 내 청춘을 불태워보고 싶다

아하 내 마음 울울할 때
휘파람 불며 불며 더듬어 가고픈 곳
머언 열대의 나라
그리운 그리운 지역이여

「그리운 지역」 전문

이 시를 지배하는 주조는 원시주의이다. 원시주의란 모든 문명적인 것이 의심받을 때, 모더니스트가 받아들일 수 있는 마지막 단계이

다. 여기서도 그 행보는 동일하게 나타난다. 우선 자아는 “내 마음 울울할 땐/휘파람 불며 불며 더듬어 가고 싶다/멀리 적도의 중심 열대의 그 나라로” 간다고 했다. 자아가 그리워 한 그곳은 원시적 감수성이 살아있는 절대 공간이다. 시인의 표현대로 “늘어진 야자수 조으는 그늘 속”이며, “빠나나, 코코아, 올리브, 파인애플의 훈기에 쌓여있는 곳”이기도 하다.

그렇다면, 원시적 동일성이 살아 있는 이곳이 시적 자아에게는 어떤 의미가 있는 것인가. 앞서 언급한 것처럼 근대가 인간에게 요구한 것은 분열과 같은 파편화된 의식이다. 자아와 세계가 절대적으로 거리화되어 있는 이분법적인 세계가 근대의 특징적 단면인 것이다. 그렇게 층위화된 이분법의 세계를 초월하기 위해서는 단일화된 세계로 나아가야 한다. 그 통일된 세계란 결국 자아라는 경계의 소멸, 곧 자아의 무화이다.

근대로 편입된 인간에게 일어난 변화 가운데 가장 큰 것은 자아의 분열이다. 그 분열이 영원의 상실과 불가분의 관계에 놓여 있는 것은 잘 알려진 일인데, 이렇게 자아가 팽창하는 것, 곧 자의식의 분열이란 욕망의 팽창과 밀접한 연관성을 갖는 것이었다. 따라서 인식적 완결 앞에서 자아의 팽창이란 무의미하다. 하나의 유기적 전체 속에 통합되어야 하는 것인데, 그러기 위해서 자아는 자기 정립되거나 정체성을 가져서는 곤란해진다. 이찬이 이 작품에서 “그윽한 무아(無我)의 꿈을 맺어보고 싶다”는 것은 이런 맥락에서 나온 것이다. 그 꿈이란 자아가 더 이상 감각되지 않을 때 가능하다. 말하자면 자아가 대자연의 일부가 됨으로써 성립될 수 있는 것인데, 그것이야말로 근대 모더니즘이 지향했던 궁극적 이상과도 같은 것이었다.

자아의 팽창과 그 축소의 과정이 모더니즘의 한 이상이라면, 이찬은 적어도 정지용과 동일한 반열에서 논의될 수 있을 것이다. 정지용이 걸었던 행보를 이찬의 경우도 똑같이 걸어왔기 때문이다. 1930년대 후반기 이찬 시가 갖는 의의는 이런 맥락에서 찾아야 한다. 그러는 한편으로 중요한 것은 모더니즘 감각 속에 편입된 그의 시들 역시 리얼리즘의 연속성에서 파악되어야 한다는 점이다. 그래야만 그의 후기 시들은 전기 시와 동일한 맥락에서 운위될 수 있고, 한 시인으로서 가질 수 있는 정신의 연속적 스펙트럼 또한 확보될 수 있기 때문이다. 전기와 후기가 결코 분리되는 것이 아니라는 점에서 이찬의 후기시가 갖는 의의가 있을 것이다. 뿐만 아니라 모더니즘 감각이 살아있는 그의 후기 시들은 해방 이후의 시세계와도 밀접한 연결고리를 갖고 있는 것이고, 이 고리 속에서 이찬의 정신사적 흐름을 찾을 수 있다는 점에서도 그 의의가 있는 것이라 하겠다. 이는 모더니즘과 리얼리즘의 넘나들기라는 세계사적 과제 속에 그의 시세계가 고스란히 편입될 수 있는 근거가 마련되어 있기 때문이다.

5. 체제 선택과 해방기의 시

1945년 해방이 되었다. 압제의 사슬이 끊어지고 우리 민족만의 국가, 그리고 이에 기반한 민족 문학 건설의 기회가 찾아온 것이다. 일제 강점기를 경과한 시인들 뿐만 아니라 신인들에게도 해방이 주는 기회를 자신의 세계관에 따라 선택할 수 있는 자리가 마련된 것이다. 이찬의 경우도 마찬가지였는데, 해방이 되자 그는 곧바로 문화의 중심지인 서울로 오게 된다. 그가 해방직전에 자신의 고향인 북청에서 어떤 일을 했는지에 대해서 자세히 알려진 것은 없다. 다만『망양』에서 보이는 몇몇 친일시에서 알 수 있는 것처럼, 일상의 강요로부터 자유롭지 않은 삶을 살았음을 미뤄짐작할 수 있을 뿐이다. 또한 형기를 마치고 고향에 돌아가서 해왔던 생계를 위한 일들, 가령, 양조장의 일이라든가 관납회사의 서기 정도일을 보았을 것으로 추정될 뿐이다.

어떻든 해방이 되자 그는 서울로 상경해서 문화의 중심 지대로 편입해 들어가기 시작했다. '조선 프롤레타리아 예술동맹'의 가입이 바로 그러하다. 하지만 그의 활동 무대가 된 '예맹'은 임화 중심의 '문화건설본부'만큼 활발한 것이 아니었다. 민족 문학 건설이 '문건' 중심으로 이루어졌기 때문에, 예술의 이데올로기성을 강력히 피력한 '예맹'의 활동은 한계가 있었기 때문이다. 이런 한계는 이찬의 경우에도 피해갈 수 없는 한계로 작용했다.

이런 벽에 봉착한 이찬이 선택할 수 있는 경우의 수는 많지 않았다. 임화의 '문건'에 서서 활동을 하거나 아니면 다른 선택을 해야 했다. 그가 나아간 것은 후자였다. 인민민주주의에 입각해서 새로운 민족 문학을 건설하고자 했던 북쪽으로 갔기 때문이었다. 이찬이 북으로 돌아간 것은 몇 가지 이유가 있었던 것으로 보인다. 하나는 그의 문학적 기반이다. 익히 알려진대로 이찬의 고향은 북청이다. 그는 1934년 출옥한 이후 고향을 떠난 적이 없고 그의 문학이 만들어진 곳도 이곳 북청이었다. 특히 그의 문학의 중심축이었던 북방 의식과 민족 의식이 여기서 형성되었기에 북청과 자신을 분리하는 것은 상상하기 어려운 일이었을 것이다.

다른 하나는 이념 선택의 적절성이다. 사회가 요구하는 환경과 자신의 세계관이 어느 정도 유효한가에 따라서 체제 선택을 하게 되는 것인데, 이찬의 세계관은 건설기에 있는 남쪽의 현실과 거리가 있었던 것으로 이해된다. 그는 임화와 개인적인 친분도 있었고, 또 인민민주의의 건설이라는 목표 의식도 공유하고 있었다. 이런 이유로 인해서 이찬은 임화와 더불어 인민성에 기반한 민족 건설을 하는데 있어서 그와의 동지적 결합도 얼마든지 가능했을 것으로 판단된다. 하지만 이찬은 임화로부터 거리를 두고 북쪽을 향하게 된다. 이는 그의 세계관이 여러 이질적 집단이 하나로 뭉쳐지는 인민성에 기반한, 문학가동맹 중심의 민족 문학과는 거리가 있었다는 것을 말해준다. 문학은 이데올로기이고 이데올로기는 타협이 불가능하다는 점에서 그러한데, 그가 해방 직후 '예맹'을 선택한 것도 이데올로기가 갖는 그러한 성격 때문이었던 것으로 보인다.

셋째는 모더니즘 사조와의 관련 양상이다. 이는 이념 선택의 문제와 분리하기 어려운 것인데, 모더니즘이란 궁극에는 통합의 세계 혹은 유의미한 유토피아를 탐색하는 것과 밀접한 관련을 맺고 있다. 실상 현대를 탐색하는 고현학의 방법이 산책자의 행보로 드러나는 것도 새로운 현실에 대한 기대치 때문이라 할 수 있다. 이찬은 이미 1930년대 후반부터 모더니즘의 의장과 그에 걸맞은 사유의 행보를 보여준 바 있다. 비록 그것이 강요된 현실에서 온 것이든 혹은 그렇지 않든 간에 그의 의식의 저변에는 분열된 자의식과 이를 치유할 수 있는 현실에 대해 끊임없는 질문을 던져온 터이다. 해방이란 탐색해온 이념과 현실이 만들어내는 교묘한 합일점이었다. 일제 강점기부터 모더니스트의 길을 걸어온 대부분의 시인들이 해방 직후 적극적인 이념 선택에 나선 것도 이로써 그 설명이 가능한 경우이다. 이찬의 행보 역시 대다수의 모더니스트들이 보여주었던 그것과 하등 다를 것이 없었던 것이다.

> 두 번다시 불러보지못할것만같었노라
> 祖國이여 네이름을
>
> 진정 두 번다시 불러보지못할것만같었노라
> 祖國이여 네이름을
>
> 아아 불러봐도 불러봐도 또다시 불러보곺은
> 그리운 네이름 나의祖國아
>
> 코끼운 소의 삶이였었다
> 행길가 장승의 나날이였었다
>
> 아 까닭없이 뺨맞은날에도 한숨하나 있을수없든
> 인고의 반세긔여 너는 갔느냐!
>
> 지금 이렇게 기쁜 나를 의심할 필요가 없고
> 지금 이렇게 열리는 내입을 두려워만해도 좋고
>
> 아 자유여 해방이여 祖國이여
> 아스러질듯 다거드러 떨리는 내가슴에 안기라

꿈이련 듯 너를 안고 이밤을 달밝으면
하염없이 벼개ㅅ모를 적실 다한한 네경역속

이역만리 머-ㄴ해외에서 햇빛못보는 '비애의성사'에서
춘풍추우 허다성상 오로지 너를위하야 피흘리고 너를위하야 메마른
수많은 형제들게 무엇으로 사례하리!

아 태극기ㅅ발이 하늘을 뒤덮고
독립 만세ㅅ소리 산천을 뒤흔들고

거리거리를 거젝이쪽에도 웃음이 피고
마을마을을 돌쪼각에도 노래가 우러난다

아아 이환히 이감격위에
祖國이여 빛나는 네이름 영원히 빛나기위하여
어서 없어다우 '인민공화'의 그 화려한 화려한 면류관을!

「祖國이여」 전문

이 작품의 주조는 민족적인 것과 분리하기 어려운 것이다. 이찬의 사유가 민족적인 것과 겹치기 시작한 것은 앞서 언급대로 1930년대 중반 전후이다. 계급 모순이 사라진 자리에 민족 모순이 들어올 때부터인데, 그것이 해방 직후 「조국이여」로 확장되어 나타난 것이다. 이

작품은 해방의 감격을 노래한 시이지만, 그러한 해방을 가져다 준 것은 독립 투사의 열정에 의한 것이라고 이해하고 있다. 독립 운동은 민족 모순이 만들어낸 결정체이기 때문이다. 물론 해방 직후 대부분의 시인들이 자신들의 작품을 일제 강점기 독립 투사들에 대한 헌사로 바친 것은 잘 알려진 일이다.

그럼에도 그러한 예찬의 정서가 곧바로 새로운 민족 국가 건설의 방향이나 민족 문학이 나아갈 방향으로 연결된 것은 아니었다. 행사시는 행사시 그 자체로 끝난 경우가 대부분이었는데, 「조국이여」는 행사 그 자체의 것으로 머무르고 있지 않다는 점에서 그 의미가 있는 경우이다. 그것이 새로운 국가 건설에 대한 의지이다. 작품의 맨 마지막에 나와 있는 것처럼, 이 작품의 주제는 새로운 국가 건설에 있었던 것인데, 이찬은 그러한 국가를 '인민 공화'의 국가로 한정시키고 있는 것이다. 여기서 말하는 인민 공화국이 당파성에 기초한 인민민주주의 국가임은 자명한 일이거와 그는 이렇듯 민족 모순에서 촉발된 사유를 통해 당파성에 기초한 민족 문학을 건설하고자 했던 것이다.

문학뿐만 아니라 그는 새로운 국가 건설의 일꾼으로서도 이와 비슷한 행보를 보여주었다. 해방 직후 잠시 서울에 있었던 그는 자신의 고향인 북청으로 돌아갔다. 거기서 그는 혜산군 인민위원회 부위원장을 맡는가 하면, '프로레타리아예술동맹' 한만지역 위원으로 활동하기도 했다. 뿐만 아니라 함남 인민일보사 편집국장으로도 일한 바 있고, 해방 이듬해에는 '북조선 예술 총동맹' 위원장에 피선되기도 했다. 그리고 이를 기반으로 조쏘문화협회 부위원장을 맡기도 했고, 문화선전성 군중문화국장을 역임하기도 했다. 이런 일련의 행보에서 알 수 있는 것처럼, 이찬은 북한 문화전선의 주요한 인물로 자리매김하게 된다. 그의 이러한 일련의 행위들은 모두 해방 이전 그가 펼쳐보였던 여러 사유의 연장선에서 온 것이지, 해방 직후의 어떤 특별한 계기에 의해서 만들어진 것, 곧 우연의 결과는 아니었던 것이다.

6. 에필로그

이찬은 1930년대 매우 예외적인 카프시인이었다. 그는 이 시기 다른 시인에 비해 카프에 비교적 늦게 참여했다. 물론 그의 정신사는 이 이전부터 형성되어 왔었는데, 그 계기는 일본 유학시절 관계맺은 〈무산자사〉와 임화와의 인연이었다. 비록 짧은 시기였긴 했지만, 그는 다른 카프 시인 못지 않은 열정과 행동을 펼쳐보임으로써 1930년대 중반기 대표적인 카프 시인으로 자리하게 된다.

하지만, '별나라 사건'으로 피검된 이후 약 2년에 걸친 수형 생활은 그에게 많은 변화를 가져오게 된다. 그는 형기를 마치고 고향인 북청으로 가게 되는데, 이때부터 그의 작품들은 새로운 단계로 나아가기 시작한다. 그것이 바로 북방 정서의 발견이다. 이 정서는 지리적 위치로서의 그것이나 물리적 어떤 사실의 차원을 넘어서는, 이 시기 우리 민족이 처한 특수한 상황을 담고 있다는 점에서 그 의미가 큰 경우이다. 일찍이 이 정서를 작품으로 발표한 대표적인 사례로 파인 김동환을 들 수 있다. 「국경의 밤」을 비롯한 「눈이 내리느니」에서 파인이 보여준 정서는 예민한 지대로서의 국경이었다. 여기서 이런 감각이 촉발되는 것은 한 나라와 다른 나라 사이에서 필연적으로 형성될 수밖에 없는 경계의 지대이기 때문이다. 경계란 경우에 따라 낭만적 호기심으로 작동될 수도 있겠으나 긴장 관계가 유지되는 경우에는 예민하게 감각되는 것이 일반적인 사실이다.

북방의 정서를 파인이 처음 지각했다면, 이를 더욱 심화시켜 우리 민족의 정서 속에 편입시킨 것은 이찬이었다. 이 시기 조선반도의 국경이란 두 가지 물리적 국면으로 형성되어 있었다. 하나가 현해탄으로 대표되는 바다였다면, 다른 하나는 얄루강으로 대표되는 대륙이었다. 근대로 나아가가는 자들이 바다에서 받았던 정서가 현해탄 콤플렉스였다면, 대륙 역시 그와 비례하는 것이었다. 대륙은 조선 반도와 고락을 함께 한 경험의 지대였다. 하지만, 일제 강점기에 이르게 되면 그것은 또 다른 희망의 불씨를 주는 기회의 땅이기도 했다. 좌절과 희망의 정서가 그러했다. 국경이라는 지대가 주는 국가와 민족의식, 그리고 그 반대의 좌절, 그것이 곧 얄루강 콤플렉스였다. 국경의 최전선에서 이찬이 수용했던 것이 바로 이 콤플렉스였다.

그리고 이찬의 북방 정서는 민족이라는 정체성을 새롭게 각인시킨 대상이라는 점에서도 그 의미가 있다. 실제로 이찬의 시들에서 이런 민족 모순의 관계를 사상시키고 접근하게 되면, 아무런 의미가 없을 만큼 북방 정서는 민족의 정체성 확립에 주요한 기준이었다. 백석에게 조선의 방언이 있었다면, 그리하여 민족의 정서와 정체성을 환기하려는 마력이 그의 시에 녹아있었다면, 이찬의 북국 정서는 백석의 방언 못지 않은 의의를 내포한 것이라 할 수 있다. 국경이 있다는 것, 그리고 대결의 장을 만들어내는 예민한 총검을 인식하는 일이야말로 민족에 대한 정서 없이는 불가능한 것이기 때문이다.

이찬은 1930년대 후반 기왕에 포지했던 북국 정서를 포기하고 모더니즘의 사유가 깃들인 작품을 발표하게 된다. 그것은 열악한 상황이 만들어낸 불가피한 선택이긴 했지만, 이 또한 이찬 시의 파노라마에서 주요한 하나의 단계를 마련하는 것이었다. 그의 모더니티는 새로운 것을 탐색하고 이를 의미화하려는 고현학이라든가 산책자의 미학적 가치에 복무되는 것이 아니었다. 모더니티에 대한 그의 탐색들은 불합리한 현실을 초월하고자 하는 고뇌에서 비롯된 것이고, 열악한 현실을 우회하고자 하는 자기 노력의 결과였다. 그것이 비록 현실이 추방된 관념화 혹은 자기 고립주의에 한정된 것이라 할지라도, 그 사유의 지대는 해방 공간의 현실과 밀접하게 연관되어 있다는 점에서 그 의의가 있는 것이었다. 그런 치열한 자기 탐색과, 그에 걸맞은 현실을 갈구하고 있었기에 그는 해방 직후 새로운 인민성, 당파성을 만날 수가 있었던 것이다. 그의 체제 선택과 북에서의 활동은 그러한 모색이 만들어낸 구경적 실체였다는 점에서 그 의의가 있는 것이라 하겠다. 이찬은 이 시기 다른 어느 시인보다도 치열하게 산 시인이다. 그가 탐색해낸 북국 정서와, 그로부터 파생된 민족의 정체성 확보는 백석 시의 방언 의식과 더불어 이찬 시의 시사적 의의라 할 수 있다.

한국 근대 리얼리즘 시인 연구

찾아보기

(ㅋ)

(ㅌ)

(ㅍ)

(ㅎ)

저자 약력

송 기 한

충남 논산생
서울대학교 국어국문학과 및 동 대학원 졸업
문학박사. 문학평론가
UC Berkeley 객원교수
대전대 우수학술 연구상, 시와 시학 평론상, 대전시 문화상 학술상 등 수상
현재 대전대학교 국어국문창작학과 교수

주요 저서로는 『한국 전후시와 시간의식』, 『고은』, 『한국 현대시와 근대성 비판』, 『1960년대 시인 연구』, 『서정주 연구』, 『한국시의 근대성과 반근대성』, 『서정의 유토피아 1, 2』, 『현대문학의 정신사』, 『소월연구』 등이 있음